AF607568

A QUINIENTOS AÑOS DE LA POLÍGLOTA: EL PROYECTO HUMANÍSTICO DE CISNEROS

Miguel Anxo Pena González
Inmaculada Delgado Jara
(coords.)

A QUINIENTOS AÑOS DE LA POLÍGLOTA: EL PROYECTO HUMANÍSTICO DE CISNEROS

Fuentes documentales y líneas de investigación

Salamanca, 2015

Esta Editorial es miembro de la Unión de Editoriales Universitarias Españolas (UNE), lo que garantiza la difusión y comercialización nacional e internacional de sus publicaciones.

FUENTES DOCUMENTALES
8

A quinientos años de la Políglota, el proyecto humanístico de Cisneros : fuentes documentales y líneas de investigación / Miguel Anxo Pena González, Inmaculada Delgado Jara (coords.). -- Salamanca : Servicio de Publicaciones, Universidad Pontificia, 2015.

424 p. ; 21 cm.

D.L. S. 86-2015. -- ISBN 978-84-16066-31-5

1. Biblia. Políglota. Complutense-Crítica, interpretación, etc. 2. Biblia-Versiones. 3. Manuscritos-Edición. 4. Libros antiguos I. Pena González, Miguel Anxo. II. Delgado Jara, Inmaculada. III. Universidad Pontificia de Salamanca. Servicio de Publicaciones.

27-27

09

Motivo de portada: Portada de la primera edición de la Políglota de Cisneros.

I.S.B.N.: 978-84-16066-31-5
Depósito Legal: S. 86-2015

Imprenta KADMOS
Teléf. 923 28 12 39
SALAMANCA, 2015

ÍNDICE

INTRODUCCIÓN

MIGUEL ANXO PENA GONZÁLEZ
Director del IHCE

El año 2014 será especialmente recordado por la celebración del V Centenario de la *Biblia Políglota Complutense,* acontecimiento histórico de primer nivel y que pone en evidencia la importancia del Humanismo en los reinos peninsulares y, de manera particular, en sus centros universitarios. Dicha efeméride fue la que dio expresión visible al *III Seminario Internacional de Edición y Traducción de Fuentes,* celebrado por el Instituto de Historia y Ciencias Eclesiásticas de la Universidad Pontificia y la que ahora da también título a la presente monografía: *A quinientos años de la Políglota: el proyecto humanístico de Cisneros.* Desde su creación, dicho Seminario ha tenido como finalidad la transmisión y comunicación de diversas formas de trabajar en las Ciencias Eclesiásticas, abriendo un diálogo vivo entre los maestros que llevan tiempo dedicados a las tareas científicas y de investigación y, por otro lado, incorporando también a los futuros nuevos investigadores, que están todavía en el proceso de concluir su formación.

No cabe duda que el patrimonio cultural de las Ciencias Humanas, particularmente Eclesiásticas, está sufriendo un duro golpe, no sólo en razón de los diversos programas oficiales de estudio, sino también por la falta de atención y sensibilidad hacia dichos temas, pero también por la ausencia de unos adecuados y necesarios conocimientos interdisciplinares que posibiliten adentrarse adecuadamente por las sendas del conocimiento. El acervo cultural del que, en décadas pasadas, era poseedor un investigador hoy es difícilmente recuperable, también como fruto del avance del conocimiento. Las nuevas tecnologías y la era digital nos obligan a revisar cómo trabajamos y con qué soportes trabajamos. Podremos quejarnos de los métodos clásicos o de los modernos, pero no cabe duda de que lo más necesario es encontrar alternativas, de tal manera que la investigación en las Ciencias Humanas y Sociales sigan teniendo suficiente encanto como para suscitar la atracción de algunos individuos.

Las Ciencias Eclesiásticas, por otra parte, no pueden ser vistas como si de un coto cerrado de clérigos se tratara. Es algo mucho más serio, como para que sea considerado como un campo de conocimiento vivo y necesitado de nuevos estudios, sobre temas que todavía no han sido abordados y, al mismo tiempo, la revisión y nuevas interpretaciones historiográficas de aquellos que han sido elaborados en décadas pasadas. Partiendo de dichos principios, el libro que tienes en tus manos presenta las aportaciones de una serie de investigadores que siguen considerando y debatiendo sobre temas cruciales, superando el límite de los temas impuestos por las modas y los centenarios. No cabe duda que los centenarios son una oportunidad para la revisión de aspectos esenciales, pero no pueden convertirse en el eje transversal de la investigación. Precisamente por ello, esta obra se organiza en dos grandes apartados, que son también las amplias secciones en que se ordena el Seminario.

El hecho mismo de la organización de la obra está ya haciendo referencia a los números monográficos –de la revista *Helmántica*– o monografías que hemos publicados en los años anteriores. Esperemos que estos ejemplos puedan servir a los alumnos e investigadores para encontrar herramientas adecuadas en aquella investigación que pretenden llevar adelante.

Siguen siendo una preocupación las teorías que han de sostener el análisis y la reflexión teórica y, al mismo tiempo, las herramientas concretas con las que hoy en día contamos a tal efecto. Por ello, la primera parte lleva por título *La transmisión manuscrita e impresa: algunos casos destacados*. En esta ocasión se trata de un abanico amplio de ejemplos que van desde la edición de las fuentes hasta las sucesivas ediciones de un autor, llegando a la reflexión concreta de algún aspecto de un autor relevante.

En razón de la efeméride antes señalada, hemos querido comenzar con un estudio sobre la elaboración y factura material de la obra patrocinada por el Cardenal Francisco Ximénez de Cisneros. Dicho trabajo ha sido elaborado magistralmente por el maestro Julián Martín Abad, eminente bibliotecario de la Biblioteca Nacional de Madrid, que nos introduce en los matices de la fabricación y del producto editorial. Este tipo de detalles, si siempre resultan atractivos al amante del libro, mucho más lo son en una obra tan singular como la *Políglota*, con sus múltiples peculiaridades, que la convierten en una obra singular y única en su género.

Siguiendo en la perspectiva bíblica, la profesora Adelaida Andrés Sanz, de la Universidad de Salamanca, nos presenta un recorrido por las versiones y ediciones altomedievales de la Biblia Latina, centrándose particularmente en el caso de san Isidoro de Sevilla, que viene a presentar el texto bíblico por parte de Isidoro, pero también un acercamiento a toda la cuestión bíblica isidoriana. No hay duda de que, san Isidoro de Sevilla, no sólo por sus *Etimologías* sigue siendo fuente de inspiración y pensamiento, por lo que es un claro ejemplo de cómo trabajar a un autor latino que ha tenido una amplísima proyección y valoración en los siglos posteriores.

Los dos estudios siguientes, que son obra de Víctor Pastor, nos acercan al complejo mundo de la exégesis bíblica. El primero de ellos nos pone de manifiesto cómo las obras bíblicas de Antonio de Nebrija no cuentan con ediciones críticas ni traducciones desde el siglo XVI, sino que permanecen manuscritas e impresas en diversas bibliotecas, tanto peninsulares como extranjeras. Esta realidad es la que lleva al investigador a estudiar la figura de Nebrija en el contexto del Renacimiento cristiano promovido por el Cardenal Ximénez de Cisneros. El lugar de partida será la *Apologia* del nebrisense, obra clave para entender su biblismo, de la que se hace un detallado estudio y una traducción parcial. Pero, quizás lo que resulte más interesante, es el hecho de situar a Nebrija en la corriente humanista que parte de Valla y que llega a Erasmo. No cabe duda de que las semejanzas en su formación académica, vocación y conocimiento de lenguas es particularmente notable. Se cierra este estudio con una propuesta de edición y traducción de una decena de obras de filología bíblica del profesor nebrisense.

Por otra parte, el hebraísta salmantino Martín Martínez de Cantalapiedra (1518-1579) enseñó exégesis bíblica en las aulas universitarias recurriendo a los textos originales (hebreo y arameo) de la Sagrada Escritura, como ya había defendido Nebrija en su *Apologia* (1507) o proponía Cisneros, editando los textos originales y sus traducciones en la *Biblia Políglota Complutense* (1514-1517). Hacer exégesis en la época del maestro Martínez de Cantalapiedra, a cincuenta años de Nebrija y de la *Políglota*, era difícil, pero no imposible, a pesar de que con la publicación de los decretos tridentinos sobre la Sagrada Escritura, cualquier interpretación bíblica tenía el peligro de acercarse a los luteranos o a los judíos –como dirá el propio Cantalapiedra–. Analizando el libro primero de sus *Hypotyposes*, manual para biblistas y hebraístas, en su primera edición (1565) y segunda (1582), ésta última censurada en el Índice Expurgatorio de Quiroga, comprobamos que los pasajes más conflictivos –le costaron cinco años de prisión, aunque luego fue absuelto–, tienen que ver con el aprendizaje de las lenguas y el recurso a los textos originales que el maestro enseñaba en sus clases y defendió en su largo proceso ante la Inquisición de Valladolid, como sus compañeros de cátedra fray Luis de León y Gaspar de Grajal. Se añaden tres apéndices de documentos impresos: el prólogo primero (Carta de Cisneros al Papa León X), páginas seleccionadas del libro primero de las *Hypotyposes* de su primera edición y, por último, páginas paralelas de la segunda edición de la misma obra que permiten su comparación.

Con la intención de presentar grandes proyectos de investigación y traducción, así como su transmisión manuscrita e impresa, parecía necesario acercarse a la traducción de la *Septuaginta* a la lengua de Cervantes. Es lo que lleva a cabo la profesora Inmaculada Delgado Jara, miembro del equipo que, en la editorial Sígueme, está llevando adelante el trabajo de traducción de la Biblia griega, bajo la dirección del profesor Natalio Fernández Marcos, del CSIC. La recuperación de la primera traducción de la Biblia hebrea al griego, llevada a cabo en Alejandría y que se culminará en el siglo I d. C., es fundamental para el conocimiento veraz y atento de cómo ora la comunidad cristiana, así como su desigual influencia a lo largo de la historia de la interpretación bíblica. Por eso, después de hacer referencia a su uso, se analizan las circunstancias que han motivado el resurgir de los estudios en torno a esta obra y la necesidad de llevar a cabo una traducción de la misma en las diversas lenguas modernas. La autora, por último, concluye presentando las características de la traducción al español de la Biblia griega.

Si en el trabajo de la profesora Delgado Jara se presentaba la edición y traducción de Septuaginta, ahora nos acercamos a un ejemplo concreto de la misma, respecto al libro de Job, centrándonos en el análisis de los versículos 1,1-2,10 y 42,10-17. Se trata, en concreto, del análisis de la parte narrativa de la obra, que tiene una entidad en sí misma. Después de recorrer las características generales respecto al autor y la obra, Anselmo Matilla nos refiere cómo llevó a cabo la investigación: metodología de trabajo, etapas en la investigación, dificultades, para después de presentar la traducción de LXX y sus características, poner de manifiesto las diferencias textuales entre la parte narrativa de LXX y el texto masorético. El autor presenta, así mismo, unas conclusiones de su investigación y una bibliografía específica.

Cambiando el ámbito de investigación y centrándonos en el marco del siglo XVI, el profesor Antonio Osuna, gran especialista en los manuscritos de la «Escuela de Salamanca» y, particularmente de Francisco de Vitoria, nos acerca al carácter científico de la Teología en el pensamiento de dicho maestro. Se trata de un acercamiento necesario a los grandes conceptos que el investigador ha de conocer y analizar para trabajar sobre una época concreta. Para ello nos acerca a las diversas fases de su investigación, que pasan por sus lecciones en el Aula y sus relecciones a toda la Universidad de Salamanca. A partir de los manuscritos nos presenta qué entiende por ciencia teológica, para luego compararla con la doctrina sostenida por el Aquinate. En un segundo momento analiza la interpretación que da Vitoria y la denominada «Escuela de Salamanca», entendiendo que siempre es susceptible de una revisión doctrinal, para concluir con una consideración acerca de la índole científica de la teología y el valor de dicha ciencia para el maestro dominico.

También en la misma época y contexto, nos centramos en la teoría de la traducción en fray Luis de León, discípulo del también maestro salmantino Domingo de Soto, que dedicará largas horas a la traducción de clásicos, con la intención de perfeccionar el estilo tal y como se hacía en la época. De esta manera, el profesor Pablo García Castillo nos introduce en los entresijos de la tarea de la traducción del maestro agustino. Con gran intuición y acierto nos va llevando a través de los diversos trabajos de traducción, resaltando concretamente cómo interpreta el propio maestro su trabajo de traducción. Se trata, también en esta ocasión, de un humanismo que permea cristianismo y, por ello, busca una fidelidad sin límites al texto original, tal como se deja ver en La *Exposición del Cantar de los Cantares* o en la *Exposición del libro de Job*, aunque no sea fácil lograrlo, en razón de la polisemia y la variedad de sentidos que encierra una palabra. Castillo, en este sentido, considera que la belleza y perfección que logra fray Luis en los clásicos es también consecuencia de no ser palabra inspirada, así como por la vocación poética del ermitaño de san Agustín.

Siguiendo también en un contexto humanista, la profesora Amalia Xóchitl López Molina, de la UNAM, nos presenta una reflexión acerca de los humanismos en México. Comienza dialogando qué hemos de entender por humanismo, para luego presentar tres interpretaciones posibles acerca del mismo, y que están en estrecha relación con autores vinculados. En este sentido, con relación al humanismo italiano sitúa al jurista Juan Ginés de Sepúlveda que, precisamente, se había formado primero en Alcalá y luego en el Colegio de San Clemente de Bolonia, entrando particularmente en relación con una manera de entender la vida, que le llevará a trasladar algunas instituciones de la *Política* de Aristóteles a un contexto político y no al doméstico, en el que lo había situado el Filósofo. En relación con un humanismo cristiano, que la autora identifica como aquel de la «Escuela de Salamanca», es el agustino fray Alonso de la Veracruz, incansable luchador de los derechos de los naturales y regulares. La autora se detiene en analizar esta visión a partir de la obra de Veracruz: *De dominio infidelium et iusto bello*, donde defiende el derecho de los indios sobre sus bienes, su política y su cultura. Por último nos presenta una tercera interpretación del humanismo, que sería la sostenida por Vasco de Quiroga y que tendría mucho que ver con la concepción erasmista del humanismo, donde la simplicidad de la ley de Cristo y la libertad cristiana eran elementos esenciales, y donde se encontraba también presente el inglés Thomas More. En esta línea propone la autora que hemos de entender los hospitales-pueblo propuestos por el obispo de Michoacán.

Con la intención de tener siempre una mirada amplia, el profesor Eduardo Javier Alonso Romo nos presenta las *Fuentes de la Compañía de Jesús en Oriente*, usando como paradigma de las mismas, los escritos de san Francisco Javier, lo que supone también centrarse en sus escritos en lengua portuguesa. Comienza el autor reconociendo la significatividad, fiabilidad y poco uso de dichas fuentes, en relación a otras de la misma época. Comienza por presentar las grandes fuentes documentales de la Compañía de Jesús: *Monumenta Historica Societatis Iesu* y otras colecciones, así como el origen del corpus epistolar de los jesuitas en el Oriente. Pasa, en un segundo momento, a presentar los escritos javerianos, entrando en todos los matices de la cronología, los amanuenses y el estado actual de los textos: originales y los textos perdidos. Termina haciendo referencia a los escritos atribuidos y al posible diario espiritual.

Concluye esta primera parte de la monografía con dos estudios centrados en el pensador Francisco Suárez, que pone de manifiesto la importancia de esta época y la singularidad del autor. El primero de ellos está elaborado por Laura Soto Rangel, de la UNAM, en el que analiza la discusión entre ontología y teología en las *Disputaciones Metafísicas*, «principium et causa», concretamente en la disputación XII. La autora comienza planteándose los grandes interrogantes, poniendo de manifiesto que la filosofía, a lo largo del siglo XIX y XX, ha planteado sus estatutos bajo la amplitud de una laicidad, que dificultan comprender y, por lo mismo enfrentarnos, a una serie de problemas que han nacido en el seno de una filosofía, pero en relación recíproca con la teología. Soto Rangel comienza por presentar las orientaciones y problemáticas existentes en las *Disputaciones*, para luego analizar concretamente «principio» y «causa» en la disputación XII. Concluirá señalando una serie de cuestiones vinculadas con la causalidad, que tienen mucho que ver con el contexto y la teología del momento.

Por su parte, el profesor Ángel Poncela González presenta la edición del «Tratado de las pasiones», de Suárez, desde el punto de vista histórico y bibliográfico. Comienza por señalar que sería más adecuado hablar de «Humanismo Escolástico Ibérico» y, el ejemplo que aquí nos presenta, es parte de una investigación que tenía como finalidad analizar la filosofía de las pasiones en la «Escuela de Salamanca». Comienza por ubicar en contexto la obra, en el conjunto del corpus de Suárez, lo que permite intuir y entender el porqué de dicho tratado. Y, una vez que nos ha presentado el contexto y las vicisitudes en las que se enmarca la obra, pasa a analizar los aspectos formales de la edición. Para ello muestra la comparación de la teoría suareciana con la del Aquinate, que se desarrollará con mayor amplitud, en la introducción de la edición que ahora se presenta. Explica por qué se ha optado por usar la edición de 1609 y la de 1851, para luego referir detalles acerca de la elaboración de la edición, como el hecho de conocer los autores y fuentes citados por Suárez, como elemento indispensable para una adecuada traducción y comprensión. No cabe duda que, el ejemplo concreto, ofrecerá a aquellos que están comenzando pautas adecuadas para su trabajo.

La segunda parte de la presente monografía lleva por título *Metodología para la edición de fuentes manuscritas e impresas.* Si la primera sección, como hemos señalado, se centraba en los autores y la transmisión de su pensamiento, esta segunda pretende mostrar ejemplos de cómo se ha trabajado y se sigue trabajando en la edición de fuentes. El primer ejemplo nos propone estrategias de edición en la reconstrucción de una historia del siglo XIV, pasando del documento al archivo. En este sentido, el profesor Arsenio Dacosta tiene ya larga experiencia, desde los días de sus estudios sobre los linajes de Vizcaya. En este caso, como él mismo señala en el objeto de su trabajo no se trata sólo de la cuestión de la transmisión documental, sino también de la posibilidad de reconstruir el archivo señorial de los Ayala. Dacosta nos hace una presentación de los manuscritos, para luego detenerse en el contenido de los mismos, así como analizar la transmisión de las copias conservadas, analizando las pistas para la reconstrucción de un original medieval y, de esta manera, poder presentar una hipótesis de trabajo sobre la producción escrita vinculada, en este caso, a la Casa de Ayala.

Por su parte, José Anido nos presenta un ejemplo de la inflación bibliográfica en el siglo XV, a partir del ejemplo de las obras del mercedario fray Pedro de Cíjar. El contexto en el que surge el ejemplo es en relación a la elaboración, edición y estudio del *Opusculum tantum quinque editum per fratrem Ciiarii super commutatione uotorum in redemptionem captiuorum,* ya que para realizar dicho trabajo es necesario un adecuado conocimiento del autor, así como de su modo de escribir. El autor comienza por presentar los elementos necesarios para abordar el trabajo, lo que sería la búsqueda heurística para, en un segundo momento hacer una oportuna presentación de las obras atribuidas al mercedario, en las que se analiza desde las copias manuscritas hasta las sucesivas ediciones. Cierra Anido su ejemplo presentando unas breves conclusiones, que pueden muy bien servir de pautas para trabajos de parecida índole.

Ampliando el abanico de ejemplos concretos, respecto a las posibilidades y retos de la investigación en las Humanidades y, de manera particular, en relación con los fondos eclesiásticos, María José Carrera Boente nos introduce en el complejo mundo de los manuscritos y, de manera particular, de los libros de coro, particularmente en la Edad Moderna. Se trata de analizar su proceso de elaboración, así como de las posibilidades de investigación que nos ofrecen, tomando para ello como ejemplo los elaborados en las catedrales de Santiago de Compostela y Lugo. El tema resulta especialmente sugerente, puesto que son pocas las investigaciones dirigidas a esta temática, lo que se evidencia en la escasa producción bibliográfica al respecto. De manera concreta, Carrera Boente parte de la descripción de ambas librerías corales, ubicándonos en el contexto de dichas obras, para luego introducirnos en su elaboración. En un tercer momento nos presenta el papel insustituible de los artesanos, así como las tareas desempañadas por éstos, para concluir con la elaboración concreta de la obra, así como los materiales necesarios para llevar a cabo su realización. Por último, presentando posibilidades para investigaciones paralelas nos presenta cuáles serían las fuentes principales para el estudio de los cantorales.

Como en la publicación anterior, también en esta segunda parte, presentamos proyectos concretos de edición. En este caso concreto se trata de la *Colección de Humanistas Españoles*, de la Universidad de León, dirigida por el profesor Jesús Mª Nieto y que supone una recuperación especialmente sugerente de la tradición clásica, patrística y de exégesis bíblica. El trabajo tiene como finalidad concreta la presentación de los 32 volúmenes publicados en dicha colección y, de manera particular, la obra completa de Pedro de Valencia, que consta de 10 volúmenes, así como el proyecto de edición de la *Monarquía mística* de Lorenzo de Zamora. Se añade el comentario del opúsculo de Pedro de Valencia, *De la tristeza según Dios y según el mundo, consideración sobre un lugar de San Pablo*, como ejemplo de pervivencia de la tradición clásica, patrística y bíblica en el Humanismo español. Estamos convencidos que el conocimiento de estas colecciones permitirá a los futuros investigadores inspirarse y, en muchos casos, resolver dudas que les puedan ir surgiendo.

Por su parte, la profesora Rosa Mª Herrera, de la Universidad Pontificia, nos presenta unos apuntes de teoría de la traducción, como un resultado teórico a partir del trabajo de traducción de un manuscrito de las lecciones del maestro Francisco de Vitoria. En este sentido, es necesario tener presente que la actividad del traductor no es una ciencia exacta o una técnica sometida a reglas estrictas y automáticas. En la traducción intervienen muchos factores. Además del valor propio del mensaje trasmitido hay otros elementos fundamentales para la mejor comprensión de mensaje y pensamiento del autor. Una traducción, por este motivo, necesita una base teórica para formular las opciones, generar posibles traducciones y elegir entre ellas. En este sentido, el Ms 85/03 de la Biblioteca de la Universidad Pontificia de Salamanca nos transmite las clases de Francisco de Vitoria a las que asistió Juan de Barrionuevo. En este caso la traducción es una fase que completa el proceso de transcripción. Por otra parte, en una traducción de estas características es también necesario conocer el pensamiento filosófico del Aquinate y cómo lo interpreta el maestro salmantino.

Por su parte, Álvaro Baraibar, investigador del GRISO, de la Universidad de Navarra nos presenta un ejemplo en torno a la visibilidad de la investigación en Humanidades. Un tema ante el que todos nos solemos poner bastante nerviosos, pero que comienza también a ser una necesidad, puesto que no es de recibo que después de los grandes esfuerzos que supone una investigación humanística, los resultados no tengan un reflejo directo en la comunidad científica. Baraibar parte del contexto de una nueva realidad investigadora, sobre el que –como decíamos– es necesario reflexionar, para luego presentarnos el ejemplo concreto del Grupo de Investigación Siglo de Oro (GRISO) y su labor de investigación. Una vez presentada la organización concreta de la institución se nos ofrecen los resultados de la visibilidad de la investigación en un mundo digital, como experiencia concreta: visitas, consultas, descargas, flujo de información, así como la progresiva incorporación de herramientas complementarias. Baraibar cierra su exposición con unas conclusiones, que nos pueden servir de punto de vista personal, pero también de medida de evaluación para grupos e investigaciones semejantes. Cierra con una bibliografía esencial acerca del tema.

Por último, pero no porque tenga menos importancia, se nos presenta cómo elaborar índices, partiendo del ejemplo concreto del «Synodicon Hispanum». De manera concreta el autor nos acerca a una de las cuestiones más delicadas y, al mismo tiempo, más importantes en la finalización de una obra científica: los índices. Desde su propia experiencia personal, Francisco Cantelar, que ha elaborado un número amplio de índices a lo largo de su vida, nos acerca a los diferentes tipos que pueden acompañar a una obra científica. Comienza por presentar la importancia de los mismos para, en un segundo momento, analizar qué es un índice de personas, toponímico y, por último, el analítico y temático. Al mismo tiempo nos presenta problemas y dificultades en su elaboración.

Es necesario hacer notar que, la presente monografía no hubiera sido posible sin la colaboración del Instituto de Historia y Ciencias Eclesiásticas «Fray Luis de León» (IHCE), de las facultades de Teología, Filosofía, Derecho Canónico de la Universidad Pontificia, así como de la Biblioteca General «Vargas-Zúñiga» y del Servicio de Publicaciones, de dicha Universidad, de igual manera que el Grupo de Investigación Reconocido «Historia Cultural y Universidades Alfonso IX» (CUNALIX) y del Instituto de Estudios Medievales y Renacentistas (IEMYR), de la Universidad de Salamanca. A todos ellos mostramos nuestro sincero agradecimiento.

Tanto los Seminarios, como la presente monografía, han contado con un Comité Científico, compuesto, por los siguientes profesores-investigadores: Luis Girón-Negrón, *University of Harvard*; Inmaculada Delgado Jara, *Universidad Pontificia de Salamanca*; Juan Mª Laboa, *Universidad Pontificia de Comillas*; Mauro Mantovani, *Università Pontificia Salesiana*, Luis E. Rodríguez-San Pedro, *Universidad de Salamanca* y Marta Pavón, *Centro Español de Estudios Eclesiásticos*.

El presente trabajo ha sido realizado en el marco del Proyecto de Investigación del Ministerio de Economía y Competitividad: «Las Universidades Hispánicas (siglos XV-XIX): España, Portugal, Italia y México. Historia, saberes e imagen», con la referencia: HAR2012-30663.

1. LA TRANSMISIÓN MANUSCRITA E IMPRESA: ALGUNOS CASOS DESTACADOS

LA *BIBLIA POLÍGLOTA COMPLUTENSE*: EL PROCESO DE FABRICACIÓN Y EL PRODUCTO EDITORIAL

JULIÁN MARTÍN ABAD
Biblioteca Nacional, Madrid

Acaban de transcurrir 500 años desde el 10 de enero de 1514, la fecha que figura en el colofón del volumen V de la *Biblia Políglota Complutense*, el que contiene el *Nuevo Testamento* y el primero que fue impreso. La impresión de los cinco volúmenes restantes se concluyó el 10 de julio de 1517, aunque ciertamente el producto editorial y comercial sólo se logrará a partir de la primavera de 1520 y es probable que la puesta en venta efectiva no se produjera hasta 1522.

El centenario sería sin duda la mejor ocasión para llevar a cabo una contextualización plena de la aparición de este *libro*, a todas luces singular, en cuanto producto textual, tipográfico, editorial y comercial. Habrán de analizarse los factores culturales –en el sentido más amplio posible del término–, artesanales y dinerarios que intervinieron en la realización de este *texto bíblico impreso plurilingüe* y, en cuanto tal, en la propia historia del texto de la *Biblia*, a la vez que en la historia de la imprenta y de la edición españolas, y sin olvidar, en ningún caso, la biografía de sus creadores intelectuales y artesanales. La *Biblia políglota* es fruto de la singular espiritualidad del cardenal Cisneros y es el logro de mayor largueza de su plan de reformas eclesiásticas y de su mecenazgo, voluntad decidida que entró en conflicto con algunos de los filólogos responsables de la preparación de los textos originarios y de sus traducciones. La *Biblia políglota* se imprimió en el taller complutense de Arnao Guillén de Brocar, y es necesario también contextualizar su impresión dentro de la cuantía, la importancia histórico-cultural y la singularidad tipográfica e iconográfica de la producción de ese taller de imprenta y de los otros varios del gran maestro impresor, activos entre los años 1490 y 1523. Contextualización que también debe incluir la peripecia de los propios ejemplares como productos históricos –*books as history*–, atendiendo al control bibliográfico de los conservados, a las pasiones bibliofílicas que han colmado o frustrado, al proceso de sedimentación bibliotecaria y, en resumidas cuentas, a su presencia o ausencia cultural a lo largo del tiempo[1].

Parafraseando a Jaime Moll diré que solo voy a ofrecer un análisis somero, incompleto, de un libro impreso singular pero desgajado del texto, o mejor, en este caso concreto, de sus múltiples textos. Afirmó el gran maestro que «el libro –objeto que permite por medio de la escritura la conservación y difusión de un texto– presenta unos componentes materiales, es el fruto del desarrollo y aplicación de determinadas técnicas y es dependiente de unos planteamientos económicos y comerciales. Por otra parte, el texto publicado obedece a una intencionalidad difusora intelectual del autor y el editor. Es preciso además tener en cuenta al lector-comprador, factor imprescindible, principalmente si nos atenemos al doble carácter que tiene el libro de transmisor de un texto y de objeto económico y comercial. Este conjunto de incidencias condicionantes deben ser consideradas al analizar la relación libro-texto, pues afectan en muchos de sus aspectos»[2]. En esta llamada de atención, me limitaré a comentar brevemente algunos detalles sobre el proceso de fabricación de la Biblia y sobre el resultado editorial, de acuerdo con la limitación que me he impuesto en el título.

1. De la *composición* y la *mise en page*, con observaciones sobre la página como un todo textual

Cada uno de los ejemplares de la tirada de una edición impresa antigua, en forma de libro o de hoja suelta, constituye un *producto tipográfico*,

1 Una aproximación puede verse en mi artículo, cf. J. Martín Abad, «Los contornos diversos de la *Biblia Políglota Complutense*», en *La Sociedad de Condueños de Alcalá de Henares (entre el sueño y la realidad)*. Alcalá de Henares, Universidad y La Sociedad de Condueños de los edificios que fueron Universidad, 2000, 41-72.

2 J. Moll, «El libro, entorno del texto», en *Le livre et l'édition dans le monde hispanique XVIe-XXe siècles: Pratiques et discours paratextuels*. Grenoble: Centre d'Études et de Recherches Hispaniques de l'Université Stendhal, 1992, 9-19.

y para proceder a su análisis es necesario conocer el complejo proceso que se desarrolla desde el momento en que el original llega al taller de imprenta hasta el momento en el que el comprador/lector puede disponer de su copia, es decir de uno de esos ejemplares. En ese proceso existen tres fases u operaciones sucesivas: la *composición*, el *casado* y la *imposición*, y la *tirada*. Dicho brevemente: una primera actuación, que era responsabilidad inmediata del cajista y que consistía en escribir o componer el texto con tipos de imprenta; como el pliego se imprimía sucesivamente por una y luego por otra de sus caras, es decir por *formas*, se requería del cajista que organizase los trozos de texto del original que darían origen al texto impreso en cada una de las páginas de los futuros ejemplares, lo que quiere decir que el cajista realizaba su copia del texto por trozos, en una secuencia predeterminada, es decir sin poder seguir cómodamente la secuencia textual del original; por otra parte ni siquiera disponía en su(s) caja(s) de todos los tipos necesarios para construir su copia del texto completo de la obra, pero incluso ni siquiera para componer el texto correspondiente a varios conjuntos de páginas, amén de que no podemos olvidar que el operario que trabajaba con la prensa, el tirador, imponía un ritmo y un orden de trabajo determinados; el cajista tenía, pues, que calibrar el texto del original y calcular el conjunto de renglones de texto, ajustados, que corresponderían a cada página impresa.

La siguiente tarea consistía en agrupar, formando un molde, los renglones compuestos necesarios para poder imprimir cada una de las páginas correspondientes a un lado del pliego. La operación del *casado* consistía en organizar dichos moldes en la posición y con la orientación requeridas para que, después de impreso el pliego y doblado, las páginas de texto aparezcan en el volumen correctamente ordenadas. Inmediatamente después tiene lugar la *imposición*, operación que consistía en colocar todos esos moldes, adecuadamente distribuidos, para construir una *forma*. Su construcción implica que ya se han incorporado a los moldes las signaturas tipográficas, los reclamos, los titulillos, los tacos xilográficos correspondientes a las iniciales o a otro tipo de adornos. La imposición se realiza de acuerdo con el *formato* decidido para el volumen y consecuentemente teniendo en cuenta al distribuir los moldes en la forma que lo que se conseguirá será una secuencia correcta de las páginas impresas cuando se haya doblado el pliego[3].

3 Una exposición más detallada de todo el proceso puede verse en el Capítulo 2: «El producto tipográfico», pp. 25-59, de mi libro, J. Martín Abad, *Los libros impresos antiguos*. Valladolid: Universidad de Valladolid, 2004.

Primitiua heb. Ter. Heb. Gen. Ca. vij. Trãsla. B. Hiero. Trãsla. Gre. lxx. cũ interp. latina.

quadraginta diebus & quadraginta noctibus & delebo oẽm substãtiam quam feci de supficie terre. Fecit ergo Noe oia q̃ mãdauerat ei dominus. Eratq; sexcentorũ annorũ qñ diluuii aq̃ inundauerũt super terrã. Et ingressus est noe & filii eius: vxor eius & vxores filiorũ eius cũ eo in arcã propter aquas diluuii. De animantibus quoq; mundis & inmundis & de volucribus & ex oĩ qđ mouetur super terrã duo & duo ingressi sunt ad noe in arcã masculus & femina: sicut pceperat deus noe. Cũq; trãsissent septem dies: aq̃ diluuii inũdauerũt sup terram. Anno sexcẽtesimo vite noe mense scđo: septio decimo die mensis rupti sunt oẽs fontes abyssi magne: & cataracte celi aperte sunt: & factã est pluuia super terrã quadraginta diebus & quadraginta noctibus. In articulo diei illius ingressus est noe & sem & cham & iaphet filii eius: & vxor illius & tres vxores filiorũ eius cũ eis in arcã: ipsi & omne aial sm genus suũ: vniuersaq; iumẽta in gñe suo: & omne qđ mouetur sup terrã i genere suo: cunctumq; volatile sm genus suũ: Vniuerse aues oẽsq; volucres ingresse sunt ad noe i arcam bina & bina

Primitiua chal. Interp. chal. Transla. Chal.

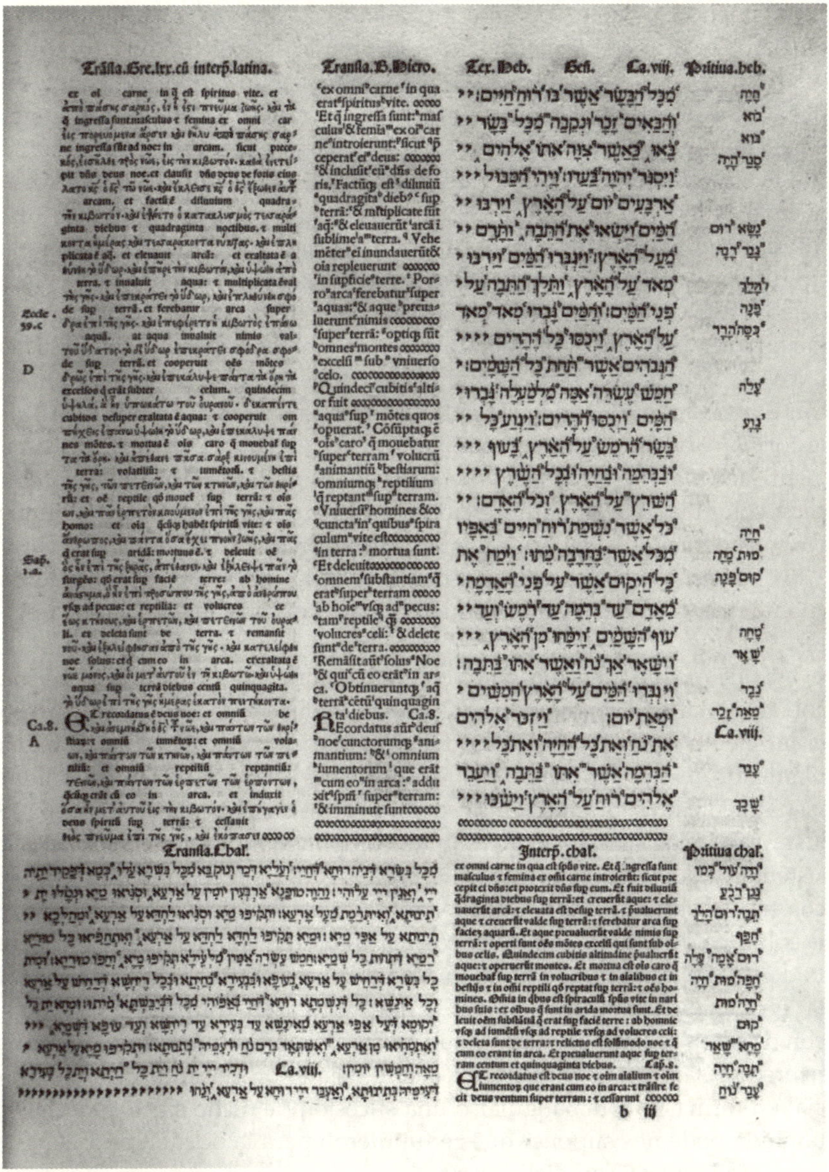
Trāsla.Grec.lxx.cū interp.latina.
Transla.B.Hiero.
Ter.Heb.
Gen.
Ca.viij.
Pritiua.heb.
Transla.Chal.
Interp.chal.
Pritiua chal.

Fig. 1

Teniendo en cuenta lo anterior, cuando abrimos el primer volumen, en el que se ofrece el *Pentateuco*, nos sorprende de inmediato la armónica distribución de los textos en la doble página [Fig. 1]. Se presentan, en posición especular, cinco bloques textuales organizados en dos secciones: en la superior, tres columnas para los textos: hebreo, en el exterior; latino (de la *Vulgata*), en el centro; y griego (de la *Septuaginta*, con traducción al latín, interlineal), en el interior; y en la inferior, dos columnas, una interior para el texto arameo del *Targum de Onqelos*, y otra exterior para la traducción latina. El maestro del taller de imprenta fue, sin duda, el que decidió esta distribución especular con el objetivo principal de situar con facilidad en las formas, marginalmente, los moldes correspondientes a las raíces de las palabras hebreas y arameas. Estas páginas son las que pusieron especialmente a prueba la pericia de los cajistas. Tenían que justificar la forma correspondiente a cada página pero igualmente conseguir una justificación al menos visual en el caso de los moldes correspondientes a cada columna. Nuestra admiración crece sobremanera cuando tomamos en consideración lo anteriormente indicado respecto a la *composición* y a los procesos subsiguientes del *casado* y de la *imposición*, y teniendo en cuenta que, como es lógico suponer, trabajarían coordinados varios cajistas.

Si fijamos la atención en la columna central de la sección superior, con texto latino, veremos que al cajista, que tendrá que conseguir en el momento de la *imposición* un todo textual en cada forma, se le había planteado, en el momento de la *composición*, la necesidad de anular visualmente un sobrante cuantioso de espacios en blanco, lo que consigue justificando las sucesivas líneas en el componedor con cadenetas de *oes*, sistema al que recurre igualmente para justificar la columna en griego, con traducción latina interlineal, y, muy excepcionalmente, en el caso de la columna de la sección inferior con la traducción latina del texto arameo. Podemos suponer que se fundieron para la ocasión tipos sin hombro con la letra *o*, aunque es más probable que se fundieran tipos, sin hombro, con dos, tres, cuatro o cinco *oes* sucesivas. En las columnas con los textos hebreo y arameo el cajista utilizó con el mismo propósito un signo especial en forma de coma angular o una sucesión de dicho signo especial, y también podemos suponer que se fundieron para la ocasión tipos singulares, sin hombro, con dicho signo.

He indicado que en pocas ocasiones acudió el cajista a la cadeneta de *oes* para justificar la columna de la sección inferior con la traducción latina, «dado que el arameo –como señala Luis Díez Merino[4]–, es una lengua aglutinante, y más esquemática que el latín, [y] ocupa menos espacio»; de hecho las líneas de tipos arameos fueron regleteadas por el cajista (es decir que ente las líneas de tipos se han incorporado regletas o delgadas planchuelas de metal o de madera para separarlas), aunque no es del todo cierto que sean más abundantes en esta columna las abreviaturas –como señala el mismo autor– que en la columna de la *Vulgata,* por culpa de una justificación más difícil de conseguir. Por supuesto no es pertinente su indicación de que «las abreviaturas del latín *no se ajustan a las normas de la diplomática,* sino que van al compás del espacio de que dispone el amanuense» (el énfasis es mío); aunque se está refiriendo al texto impreso da por supuesto que el uso aleatorio de unas u otras abreviaturas es obra previa de Alfonso de Zamora, al que se atribuye la traducción, cuando la elección dependió, sin duda alguna, exclusivamente del cajista, que utilizó o no determinadas abreviaturas condicionado siempre por las posibilidades que le permitiría el tamaño del molde, y por supuesto aplicando la braquigrafía tipográfica habitual en el caso de los incunables y post-incunables. Las fundiciones o pólizas incluían tipos cuyo ojo presentaba signos, ligaduras y nexos, ciertamente tomados de los manuscritos utilizados como originales, unos con significado propio y otros simplemente como signos de abreviación. Hay que tener en cuenta además que los cajistas, para lograr la justificación, decidían incluso en cuestiones ortográficas y por supuesto habitualmente sobre el empleo de los signos de abreviación, con frecuencia más abundantes al cerrar, y no tanto al comenzar a componer, el texto de una página [Fig. 2].

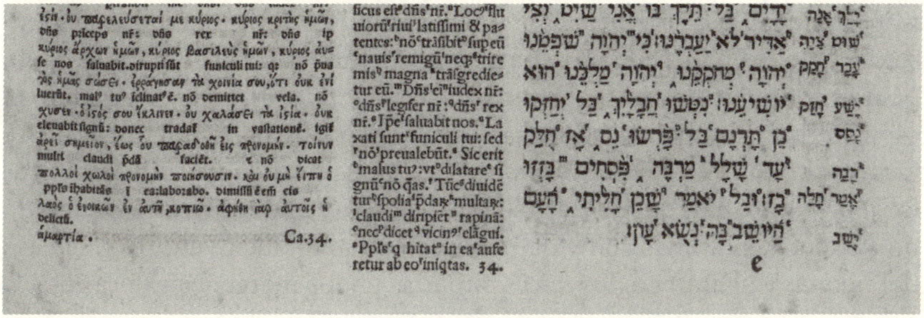

Fig. 2

4 L. Díaz Merino, «El texto arameo en la Políglota complutense», en *Estudios Bíblicos* 72 (2014) 133-134.

Sin abandonar las páginas del *Pentateuco* descubriremos fácilmente que también son razones puramente técnicas las que motivan la presentación de los textos en columnas de anchura desigual[5]: el texto hebreo se ha compuesto con líneas de tipos regleteadas, pues debe coincidir con el contenido de la columna con el texto griego y su traducción latina interlineal, que obviamente requería de mayor espacio, lo que sin duda alguna obligó al maestro impresor a fundir un tipo romano, de pequeño tamaño, para imprimir la columna central, la destinada a la *Vulgata*. Es una letrería redonda, que mide 80 mm / 20 líneas (utilizando la fórmula habitual entre incunabulistas), fundida precisamente para imprimir dicha columna, pero sin que haya que buscar significados o simbolismos espurios para la creación de esta nueva fundición, fuera de las exigencias que impuso la composición y distribución de las diversas columnas. La novedad la impuso una simple exigencia técnica, pues descubrimos que el cajista ha recurrido para la impresión de la *Políglota* a las pólizas de tipos góticos con que el taller contaba y venía utilizando desde sus tiempos de Pamplona y Logroño. En cualquier caso conviene recordar la posible responsabilidad de Antonio de Nebrija en el empleo de letrerías redondas en el taller logroñés de Brocar a partir de 1506.

Para la columna de la *Septuaginta* se utilizan unos tipos griegos, de estilo aldino, cuyo uso previo no se ha documentado, pues se trata de una póliza que mide *circa* 64 mm. /20 líneas, sin duda fundida con el propósito de optimizar el espacio, al tener que interlinear ese texto con su traducción, para la que se utiliza una fundición con letrería gótica de esa medida. Es en esta columna donde se rompe la normalidad en la justificación, por decirlo de algún modo, y el cajista busca soluciones para el exceso de texto, bien desplazando parte de la columna hacia el margen fijado para la columna aramea en la sección inferior [Fig. 3], bien invadiendo el espacio de las otras dos columnas paralelas por la parte inferior [Fig. 4]. Ocurre porque, como puede apreciarse y ya he recordado, cada página es un *unicum* textual, quiere decirse que se ha pretendido que el contenido de las cinco columnas coincida palabra a palabra, incluyendo, en el caso del hebreo y el arameo, las raíces situadas en los márgenes exteriores.

5 Considero que el análisis de diseño de las páginas del AT en la *Políglota* que lleva a cabo A. Muntada, «Del *Misal Rico* de Cisneros y de la *Biblia Políglota* Complutense o bien del manuscrito al impreso», en *Locvs Amœnvs* 5 (2000-2001) 92-99, no contextualiza tipográfica y editorialmente la *Biblia* y no es del todo pertinente.

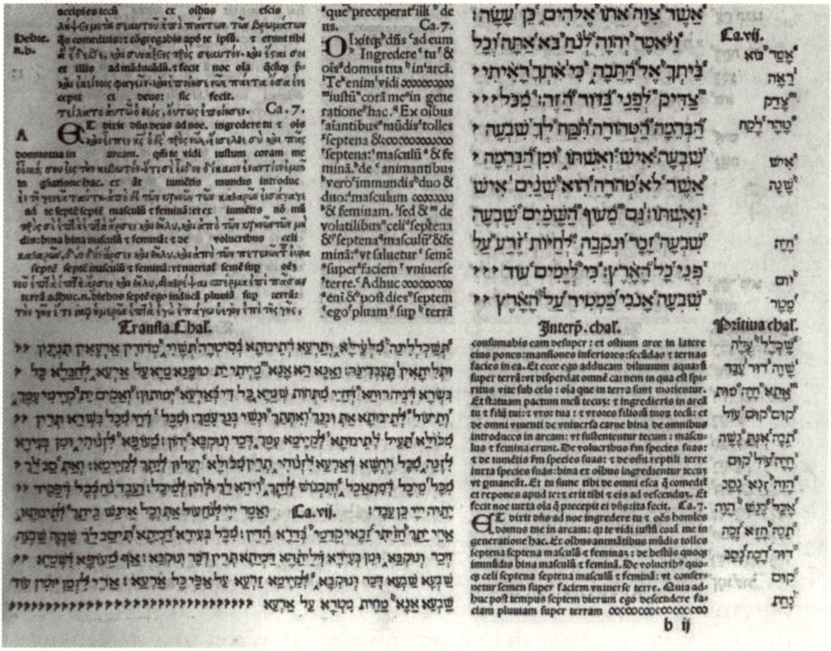

Fig. 3

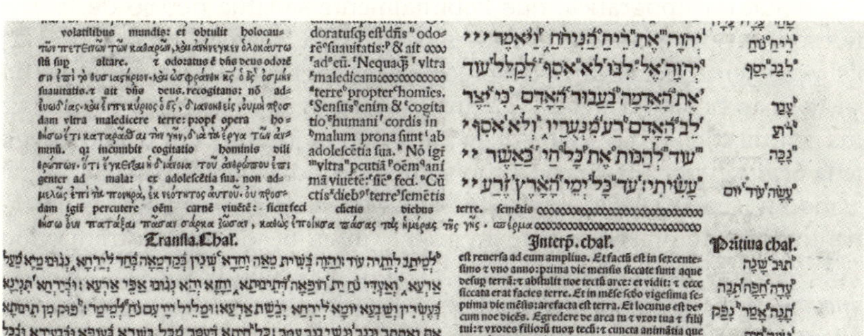

Fig 4

En las páginas que he mostrado se aprecia fácilmente que el cajista desplaza la justificación de la columna aramea hacia el exterior haciéndola coincidir con la de dos datos textuales situados en los márgenes exteriores de las columnas de la sección superior: una secuencia vertical de letras mayúsculas de la A a la G, pues se asume la división de la *Biblia* en capítulos establecida por Stephen Langton (*c.* 1150-1228) y con esas letras se identifican las siete secciones de los capítulos establecidas en el siglo XIII para la localización de cada palabra al construirse las primeras concordancias bíblicas; y las remisiones a otros lugares de la *Biblia* mediante un sistema de referencia que indica el libro por su título (abreviado), el número del capítulo y la letra correspondiente a la sección: «Hiere.36.e». Este sistema de referencia será utilizado tanto en las hojas dedicadas a recoger las erratas, en los volúmenes del *Antiguo Testamento*, como en las concordancias marginales que se ofrecen en todos los volúmenes.

Antes de detallar cómo se materializa tipográficamente la conexión entre algunas de las columnas y los textos marginales debo recordar que la presentación de los textos en los sucesivos volúmenes no es equivalente, pues depende de la multiplicidad de textos originarios disponibles y de sus traducciones. En los volúmenes segundo, tercero y cuarto encontraremos páginas con solo tres columnas, las correspondientes a las de la sección superior del volumen primero, y con una presentación equivalente, aunque conviene llamar la atención sobre la menor pericia de los cajistas en el logro de la justificación (habitualmente, insisto) visual de las columnas, pues en ocasiones se aprovecha para lograrla incluso una signatura tipográfica, que habitualmente se sitúa debajo de la caja de escritura propiamente dicha, es decir en el margen inferior [Fig. 2] o simplemente el cajista se despreocupa de lograrla [Fig. 5]. Cuando no existe texto hebreo previo la página muestra igualmente tres columnas, una central con la traducción de la *Vulgata*, flanqueada por el texto griego de la *Septuaginta*, interlineado con su nueva traducción al latín [Fig. 6]; y cuando no existe la traducción de la *Vulgata* muestran las páginas únicamente dos columnas con el texto griego, interlineado con su traducción [Fig. 7]. Finalmente, las páginas del volumen quinto, que contiene el *Nuevo Testamento*, se distribuyen en doble columna, una más ancha con el texto griego, y otra, a su derecha, con el texto latino de la *Vulgata* [Fig. 8]. La secuencia vertical de letras mayúsculas y de concordancias antes recordadas, que se sitúan en el margen interior, siempre que en las páginas exista columna hebrea, ocupan bien el margen exterior bien el interior en las otras modalidades de presentación.

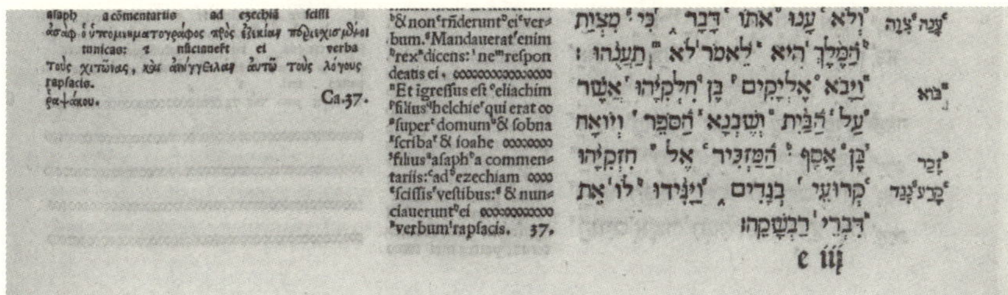
& non rńderunt ei ver-
bum. Mandauerat enim
rex dicens: ne respon
deatis ei.
Et igressus est eliachim
filius helchie qui erat
super domum & sobna
scriba & ioahe
filius asaph a commen-
tariis: ad ezechiam
scissis vestibus: & nun-
ciauerunt ei
verbum rapsacis. 37.

Fig. 5

La presentación de las páginas en el caso del *Antiguo Testamento* responde plenamente al propósito del cardenal Cisneros de ofrecer un instrumento de trabajo, con gran funcionalidad didáctica, lo que obligó a sus colaboradores a fijar una particular ortografía tipográfica en el caso del hebreo y a crear un sistema para interrelacionar rígidamente palabra a palabra esa columna con el texto latino de la *Vulgata* ofrecido en la columna central. Fijemos primeramente la atención en la columna en hebreo [Fig. 9][6]. Las palabras hebreas se pueden descomponer en raíces y modificadores. Éstos, consonantes que no forman parte de la raíz, llevan sobre sí un signo superior, de forma angular, de modo que el lector pueda descubrir su carácter servil, y aislar o identificar fácilmente las consonantes radicales, que se han impreso en el margen exterior, estableciéndose entre ellas un nexo de unión, una letra latina volada, impresa tanto delante de cada palabra como delante de la respectiva raíz. La identificación de la raíz permite al lector acudir al diccionario hebreo-latino incluido en el volumen VI para descubrir sus diversos significados. Además, las palabras hebreas son generalmente oxítonas, es decir llevan el acento en la última sílaba y de nuevo tiene que ver con el propósito didáctico de la edición la decisión de prescindir de los complejos signos de vocalización masorética, limitándose a colocar una tilde sobre la sílaba tónica en las palabras paroxítonas.

6 Cf. las precisiones ofrecidas por I. Carbajosa, «El texto hebreo en la Políglota Complutense», en *Estudios Bíblicos* 72 (2014) 89-90.

Trās.gre.Judith.cū iter.lati. Trāsla.B.Hie. Trās.gre.Judith.cū iter.lat.

qui habitabant in cilicia & damasco & libano: & ad gentes que sunt in carmelo & cedar & inhabitantes galileam: in campo magno esdrelon & ad omnes qui erant in samaria: & trās flumen iordanem vsq; ad hierusalem: & omnem terram iesse: quousq; perueniatur ad montes ethiopie. Ad hos omnes misit nuncios Nabuchodonosor rex Assyriorum: qui omnes vno animo contradixerunt: & remiserunt eos vacuos: ac sine honore abiecerunt. Tunc indignatus Nabuchodonosor rex ad omnem terram illam: iurauit per thronum & regnum suum: q defenderet se de omnibus regionibus his.

Capitulum secundum.

ANno tertiodecimo Nabuchodonosor regis: vicesima & secunda die mensis primi: factum est verbum in domo Nabuchodonosor regis assyriorum: vt defenderet se. Vocauitq; omnes maiores natu: omnesq; duces bellatores suos: & habuit cum eis mysterium consilii sui. Dixitq; cogitationem suam in eo esse: vt omnem terram suo subiugaret imperio. Quod dictum cum placuisset omnibus: vocauit Nabuchodonosor rex Holofernem principem militie sue: & dixit ei. Egredere aduersum omne regnum occidentis: & cōtra eos precipue: qui cōtempserunt imperium meum. Non parcet oculus tuus vlli regno: omnemq; vrbem munitam subiugabis mihi.

Fig. 6

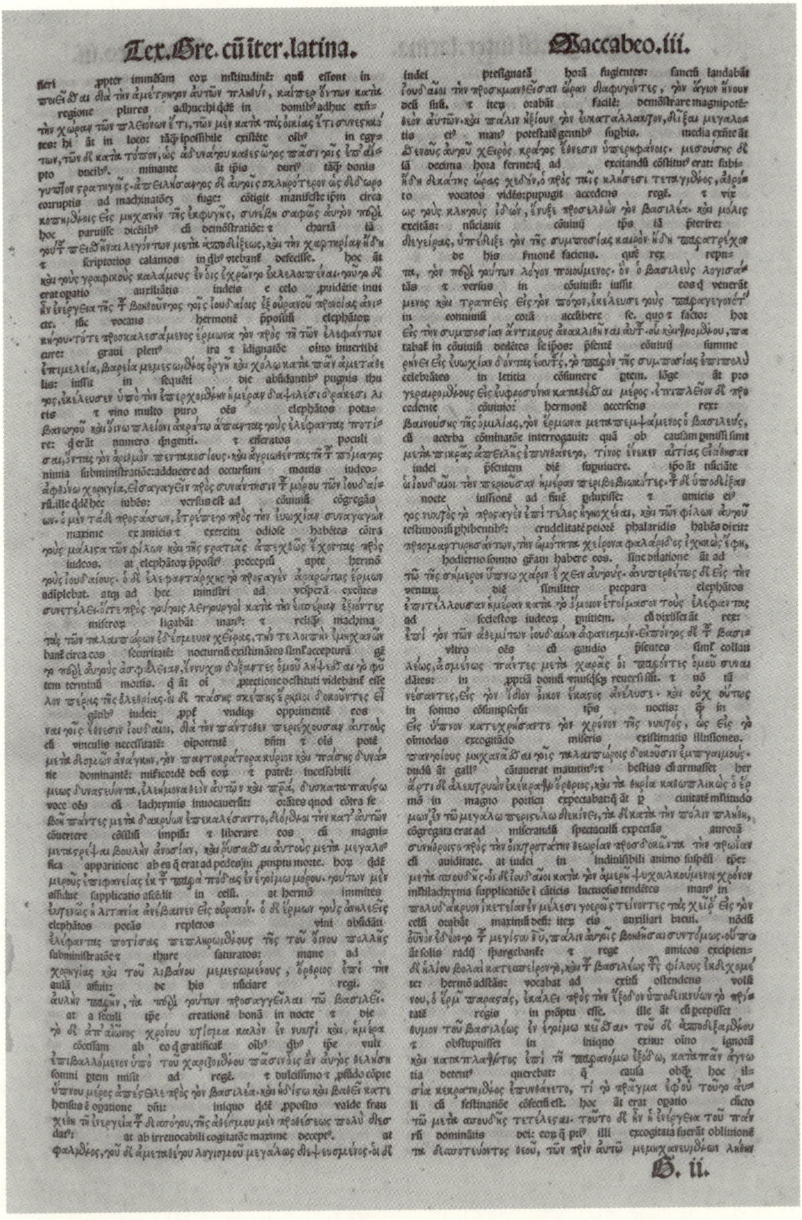

Tex.Gre.cũ iter.latina. Maccabeo.iii.

B. ii.

Fig. 7

Matthêus. Cap.iii.

Fig. 8

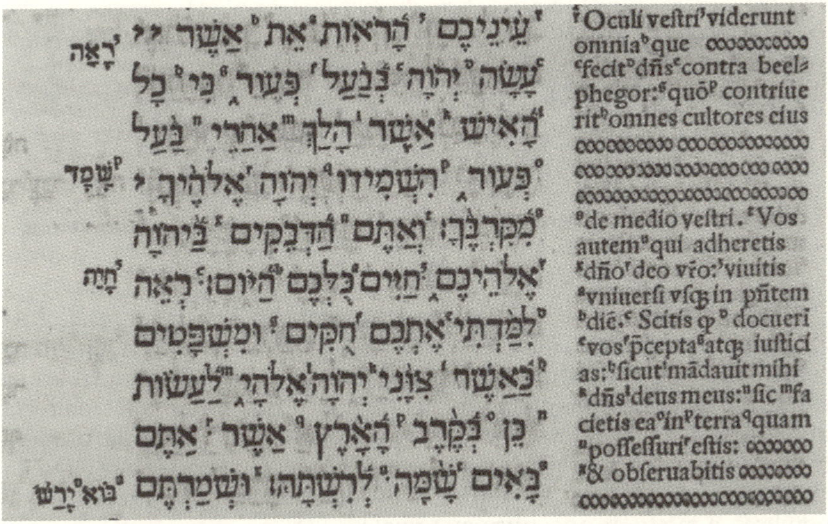
Oculi vestri viderunt
omnia que
fecit dñs contra beel-
phegor: quõ contriue
rit omnes cultores eius
de medio vestri. Vos
autem qui adheretis
dño deo vrõ: viuitis
vniuersi vsq; in pñtem
diẽ. Scitis q docueri
vos pcepta atq; iustici
as: sicut mãdauit mihi
dñs deus meus: sic fa
cietis ea in terra quam
possessuri estis:
& obseruabitis

Fig. 9

La letra volada que precede a la palabra hebrea y en su caso a la raíz se coloca igualmente delante de la palabra latina correspondiente de la columna central, conexionando el texto hebreo con la traducción de la *Vulgata*. Se recurre a este sistema de interconexión palabra a palabra debido a que la traducción no respeta servilmente el orden de las palabras del texto originario. Y por ello, si una de esas letras voladas lleva debajo un punto, estamos ante una llamada de atención. Al no caracterizarse la traducción de San Jerónimo, como acabo de señalar, por un servilismo sintáctico respetuoso con el orden de las palabras, es decir, que el traductor ha atendido más al sentido que a la literalidad, estas letras voladas con punto debajo previenen sobre las palabras equívocas o polisémicas. Las nuevas traducciones, es decir, la interlineal del texto griego de la *Septuaginta* y la del texto arameo, se caracterizan precisamente por un riguroso literalismo.

En el caso de la columna griega del *Nuevo Testamento* [Fig. 10] el texto aparece sin acentos ni espíritus, tildándose las palabras polisílabas con el propósito didáctico de facilitar la pronunciación y, como en el caso de la columna hebrea, se pone en relación cada palabra griega con su traducción latina anteponiendo en ambos casos una letra volada idéntica, a la que se añade un punto debajo igualmente como toque de atención sobre su polisemia.

También en el caso de ambas columnas el cajista recurre al uso de las cadenetas de *oes* antes mencionadas para conseguir su respectiva justificación.

μωνα. τουτον ηγγαρευσαν ινα αρη τον σταυ ρον αυτου. και ελθοντες εις τοπον λεγομε νον γολγοθα. ο εστι λεγομενος κρανιου τό πος, εδωκαν αυτω πιειν οξος μετα χολης με μιγμενον. και γευσαμενος ουκ ηθελε πιειν. σταυρωσαντες δε αυτον, διεμερισαντο τα ι ματια αυτου βαλοντες κληρον. και καθημενοι ετη ρουν αυτον εκει. και επεθηκαν επανω της κεφα	mone: huc angariauerut vt tolleret cruce eius. Et venerut in locu q dicitur co golgotha: quod est caluarie locus. Et dederunt ei vinu bibere cum felle mix tu. Et cu gustasset noluit bibere. Postq aut crucifixerunt eu: diuiserut vestimeta ei9 sorte mittetes: vt ipleret qd dictu e p pheta dicete3. Diuiserut sibi vestimeta mea: z sup veste mea miserut sorte. Et sedentes eu. Et iposuerut sup caput

Fig. 10

En el volumen V se incluyen las *Interpretationes hebreorum chaldeorum grecorumque nominum Novi Testamenti* [Fig. 11] que merecen un breve comentario. Siguiendo un modelo presente en ediciones incunables se enfatizan determinadas palabras dentro del texto, situándolas entre la doble forma del paréntesis, pero en este caso sustituyendo la primera forma del signo ortográfico por un calderón, palabras que se repiten en el margen, creando así un índice, inevitablemente muy reiterativo, de nombres, a modo de apostillas marginales.

Incipit euangelium secundum Marcum.
¶ Capitulum primum.

	Interp.
Initium euangelij. ¶ Jesus) Saluator.	Jesus.
¶ Christus.) Unctus. grecum est. ¶ Esa=	Christus
ias.) Salus domini. ¶ Johannes.) Do=	Esaias.
mini gratia: siue domini donum: aut domi	Johannes
ni misericordia. ¶ Judea.) Laudatio: siue	Judea
confessio. ¶ Hierosolymite.) De hierusalem quod in	Hierosoly.
terpretatur visio pacis: aut visio perfecta vel consuma=	
ta: siue timor perfectus vel consumatus. ¶ Jordanis.)	Jordanis.
Fluuius iudicij: aut demonstratio vel proiectio iudicij:	
seu descensio: aut ex syro z hebreo lebes iudicij. ¶ Na=	nazareth.
zareth.) Sanctificata: vel separata: aut coronata: si aut	
per sade litteram scribatur interpretatur custodita: vel	
florida: aut virgultum. ¶ Galilea.) Uolubilis: siue vo=	galilea.
lutabilis: aut rota. ¶ Sathanas.) Contrarius: siue ad=	Sathanas
uersarius. ¶ Symon) Audiens: vel obediens. ¶ An=	Symon
dreas.) Uirilis vel fortissimus. grecum est. ¶ Jacob9)	Andreas.
Supplantator: vel calcaneum: aut planta idest vestigiu.	Jacobus.

Fig. 11

Como ha podido observarse en las sucesivas figuras todas las páginas incluyen *titulillos*. El cajista utilizaría habitualmente las composiciones preparadas para los titulillos al construir las formas para la impresión de las sucesivas páginas, incorporando los pequeños cambios necesarios, al igual que reutilizará las composiciones preparadas para incorporar en el caso de las páginas de los volúmenes I a IV lo que realmente se ofrece que son *encabezamientos* para identificar el contenido textual de las varias columnas, junto al *titulillo* propiamente dicho, *centrado* paralelamente en la *doble página* u *opening*, en la terminología de los incunabulistas. Es fácil de apreciar tal hecho, en el caso de las páginas del *Pentateuco*, al haberse incluido ese mismo tipo de *encabezamiento* pertinente sobre las dos columnas de la sección inferior de las páginas. Creo que están fuera de lugar las interpretaciones que utilizan como justificación estos elementos puramente tipográficos para añadir un simbolismo especial a la *mise en page*. En un reciente artículo, aludía Ignacio Carbajosa a la situación del *titulillo* (propiamente dicho) sobre la columna hebrea del *Pentateuco* para insistir en la importancia otorgada a dicha columna frente a la otorgada a la columna de la *Vulgata*, a pesar de su situación central en la parte superior de las páginas y como «prueba de que la tensión hacia los textos originales, de la que hablaba Cisneros en el prólogo al Papa León X, no es fingida»[7]. Insisto: no existe razón para un lectura así connotada de un elemento tipográfico cuya incorporación dependía siempre del cajista, que normalmente aplicaba la modalidad habitual del taller o en su caso la acomodaba a una situación anómala como la que le plantearon estas páginas.

Considero que no está fuera de lugar el señalar que en la *Políglota* existen ejemplos madrugadores en España de la *nota a pie de página*. El arranque de la historia tipográfica de este importante elemento textual se sitúa realmente en el siglo XVIII[8] y por ello sorprende la aparición en el volumen V, como auténticas *notas a pie de página*, aunque sin ocupar realmente ese lugar, de un texto marginal en la hoja con signatura A5 r, recogiendo una variante textual del capítulo VI del *Evangelio de san Mateo*, al que se remite con un signo especial dentro del propio texto, y de otro en la hoja signatura KK2 v, recogiendo un texto de santo Tomás de Aquino sobre el comienzo del capítulo 5 de la *Epístola I de San Juan*, en este caso sin signo de remisión [Fig. 12].

7 I. Carbajosa, «El texto hebreo en la Políglota Complutense», *o.c.*, 83-86.

8 Cf. el original estudio de A. Grafton, *Los orígenes trágicos de la erudición*, Buenos Aires: Fondo de Cultura Económica, 1998. El título en la cubierta lleva una indicación de nota al pie de página, en la que se añade: *Breve tratado sobre la nota al pie de página*.

Matthe
us. Cap.vi.

μασου ως εμ ουραμώ και επί της γης. τομ
άρτομ ημώμ τομ επιούσιομ δος ημίμ σήμε=
ρομ. και άφες ημίμ τα οφειλήματα ημώμ. ως
και ημείς αφίεμεμ τοις οφειλέταις ημώμ. και
μη εισεμέγκης ημάς εις πειρασμόμ. αλλά ρύ
σαι ημάς από του πομηρού. ✠ αμήμ. εάμ γαρ
αφήτε τοις αμθρώποις τα ωαραπτώματα
αυτώμ, αφήσει και υμίμ ο ωατήρ υμώμ ο
ουραμίος. εάμ δε μη αφήτε τοις αμθρώποις
τα ωαραπτώματα αυτώμ, ουδέ ο ωατήρ υ=
μώμ ο ουραμίος αφήσει τα ωαραπτώματα υ
μώμ. όταμ δε μηστεύητε, μη γίμεσθε ώσπερ
οι υποκριταί σκυθρωποί. αφαμίζουσι γαρ
τα ωρόσωπα αυτώμ, όπως φαμώσι τοις αμ=
θρώποις μηστεύομτες. αμήμ λέγω υμίμ ότι
απέχουσι τομ μισθόμ αυτώμ. συ δε μηστεύ
ωμ, άλειψαι σου τημ κεφαλήμ, και το ωρό=
σωπομ σου μίψαι, όπως μη φαμής τοις αμ=
θρώποις μηστεύωμ, αλλά τω ωατρί σου τω
εμ τω κρυπτώ. και ο ωατήρ σου ο βλέπωμ
εμ τω κρυπτώ, αποδώσει σοι. μη θησαυρί=
ζετε υμίμ θησαυρούς επί της γης, όπου σης
και βρώσις αφαμίζει, και όπου κλέπται διο=
ρύσσουσι και κλέπτουσι. θησαυρίζετε δε υ=
μίμ θησαυρούς εμ ουραμώ, όπου ούτε σης
ούτε βρώσις αφαμίζει, και όπου κλέπται ου
διορύσσουσιμ ουδέ κλέπτουσιμ. όπου γαρ
εστίμ ο θησαυρός υμώμ, εκεί έσται και η καρ
δία υμώμ. ο λύχμος του σώματος εστίμ ο
οφθαλμός. εάμ ουμ ο οφθαλμός σου α=
πλούς η, όλομ το σώμα σου φωτειμόμ έσ=
ται. εάμ δε ο οφθαλμός σου ωομηρός η, ό=
λομ το σώμα σου σκοτειμόμ έσται. ει ουμ το
φως το εμ σοι σκότος εστί, το σκότος ωό=
σομ. ουδείς δύμαται δυσί κυρίοις δουλεύ=
ειμ. η γαρ τομ έμα μισήσει, και τομ έτερομ α=
γαπήσει, η εμός αμθέξεται και του ετέρου κα
ταφρομήσει. ου δύμασθε θεώ δουλεύειμ και
μαμωμά. διά τούτο λέγω υμίμ. μη μεριμ=
μάτε τη ψυχή υμώμ τι φάγητε και τι ωίητε.
μηδέ τω σώματι υμώμ τι εμδύσησθε. ουχί
η ψυχή ωλείομ εστί της τροφής και το σώ=
μα του εμδύματος. εμβλέψατε εις τα ωετει=
μά του ουραμού, ότι ου σπείρουσιμ ουδέ
θερίζουσιμ. ουδέ συμάγουσιμ εις αποθήκας,
και ο ωατήρ υμώμ ο ουραμίος τρέφει αυτά.
ουχ υμείς μάλλομ διαφέρετε αυτώμ. τις δε
εξ υμώμ μεριμμώμ δύμαται ωροσθείμαι επί
τημ ηλικίαμ αυτού ωήχυμ έμα, και ωερί εμδύ
ματος τι μεριμμάτε. καταμάθετε τα κρίνα
του αγρού ωως αυξάμει. ου κοπιά ουδέ μή
θει. λέγω δε υμίμ, ότι ουδέ ο σολομώμ εμ
πάση τη δόξη αυτού περιεβάλετο ως εμ τού

tas tua sicut in celo et in terra. ꝏꝏ
Panē nr̄m supsubstātialē da nobis ho=
die. Et dimitte nobis debita nr̄a: sicut
& nos dimittim⁹ debitorib⁹ nostris. Et
ne nos inducas in tēptationē. Sed li=
bera nos a malo. Amen. Si enim ꝏ — Mar.11.d.
dimiseritis hominibus peccata ꝏꝏ
eorum: dimittet et vobis pater vester
celestis delicta vestra. Si aūt nō dimi=
nec pater vester ꝏ [serítis hominibus:
dimittet vobis peccata vestra. ꝏꝏ
Cum autē ieiunatis: nolite fieri sicut
hypocrite tristes. Exterminant enim ꝏ
facies suas: vt appareant hominibus
ieiunantes. Amen dico vobis quia ꝏ
receperunt mercedē suā. Tu aūt cū ieiu= — C
nas: vnge caput tuum & faciem ꝏꝏ
tuam laua: ne videaris hominibus ꝏ
ieiunans: sed patri tuo qui est ꝏꝏ
in abscōso: et pater tuus qui videt ꝏ
in abscōso reddet tibi. Nolite thesau=
rizare vobis thesauros ī terra vbi erugo
& tinea demolitur: et vbi fures effodi=
unt et furantur. Thesaurizate aūt vobis — Luce.12.c.
thesauros in celo vbi nec erugo ꝏꝏ — Mar.10.c.
nec tinea demolitur: & vbi fures non
effodiunt nec furantur. Ubi enim ꝏ
est thesaurus tuus: ibi est et cor ꝏꝏ
tuum. Lucerna corporis tui est ꝏꝏ — Luce.11.c.
oculus tu⁹. Si igitur oculus tuus fue=
rit simplex: totū corpus tuū lucidū erit.
Si aūt oculus tuus nequā fuerit totū
corpus tuū tenebrosum erit. Si ergo
lumē qd̄ ī te ē tenebre sūt: ipe tenēbre q̄nte
Nēo pt̄ duob⁹ dn̄is seruire. ꝏꝏ [erūt. — Luce.16.c.
Aut eī vnū odio hēbit & alterū diliget:
aūt vnū sustinebit & alterum cōtemnet.
Non potestis deo seruire & ꝏꝏꝏ
māmone. Ideo dico vobis: ne solliciti — Luce.12.c.
sitis aīe vestre quid manducetis: ꝏ
neq3 corpori vestro quid īduamī. Nōne
anima plus est q̄3 esca et corpus plusq̄3
vestimētum? Respicite volatilia ꝏꝏ — D
celi que non serunt neq3 ꝏꝏꝏꝏ
metunt: neq3 congregant in horrea: ꝏ
et pr̄ vester celestis pascit illa. ꝏ [aūt
Nōne vos magis plurs estis illis? Quis
vestrū cogitans pōt adijcere ad ꝏꝏ
staturā suā cubitū vnū? Et d̄ vestimēt
quid solliciti estis. Considerate lilia ꝏ — Luce.12.d.
agri quō crescūt. non laborāt neq3 nēt.
Dico aūt vobis qm̄ nec salomon in
oī glīa sua coopt⁹ ē sicut vnū ex istis.

Fig. 12

Finalmente un par de observaciones sobre la ordenación alfabética en índices y vocabularios. Como se verá en el apartado siguiente la foliación no fue en ningún caso el elemento funcional empleado como alternativa al empleo de la secuencia de signaturas tipográficas a la hora de mostrar la estructura del volumen por parte de impresor. La foliación está ausente en los volúmenes I-V de la *Biblia* y aparece en cambio en el volumen VI. La gramática hebraica incorpora foliación, como texto singular dentro del volumen, como lo pone bien de manifiesto el hecho de que se cierre con un colofón propio fechado el 31 de mayo de 1515. El *Vocabularium Hebraicum totius veteris testamenti cum aliis dictionibus chaldaicis ibi contentis...* es igualmente un texto singular dentro del volumen con colofón propio fechado el 17 de marzo de 1515 y el impresor también ha incorporado en este caso foliación propia. La composición e impresión claramente independiente de ambos conjuntos de pliegos puede haber forzado la decisión del empleo de la foliación en ambos casos, pero en el vocabulario resultaba necesaria además por la decisión de incorporar un índice de palabras latinas, en seis columnas, dentro de un cuaderno con signatura a^8 al final del volumen VI, justamente delante de las *Introductiones artis grammatice hebraice.*

Siguiendo una costumbre habitual en los primeros tiempos de la imprenta el orden alfabético de las palabras atiende a la fonética y no a la ortotipografía, es decir no se toma en consideración las letras dobles, ofreciéndose secuencias como: «Abradere.107.142 | Abbreuiare 142 | Abbreuiatio 55 | Abſcindere. 21.23 | 79.87» o «An 6.32 | Annales 39 | Anathema 5[*aparece invertido, por errata*]5», en las que se remite a la numeración real de los folios, aunque sin pormenorizar el recto o el verso. Sorprende que no se haya recurrido a un sistema de remisión frecuente en el periodo incunable en el que se consideraba un todo la doble página (*charta*) que el lector tiene a la vista como unidad de referencia. En cualquier caso no hay que olvidar el origen francés del impresor, pues esta forma de referenciar está bien documentada en muchos lugares, también excepcionalmente en España, pero al parecer no se localizan ejemplos en ediciones francesas del siglo XV.

El sistema de ordenación basado en la fonética se aplica igualmente en el mismo volumen, en las *Introductiones hebraicorum: chaldeorum: grecorumque nominum: veteris ac noui testamenti secundum ordinem alphabeti,* que se alfabetiza también por los nombres latinos, hecho que puede apreciarse lógicamente también en los titulillos [Fig. 13], como igualmente había ocurrido en el caso de las palabras griegas cuando se imprimió el *Vocabulario greco-latino* del volumen V [Fig. 14].

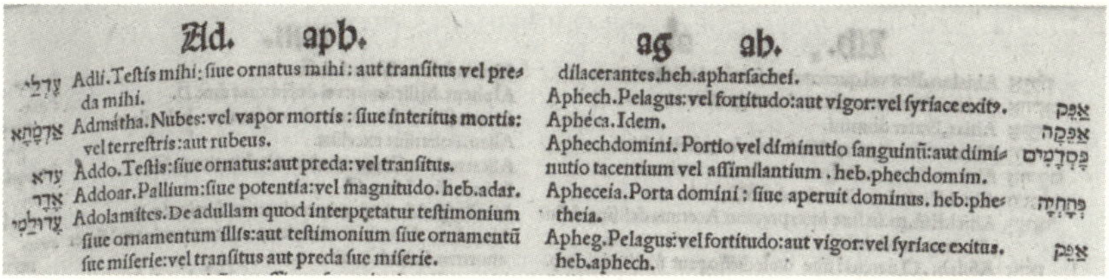

Ad. aph. ag ab.

עַדְלַי Adli. Teſtis mihi: ſiue ornatus mihi: aut tranſitus vel preda mihi.
אַדְמָתָא Admátha. Nubes: vel vapor mortis: ſiue interitus mortis: vel terreſtris: aut rubeus.
עִדּא Àddo. Teſtis: ſiue ornatus: aut preda: vel tranſitus.
אֲדַר Addoar. Pallium: ſiue potentia: vel magnitudo. heb. adar.
עֲדֻלָּמִי Adolamites. De adullam quod interpretatur teſtimonium ſiue ornamentum illis: aut teſtimonium ſiue ornamentū ſue miſerie: vel tranſitus aut preda ſue miſerie.

dilacerantes. heb. apharſachei.
Aphech. Pelagus: vel fortitudo: aut vigor: vel ſyriace exit9. אֲפֵק
Aphéca. Idem. אֲפֵקָה
Aphechdomini. Portio vel diminutio ſanguinū: aut diminutio tacentium vel aſſimilantium. heb. phechdomim. פַּסְדַּמִּים
Apheceia. Porta domini: ſiue aperuit dominus. heb. pheteia. פְּתַחְיָה
Apheg. Pelagus: vel fortitudo: aut vigor: vel ſyriace exitus. heb. aphech. אֲפֵק

Fig. 13

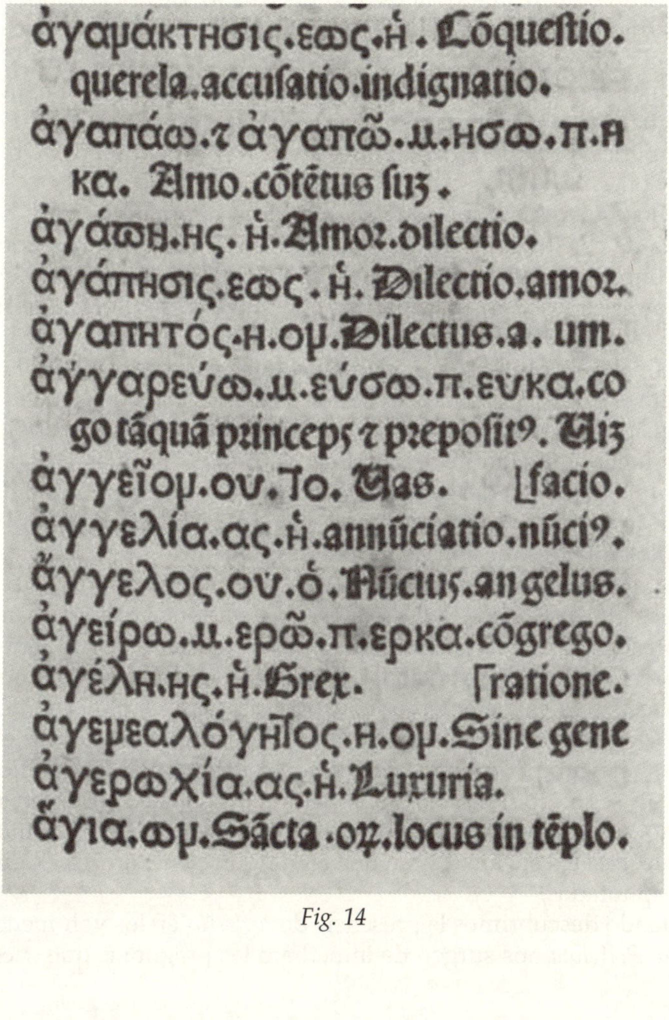

ἀγαμάκτησις.εως.ἡ. Cōqueſtio. querela.accuſatio.indignatio.
ἀγαπάω.τ ἀγαπῶ.μ.ησω.π.ηκα. Amo.cōtētus ſū.
ἀγάπη.ης.ἡ. Amor.dilectio.
ἀγάπησις.εως.ἡ. Dilectio.amor.
ἀγαπητός.η.ον. Dilectus.a.um.
ἀγγαρεύω.μ.εύσω.π.ευκα. Cogo tāquā princeps τ prepoſit9. Viz
ἀγγεῖον.ου.το. Uas. ⌊facio.
ἀγγελία.ας.ἡ. annūciatio.nūci9.
ἄγγελος.ου.ὁ. Nūcius.angelus.
ἀγείρω.μ.ερῶ.π.ερκα. cōgrego.
ἀγέλη.ης.ἡ. Grex. ⌈ratione.
ἀγενεαλόγητος.η.ον. Sine gene
ἀγερωχία.ας.ἡ. Luxuria.
ἅγια.ων. Sācta.or. locus in tēplo.

Fig. 14

2. Del *post-incunable* y de sus singularidades tipográficas

La *Biblia Políglota Complutense* es, sin duda alguna, uno de los monumentos tipográficos del siglo XVI (y de todos los tiempos), pero también es un *post-incunable ibérico*. A partir del 1 de enero de 1501 no se produce un cambio fundamental, ni de ningún tipo, en el procedimiento de impresión del libro. El libro impreso realizado en los primeros años del siglo XVI no va a ser realmente diferente. Tal hecho es totalmente cierto en el ámbito de los talleres de imprenta de España y Portugal, al menos durante los veinte primeros años del nuevo siglo. De ahí la denominación singularizadora de *post-incunables ibéricos* reservada para los ejemplares de las ediciones españolas y portuguesas de los años 1501 a 1520 que testimonian inercias y costumbres de los primitivos talleres de imprenta, como igualmente podemos descubrirlo en los ejemplares de la *Políglota*. Lo ejemplificaré aludiendo a algunos elementos tipográficos de más fácil apreciación.

En los talleres de imprenta se utilizaron alternativas muy diversas a la hora de construir los cuadernos impresos y no nos sorprende que el propio impresor decidiera ofrecer desde el primer momento, dentro de los propios ejemplares, una información sobre el particular de utilidad manifiesta: el *registro*. Se trata de una especie de esquema o clave incorporado al final del volumen, siguiendo fórmulas variadas, que facilitó especialmente el trabajo del encuadernador. Podemos considerar una primera solución, previa al empleo de la secuencia de signaturas tipográficas, aunque luego coincidirán habitualmente ambos sistemas de control, si bien realmente el uso del registro no superará la primera mitad del siglo XVI, y esto teniendo en cuenta que el uso más abundante y prolongado se da solo en la producción de los talleres italianos.

Realmente la aparición de un registro en una edición de los primeros años del siglo XVI puede deberse más a la decisión subjetiva de un maestro impresor o al mantenimiento de una vieja costumbre, que al propósito de ofrecer un elemento funcional de utilidad inmediata, y en cualquier caso el recurso a este elemento lo justificaría siempre el hecho de que la estructura del ejemplar presentase una gran complejidad o por el hecho de que se hayan incorporado cuadernos con signatura tipográfica especial en un segundo momento, por ejemplo. La aparición de un registro en la producción de los talleres de Arnao Guillén de Brocar es muy poco frecuente, casi excepcional y sin que en ningún caso parezca exigirlo esas causas apuntadas.

Cuando descubrimos la presencia de *registros* en los volúmenes I, II y III, de la *Políglota* nos surgen de inmediato las preguntas que cuestionan su supuesta funcionalidad [Fig. 15]. Ciertamente presentan una secuencia de signaturas tipográficas relativamente compleja pero en todo caso normal, podríamos decir, y la alternancia de los cuadernos de cuatro, seis y ocho hojas fácil de conocer cuando el encuadernador controlase las signaturas tipográficas expresas en el recto de las hojas correspondientes a la primera mitad de cada cuaderno una vez doblados los pliegos de acuerdo con el formato *en Folio*. Si se consideró necesario incluir esos registros, ¿por qué el impresor no incorporó el registro del volumen IV puesto que la complejidad de la secuencia de signaturas tipográficas es similar: a-z^{6}aa-oo^{6}pp^{4}A-F^{6}G^4; a^2,? Sorprende menos su ausencia en el volumen V puesto que se imprimió con anterioridad, pero precisamente en el caso de dicho volumen es donde la incorporación del registro hubiera resultado realmente útil, por la reiteración de la signatura a y teniendo en cuenta que se intercaló, como consecuencia de una decisión de segunda hora, un cuaderno con la signatura α^6, entre las hojas signaturas Q6 y R1, cuaderno previsto para situarse entre el *Evangelio de San Juan* y las *Epístolas de San Pablo*, que contiene, en griego, una descripción del viaje de san Pablo y los argumentos de diversa antigua autoría de cada una de sus epístolas: a^{4}A-Q^6 α^6R-Z^{6}AA-LL^{6}MM^{8}a^{10}a-f^{6}g^4.

Registrum.
a. b. c. d. e. f. g. h. i. k. l. m. n. o. p. q. r. s. t. v. x. y. z.
aa. bb. cc. dd. ee. ff. gg. hh. ii. kk. ll. mm. nn. oo. pp. qq. rr. ss. tt. vv. xx. yy. zz. ꝛꝛ. ɔɔ.
Oēs sūt terni excepto vltimo qui est quaternus.

Registrum huius voluminis.
a b c d e f g h i k l m n o p q r ſ t v x y z. aa bb cc dd ee ff gg hh ii kk ll mm nn oo pp qq rr ſſ tt vv.
Omnes sunt terni preter. vv. qui est duernus.

Registrum huius voluminis.
aaa. bbb. ccc. ddd. eee. Aaa. Bbb. Ccc. Ddd. Eee. Fff. Ggg. Hhh. Iii. a. b. c.
e. f. g. h. i. k. l. m. n. o. p. A. B. C. D. E. F.
Omnes sunt terni: preter eee. Ccc. Iii. k. F. qui sunt duerni: et p. qui est quaternus.

Fig. 15

Si comparamos la información ofrecida en los registros con las colaciones correspondientes:

Volumen I: +^{8} a-z^{6}aa-zz^{6}ττ^6 ɔɔ^8; a^2
Volumen II: [ ]^2 a-z^{6}aa-tt^{6}vv^4; a^2
Volumen III: aaa-ddd^{6}eee^{4}Aaa^{6}Bbb^{6}Ccc^{4}Ddd-Hhh^{6}Iii^{4}a-i^{6}k^{4}l-o^{6}p^{8}A-E^{6}F^4; a^2

descubrimos de inmediato que en ningún caso se nos informa sobre el pliego final que contiene en cada volumen la *relación de erratas* detectadas (pliego también presente en el volumen IV y ausente en el V como ha podido comprobarse en su fórmula colacional) [Fig. 16]. Es claro que este pliego se imprimiría una vez concluida la impresión del texto principal, pero en cualquier caso la ausencia de información en el registro pudiera deberse al hecho de que el impresor no había previsto su conservación una vez que el lector/comprador hubiera utilizado sus anotaciones para corregir su ejemplar. No hay por qué descartar el carácter funcional de este pliego final, al igual que ocurrió en los primeros tiempos de la imprenta cuando a veces el impresor ofreció uno o más pliegos impresos con el texto de las rúbricas para facilitar el trabajo del rubricador y presumiblemente también para asegurarse de la fidelidad textual en cada uno de los ejemplares que había de completar a mano.

Sorprende igualmente el silencio sobre el primer cuaderno en los registros de los volúmenes I y II. También suponemos que se procedería a su impresión después de haber concluido la del texto principal, pero lo cierto es que no ocurrió así en el volumen III, pues los *preliminares* –portada y prólogos– no se ofrecieron en un cuaderno independiente.

Señalaré otro detalle de interés. Al contemplar las páginas preliminares y descubrir la alternancia de líneas compuestas con tipos de diferente cuerpo y diseño (gótico y redondo), podemos atribuir al cajista un propósito estético y olvidar que su actuación se debe ciertamente a una experiencia artesanal bien definida [Fig. 17]. Acabo de aludir al trabajo del rubricador, cuya intervención estaba prevista en los primeros tiempos de la imprenta, como encargado de la incorporación en tinta roja de determinadas líneas en las páginas, líneas que el cajista había espaciado en los moldes para que en la página impresa quedaran en blanco. Pero la dependencia del taller de imprenta respecto del rubricador debió ser corta en el tiempo. El impresor rebajó inmediatamente los costes de su producto, novedoso y emulador respecto al códice tardomedieval, prescindiendo de este artesano externo y sustituyendo su tarea mediante la impresión a dos colores, lo que suponía el paso de los pliegos dos veces por la prensa. Prontamente, para lograr la singularización de las rúbricas, optó por prescindir del color rojo y destacarlas recurriendo a tipos, como recordaba antes, de diferentes cuerpos y diseños. Y la costumbre se mantuvo durante muchos años como podemos verlo en los textos preliminares de los volúmenes de la *Políglota*.

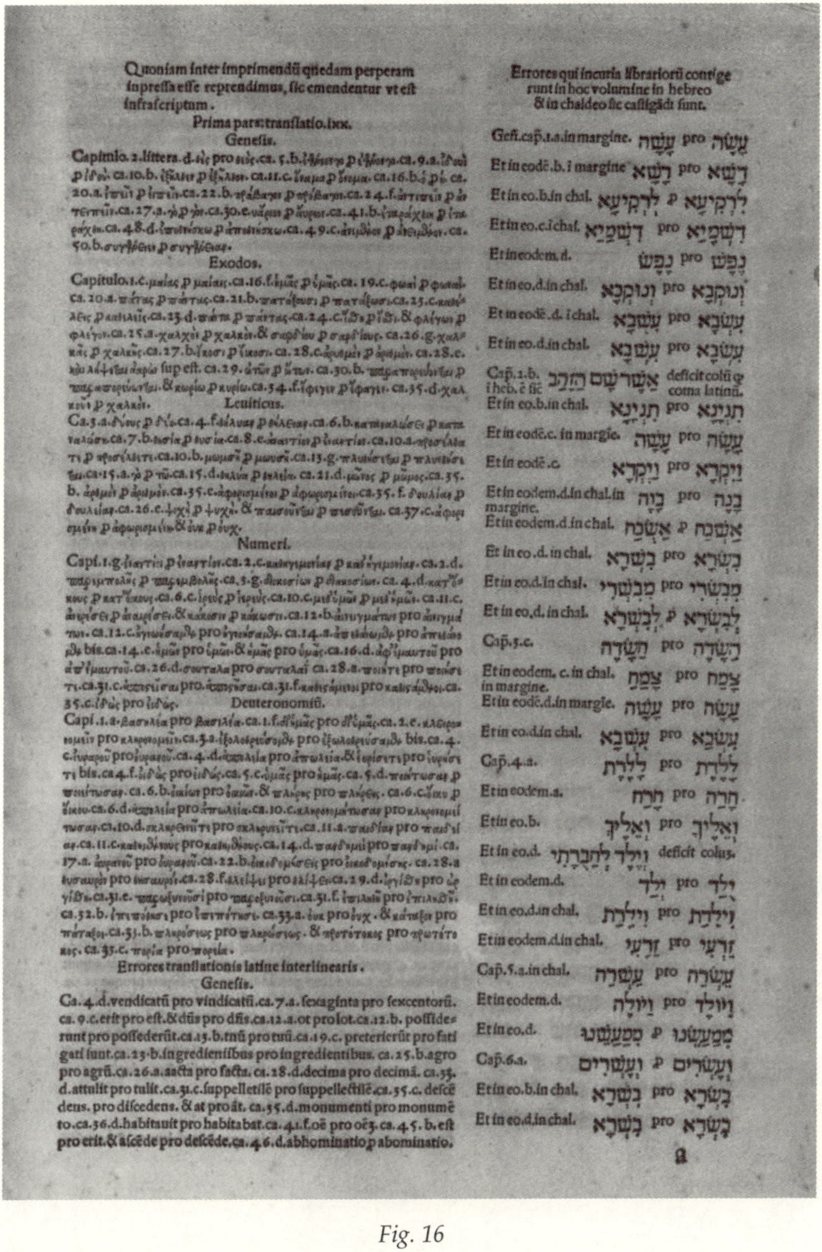

Quoniam inter imprimendũ quedam perperam inpressa esse reprendimus, sic emendentur vt est infrascriptum.

Prima pars: translatio.lxx.

Genesis.

Capitulo.1.littera.d. [illegible]

Exodos.

Capitulo.1.c. [illegible]

Leuiticus.

Ca.3.a. [illegible]

Numeri.

Capi.1.g. [illegible]

Deuteronomiũ.

Capi.1.a. [illegible]

Errores translationis latine interlinearis.

Genesis.

Ca.4.d.vendicatũ pro vindicatũ.ca.7.a.sexaginta pro sexcentorũ. ca.9.c.erit pro est.& dñs pro dñs.ca.12.a.ot pro lot.ca.12.b. possiderunt pro possederũt.ca.13.b.tnũ pro tuũ.ca.19.c. preterierũt pro fatigati sunt.ca.23.b.ingredienlibus pro ingredientibus. ca.25.b.agro pro agrũ.ca.26.a.sacta pro facta. ca.28.d.decima pro decimã. ca.33.d.attulit pro tulit.ca.31.c.suppelletilẽ pro suppellectilẽ.ca.35.c. descẽdens. pro discedens. & at pro ãt. ca.35.d.monumenti pro monumẽto.ca.36.d.habitauit pro habitabat.ca.41.f.oẽ pro oẽз.ca.45.b.est pro erit.& ascẽde pro descẽde.ca.46.d.abhominatio ꝑ abominatio.

Errores qui incuria librariorũ contigerunt in hoc volumine in hebreo & in chaldeo sic castigãdi sunt.

Geñ.cap.1.a.in margine. עָשָׂה pro עֲשָׂה
Et in codẽ.b.i margine רָשָׁא pro דְשָׁא
Et in co.b.in chal. לְרְקִיעָא ꝑ לִרְקִיעָא
Et in eo.c.i chal. דִשְׁמַיָא pro דִשְׁמַיָא
Et in eodem.d. נָפָשׁ pro נֶפֶשׁ
Et in eo.d.in chal. וְנוּקְבָא pro וְנוּקְבָא
Et in eodẽ.d.i chal. עִשְׂבָא pro עִשְׂבָא
Et in eo.d.in chal. עִשְׂבָא pro עִשְׂבָא
Cap.2.b. i heb. ẽ sic אֲשֶׁר שָׁם הַזָּהָב deficit colũ q coma latinũ.
Et in eo.b.in chal. תְנְיָנָא pro תִנְיָנָא
Et in eodẽ.c. in margie. עָשָׂה pro עָשָׂה
Et in eodẽ.c וַיִקְרָא pro וַיִקְרָא
Et in eodem.d.in chal.in margine. בָנָה pro בָנָה
Et in eodem.d.in chal. אִשְׁתָה ꝑ אִתְּתָא
Et in eo.d.in chal. בְּשָׂרָא pro בִּשְׂרָא
Et in eo.d.in chal. מִבְּשָׂרִי pro מִבִּשְׂרִי
Et in eo.d.in chal. לְבִשְׂרָא ꝑ לְבִשְׂרָא
Cap.3.c. הַשָּׂדֶה pro הַשָּׂדֶה
Et in eodem. c. in chal. in margine. צַמַח pro צְמַח
Et in eodẽ.d.in margie. עָשָׂה pro עָשָׂה
Et in eo.d.in chal. עִשְׂבָא pro עִשְׂבָא
Cap.4.a. לֶלֶדֶת pro לָלֶדֶת
Et in eodem.a. חָרָה pro חָרָה
Et in eo.b. וְאֵלֶיךָ pro וְאֵלֶיךָ
Et in eo.d. וַיֶּלֶד לַחֲנוֹךְ deficit colus.
Et in eodem.d. יָלַד pro יָלַד
Et in eo.d.in chal. וִילֵדַת pro וִילֵדַת
Et in eodem.d.in chal. זַרְעִי pro זַרְעִי
Cap.5.a.in chal. עַשְׂרָה pro עַשְׂרָה
Et in eodem.d. וַיּוֹלֶד pro וַיּוֹלֶד
Et in eo.d. מִמַּעֲשֵׂנוּ ꝑ מִמַּעֲשֵׂנוּ
Cap.6.a. וְעֶשְׂרִים ꝑ וְעֶשְׂרִים
Et in eo.b.in chal. בִּשְׂרָא pro בִּשְׂרָא
Et in eo.d.in chal. בִּשְׂרָא pro בִּשְׂרָא

a

Fig. 16

Prologus.

Nota ꝙ vbicunq; in libris veteris testamēti mēdositas reperitur: recurrendum est ad volumina hebræorū: quia vetus testamentū primo in lingua hebræa scriptū est. Si vero in libris noui testamēti: recurrendū est ad volumina græcorū: quia nouū testamētū primo in lingua græca scriptū est: præter euāgeliū Matthei & epistolā Pauli ad hebræos.

Modi intelligendi sacram scripturam.

Otandum: ꝙ omnis sacra scriptura quadriformi ratione distinguitur siue exponitur. Aut enim in historico vel litterali intellectu: aut allegorico: aut anagogico: aut tropologico: vel morali solet accipi. Historia nāq; est: quādo res aliqua quomodo secūdum litterā dicta vel facta sit: plano sermone refertur: vt cū dicitur. Populus israel ex ægypto saluatus: tabernaculū dño fecit. Et dicitur ab historein: idest videre vel cognoscere: quia antiquitus nemo scribebat historiā nisi qui vidisset: & sic quādo dictiones intelligūtur simpliciter vt sonant. est sensus litteralis vel historicus. Allegoria autem est: cū verbis aut rebus mysticis præsentia Christi & ecclesiæ sacramēta signātur. Verbis videlicet vt ait Esaias. Egredietur virga de radice iesse: quod aperte est dicere. Nascetur virgo maria de stirpe dauid: & de ea xp̄s nascetur. Reb⁹ mysticis est: populus israel ab ægyptiaca seruitute per sanguinē agni liberatus. Allegorice ecclesiā signat: quæ per passionē Christi a dæmoniaca seruitute liberata est. Et nota ꝙ allegoria multis modis exponitur. Quandoq; a persona: vt isaac signat Christū. Quādoq; a re & nō persona: ut aries occisus significat christi carnem passam. Quādoq; a loco: vt Christus prædicaturus ascēdit in montem: vbi eminētia loci signat eius sapientiā et excellentiā. Quandoq; a numero: vt apprehendent septē mulieres virum vnū: idest septē dona gratiarū Christi. Quādoq; a negocio vel facto: vt interfectio Goliæ a dauid: interfectionē diaboli a christo signat. Anagogia autem ad superiora est ducēs locutio: quæ de præmio futuro & ea quæ in cœlis est vita futura apertis siue mysticis sermonib⁹ disputat. Apertis: vt cum dicitur. Beati mundo corde. Mysticis: vt cū dicitur. Beati qui lauant stolas suas: vt sit illis potestas in ligno vitæ: & per portam intrent ciuitatem. Quod sic exponitur anagogice. Beati qui mundant cogitationes suas & actus: vt sit illis potestas vidēdi dominum nostrum iesum Christū: qui dicit. Ego sum via vita & veritas: & p doctrinam & exempla præcedentium patrum intrant in regna cœlorum. Et sic est differentia inter allegoriā & anagogiā: quia allegoria est mysticus sensus pertinens ad militantē ecclesiā in qua sumus: sed anagogia est apertus sensus pertinens ad ecclesiam triumphantem: quæ est cōmunitas sanctorum iam triumphans & regnans. Tropologia vero est moralis locutio: quæ ad instructionem & correctionē animorum mystice siue aperte respicit. Mystice: vt ait Salomon. Omni tēpore sint vestimēta tua cādida: & oleum de capite tuo non deficiat: quod est dicere. Omni tēpore sint opera tua munda: & charitas de corde tuo non deficiat. Aperte: vt Ioannes dicit. Filioli non diligamus verbo neq; lingua: sed opere & veritate. Et vt breuiter habeas. Historia docet factum. Tropologia faciendum. Allegoria credendum. Anagogia appetendum. Vnde versus.

Littera gesta docet: quid credas allegoria.
Moralis quid agas: quo tendas anagogia.

Hæc patent in hac dictione hierusalem. Historice enim est nomen ciuitatis. Tropologice est typus animæ fidelis: Allegorice figura ecclesiæ militantis. Anagogice typum gerit ecclesiæ triumphantis. Vnde versus.

Sicut hierusalem polis est terrena fidelis:
Constans ecclesia: mons fortis: patria summa.

Incipit epistola beati Hieronymi ad Paulinum præsbyterum de omnibus diuinæ hystoriæ libris. Capitulum. I.

Rater Ambrosius tua mihi munuscula perferēs: detulit simul & suauissimas litteras: quæ a principio amicitiarum fidē probatæ iam fidei et veteris amicitiæ noua præferebant. Vera enim illa necessitudo est & christi glutino copulata: quā non vtilitas rei familiaris: nō præsentia tm̄ corporū: nō subdola & palpans adulatio: sed dei timor & diuinarū scripturarū studia conciliāt. Legimus in veterib⁹ historiis quosdā lustrasse p̄uincias: nouos adiisse populos: maria transisse: vt eos quos ex libris nouerāt: corā quoq; viderent. Sic Pythagoras mēphiticos vates: sic Plato ægyptū & Archytā tarētinū: eamq; oram italiæ: quæ quondā magna græcia dicebatur: laboriosissime peragrauit: vt qui Athenis magister erat & potēs: cuiusq; doctrinā Achademiæ gymnasia personabāt: fieret peregrin⁹ atq; discipulus: malēs aliena verecūde discere: ꝙ sua impudēter ingerere. Deniq; cū litteras quasi toto orbe fugiētes persequitur: captus a piratis & venūdatus etiā tyrāno crudelissimo paruit: ductus captiuus: vinctus & seruus: tamē quia philosophus: maior emēte se fuit. Ad Titū Liuiū lacteo eloquētiæ fonte manantem: de vltimis hispaniæ galliarūq; finibus quosdā venisse nobiles legimus: & quos ad contemplationē sui Roma non traxerat: vnius hominis fama perduxit. Habuit illa etas inauditū oībus sæculis celebrandūq; miraculū: vt vrbem tātam ingressi: aliud extra vrbem quærerent. Apollonius siue ille magus: vt vulgus loquitur: siue philosophus: vt pythagorici tradūt: intrauit persas: p̄transiuit Caucasum: albanos: scythas: massagethas: opulentissima indiæ regna penetrauit: & ad extremum latissimo phison amne trāsmisso peruenit ad brachmanas: vt Hiarcham in throno sedētem aureo & de Tantali fonte potantem: inter paucos discipulos de natura: de moribus ac de cursu dierum & syderum audiret docentē. Inde per elamitas babylonios: chaldæos: medos: assyrios: parthos: syros: phenices: arabes: palestinos: reuersus alexandriam perrexit ad æthiopiam: vt gymnosophistas et famosissimam solis mēsam videret in sabulo. Inuenit ille vir vbiq; quod disceret: & semper proficiēs: semper se melior fieret. Scripsit super hoc plenissime octo voluminibus Philostratus. Capitulum. II.

Fig. 17

En los ejemplares de ediciones del siglo XV descubrimos además con frecuencia un espacio en blanco al comienzo del texto, o de sus secciones o capítulos, reservado para que el iluminador o el calígrafo incorporasen una inicial con más o menos colores y detalles ornamentales. Los primitivos talleres conservaron esa costumbre artesanal, así como la de incorporar en ese espacio en blanco una letra, que denominamos *provisional*, puesto que no tiene valor textual y sí únicamente funcional, coincidente con la que habrá de iluminarse o caligrafiarse y bajo la que deberá quedar oculta, claramente con el propósito de evitar errores. Los talleres de imprenta pronto se descargaron de la intervención gravosa de ese operario, ajeno o externo, recurriendo a la entalladura en madera o en metal para fabricar juegos de iniciales con diseños más o menos sencillos y con decoración muy diversificada, y en el caso de los calderones, cuya incorporación también se dejaba al calígrafo, fabricando tipos con ese signo. Lo que sorprende es la pervivencia de estas actuaciones artesanales cuando ha desaparecido totalmente su razón de ser originaria, es decir, podemos encontrarnos en las primeros decenios del siglo XVI con páginas impresas que presentan un espacio en blanco al comienzo de un texto o de un espacio en blanco con una letra provisional en el centro, junto a una o más iniciales xilográficas, motivado simplemente el hecho porque el cajista no tenía a mano el taco de madera necesario al completar sus moldes o simplemente su cajón de grabados, iniciales y adornos, era demasiado reducido. Hay que desmentir la opinión demasiado generalizada de que estos detalles son fruto del mantenimiento de una costumbre imitadora en los talleres de imprenta respecto al libro manuscrito y, consecuentemente como uno de los detalles que singularizan a los incunables y post-incunables frente al resto de los libros impresos antiguos, pero como acabo de indicar la actuación es, pura y simplemente, fruto de la carencia de material en determinados talleres de imprenta sin dejar de lado la poca preocupación de los cajista respecto a la presentación de las páginas.

La *Biblia Políglota* se fabrica durante el periodo que calificamos de *post-incunable* y no debe sorprendernos en absoluto que sus páginas ofrezcan ejemplos de las situaciones recordadas [Fig. 18], con más frecuencia ciertamente en el caso del volumen V, el primero que vio la luz [Fig. 19, 20 y 21]. En algunas páginas impresas, pues, descubrimos una falta de uniformidad involuntaria, consecuencia de la falta de tacos correspondientes a determinadas letras latinas o griegas, mientras en otras sorprende la presencia de un rico y variado muestrario de iniciales xilográficas historiadas o con sencilla o compleja decoración, pero también en este segundo caso mostrando poca uniformidad en el uso. Parece haberse dejado la selección a criterio del cajista y éste haber recurrido a un cajón de tacos xilográficos poco o mal organizado. Por ello llama la atención el hecho de que se halla recurrido al mismo taco para incorporar la letra M al comienzo de los preliminares de los cuatro volúmenes del *Antiguo Testamento*, dando la impresión de que se trata de una entalladura preparada para tal propósito.

Trāsla.gre.lxx.cū inter.lati. Trāsla.B.Hie. Tex.he.Esa.j. Pritiua.heb.

ESAIAS.
ΗΣΑΙΑΣ.

Incipit Esaías propheta.

VISIO ESAIE filii amos: quam vidit super iudam & hierusalem: in diebus ozie ioatham: achaz: & ezechie regum iuda. Audite celi: & auribus percipe terra: quoniam dñs locutus est. Filios enutriui & exaltaui: ipsi aūt spreuerunt me.

Fig. 18

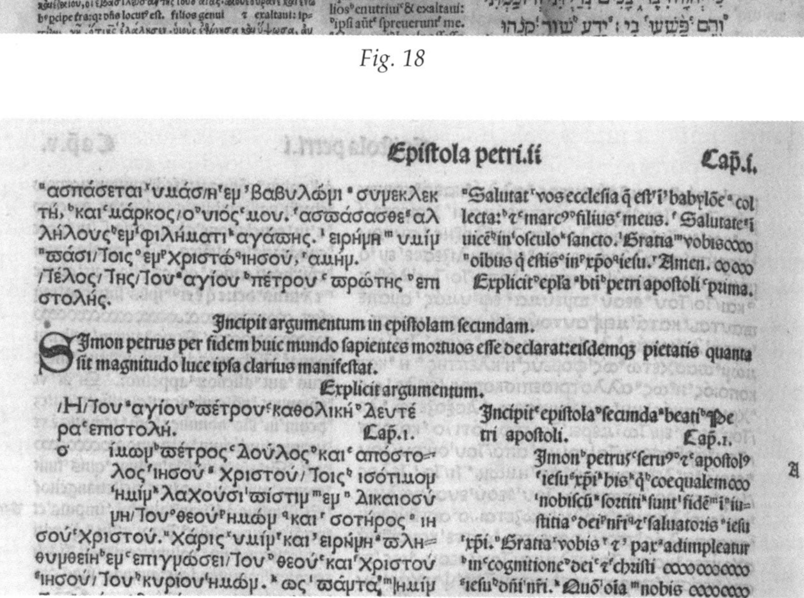
Epistola petri.ii Cap.i.

ἀσπάζεται ὑμᾶς ἡ ἐν Βαβυλῶνι συνεκλεκτή, καὶ μάρκος ὁ υἱός μου. ἀσπάσασθε ἀλλήλους ἐν φιλήματι ἀγάπης. εἰρήνη ὑμῖν πᾶσι τοῖς ἐν χριστῷ ἰησοῦ, ἀμήν.
Τέλος τῆς τοῦ ἁγίου πέτρου πρώτης ἐπιστολῆς.

Salutat vos ecclesia q̃ est i babylōe collecta: & marcus filius meus. Salutate iuicē in osculo sancto. Gratia vobis oibus q̃ estis in xp̄o iesu. Amen.
Explicit epl'a bti petri apostoli prima.

Incipit argumentum in epistolam secundam.

Simon petrus per fidem huic mundo sapientes mortuos esse declarat: eisdemq; pietatis quanta sit magnitudo luce ipsa clarius manifestat.

Explicit argumentum.

Ἡ τοῦ ἁγίου πέτρου καθολικὴ δευτέρα ἐπιστολή. Cap.i.
Σίμων πέτρος δοῦλος καὶ ἀπόστολος ἰησοῦ χριστοῦ τοῖς ἰσότιμον ἡμῖν λαχοῦσι πίστιν ἐν δικαιοσύνῃ τοῦ θεοῦ ἡμῶν καὶ σωτῆρος ἰησοῦ χριστοῦ. χάρις ὑμῖν καὶ εἰρήνη πληθυνθείη ἐν ἐπιγνώσει τοῦ θεοῦ καὶ χριστοῦ ἰησοῦ τοῦ κυρίου ἡμῶν. ὡς πάντα ἡμῖν

Incipit epistola secunda beati Petri apostoli. Cap.i.
Simon petrus seruus & apostolus iesu xp̄i his q coequalem nobiscū sortiti sunt fidē i iustitia dei nr̄i & saluatoris iesu xp̄i. Gratia vobis & pax adimpleatur in cognitione dei & christi iesu dñi nr̄i. Quō oia nobis

Fig. 19

Incipit argumentum.

Apocalypsis iohannis tot habet sacramenta quot verba. Paruz dixi: et pro merito voluminis laus omnis inferior est. In verbis singulis multiplices latent intelligentie.

Explicit argumentum.

Αποκάλυψις / Του αγίου αποστόλου και ευαγγελιστού ιωάννου / Του θεολόγου. Ca.1.

α Αποκάλυψις ιησού χριστού, ην έδωκεν αυτώ / ο θεός δείξαι / τοις δούλοις αυτού, α δει γενέσθαι εν τάχει, και εσήμανεν αποστείλας διά / του αγγέλου αυτού / τω δούλω αυτού ιωάννη, ος εμαρτύρησε / τον λόγον / του θεού, και / την μαρτυρίαν ιησου

Incipit liber apocalypsis beati Johannis apostoli. Cap.1.

a Apocalypsis iesu xpi quam dedit illi deus palam facere seruis suis que oportet fieri cito: et significauit mittens per angelum suum seruo suo iohanni: qui testimonium perhibuit verbo dei: et testimonium iesu A

Fig. 20

Actus apostolorum. Cap.i.

Incipit prefatio beati Hieronymi presbyteri in librum actuum apostolorum.

Anit psalmista. Ambulabunt de virtutibus in virtutes. Post apostoli pauli epistolas dudum vobis vno volumine translatas domon et rogatiane charissimi: actus apostolorum compellitis vt transferam in latinum: quem librum nulli dubium est a luca antiocheno arte medico qui postea inseruiens paulo apostolo christi factus est discipulus fuisse editum. Ceruices premit imposita sepius oneris magnitudo: quia studia inuidorum reprehensione digna putant ea que scribimus. Illorum nunque odio et detractione iuuante christo meum silebit eloquium.

Actus apostolorum nudam quidem videntur sonare historiaz: et nascentis ecclesie infantiam texere: sed si nouerimus scriptorem eorum lucam esse medicum: cuius laus est in euangelio: animaduertemus pariter omnia verba illius anime languentis esse medicinam.

Incipit alius prologus.

Ucas antiochensis natione syrus: cuius laus in euangelio canitur: apud antiochiam medicine artis egregius: et apostolorum christi discipulus fuit: postea vsqz ad confessionem paulum secutus apostolum: sine crimine in virginitate permanens: deo maluit seruire. Qui septuaginta et quatuor annos etatis agens in bythinia obijt plenus spiritu sancto: quo instigante in achaie partibus euangelium scribens grecis fidelibus incarnationem domini fideli narratione ostendit: eundemqz ex stirpe dauid descendisse monstrauit. Cui non immerito scribendorum actuum apostolicorum potestas in ministerio datur: vt deo in deum pleno et filio perditionis extincto: oratione ab apostolis facta sorte dominice electionis numerus compleretur. Sicqz paulus consummationem apostolicis actibus daret: quem diu contra stimulum calcitrantem dominus elegisset. Quod legentibus et requirentibus deum breui potius volui ostendere sermone: quam prolixius aliquid fastidientibus prodidisse. Sciens quod operantem agricolaz oporteat primum de suis fructibus edere. Quem ita diuina subsecuta est gratia: vt non solum corporibus sed etiam aiabus eius proficeret medicina.

Αι πράξεις / Των αποστόλων / Του αγίου λουκά / Του ευαγγελιστού. Cap.1.

Τον μεν πρώτον λόγον εποιησάμην περί πάντων ω θεόφιλε, ων ήρξατο ο ιησούς ποιείν τε και διδάσκειν, άχρι ης ημέρας εντειλάμενος / τοις αποστόλοις διά πνεύματος αγίου ους εξελέξατο, ανελήφθη. οις και παρέστησεν εαυτόν ζώντα μετά / το παθείν αυτόν εν πολλοίς τεκμηρίοις δι ημερών τεσσαράκοντα οπτανόμενος αυτοίς, και λέγων / τα περί / της βασιλείας / του θεού. και συναλιζόμενος παρήγγειλεν αυτοίς από ιεροσο-

Incipit liber actuum apostolorum beati Luce euangeliste. Cap.1.

Primum quidem sermonem feci de omnibus o theophile que cepit iesus facere et docere: vsqz in diem qua precipiens apostolis per spiritum sanctum quos elegit assumptus est. Quibus et prebuit seipsum viuum post passionem suam in multis argumentis per dies quadraginta apparens eis et loquens de regno dei. Et conuescens precepit eis ab hierosolymis A

Fig. 21

Prescindo, necesariamente, del análisis pormenorizado de otros acontecimientos presentes en las páginas de la *Políglota* que podemos calificar de más habituales: signaturas tipográficas, las cajas de tipos y la cronología de su uso, etc.[9].

3. El producto tipográfico y editorial: estados y emisiones

Una vez concluido el proceso de fabricación se disponía de un número determinado de ejemplares iguales ciertamente, pero no todos idénticos, que formaban la *edición*. Cuando procedemos a comparar los ejemplares de la tirada descubrimos con mucha frecuencia diferencias entre unos y otros que se han producido durante el proceso de fabricación bien por accidentes, bien por actuaciones que en modo alguno podemos atribuir al deseo de hacer unos ejemplares diferentes de los restantes de la tirada. Es decir, las diferencias no estaban previstas, no se tuvo el propósito de diferenciar o singularizar un determinado número de ejemplares frente a otros; se han producido simplemente, como por ejemplo cuando el maestro impresor o el propio cajista, al examinar el blanco o la retiración de un pliego recién impreso, descubren la presencia de una errata, detienen entonces el trabajo del tirador y proceden a corregir la forma, con lo que los pliegos que a continuación se impriman ya no presentarán la errata que desluce el texto en los ya impresos, que por supuesto no se desprecian, pues no debe olvidarse el alto precio del soporte, sea papel o pergamino. Unos y otros pliegos presentan pues *estados* diferentes debido a la presencia de una variante no planificada de antemano. La tipología de los *estados*, como cabe suponer, es muy variada y hasta imprevisible, pues aunque he aludido a situaciones que se dan durante el proceso de fabricación también puede producirse estados, y lo veremos en el caso de la propia *Políglota*, después de la puesta en venta de los ejemplares de la tirada.

Desde el siglo XVIII se tenía noticia de la existencia de un *estado* en algunos ejemplares del volumen V[10], pero solo en 1991 logré dar noticia de dos ejemplares que presentaban el primer estado, es decir se habían

9 He atendido a esos elementos en J. Martín Abad, «Cisneros y Brocar. Una lectura tipobibliográfica de la Políglota Complutense», en *Estudios Bíblicos* 72 (2014) 33-73.

10 «An epistle written by Don Gregorio Mayans, to the late Sir Benjamin Keene, containing a full Account on the Complutensian Polyglott, etc.». E. Clarke, *Letters concerning the Spanish Nation: Written at Madrid during the Years 1760 and 1761*, London, 1763, 312-321.

impreso con la primera forma[11], aunque no he logrado conocer si algún estudioso del texto ha prestado particular atención a dicho acontecimiento tipográfico. Las variantes, motivadas por haberse vuelto a recomponer el texto para su impresión, aparecen en el segundo pliego conjugado del cuaderno con signatura tipográfica CC^{6}, es decir afecta a los textos latino y griego de las hojas segunda y quinta del cuaderno. Se recurre incluso a tacos diferentes en el caso de las tres iniciales que aparecen en el verso de esa quinta hoja. ¿Querrá esto decirnos que la nueva composición se realizó habiendo deteniendo la impresión y antes de haber limpiado y redistribuido el material tipográfico y xilográfico de la forma primera y se recurrió por ello a otros tacos de madera con las iniciales que se precisaban, disponibles de inmediato? Las variantes, que son mucho más abundantes en el texto latino que en el griego, afectan a los capítulos X y XI de la *Epístola a los Hebreos*; y al capítulo XIII, último de esa misma *Epístola*, y a los preliminares y al capítulo I de los *Hechos de los Apóstoles*. Presumiblemente, insisto, la actuación se llevó a cabo pronto en el proceso de la impresión puesto que lo que se conocen son ejemplares corregidos frente a los dos, únicamente controlados de momento, que incorporan el pliego con el primer *estado*, pero hay que tener en cuenta que el control tipobibliográfico de los ejemplares repartidos por una amplísima geografía bibliotecaria es asignatura pendiente y resulta prematura cualquier tentativa de conclusión.

Una vez finalizada la impresión de toda la obra se procedería al *alzado* de los pliegos impresos debidamente secados, se doblarían y conjugarían formando los cuadernos, y se amontonarían los correspondientes a cada volumen, salvo presumiblemente en el caso de los pliegos del primer cuaderno del volumen I ya que sería necesario completarlo en el momento de recibirse el *motu proprio* del papa León X aprobando la obra. Cuando he aludido al registro del volumen I he señalado que no recoge la información correspondiente al primer cuaderno, con signatura tipográfica +^{8}, aunque en los ejemplares conocidos el cuaderno tiene solo siete hojas. Brocar sin duda tuvo que prever una disponibilidad de soporte en blanco, una página o más, para un texto con el que no contaba en el momento de imprimir los pliegos de dicho cuaderno y cuya extensión en principio no podía conocer. Casi podemos tener la seguridad de que planificó la composición e impresión de ese cuaderno de la siguiente manera: dejó una primera hoja completamente en blanco, colocó la portada en el recto de la

11 Se conservan ambos en Madrid, en la Biblioteca Nacional de España (R-6005/6010) y en la Biblioteca del Archivo Histórico Nacional (110-115). Cf. J. Martín Abad, *La imprenta en Alcalá de Henares (1502-1600)*, Madrid: Arco Libros, 1991, t. I, 229-230, n. 28 E.

segunda hoja, seguida de los restantes textos preliminares hasta alcanzar al recto de la octava hoja, y dejó en blanco el verso de esta última hoja a la espera de pasar el primer pliego del cuaderno de nuevo por la prensa una vez recibido el mentado documento y haber procedido a preparar la oportuna forma, pero en caso de tener que incorporar un texto demasiado largo, que desbordase la capacidad del verso de esa octava hoja, podría fácilmente doblar al revés el primer pliego y contar todavía con una hoja más en blanco. El cuaternión se hubiera transformado en un terno y un bifolio yuxtapuestos. Realmente no fue necesario, pero la previsión delata pericia artesanal. Pero, como he señalado antes, no se ha controlado bibliográficamente ningún ejemplar con la primera hoja en blanco, quizás porque tal vez se procedió a su cancelación en el propio taller en 1520.

Desconocemos el motivo, pero algunos de los ejemplares conservados del volumen I presentan en blanco el verso de la octava hoja del primer cuaderno. Quiere decirse que saldrían del almacén de taller de Brocar para su encuadernación antes de recibirse el documento papal. El conjunto para nosotros representa un *estado*, frente al otro numeroso conjunto de ejemplares del volumen I en los que aparece impreso en el verso de la octava hoja el texto papal aprobatorio que lleva la fecha de 22 de marzo de 1520, lo cual implica, como ya he indicado, que el primer pliego del cuaderno ha pasado después de esa fecha nuevamente por la prensa para imprimir la retiración en la cara dejada en blanco a tal fin y por lo mismo presentan otro *estado* [Fig. 22].

Sorprende sin duda que se haya empleado un taco defectuoso para incorporar la inicial xilográfica V, de VENERABILIS, e igualmente la aparición de dos erratas demasiado destacadas, una en la línea 1: FPISCOPO, y otra en la 5: FT DILFCTE. Después de una espera tan larga, ¿se le obligó a trabajar aceleradamente al cajista? No hay que descartarlo: las páginas impresas nos hacen suponer con mucha frecuencia acontecimientos fieramente humanos. Pero cuando ya el tirador había comenzado su trabajo y algunos de los primitivos pliegos se habían completado, alguien se percató de los dos feos detalles y se procedió a sustituir el taco defectuoso, que incluía una figura humana, por uno nuevo en el que aparecen en cambio dos figuras humanas desiguales en su tamaño, representando al apóstol Pedro delante de Jesús, y además se corrigió una de las erratas, la de la línea 5: ET DILECTE. [Fig. 23] Podemos seguir hablando de dos nuevos *estados*. Tengo la sensación de que la intervención fue demasiado tardía, es decir cuando ya se habían completado la mayor parte de los ejemplares, simplemente en razón de los pocos conservados que presentan este segundo *estado*, pero insisto en que el control tipobibliográfico, atendiendo a todos estos pormenores, es ciertamente insuficiente.

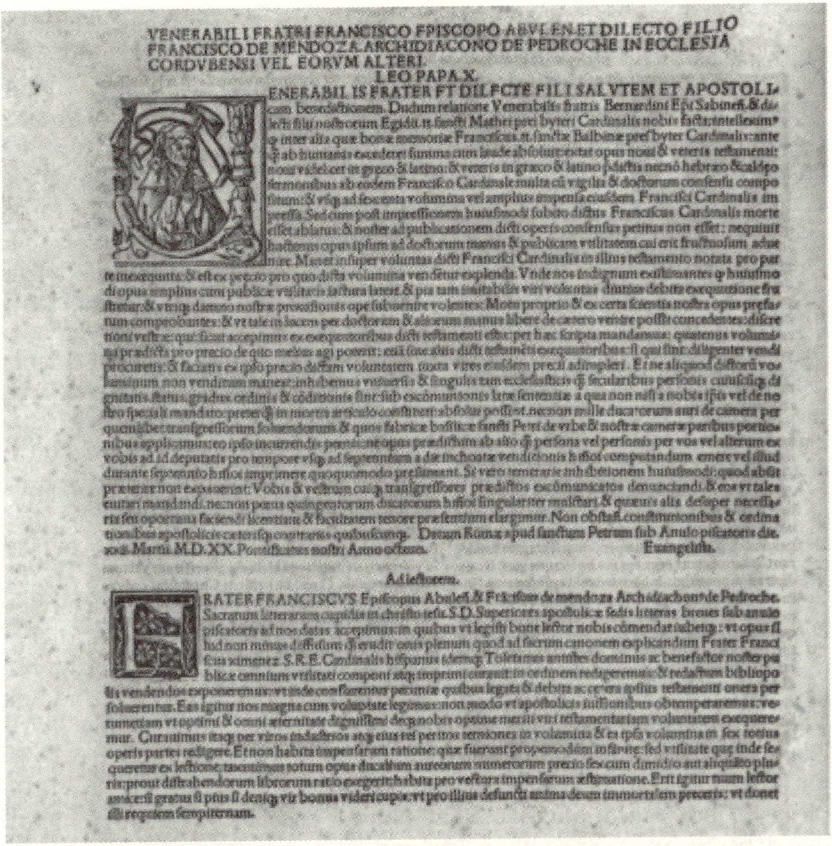

VENERABILI FRATRI FRANCISCO EPISCOPO ABVLEN.ET DILECTO FILIO FRANCISCO DE MENDOZA ARCHIDIACONO DE PEDROCHE IN ECCLESIA CORDVBENSI VEL EORVM ALTERI.

LEO PAPA X.

Ad lectorem.

Fig. 22

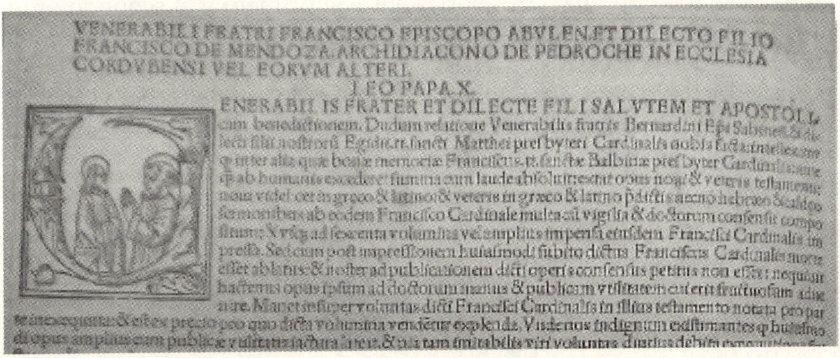

VENERABILI FRATRI FRANCISCO EPISCOPO ABVLEN.ET DILECTO FILIO FRANCISCO DE MENDOZA ARCHIDIACONO DE PEDROCHE IN ECCLESIA CORDVBENSI VEL EORVM ALTERI.

LEO PAPA X.

Fig. 23

Antes de comentar la singularidad del último *estado* que muestran algunos ejemplares de la *Políglota*, un *estado*, como ya anuncié, producido con posterioridad a la puesta en venta de los ejemplares, insistiré en que hay que analizar con la debida atención el producto tipográfico y no precipitarse en la interpretación de sus elementos. Anna Muntada Torrellas ha escrito: «El texto se ofrece en su desnuda integridad con algunas concesiones iconográficas: en los prefacios, unas pocas capitales con historias xilografiadas y en la portada del primer volumen de la *Biblia*, los santos padres. Una presencia que se justifica en la medida de que los patriarcas de la Iglesia simbolizan los objetivos mismos de la fundación cisneriana de promover los estudios teológicos –al igual que el acceso directo a la *Biblia* persigue reconstruir y dignificar los pilares sobre los que se sustenta la Iglesia–»[12] [Fig. 24], pero ciertamente está refiriéndose a una portada accidental, incluso podríamos decir que espuria, por supuesto muy alejada en su estética de la portada auténtica del primer volumen de la *Políglota* [Fig. 25]. Me animo por ello a singularizar la portada originaria, elemento fundamental, junto al colofón y a las marcas tipográficas y de libreros, que tomamos en consideración cuando analizamos un producto editorial.

El escudo del cardenal Cisneros destaca en las portadas de los sucesivos volúmenes de la *Biblia*. El taco xilográfico se utilizó por primera vez en el taller complutense de Arnao Guillén de Brocar al imprimir *La vida de la bien aventurada sancta Caterina de Sena*, del beato Raimundo de Capua, con colofón de 27 de marzo de 1511, es decir en la segunda de sus ediciones conocidas, y continuará empleándose hasta 1518. La representación heráldica no es fiel, ya que muestra un escudo jaquelado de quince piezas, ocho de oro, que deberían aparecer en blanco, y siete de gules, que deberían aparecer sombreadas, es decir justamente al revés de como se presentan, y en el detalle de los dos cordones que penden del capelo también se pasa de una a tres borlas entre el primero y el segundo órdenes, y da la impresión de no respetarse luego el incremento numérico de las borlas en los sucesivos órdenes. El otro elemento singularizador en las portadas de la *Biblia*, que se sobrepone al escudo, son los cuatro hexámetros latinos, configurando ambos elementos un rudimentario emblema, un todo significativo.

12 A. Muntada Torrellas, *o.c.*, 93.

Haec tibi pētadecas tetragonō respicit illud
Hospitium petri ⁊ pauli ter quinqꝫ dierum.
Nāqꝫ instrumētū vetus hebdoas innuit: octo
Lex noua signatur, ter quīqꝫ receptat vtrūqꝫ.

¶ Vetus testamētū multiplici lin=
gua nūc primo impressum Et im=
primis Pentateuchꝰ Hebraico:
Greco: atqꝫ Chaldaico idio
mate. Adiūcta vnicuiqꝫ
sua latina iterpretatiōe.

Fig. 24

Haec tibi pentadecas tetragonon respicit illud
Hospitium petri ⁊ pauli ter quinqꝫ dierum.
Namqꝫ instrumētum vetus hebdoas innuit: octo
Lex noua signatur. ter quinqꝫ receptat vtrunqꝫ.

Vetus testamentū multiplici lingua nūc
primo impressum. Et imprimis
Pentateuchus Hebraico Greco atqꝫ Chaldaico idioma-
te. Adiūcta vnicuiqꝫ sua
latina interpreta-
tione.

Fig. 25

El impresor no creó unas portadas especiales para la *Biblia Políglota*. Recurrió a un modelo tipográfico, armónico en términos estéticos, que había creado en 1511 para utilizarlo siempre que la producción de su taller fuera consecuencia de encargos de Cisneros, enmarcando habitualmente el escudo con cuatro cintas, de un muestrario aunque variado, demasiado reiterativo. La única novedad que descubrimos en la portada del volumen V, el primero de los publicados, es la utilización de las piezas verticales, más anchas, diferentes entre sí, con rica decoración de jarrones y plantas, que veremos luego aparecer en sucesivas ediciones de libros litúrgicos de los años 1515 y 1517, en cuyas portadas continuarán apareciendo los hexámetros latinos, pero ahora situados siempre debajo del escudo. Se trataba de ediciones encargadas por Cisneros y el taller había convertido sin duda en práctica habitual la incorporación de esos dos elementos, el escudo y la composición poética, a las portadas de *todas las obras del Cardenal*.

El escudo se imprimió con tinta negra en la portada del Volumen V, pero en cambio se utilizó tinta roja para su impresión en las portadas de los restantes volúmenes, lo que implica que ese lado del pliego tuvo que ser presionado por el cuadro de la prensa dos veces. Se colocaría sobre el mármol primeramente la forma preparada para imprimir la portada, pero con todos sus materiales, tipos y tacos xilográficos, salvo el taco correspondiente al escudo, tapados, interviniendo el batidor con tinta roja sobre el taco del escudo a la vista; posteriormente se extraería de la forma dicho taco o se taparía, para imprimir, con tinta negra, el resto de la portada. Esta alternancia de color ocurre curiosamente en los libros litúrgicos recordados pero en este caso lo que aparece en tinta roja es el título y no el escudo.

Las portadas, pues, de la *Políglota* proclaman simplemente, en el propósito del taller de imprenta, que se trata de una *obra del Cardenal*, una más entre las varias encargadas por él al maestro Brocar, que había sido expresamente llamado para su impresión después del (in)explicable fracaso de su antecesor Estanislao Polono. Es curioso observar que un juego de iniciales xilográficas de dicho taller continúa utilizándose para la impresión de algunas páginas de la *Políglota*.

Recupero mi alusión al nuevo *estado*, pues existen ejemplares del volumen I con un primer cuaderno (a cuya portada he aludido y reproduzco en la Fig. 24) compuesto e impreso de nuevo en su totalidad. La actuación ha tenido lugar después de haberse incorporado el texto del documento papal en la página dejada en blanco, es decir con posterioridad a marzo de 1520, actuación que se realizó sobre la práctica totalidad de los ejemplares de la tirada, ya que dicho texto, al que luego aludiré expresamente, figura incorporado en su lugar correspondiente en el nuevo cuaderno. Esta actuación, presumiblemente tardía, fue motivada por la destrucción de pliegos de ese primer cuaderno, quizá accidentalmente, ocasionando un *estado* producido en el mismo taller, pero después de la muerte del maestro Brocar, y con posterioridad a la puesta en venta de los ejemplares, que suponemos fue efectiva únicamente a partir de 1522.

La estética tipográfica de la nueva portada, a la que hice referencia, es claramente distinta y sin duda corresponde al momento en que el yerno de Brocar, Miguel de Eguía, regenta el taller. El nuevo cuaderno se imprimió *circa* 1526-1527 como lo delata especialmente el nuevo material xilográfico utilizado: el primer empleo de los tacos xilográficos con las representaciones de los Santos Padres, Gregorio Magno, Jerónimo y Agustín, firmadas con las iniciales DP, y Ambrosio, sin firma, se documenta en 1524, año en el que igualmente se documenta la primera aparición de las piezas xilográficas verticales, que representan dos pilastras con guirnalda colgante al exterior, y que Eguía utilizará continuamente después para incorporar en sus portadas unas características arquitecturas xilográficas. También a partir de ese año el taller incorpora un muestrario muy diversificado de tacos xilográficos con representaciones de tipo vegetal que van a ocasionar un cambio muy llamativo en la estética de sus portadas. En el caso de la nueva portada, las dos piezas xilográficas representando una especie de planta trepadora, que cierran por arriba y por abajo la orla son las de uso menos frecuente, frente a representaciones de troncos y frondas diversas, y solo he documentado su aparición en las portadas de tres ediciones del año 1527.

La estampa del escudo de Cisneros se ha obtenido con el mismo taco xilográfico utilizado en los días de Brocar, durante los años 1511 y 1518, pero retocado con cuidado para recuperarlo de su agotamiento. Puede apreciarse la intervención especialmente en el caso de las líneas que bordean el escudo y en las que forman el marco de doble filete. Por otra parte, al recorrer atentamente las páginas, descubrimos que se ha vuelto a componer el texto prácticamente a plana y renglón, pero se ha recurrido a tacos para iniciales correspondientes a los alfabetos xilográficos introducidos por el nuevo maestro a partir, como he indicado, del año 1524, cuando asume la responsabilidad plena del taller[13]. [Compárese la Fig. 26 con la Fig. 17].

13 Cito para que no se atribuya a olvido el artículo nada clarificador de M. Á. Santos Quer, «Las iniciales en libros impresos en Alcalá de Henares por Miguel de Eguía hasta 1537», en *Anales Complutenses* 14 (2002) 51-59, donde se incluyen cinco reproducciones que

Prologus.

Nota q̄ vbicūq; in libris veteris testamēti mendositas reperitur: recurrendum est ad volumina hebræorū: quia vetus testamētū primo in lingua hebræa ascriptū est. Si vero in libris noui testamēti: recurrendum est ad volumina græcorū: quia nouū testamētū primo in lingua græca scriptū est: præter euāgeliū Matthei & epistolā Pauli ad hebræos.

Modi intelligendi sacram scripturam.

OTANDVM: Q OMNIS SAcra scriptura quadriformi ratione distinguitur siue exponitur. Aut enim in historico vel litterali intellectu: aut allegorico: aut anagogico: aut tropologico: vel morali solet accipi. Historia nāq; est: quando res aliqua quo modo secundum litteram dicta vel facta sit: plano sermone refertur: vt cū dicitur. Populus israel ex ægypto saluatus: tabernaculum domino fecit. Et dicitur ab historein: idest videre vel cognoscere: quia antiquitus nemo scribebat historiam nisi qui vidisset: & sic quando dictiones intelligun tur simpliciter vt sonant, est sensus litteralis vel historicus. Allegoria autem est: cum verbis aut rebus mysticis præsentia Christi & ecclesiæ sacramenta signantur. Verbis videlicet vt ait Esaias. Egredietur virga de radice iesse: quod aperte est dicere. Nascetur virgo maria de stirpe dauid: & de ea christus nascet. Rebus mysticis est: populus israel ab ægyptiaca seruitute per sanguinem agni liberatus. Allegorice ecclesiam signat: quæ per passionem Christi a dæmoniaca seruitute liberata est. Et nota q̄ allegoria multis modis exponitur. Quandoq; a persona: vt Isaac signat Christum. Quandoq; a re & non persona: vt aries occisus significat christi carnem passam. Quandoq; a loco: vt Christus prędicaturus ascendit in montem: vbi eminentia loci signat eius sapientiam & excellentiam. Quandoq; a numero: vt apprehendent septem mulieres virum vnum: idest septem dona gratiarum Christi. Quandoq; a negocio vel facto: vt interfectio Goliæ a Dauid: interfectionem diaboli a Christo signat. Anagogia autem ad superiora est ducens locutio: quæ de præmio futuro & ea quæ in cœlis est vita futura apertis siue mysticis sermonibus disputat. Apertis: vt cum dicitur. Beati mundo corde. Mysticis: vt cum dicitur. Beati qui lauant stolas suas: vt sit illis potestas in ligno vitæ: & per portam intrent ciuitatem. Quod sic exponit anagogice. Beati qui mūdant cogitationes suas & actus: vt illis potestas videndi dominum nostrum Iesum Christū: qui dicit. Ego sum via vita & veritas: & per doctrinam & exempla præcedētium patrum intrant in regna cœlorum. Et sic est differentia inter allegoriam & anagogiam: quia allegoria est mysticus sensus pertinens ad militātem ecclesiā in qua sumus: sed anagogia est apertus sensus pertinens ad ecclesiam triumphātem: quæ est communitas sanctorum iam triumphans & regnans. Tropologia vero est moralis locutio: quæ ad instructionem & correctionē animorū mystice siue aperte respicit. Mystice: vt ait Salomon. Omni tēpore sint vestimenta tua cādida: & oleum de capite tuo nō deficiat: quod est dicere. Omni tēpore sint opera tua munda: & charitas de corde tuo non deficiat. Aperte: vt Ioannes dicit. Filioli nō diligamus verbo neq; lingua: sed opere & veritate. Et vt breuiter habeas. Historia docet factum. Tropologia faciendum. Allegoria credendum. Anagogia appetendum. Vnde versus.

Littera gesta docet: quid credas allegoria:
Moralis quid agas: quo tendas anagogia.

Hæc patent in hac dictione hierusalem. Historice enim est nomen ciuitatis. Tropologice est typus animæ fidelis: Allegoricæ figura ecclesiæ militantis. Anagogice typum gerit ecclesiæ triumphantis. Vnde versus.

Sicut hierusalem polis est terrena fidelis:
Constans ecclesia: mons fortis: patria summa.

Incipit epistola beati Hieronymi ad Paulinum.

Præsbyterum de omnibus diuinæ hystoriæ libris. Capitulum. I.

Rater Ambrosi⁹ tua mihi munuscula pferēs: detulit simul & suauissimas lras: q̄ a principio amicitiarum fidem pbatæ iā fidei & veteris amicitiæ noua pferebant. Vera enī illa necessitudo est & Christi glutino copulata: quā nō vtilitas rei familiaris: nō pñtia tm̄ corporū: nō subdola & palpās adulatio: sed dei timor & diuinarū scripturarū studia conciliāt. Legim⁹ in veteribus historiis quosdā lustrasse puincias: nouos adiisse populos: maria trāsisse: vt eos quos ex libris nouerāt: corā quoq; viderent. Sic Pythagoras mēphiticos vates: sic Plato ægyptū & Archytā tarētinū: eamq; orā Italiæ: q̄ quōdā magna græcia dicebat: laboriosissime peragrauit: vt q Athenis magister erat & potens: cuiusq; doctrinā Achademiæ gymnasia personabāt: fieret pegrinus atq; discipul⁹: malēs aliena verecūde discere: q̄ sua impudēter ingerere. Deniq; cum lras quasi toto orbe fugiētes persequit: captus a piratis & venūdatus etiā tyrāno crudelissimo paruit: ductus captiuus: vinctus & seruus: tamen qa philosophus: maior emēte se fuit. Ad Titū Liuiū lacteo eloquētię fonte manantē: de vltimis hispaniæ galliarūq; finib⁹ quosdam venisse nobiles legimus: & quos ad contēplationē sui Roma nō traxerat: vni⁹ hominis fama pduxit. Habuit illa etas inauditū oībus sęculis celebrandūq; miraculū: vt vrbē tātam ingressi: aliud extra vrbem quęrerent. Apollonius siue ille magus: vt vulgus loquitur: siue philosophus: vt pythagorici tradūt: intrauit Persas: pertransiuit Caucasum: albanos: scythas: massagethas: opulentissima Indiæ regna penetrauit: & ad extremum latissimo Phison amne trāsmisso peruenit ad brachmanas: vt Hiarcham in throno sedentem aureo & de Tantali fonte potantem: inter paucos discipulos de natura: de moribus ac de cursu dierum & syderum audiret docentem. Inde per elamitas babylonios: chaldæos: medos: assyrios: parthos: syros: phenices: arabes: palestinos: reuersus alexandriam perrexit ad æthiopiam: vt gymnosophistas & famosissimam solis mensam videret in sabulo. Inuenit ille vir vbiq; quod disceret: & semper proficiēs: semper se melior fieret. Scripsit super hoc plenissime octo voluminibus Philostratus. Capitulum. II.

Fig. 26

no resultan en ningún modo significativas ni, por supuesto, ejemplificadoras de la renovación que Miguel de Eguía introduce en el taller de la saga Brocar-Eguía.

En 1525 comienzan a hacer acto de presencia en los ejemplares de la ediciones del antiguo taller, ahora regido por el nuevo maestro impresor, un alfabeto xilográfico que también encontramos en este *estado* del primer cuaderno, unas iniciales, que miden 203 x 204 mm., en las que aparecen letras en blanco con niños enlazados o montados sobre ellas, sobre un fondo rayado, dentro de un marco de filete grueso; en 1526, unas iniciales, que miden 154 x 155 mm., en negro sobre blanco, representando, dentro de un marco de doble filete, grueso y fino, letras con sencillos detalles vegetales, e igualmente unas iniciales, que miden 202 x 201 mm., en negro sobre blanco, representando, dentro de un marco de doble filete sencillo, letras totalmente vegetales. [Compárense las Fig. 27, correspondiente a la primitiva impresión, con la Fig. 28, en que aparece la misma página del nuevo *estado*]. Es, creo, significativo el hecho de que ninguna de estos nuevos juegos de iniciales aparezcan en la edición del *Missale secundum consuetudinem Burguensis ecclesiae nunc denuo impressum atque correctum* de mayo de 1525 (impreso por Miguel de Eguía en Alcalá de Henares, aunque indicando en el colofón Burgos, por exigencia sin duda del cabildo que contrató la edición), donde encontramos un muestrario muy abundante de varios de los juegos de iniciales presentes en la *Políglota*.

Es claro que el cajista utilizó como original un ejemplar del *estado* que presenta en el verso de la última hoja el texto del *motu proprio* de León X con la inicial obtenida con el taco defectuoso y en el que aparecían las dos erratas de las líneas 1 y 5. No sorprende, pues, que recuperase el taco ya que su propósito imitativo es manifiesto. Lógicamente se percata de la doble errata y se propone corregirlas, pero acierta en el caso de la línea 1 y curiosamente crea una errata diferente en el caso de la línea 5, pues compone ET DICTE, en lugar de ET DILECTE, al tratar de evitar FT DILFCTE [Fig. 29].

Prologus.

Quid loquar de seculi hominibus: cum apostolus Paulus vas electionis & magister gentium: qui de conscientia tanti in se hospitis loquebatur dicens. An experimentum quæritis eius qui in me loquitur christus? post damascum arabiamq; lustratam: ascendit hierosolymam vt videret petrum: & mansit apud eum diebus quindecim! Hoc enim mysterio hebdomadis & ogdoadis futurus gentium prædicator instruendus erat. Rursumq; post annos quattuordecim assumpto Barnaba & Tito exposuit cum apostolis euangelium: ne forte in vacuum curreret aut cucurrisset. Habet nescio quid latētis energiæ viuæ vocis actus: & in aures discipuli de autoris ore trāsfusa fortius sonat. Vnde & Eschines cum Rhodi exularet: & legeretur illa Demosthenis oratio: quā aduersus eū habuerat: mirantibus cunctis atq; laudantibus: suspirans ait. Quid si ipsam audissetis bestiam sua verba resonantem! Capi.iii.

Nec hoc dico q̄ sit aliquid in me tale: quod vel possis a me audire: vel velis discere: sed quo ardor tuus & discendi studium etiam absq; nobis per se probari debeat. Ingenium docile et sine doctore laudabile est. Nō quid inuenias sed quid quæras consideramus. Mollis cera et ad formandum facilis etiam si artificis & plastæ cessent manus: tamen virtutis totum est quicquid esse potest. Paulus apostolus ad pedes Gamalielis legem Moysi & prophetas didicisse se gloriatur: vt armatus spiritualibus telis: postea doceret confidenter. Arma enim nostræ militiæ non carnalia sunt: sed potentia deo ad destructionem munitionū & cogitationes destruētes & omnem altitudinem extollentem se aduersus scientiam dei: & captiuātes omnem intellectum ad obediendū christo: & parati subiugare omnem inobedientiam. Timotheum scribit ab infantia sacris litteris eruditum: & hortatur ad studium lectionis: ne negligat gratiam quæ data sit ei per impositionem manus presbyterii. Tito præcipit vt inter cæteras virtutes episcopi: quas breui sermone depinxit: scientiam quoq; non negligat scripturarum: obtinentem inquit eum qui secundum doctrinam est fidelem sermonem: vt potens sit exhortari in doctrina sana & cōtradicentes reuincere. Capi.iiii.

Sancta quippe rusticitas solum sibi prodest: & quātum ædificat ex vitæ merito ecclesiā Christi: tantum nocet si destruentibus non resistat. Malachias propheta immo per malachiā dominus interrogauit sacerdotes legem. In tantum sacerdotis officium est: interrogatum respondere de lege. Et in Deuteronomio legimus. Interroga patrem tuum & annūciabit tibi: seniores tuos & dicent tibi. In psalmo quoq; cxviii. Cantabiles mihi erant iustificationes tuæ in loco peregrinationis meæ. Et in descriptione iusti viri cum eū arbori vitæ dauid quæ est in paradiso compararet: inter cæteras virtutes hoc etiam intulit. In lege domini voluntas eius: & in lege eius meditabitur die ac nocte. Daniel in fine sacratissimæ visionis ait. Iustos fulgere quasi stellas: & intelligentes idest doctos quasi firmamentū. Vides quātum inter se distāt iusta rusticitas & docta iusticia. Alii stellis: alii cælo comparantur. Quamq̄ iuxta hebraicam veritatem vtrūq; de eruditis possit intelligi. Ita enim apud eos legimus. Qui autem docti fuerint: fulgebunt quasi splendor firmamēti: & qui ad iusticiā erudiūt multos: quasi stellæ in perpetuas æternitates. Cur dicitur Paulus apostolus vas electionis? Nempe quia vas legis & scripturarū sanctarum erat armarium. Pharisei stupēt in doctrina domini: & mirantur in Petro & Ioanne quomodo legem sciant cū litteras nō didicerint. Quicquid enim aliis exercitatio & cottidiana in lege meditatio tribuere solet: illis hoc spiritus sanctus suggerebat. Et erāt (iuxta quod scriptum est) docibiles dei. Duodecim annos saluator impleuerat: & in templo sedens de quæstionibus legis interrogans: magis docet dum prudenter interrogat. Nisi forte rusticum Petrū rusticum Ioannem dicimus: quorum vterq; dicere poterat. Et si imperitus sermone non tamen scientia. Ioannes rusticus: piscator indoctus: & vnde illa vox obsecro. In principio erat verbum: & verbum erat apud deū: & deus erat verbum! Logos græce multa significat. Nam & verbum est & ratio & supputatio & causa vniuscuiusq; rei: per quam sunt singula quæ subsistunt: quæ vniuersa recte intelligimus in Christo. Capi.v.

Hoc doctus Plato nesciuit: hoc Demosthenes eloquens ignorauit. Perdam inquit sapientiam sapientium: & prudentiam prudentium reprobabo. Vera sapientia perdet falsam sapiētiam. Et quāq; stulticia prædicationis in cruce sit: tamen Paulus sapientiam loquitur inter perfectos. Sapientiam autē non seculi huius: quæ destruitur: nec principum huius seculi: sed loquitur dei sapientiam in mysterio absconditam: quā prædestinauit deus ante secula. Dei sapientia christus est. Christus enim dei virtus & dei sapientia. Hæc sapientia in mysterio abscondita est: de qua & noni psalmi titulus prænotatur pro occultis filii. In quo sunt omnes thesauri sapientiæ & scientiæ dei absconditi. Et qui in mysterio abscōditus erat: prædestinatus est ante secula: prædestinatus autem & præfiguratus in lege & prophetis. Vnde & prophetæ appellabantur videntes: quia videbant eum quem cæteri non videbant. Abraam vidit diē eius: & lætatus est. Aperiebantur cæli Ezechieli: qui populo peccatori clausi erāt. Reuela inquit Dauid oculos meos: & cōsiderabo mirabilia de lege tua. Lex enī spiritalis est: & reuelatione opus est vt intelligatur: ac reuelata facie dei gloriā cōtemplemur. Liber in apocalypsi septem sigillis signatus ostenditur: quem si dederis homini scienti litteras vt legat: respondebit tibi. Nō possum. Signatus est enim. Quanti hodie putant se nosse litteras: tenent signatum librum nec aperire possunt: nisi ille reserauerit qui habet clauem dauid: qui aperit & nemo claudit: claudit: & nemo aperit. In actibus apostolorū sanctus eunuchus immo sanctus vir (sic enī eū scriptura cognominat) cum legeret Esaiam prophetā interrogatus a Philippo: putas ne intelligis quæ legis? respōdit. Quomodo possum: nisi aliquis me docuerit! Ego vt de me loquar interim: nec sanctior sum hoc eunucho nec studiosior: qui de ethyopia idest de extremis finibus mundi venit ad templum: reliquit aulam regiam: & tantus amator legis diuinæq; scientiæ fuit: vt etiam in vehiculo litteras legeret sacras. Et tamen cum librum teneret: et verba domini cogitatione cōciperet: lingua volueret: labiis personaret: ignorabat eum quem in libro nesciens venerabatur. Venit philippus ostēdit ei iesum qui clausus latebat in litera. O mira doctoris uirtus. Eadem hora credidit eunuchus: baptizatur: fidelis & sanctus est ac magister de discipulo: plus in deserto fonte ecclesiæ q̄ in aurato synagogæ templo repperit.

Capitulum. vi.

Fig. 27

Prologus.

Vid loquar de sæculi hominibus: cũ aposto
lus Paulus vas electionis & magister gentiũ:
qui de cõscientia tãti in se hospitis loqueba=
tur dicens. An experimentũ quęritis ei9 qui
in me loquit᷑ christus? post damascũ arabiã=
ꝗ lustratã: ascẽdit hierosolymã vt videret Petrũ: & mansit
apud eum diebus quindecim. Hoc eñ mysterio hebdoa=
dis & ogdoadis futurus gentium prædicator instruendus
erat. Rursumq; post annos quattuordecim assumpto Bar
naba & Tito exposuit cum apostolis euangelium: ne forte
in vacuum curreret aut cucurrisset. Habet nescio quid late=
tis energiæ viuæ vocis actus: & in aures discipuli de auto=
ris ore trãsfusa fortius sonat. Vnde & Eschines cum Rhodi
exularet: & legeretur illa Demosthenis oratio: quam aduer
sus eum habuerat: mirantibus cunctis atq; laudantibus: su
spirans ait. Quid si ipsam audissetis bestiam sua verba re=
sonantem?

Capt. III.

Ec hoc dico: ꝙ sit aliquid in me tale: quod vel
possis a me audire: vel velis discere: sed quo ar=
dor tuus & discendi studium etiam absq; no=
bis per se probari debeat. Ingenium docile &
sine doctore laudabile est. Nõ quid inuenias sed quid quę=
ras consideramus. Mollis cera & ad formandum facilis
etiam si artificis & plastæ cessent manus: tamen virtutis to
tum est quicquid esse potest. Paulus apostol9 ad pedes Ga
malielis legem Moysi & prophetas didicisse se gloriatur:
vt armatus spiritualibus telis: postea doceret confidenter.
Arma enim nostræ militiæ non carnalia sunt: sed potentia
deo ad destructionẽ munitionum & cogitationes destruen
tes & omnem altitudinem extollentem se aduersus scien=
tiam dei: & captiuantes omnẽ intellectum ad obediendum
christo: & parati subiugare omnem inobedientiam. Timo
theum scribit ab infantia sacris litteris eruditum: & horta
tur ad studium lectionis: ne negligat gratiam quæ data sit
ei per impositionem manus præsbyteri. Tito præcipit vt
inter cæteras virtutes episcopi: quas breui sermone depin
xit: scientiam quoq; non negligat scripturarum: obtinen=
tem inquit eum qui secundum doctrinam est fidelem ser=
monem: vt potens sit exhortari in doctrina sana & contra=
dicentes reuincere.

Capt. IIII.

Ancta quippe rusticitas solũ sibi ꝓdest: &
quãtũ ædificat ex vitę merito ecclesiã Chri
sti: tñ nocet si destruẽtibus nõ resistat. Ma
lachias ꝓpheta imo per malachiã dñs in=
terrogauit sacerdotes legem. In tantũ sacer
dotis officium est: interrogatum respondere de lege. Et in
Deuteronomio legimus. Interroga patrem tuum & annũ
ciabit tibi: seniores tuos & dicent tibi. In psalmo quoq;
cxviii. Cãtabiles mihi erant iustificationes tuę in loco per=
egrinationis meæ. Et in descriptione iusti viri cum eum ar
bori vitæ Dauid quæ est in paradiso compararet: inter cæ=
teras virtutes hoc etiam intulit. In lege domini voluntas
eius: & in lege eius meditabitur die ac nocte. Daniel in fine
sacratissimæ visionis ait. Iustos fulgere quasi stellas: & in=
telligentes idest doctos quasi firmamẽtum. Vides quãtum
inter se distãt iusta rusticitas & docta iustitia. Alii stellis: alii
cœlo comparantur. Quamq̃ iuxta Hebraicam veritatem
vtrũq; de eruditis possit intelligi. Ita enim apud eos legi=
mus. Qui autem docti fuerint: fulgebunt quasi splẽdor fir
mamenti: & qui ad iustitiam erudiunt multos: quasi stellæ
in perpetuas ęternitates. Cur dicitur Paulus apostolus vas
electionis? Nempe quia vas legis & scripturarũ sanctarum
erat armarium. Pharisæi stupẽt in doctrina domini: & mi=
rantur in Petro & Ioanne quomodo legem sciant cũ litte=
ras nõ didicerint. Quicquid enim aliis exercitatio & cotti=
diana in lege meditatio tribuere solet: illis hoc spiritus san
ctus suggerebat. Et erãt (iuxta quod scriptum est) docibi=
les deo. Duodecim annos Saluator impleuerat: & in tem=
plo sedens de quæstionibus legis interrogans: magis do=
cet dum prudenter interrogat. Nisi forte rusticum Petrum
rusticum Ioannem dicimus: quorum vterq; dicere pote=
rat. Et si imperitus sermone non tamen scientia. Ioannes
rusticus: piscator idoctus: & vnde illa vox obsecro. In prin
cipio erat verbum: & verbum erat apud deum: & deus
erat verbum? Logos græce multa significat. Nam & ver=
bum est & ratio & supputatio & causa vniuscuiusq; rei: per
quam sunt singula quæ subsistunt: quæ vniuersa recte in=
telligimus in Christo.

Capt. V.

Oc doct9 Plato nesciuit: hoc Demosthenes
eloquens ignorauit. Perdam inquit sapien
tiam sapientiũ: & prudẽtiam prudentiũ re=
probabo. Vera sapiẽtia perdet falsam sapiẽ
tiam. Et quãq̃ stultitia pdicationis in cruce
sit: tamẽ Paulus sapientiã loquit᷑ inter pfectos. Sapientiam
autẽ non sæculi huius: quę destruit᷑: nec principũ huius sæ
culi: sed loquit᷑ dei sapientiã in mysterio absconditã: quam
prædestinauit deus ante secula. Dei sapientia Christus est.
Christus enim dei virtus & dei sapientia. Hæc sapientia in
mysterio abscondita est: de qua & noni psalmi titulus prę=
notatur pro occultis filii. In quo sunt omnes thesauri sa=
pientiæ & scientiæ dei abscõditi. Et qui in mysterio abscõ=
ditus erat: prædestinatus est ante sæcula: prędestinatus au=
tem & præfiguratus in lege & prophetis. Vnde & prophe=
tæ appellabantur videntes: quia videbant eum quem cæte
ri non videbant. Abraam vidit diẽ eius: & lætatus est. Ape
riebantur cœli Ezechieli: qui populo peccatori clausi erãt.
Reuela inquit Dauid oculos meos: & considerabo mirabi=
lia de lege tua. Lex eñ spiritalis est: & reuelatione opus est
vt intelligatur: ac reuelata facie dei gloriam cõtemplemur.
Liber in Apocalypsi septem sigillis signatus ostenditur:
quem si dederis homini scienti litteras vt legat: responde=
bit tibi. Nõ possum. Signatus est enim. Quanti hodie pu=
tant se nosse litteras: tenent signatum librum nec aperire
possunt: nisi ille reserauerit qui habet clauem Dauid: qui
aperit & nemo claudit: claudit: & nemo aperit. In actibus
apostolorũ sanctus eunuchus immo sanctus vir (sic eñ eũ
scriptura cognominat) cum legeret Esaiam prophetam in
terrogatus a Philippo: putas ne intelligis quæ legis? respõ
dit. Quomodo possum: nisi aliquis me docuerit? Ego vt
de me loquar interim: nec sanctior sum hoc eunucho nec
studiosior: qui de ethyopia idest de extremis finibus mun
di venit ad templum: reliquit aulam regiam: & tantus ama
tor legis diuinæq; scientiæ fuit: vt etiam in vehiculo litte=
ras legeret sacras. Et tamen cum librum teneret: & verba
domini cogitatione cõciperet: lingua volueret: labiis per=
sonaret: ignorabat eum quem in libro nesciens venerba=
tur. Venit Philippus ostendit ei Iesum qui clausus latebat
in littera. O mira doctoris virtus. Eadem hora credidit eu=
nuchus: baptizatur: fidelis & sanctus est ac magister de di=
scipulo: plus in deserto fonte ecclesiæ ꝙ̃ in aurato synago=
gæ templo repperit.

Capitulum. VI.

Fig. 28

VENERABILI FRATRI FRANCISCO EPISCOPO ABVLEN. ET DILECTO FILIO FRANCISCO DE MENDOZA. ARCHIDIACONO DE PEDROCHE IN ECCLESIA CORDVBENSI VEL EORVM ALTERI.

LEO PAPA. X.

ENERABILIS FRATER ET DICTE FILI SALVTEM ET APOSTOLIcam benedictionem. Dudum relatione Venerabilis fratris Bernardini Epi Sabineñ. & dilecti filii nostrorum Egidii. tt. sancti Mathei presbyteri Cardinalis nobis facta: itelleximus ꝙ inter alia quæ bonæ memoriæ Franciscus. ti. sanctæ Balbinæ presbyter Cardinalis: anteq̄ ab humanis excederet summa cum laude absoluit: extat opus noui & veteris testamenti: noui videlicet in græco & latino: & veteris in græco & latino p̄dictis necnō hebręo & caldęo sermonibus ab eodem Francisco Cardinale multa cū vigilia & doctorum consensu compositum: & vsq; ad sexcenta volumina vel amplius impensa eiusdem Francisci Cardinalis impressa. Sed cum post impressionem huiusmodi subito dictus Franciscus Cardinalis morte esset ablatus: & noster ad publicationem dicti operis consensus petitus non esset: nequiuit hactenus opus ipsum ad doctorum manus & publicam vtilitatem cui erit fructuosum aduenire. Manet insuper voluntas dicti Francisci Cardinalis in illius testamento notata pro parte inexequuta: & est ex pręcio pro quo dicta volumina vendētur explenda. Vnde nos indignum existimantes ꝙ huiusmodi opus amplius cum publicæ vtilitatis iactura lateat. & pia tam imitabilis viri voluntas diutius debita exequutione frustretur: & vtriq; damno nostræ prouisionis ope subuenire volentes. Motu proprio & ex certa scientia nostra opus pręfatum comprobantes: & vt tale in lucem per doctorum & aliorum manus libere de cętero venire possit concedentes: discretioni vestræ: qui sicut accepimus ex exequutoribus dicti testamenti estis: per hæc scripta mandamus: quatenus volumina prædicta pro precio de quo melius agi poterit: etiam sine aliis dicti testamenti exequutoribus: si qui sint: diligenter vendi procuretis: & faciatis ex ipso precio dictam voluntatem iuxta vires eiusdem precii adimpleri. Et ne aliquod dictorum voluminum non venditum maneat: inhibemus vniuersis & singulis tam ecclesiasticis q̄ secularibus personis cuiuscūq; dignitatis/status/gradus/ordinis & cōditionis sint: sub excōmunionis latæ sententiæ a qua non nisi a nobis ipis vel de nostro speciali mandato: preterq̄ in mortis articulo constituti: absolui possint. necnon mille ducatorum auri de camera per quemlibet transgressorum soluendorum. & quos fabricæ basilicæ sancti Petri de vrbe & nostræ cameræ paribus portionibus applicamus: eo ipso incurrendis pœnis: ne opus prædictum ab alio q̄ persona vel personis per vos vel alterum ex vobis ad id deputatis pro tempore vsq; ad septennium a die inchoatæ venditionis hmōi computandum emere vel illud durante septennio hmōi imprimere quoquomodo præsumant. Si vero temerarie inhibitionem huiusmodi: quod absit præterire non expauerint: Vobis & vestrum cuiq; transgressores prædictos excōmunicatos denunciandi. & eos vt tales euitari mandandi. necnon pœna quingentorum ducatorum hmōi singulariter mulctari. & quæuis alia desuper necessaria seu oportuna faciendi licentiam & facultatem tenore præsentium elargimur. Non obstañ. constitutionibus & ordinationibus apostolicis cæterisq; contrariis quibucunq;. Datum Romæ apud sanctum Petrum sub Anulo piscatoris. Die. xxii. Martii. M.D.XX. Pontificatus nostri. Anno octauo. Euangelista.

¶ Ad Lectorem.

RATER FRANCISCVS Episcopus Abuleñ. & Frācíscus de mendoza Archidiaconus de Pedroche. Sacrarum litterarum cupidis in christo Iesu. S.D. Superiores apostolicæ sedis litteras breues sub anulo piscatoris ad nos datas accepimus: in quibus vt legisti bone lector nobis cōmendat iubetq;: vt opus illud nō minus diffusum q̄ eruditionis plenum quod ad sacrum canonem explicandum Frater Franciscus ximenez. S. R. E. Cardinalis hispanus idemq; Toletanus Antistes dominus ac benefactor noster publicæ omnium vtilitati cōponi atq; imprimi curauit: in ordinem redigeremus: & redactū bibliopolis vendēdos exponeremus: vt inde cōflarentur pecuniæ quibus legata & debita ac cætera ipsius testamēti onera persoluerent. Eas igitur nos magna cū voluptate legimus: nō modo vt apostolicis iussionibus obtēperaremus: verūetiam vt optimi & omni æternitate dignissimi deq; nobis optime meriti viri testamentariā voluntatem exequeremur. Curauimus itaq; p viros industrios atq; eius rei peritos terniones in volumina & ea ipsa volumina in sex totius operis partes redigere. Et nō habita impensarum ratione: quæ fuerunt propemodū infinitæ: sed vtilitate q̄ inde sequeretur ex lectione: taxauimus totū opus ducalium aureorū numerorum p̄cio sex cum dimidio aut aliquāto pluris: prout distrahendorū librorum ratio exegerit: habita pro vectura impensarum æstimatione. Erit igitur tuum lector amice: si gratus si pius si deniq; vir bonus videri cupis: vt pro illius defuncti anima deum immortalem præceris: vt donet illi requiem sempiternam.

Fig. 29

Si en la edición de la Biblia, considerada como producto tipográfico, he aludido a los diversos *estados*, también, considerada como producto editorial, debo señalar que existen dos *emisiones*. Frente a lo indicado al referirme a los *estados*, en la producción de la diferencia que ocasiona la *emisión*, existe una voluntad o deseo declarado y eficiente por convertir en un todo distinto a una parte de los ejemplares de la edición. Una voluntad que puede ejercerse antes de poner en venta de los ejemplares pero igualmente después de que ese acontecimiento se haya iniciado e incluso haya concluido de hecho, es decir cuando ya ha finalizado su momento natural de comercialización, incluso muchos años después. Dentro de la variada tipología, una de las modalidades de *emisión* producida antes de la puesta en venta de los ejemplares es consecuencia de la decisión de emplear diferente material para el soporte en el caso de un conjunto de ejemplares de la edición. La tirada de la *Biblia* incluye ejemplares que pertenecen a la *emisión en papel*, la mayor parte, quizás más de 600, y ejemplares que pertenecen a la *emisión en pergamino*, un número muy reducido, de los que se conocen actualmente cuatro.

* * *

Así es el producto tipográfico y editorial más logrado del taller complutense de la saga Brocar-Eguía y al mismo tiempo, como ya he recordado con anterioridad, uno de los hitos tipográficos de todos los tiempos, a la vez que la primera *Biblia políglota* impresa y un original instrumento de trabajo, que debemos a la voluntad decidida del cardenal Cisneros y a su mecenazgo. En esta aproximación, inevitablemente selectiva respecto a los muchos detalles que deberían tenerse en cuenta, solo me he propuesto insistir en la necesidad de tomar en consideración la materialidad de los ejemplares, comparando el mayor número posible de los pertenecientes a la misma tirada, pues dicha materialidad –el libro y su forma– puede condicionar el significado del texto, al que sirve de medio de comunicación, pues también sabemos que el tipo de texto y sus destinatarios influyen en, si es que no condicionan, la elección y presentación del soporte y de los materiales empleados en la composición.

EDICIONES Y VERSIONES ALTOMEDIEVALES DE LA BIBLIA LATINA: EL CASO DE ISIDORO DE SEVILLA

María Adelaida Andrés Sanz
Universidad de Salamanca

He de comenzar este breve estudio justificando la elección del asunto anunciado en su título dentro del contexto de este *III Seminario internacional sobre Edición y Traducción de Fuentes manuscritas*[1]. Cuando el profesor Pena me propuso participar en él dejó a mi arbitrio el tema objeto de esta ponencia, pero no las líneas de investigación en las que debía incardinarse: Isidoro de Sevilla o la Biblia latina. En vista de ello, y en vista del tema general que enmarca nuestras contribuciones, a saber: el 500 aniversario de la edición de la Políglota Complutense, opté por una materia que, en cierto modo, aúna elementos comunes a los dos asuntos que se me propusieron: Isidoro y las ediciones de la Biblia. Presentaré aquí hechos que conciernen a una edición del texto bíblico, ésta no políglota, sino sólo latina. Voy a hablarles de la Biblia de Isidoro de Sevilla, sobre cuya existencia, identificación o características los investigadores han discutido durante siglos. En las páginas que siguen vamos a recorrer, juntos y a buen paso, el camino de lo que los especialistas dieron en llamar hace años «la cuestión bíblica isidoriana», cuya historia se entrecruza por casualidad en el siglo XVI con la de la edición de la Políglota Complutense.

Mi exposición consta de cinco partes. En la primera paso revista a los elementos que en el pasado permitieron plantear la llamada «cuestión

1 Trabajo realizado en el marco del proyecto FFI2012-35134 (MINECO).

bíblica isidoriana», es decir, la discusión académica acerca de si Isidoro de Sevilla realizó una revisión del texto de la Biblia latina (del conjunto, o de alguno de sus libros), y acerca de si conservamos textos o códices bíblicos hispánicos que puedan ser testimonio de dicha revisión. En la segunda, ofrezco las referencias más destacables de los estudios que se han dedicado a la misma desde diversas perspectivas sin conseguir dar una respuesta concluyente. En la tercera me limito a presentar tres hechos que pueden arrojar nueva luz sobre los estudios bíblicos e isidorianos. Y por último, tras unas brevísimas conclusiones, ofrezco una lista de bibliografía escogida sobre el tema que puede ser útil a quienes deseen profundizar más en su estudio.

1. Elementos biográficos, textuales y materiales que han permitido postular un trabajo de revisión o edición del texto bíblico por parte de Isidoro

Comencemos por los elementos biográficos. En cuanto a nuestros conocimientos acerca de la vida y obra de Isidoro, los datos que lo ligan a –o separan de– un posible trabajo de edición o revisión del texto bíblico se presentan principalmente en dos de las noticias biográficas sobre el obispo hispalense que han llegado hasta nosotros: la conocida como *Renotatio librorum Isidori* de Braulio de Zaragoza y la *Adbreviatio Braulionis*[2].

El argumento que sustenta con más peso la existencia de una edición isidoriana de la biblia es el texto de la llamada *Adbreuiatio Braulionis*, un relato de corte hagiográfico, de autor desconocido, escrito quizá en Sevilla en el s. XI. Junto con noticias relativas a la vida y muerte de Isidoro, la *Adbreviatio* ofrece una lista de las obras escritas por el hispalense. En ella, tras citar las *Quaestiones*, el anónimo autor apunta que Isidoro de Sevilla «Bibliothecam compilauit» y «quartam psalterii translationem edidit»; a continuación se atribuyen a Isidoro otros trabajos exegéticos y jurídicos, y tras ellos se hace referencia a la composición de las *Etymologiae*. «Bibliothecam compilauit» y «quartam psalterii translationem edidit» son expresiones un tanto ambiguas respecto a las realidades a las que parecen aludir, pero el latín de la época podría inducirnos a interpretar, en primer lugar, que Isidoro reunió, preparó y revisó un texto completo de la Biblia («bibliothecam compilauit») y, en segundo, que auspició y puso en circulación una cuarta traducción del salterio («quartam psalterii

2 Cf. A. E. Anspach, *Taionis et Isidori noua fragmenta et opera*, Madrid, 1930 (*Textos latinos de la Edad Media Española, Sección segunda: Varia* I), 57-64.

translationem edidit»), cuya naturaleza exacta no podemos conocer. En cualquier caso, ambas son labores ingentes e importantísimas.

Ahora bien, frente a lo que su nombre podría hacernos pensar, la *Adbreviatio Braulionis* es una reelaboración ampliada de la llamada *Renotatio librorum Isidori* escrita en el s. VII por Braulio de Zaragoza, contemporáneo, amigo y, según algunos, discípulo de Isidoro. Frente a la *Adbreviatio*, cuyo tono y noticias tienen un cierto color hagiográfico, con tendencia a la exageración, la *Renotatio* es una nota biográfica con una autoridad indiscutible. Pues bien, entre las noticias que aparecen en la *Adbreviatio* y Braulio no menciona se cuentan, precisamente, los dos trabajos bíblicos antes señalados[3]. El texto brauliano pasa directamente de los dos libros de las *Quaestiones* a los veinte de las *Etymologiae*, sin aludir a la «bibliothecae compilatio», a los trabajos sobre una cuarta edición del salterio, a los comentarios a los libros del Pentateuco, los Salmos y los Evangelios, o a los estudios de índole jurídica.

El hecho de que Braulio no recoja en su noticia unas labores de crítica y comentario del texto bíblico tan importante permite dudar acerca de la existencia de las mismas. No obstante, la duda podría suavizarse si tenemos en cuenta que Braulio parece no ser exhaustivo en cuanto a la enumeración de las obras escritas por Isidoro. En efecto, la última línea de su noticia es «Sunt et alia eius uiri multa opuscula et in Ecclesia Dei multo cum ornamento instrumenta», línea que daría cabida a la existencia de tales trabajos. Aun así, resulta difícil comprender el silencio explícito de Braulio respecto a trabajos que situarían la labor cultural de Isidoro a la altura de la de Jerónimo de Estridón.

En resumen, la información más importante sobre una posible edición isidoriana del texto bíblico aparece en la *Adbreviatio Braulionis*, una noticia biográfica anónima, de corte hagiográfico, posiblemente escrita en el siglo XI, es decir, cuatro siglos después de su fuente segura, esto es, la *Renotatio* de Braulio, fuente donde dicha información no aparece. Esta primera disensión hace surgir dudas razonables acerca de la existencia de los dos trabajos que apuntarían hacia la existencia de una «edición bíblica isidoriana»: la «bibliothecae compilatio» y la «editio» de una cuarta traducción del salterio.

No obstante lo anterior, hay otros dos hechos de la vida de Isidoro que podrían relacionarlo con tareas de revisión y edición de textos bíbli-

3 Su texto en J. C. Martín (ed.), «Braulionis Caesaraugustani Renotatio», en *Scripta de Vita Isidori Hispalensis Episcopi*, Turnhout: Brepols, 2006, 199-207 (*CCSL* 113B).

cos: los trabajos litúrgicos emprendidos por su hermano Leandro y las disposiciones del IV Concilio de Toledo.

En primer lugar, en la noticia biográfica que Isidoro mismo escribió en el *De viris illustribus* sobre su hermano mayor y mentor, Leandro de Sevilla, leemos que Leandro «in toto enim psalterio duplici editione orationes conscripsit»[4]. Es decir, Leandro compuso oraciones ligadas a dos versiones de los salmos. Si eso fue así, su hermano Isidoro no pudo haber sido ajeno al proceso de dicho trabajo, o al conocimiento de sus resultados. Pero esta certeza se nos ofrece junto a un nuevo problema: ¿qué es una «duplex editio» en el contexto hispanovisigodo del siglo VI? No podemos saber con seguridad a qué hace referencia Isidoro con tales palabras: puede aludir a dos de las traducciones del salterio que circulaban por Europa en su tiempo (la visigótico-mozárabe, la romana, las jeronimianas hexaplar y *ex Hebraeo*…), o incluso a las dos versiones del salterio visigótico-mozárabe que al parecer convivían en la Iglesia hispánica del siglo VII con dos usos distintos, uno litúrgico y otro de lectura[5].

Por lo que respecta al IV Concilio de Toledo, nos interesa aquí destacar en primer lugar que, como es bien sabido, Isidoro lo presidió; y en segundo, que en su canon II dice así: «Unus igitur ordo orandi atque psallendi nobis per omnem Hispaniam et Galliam conservetur». Esto es, en dicho Concilio parece regularse, precisamente, una unificación en los textos del salterio que se usa y circula en el territorio visigodo. No sería temerario pensar que la aplicación de este canon llevase aparejado un trabajo de revisión del texto de los salmos, y así lo han considerado muchos estudiosos, como veremos más adelante.

Hasta aquí los datos biográficos que sugerirían que Isidoro pudo haber preparado una nueva versión, total o parcial, del texto bíblico: la *Adbreviatio Braulionis*, la *Renotatio*, el capítulo dedicado por Isidoro a Leandro en su *De viris illustribus* y el IV Concilio de Toledo. Paso ahora a dar cuenta de los textos de autoría isidoriana cierta o posible que han permitido postular dicho trabajo de edición bíblica: la *Praefatio in psalterium*, de autoría dudosa, los *Prooemia* y el *De ortu et obitu patrum*.

La *Praefatio* es un prólogo a la edición de un salterio doble que sólo se conserva en dos manuscritos: en la llamada Biblia de Farfa o de Ripoll, donde su texto comienza con un saludo de Isidoro al lector y en el salterio

4 V. Codoñer Merino (ed.), *El «De uiris illustribus» de Isidoro de Sevilla*, Salamanca, 1964, 150.

5 Cf. para más detalles M. A. Andrés Sanz, «Las versiones del salterio latino en las obras de Isidoro de Sevilla», en C. Codoñer – P. F. Alberto (eds.), *Wisigothica. After M. C. Díaz y Díaz*, Firenze: SISMEL-Edizioni del Galluzzo, 2014, 41-54.

iluminado de Stuttgart, donde falta este saludo inicial, pero la *Praefatio* se atribuye a Isidoro en el *explicit*[6].

La autoría isidoriana de este prólogo ha sido discutida durante siglos, entre otras razones porque no se ha localizado ningún códice hispánico que transmita juntos, en dos columnas, los dos tipos de salterio a los que parece aludir, esto es, el galicano y el *ex Hebraeo*. No obstante, se ha de señalar que la biblia de Farfa/Ripoll transmite la *Praefatio* junto a otros muchos elementos extrabíblicos ante una versión *ex Hebraico*, típica de las biblias de Teodulfo; y en el códice de Stuttgart, por su parte, la *Praefatio* es el único prólogo conservado que precede a un salterio galicano. Hasta la fecha no contamos con un estudio exhaustivo de la misma que nos permita pronunciarnos al respecto sin ningún género de dudas, si bien algunos de sus elementos resultan verdaderamente problemáticos, como veremos.

Frente a las dudas que pueda ofrecernos la autoría de la *Praefatio in psalterium*, los *Prooemia*, indudablemente isidorianos, son una serie de introducciones a los distintos libros de la Biblia que nos ofrecen referencias acerca del origen y etimología del nombre de cada libro, sobre quién lo escribió, cuál es su contenido, etc.[7]. Han llegado hasta nosotros dispuestos como un texto unitario, con capítulos que se ocupan de los distintos libros de la biblia, y también de forma fragmentaria, ya que dichos capítulos aparecen a menudo en códices bíblicos a la cabeza de cada uno de los libros. Aunque hoy en día está suficientemente probada su naturaleza unitaria original, en tanto no contemos con una edición crítica del texto que recoja la historia de sus dos tradiciones textuales, podría sostenerse también que Isidoro concibió los *Proemia* para ser copiados como material extrabíblico dentro de códices bíblicos. De hecho, en distintas ocasiones se ha postulado que los manuscritos hispanos que presentan una gran cantidad de elementos extrabíblicos tomados de los *Prooemia* serían descendientes de los que el propio Isidoro habría preparado en su estudio hispalense. Los *Prooemia* ayudarían así a justificar la veracidad del «bibliothecam compilauit» de la *Adbreviatio*. Esto nos lleva de inmediato

6 Su más reciente y mejor edición es la de Bonifatius Fischer en *Der Stuttgarter Bilderpsalter* II, Stuttgart: E. Schreiber, 1968, 257-258. En la biblia de Farfa/Ripoll (*Vaticano, Biblioteca Apostolica Vaticana Vat. lat. 5729*) leemos «Ysidorus lectori salutem»; en el salterio de Stuttgart (*Stuttgart, Hof- und Landesbibliothek Bibl. Fol. 23*) «Explicit praefatio Isidori Spalensis episcopi».

7 *CPL* 1192. Sobre los mismos, Cf. M. A. Andrés Sanz, «*Prooemia*» y «*De ortu et obitu Patrum*» en J. Elfassi - D. Poirel *et Alt.*, «Isidorus Hispalensis Ep.», en P. Chiesa - L. Castaldi (cur.), *La trasmissione dei Testi Latini del Medioevo. Mediaeval Latin Texts and their Transmission.* TE.TRA. 1 y 2, Firenze: SISMEL-Edizioni del Galluzzo, 2004 y 2005 (Millenio Medievale 50 y 57; Strumenti e Studi n. s. 8 y 10), 196-226 y 274-417, 313-352.

a presentar el siguiente y último de los argumentos que suelen esgrimirse en defensa de la supuesta edición bíblica de Isidoro: precisamente, el «color» isidoriano de varios códices bíblicos hispánicos. Ello nos ocupará en las siguientes líneas.

Algunos de los códices bíblicos que transmiten prólogos de los *Prooemia* ante sus diferentes libros presentan además otros elementos que los ponen en relación con Isidoro: capítulos del también isidoriano *De ortu et obitu Patrum*[8]; el orden del canon que aparece en sus obras, textos similares para algunos pasajes, orígenes que los ligan a Sevilla en el siglo VII, etc. Pues bien, los tres códices bíblicos visigóticos más citados por esta causa son los usualmente denominados *Cavensis*[9], el *Toletanus*[10], en el que se ha querido ver en repetidas ocasiones el texto de la edición isidoriana, y el *Complutensis*[11], también conocido como *Primera Biblia de Alcalá* (un breve *excursus*: en el contexto que nos reúne, es obligado señalar que el *Complutensis* recibe su nombre del hecho de haber llegado a Alcalá para formar parte de una biblioteca especialmente importante: la de Cisneros. Es uno de los códices bíblicos utilizado en la preparación del texto latino de la Políglota Complutense, quizá uno de los comprados en la feria de Medina del Campo el 11 de febrero de 1504[12]).

Resumo lo expuesto en este primer apartado: la cuestión bíblica isidoriana se plantea gracias a la existencia de referencias contradictorias de los biógrafos medievales de Isidoro, gracias a elementos extrabíblicos de autoría isidoriana cierta o posible, y gracias a que han llegado hasta nuestros días códices bíblicos visigótico-mozárabes de características muy particulares, que en cierto modo ligan la disposición de sus textos a lo recogido por Isidoro en sus obras. Pasemos ahora a considerar varios de los argumentos de los autores modernos que se han ocupado de la misma.

2. La cuestión bíblica isidoriana desde el siglo XVIII al XXI

En 1797, en su introducción a las obras completas de Isidoro, edición que fue asumida y editada por Migne en la *Patrologia Latina*, Faustino

8 *CPL* 1191 (sucesión de biografías de distintos protagonistas de los libros de la Biblia), *Ibid.*

9 *Cava dei Tirreni, Biblioteca dell'Abbazia 1 [14]*, s. IX^2, Biblia de Danila.

10 *Madrid, Biblioteca Nacional Vitr. 13-1 [Tol. 2.1]*, s. X, orig. Sevilla.

11 *Madrid, Biblioteca de la Universidad Complutense 31*, s. X, origen incierto.

12 Cf. E. Ruiz García, *Preparando la Biblia Políglota Complutense. Los libros del saber*, Madrid, 2013, 56.

Arévalo se ocupó largamente de la posible intervención de Isidoro en la constitución del texto bíblico de los códices hispánicos y reflexionó también acerca del tipo de salterio con el que el hispalense pudo haber trabajado. Sus conclusiones son las siguientes: no podemos saber si alguno de los códices visigótico-mozárabes que se conservan responde a un modelo u ordenación isidorianos; no podemos saber si Isidoro revisó el texto de la Vulgata; y no podemos saber qué tipo de salterio utilizó Isidoro en sus obras[13].

Desde entonces hasta comienzos de la década de los 60 del siglo pasado han sido muchos los expertos en la historia de la Biblia latina o en la de la vida y obra de Isidoro de Sevilla que se han pronunciado respecto a estos hechos. La posible revisión isidoriana de la Biblia ha estado presente, de manera tangencial o central, en los trabajos de Berger y dom Quentin a propósito de la Vulgata, y también en los de Férotin, De Bruyne, Morin, Pérez de Urbel o Ayuso Marazuela entre otros[14]. No voy a comentar aquí sus opiniones y los hechos en los que éstas se basaron, puesto que ninguno de ellos fue concluyente. Pasaré directamente a ocuparme de quien en el siglo XX vino a cerrar de forma provisional dicha cuestión: Bonifatius Fischer. Lo hizo en dos trabajos distintos, y precisamente en el mismo sentido en el que Arévalo la había abierto casi tres siglos antes, aunque añadiendo una importante novedad, según vamos a ver.

Por lo que hace al texto bíblico en conjunto, en 1963, en un estudio a propósito de las ediciones bíblicas altomedievales, Fischer se pronunció respecto a varios de los hechos relativos a la cuestión. A su entender, Isidoro posiblemente realizó una edición bíblica, si bien a la vista de lo investigado al respecto hasta entonces sólo podía concluir que no se ha conservado. Respecto a los rasgos isidorianos observados en el *Toletanus*, Fischer opinaba que éstos podían proceder de discípulos suyos, quizá de Braulio de Zaragoza. Por último, señalaba que cuando más obras de

13 Cf. *PL* 81, col. 651-660, cap. 87,14 y col. 659, cap. 87,23.

14 Al respecto, cf. S. Berger, *Histoire de la Vulgate pendant les premiers siècles du Moyen Âge*, Paris: Hachette, 1893 (reimpr. 1976 & all.), 25-26; M. Férotin, «Deux manuscrits wisigothiques de la Bibliothèque de Ferdinand Ier, roi de Castille et de Léon», en *Bibliothèque de l'École des Chartes* 62 (1901) 374-387, esp. p. 379ss; D. De Bruyne, «Étude sur les origines de la Vulgate en Espagne», en *Revue bénédictine* 21 (1914-1919) 373-401; G. Morin, OSB, «La part de Saint Isidore dans la constitution du texte du psautier Mozarabe», en *Miscellanea Isidoriana*, Roma, 1936, 151-163; J. Pérez de Urbel, *San Isidoro de Sevilla. Su vida, su obra y su tiempo*, León, Universidad de León-Cátedra de San Isidoro, 1995, 88ss. (= Barcelona: Labor, 1940); T. Ayuso Marazuela, «Algunos problemas del texto bíblico de Isidoro», en M. C. Díaz y Díaz (ed.), *Isidoriana*, León: Centro de Estudios «San Isidoro», 1961, 143-191.

Isidoro hubieran sido editadas críticamente, el estudio de sus citas bíblicas permitiría arrojar nueva luz sobre el problema[15].

En cuanto a la edición del salterio, en 1968, en la introducción a una edición facsímil del bello salterio de Stuttgart, Fischer concluyó que la *Praefatio in psalterium* no podía ser isidoriana en razón, por una parte, de su estilo, ya que no le parecía propio de Isidoro; y, por otra, de la historia de los textos bíblicos a los que parece aludir, dado que el salterio galicano comenzó a difundirse en Hispania sólo a partir del siglo IX[16].

Desde 1968 hasta la actualidad, quienes se han ocupado de alguno de los aspectos de la cuestión o han debido aludir a la misma en virtud de otros intereses no han esgrimido argumentos nuevos: simplemente han asumido las teorías de unos u otros, se han pronunciado con cautela respecto a ellas o las han resumido críticamente[17].

3. Nuevos elementos de juicio

En esta tesitura: ¿qué se puede hacer hoy? ¿Estamos en condiciones de reabrir la cuestión bíblica isidoriana? A mi entender, tal y como he expuesto en otro trabajo reciente[18], quizá parcialmente sí, siguiendo precisamente las directrices marcadas por Fischer en sus juicios de 1963 y 1968. En la actualidad estamos ya en condiciones de estudiar las citas bíblicas de la mayor parte de los textos de Isidoro; podemos tratar de verificar sus afirmaciones a propósito de la *Praefatio*; y podemos estudiar la tradición manuscrita de las obras de Isidoro cuyos capítulos se utilizaron como elementos extrabíblicos.

En primer lugar, gracias a que muchos de los textos isidorianos cuentan a fecha de hoy con ediciones críticas modernas, he podido cotejar las citas de los salmos presentes en nueve de sus obras con los versículos

15 Cf. B. Fischer, OSB, «Bibelasugaben des frühen Mittelalters», en *La Bibblia nell'Alto Medioevo*, Spoleto: Centro italiano di studi sull'Alto Medieovo, 1963, 519-600.

16 Cf. Id., *Der Stuttgarter Bilderpsalter* II, Stuttgart: E. Schreiber, 1968, 257-258.

17 Cf., *v.gr.*, M. C. Díaz y Díaz, «Introducción», en J. Oroz Reta – M.-A. Marcos Casquero (ed. y trad.), *San Isidoro de Sevilla. Etimologías*, 2 vols., Madrid: BAC, 1993, 2 ed., 1-257; W. Drews, *Juden und Judentum bei Isidor von Sevilla. Studien zum Traktat* De fide catholica contra Iudaeos, Berlin: Duncker & Humblot, 2001 (Berliner Historische Studien 34), 134-170, esp. pp. 153-154. Cf. su adaptación inglesa *The Unknown Neighbour. The Jew in the Thought of Isidore of Seville*, Leinden-Boston: Brill, 2006, 47-64.

18 Cf. M. A. Andrés Sanz, «Las versiones… *o.c. supra* en n. 4. Dado que en el presente trabajo se ofrecen sólo las principales conclusiones del mismo, remito a él para una visión más detallada de todo lo relativo a las citas de los salmos en Isidoro.

correspondientes de los diversos salterios latinos conocidos[19]. El resultado de dicho cotejo parece mostrar que el salterio de base de Isidoro es de tipo mozárabe, hecho por otra parte no sólo esperable, sino convencionalmente asumido. Dicho cotejo muestra asimismo algo que no se había apreciado antes, a saber, que respecto de los dos grandes tipos textuales que se han identificado en el seno del salterio mozárabe, el mayor número de coincidencias de las citas de Isidoro se da con códices agrupados en la recensión M^{Bb} de Ayuso. Además, Isidoro parece recurrir con relativa frecuencia la versión *ex Hebraeo*, bien porque es el texto de dicha versión el que aparece en sus obras, bien porque mezcla elementos de la misma con la mozárabe. De este modo podemos hoy dar respuesta, aún parcial, a una de las cuestiones que planteó Arévalo en 1797: no sabemos si Isidoro manejó un tipo de salterio particular para escribir sus obras, pero sabemos que las obras de Isidoro transmiten sobre todo citas del salterio visigótico-mozárabe de tipo MO^{Bb} con claras influencias del *iuxta Hebraeos*.

Por lo que hace a la *Praefatio*, a cuyo estudio estoy dedicada en la actualidad, siguen poniéndose de manifiesto elementos contrapuestos a propósito de su autoría. Por una parte, podríamos considerar que no es obra de Isidoro si atendemos a que su atribución quizá sería producto de una confusión de nombres que originó, como *lectio facilior*, las referencias a Isidoro. En efecto, conservamos una carta y un poema de un escritor

19 En cuanto a Isidoro, las obras revisadas y sus ediciones (en orden cronológico de publicación) son las siguientes: *Etymologiae*, W. M. Lindsay (ed.), *Isidori Hispalensis Episcopi Etymologiarum siue Originum Libri XX*, Oxford, 1990 [= 1911] [*OCT*]); *De natura rerum*, J. Fontaine (ed.), *Isidore de Séville. Traité de la nature*, Paris: Institut des Études Augustiniennes, 2002 [= Bordeaux, Féret et fils, 1960]); *De ecclesiasticis officiis*, Ch. M. Lawson (ed.), *Sancti Isidori Episcopi Hispalensis De ecclesiasticis Officiis*, Turnhout: Brepols, 1989 [*CCSL* 113]; *De fide catholica contra Iudaeos*, V. Ph. Ziolkowski (ed.), *The «De fide catholica» of Saint Isidorus, bishop: Book I (Latin Text)*, Michigan: Ann Arbor University Diss., 1984; *Sententiae*, P. Cazier (ed.), *Isidorus Hispalensis. Sententiae*, Turnhout: Brepols, 1998 [*CCSL* 111]; *Differentiae* [II], M. A. Andrés Sanz (ed.), *Isidori episcopi Hispalensis Liber differentiarum [II]*, Turnhout: Brepols, 2006 [*CCSL* 111A]; *Liber numerorum*, J.-Y. Guillaumin (ed.), *Isidore de Séville. Le livre des nombres. Liber numerorum*, Paris: Les Belles Lettres, 2005; *Quaestiones in Genesim*, M. Gorman (ed.), *Isidorus episcopus Hispalensis, Expositio in Vetus Testamentum: Genesis*, Beuron: Herder, 2008; *Synonyma*, J. Elfassi (ed.), *Isidori Hispalensis episcopi Synonyma*, Turnhout: Brepols, 2009 [*CCSL* 111B]. Por lo que hace al salterio, se revisaron las siguientes ediciones: R. Weber, *Le psautier Romain et les autres anciens psautiers latins*, Vaticano-Roma, 1953 (*CBL* 10); H. De Sainte-Marie, *Sancti Hyeronymi Psalterium iuxta Hebraeos*, Roma, 1954 (*CBL* 11); T. Ayuso Marazuela (ed.), *Biblia Polyglotta Matritensia 7,21: Psalterium Visigothicum Mozarabicum*, Madrid: CSIC-BAC, 1957; Id., *Biblia Polyglotta Matritensia VIII.21: Psalterium S. Hieronymi de Hebraica ueritate interpretatum*, Madrid: CSIC-BAC, 1960; Id., *La Vetus Latina Hispana* V.1-3: *El salterio*, Madrid: CSIC, 1962. La denominación de los tipos de salterio y de los códices siguen las convenciones establecidas por Ayuso.

carolingio, Floro de Lyon, que muestran que al parecer revisó el texto de un salterio doble galicano-*ex Hebraeo* por encargo del abad Hildrado de Novalese. El poema se nos ha conservado en dos versiones: la primera está testimoniada en tres manuscritos que remiten a un área geográfica relacionada como Lyon y Novalese y presentan como autor y dedicatario respectivamente a Floro y Eldrado. Un cuarto testimonio, el Libro de Horas de Fernando I del León, ofrece una versión un tanto diferente, muy posiblemente posterior. Una de sus variantes afecta precisamente al nombre del dedicatario: no *Eldrado/Yldrado*, sino *Ysidoro*. En el poema se alude a la realización del cotejo del texto de los dos salterios jeronimianos. La carta, por su parte, aparece copiada inmediatamente después de la *Preafatio* en la Biblia de Ripoll antes mencionada. En ella, Floro explica a Hildrado cómo ha trabajado en el texto y cómo debe prepararse la nueva copia del salterio que probablemente el abad de Novalese encargará realizar. Ambos textos, la carta y el poema, son a mi entender una prueba de la posibilidad de una confusión entre los nombres de *Yldradus* e *Ysidorus*, y por tanto, un posible argumento en contra de la *Praefatio* como prueba de una revisión isidoriana del salterio: aquella a la que alude no sería obra suya, sino de Floro de Lyon[20].

En sentido contrario, mi estudio de las fuentes y *loci similes* de la *Praefatio*, apenas comenzado, ha puesto de manifiesto un paralelo sorprendente que podría inclinar la balanza hacia el platillo de su originalidad isidoriana o, cuando menos, podría de nuevo relacionar la *Praefatio* con Isidoro: hay un paralelo exacto entre el texto «non parvo elaboravit studio» que encontramos en las primeras líneas de la *Praefatio* referido a Orígenes y sus hexaplas y un «non parvo elaboravit studio» en el capítulo que Isidoro dedica a Leandro en su *De uiris illustribus*, palabras que dan paso, precisamente, al «in toto enim psalterio duplici editione orationes conscripsit», texto al que ya aludí en el primer punto del presente trabajo[21].

Por último, respecto al estudio de la transmisión crítica de los *Prooemia* y, en menor medida, del *De ortu et obitu Patrum*, sin duda alguna

20 Puede leerse la carta en W. Gundlach (ed.), «Epistola Flori ad Hyldradum abbatem», en *Monumenta Germaniae Historica epist.* V: *Kar. aev.* 3, München, 1978 (= Berlin, 1892), 340-343. Sobre el problema planteado por la carta y el poema, pueden leerse con provecho M. Férotin, «Deux manuscrits wisigothiques de la Bibliothèque de Ferdinand Ier, roi de Castille et de Léon», en *Bibliothèque de l'École des Chartes* 62 (1901) 374-387, esp. p. 379ss.; P.-M. Bogaert, «*Florus et le Psautier. La lettre à Eldrade de Novalèse*», en *Revue bénédictine* 119 (2009) 403-419.

21 Cf. *supra* n. 4.

ambas obras tuvieron una transmisión temprana conjunta y unitaria[22]. La labor a la que me estoy dedicando en la actualidad es tratar de saber dónde y cuándo los capítulos de ambas obras comenzaron a ser utilizados como elementos extrabíblicos.

4. Conclusiones

Concluyo ya. En el terreno de los estudios humanísticos, la «cuestión bíblica isidoriana» pertenece a la categoría de «nuevos problemas viejos», para los que aún no hay soluciones satisfactorias. Pero quizá permanezca dentro de ella por poco tiempo. Para poder resolverla, en caso de que tenga solución, habrán de publicarse unas cuantas ediciones críticas más de textos isidorianos, habremos de esperar a la realización de un estudio de los códices bíblicos hispánicos y sus textos a la luz de esas ediciones y –¿por qué no?– quizá, con nuestros conocimientos sobre otras ediciones bíblicas hispánicas, sobre cuyos procesos de la preparación contamos con más datos y seguridades (*v.gr.*, la edición de la Políglota complutense) podremos iluminar el horizonte lejano y oscuro de aquellas posibles ediciones sobre cuya realización tenemos más hipótesis que certezas, como es el caso de la edición bíblica isidoriana.

5. Para saber más. Selección de referencias bibliográficas sobre Isidoro y la Biblia

5.1. Versiones del texto bíblico (especialmente del salterio)

Ayuso Marazuela, T., *La Vetus Latina Hispana* I: *Prolegómenos*, Madrid: CSIC, 1953.

— (ed.), *Biblia Polyglotta Matritensia 7,21: Psalterium Visigothicum Mozarabicum*, Madrid: CSIC-BAC, 1957.

—, *Biblia Polyglotta Matritensia VIII.21: Psalterium S. Hieronymi de Hebraica ueritate interpretatum*, Madrid: CSIC-BAC, 1960.

—, *La Vetus Latina Hispana* V.1-3: *El salterio*, Madrid: CSIC, 1962.

De Sainte-Marie, H., *Sancti Hyeronymi Psalterium iuxta Hebraeos*, Roma, 1954 (*CBL* 11).

Weber, R., *Le psautier Romain et les autres anciens psautiers latins*, Vaticano-Roma, 1953 (*CBL* 10).

Weber, R. – R. Gryson *et Alt.* (eds.), *Biblia sacra iuxta Vulgatam versionem*, Stuttgart: Deutsche Bibelgesellschaft, 1994, 4ª ed.

22 Cf. M. A. Andrés Sanz, «*Prooemia*» y «*De ortu et obitu Patrum*», *o.c. supra* n. 6.

5.2. *Isidoro de Sevilla: vida y obra*

Codoñer Merino, C., «Isidoro de Sevilla», en Id. (coord.), *La Hispania visigótica y mozárabe. Dos épocas en su literatura*, Salamanca: Universidad de Extremadura-Universidad de Salamanca, 2010, 139-155.

Elfassi, J. – D. Poirel *et Alt.*, «Isidorus Hispalensis Ep.», en P. Chiesa – L. Castaldi (cur.), *La trasmissione dei Testi Latini del Medioevo. Mediaeval Latin Texts and their Transmission. Te.Tra. 1* y *2*, Firenze: SISMEL-Edizioni del Galluzzo, 2004 y 2005 (Millenio Medievale 50 y 57; Strumenti e Studi nn. 8 y 10), 196-226 y 274-417.

5.3. *Datos biográficos y textuales que apoyan un trabajo Isidoriano sobre la Biblia (1)*

Anspach, A.E., *Taionis et Isidori noua fragmenta et opera*, Madrid, 1930 (*Textos latinos de la Edad Media Española, Sección segunda: Varia* I), 57-64.

Codoñer Merino, C. (ed.), *El «De uiris illustribus» de Isidoro de Sevilla*, Salamanca, 1964.

Martín, J. C., «El corpus hagiográfico latino en torno a la figura de Isidoro de Sevilla en la Hispania tardoantigua y medieval (ss. VII-XIII)», en *Veleia* 22 (2005) 187-228.

Id. (ed.), «Braulionis Caesaraugustani Renotatio», *Scripta de Vita Isidori Hispalensis Episcopi*, Turnhout: Brepols, 2006, 199-207 (*CCSL* 113B).

5.4. *La cuestión bíblica isidoriana desde el siglo XVIII al XXI: algunas referencias imprescindibles (por orden cronológico) (2)*

Arévalo, F., *S. Isidori Hispalensis episcopi Hispaniarum doctoris opera omnia denuo correcta et aucta recensente Faustino Arevalo qui Isidoriana praemisit, uariorum praefationes, notas, collationes, qua editas, qua nunc primum edendas, collegit, ueteres editiones, et codices mss. Romanos contulit. Auctoritate et impensa eminentiss. Principis D. Domini Francisci Lorenzanae S. R. E. Presbyt. Cardinal. Archiep. Tolet. Hispaniar. Primatis et Generalis Inquisitoris*, 7 vols., Romae, 1797-1803 (= *PL* 81-83).

Berger, S., *Histoire de la Vulgate pendant les premiers siècles du Moyen Âge*, Paris: Hachette, 1893 (reimpr. 1976 & all.).

Férotin, M., «Deux manuscrits wisigothiques de la Bibliothèque de Ferdinand Ier, roi de Castille et de Léon», en *Bibliothèque de l'École des Chartes* 62 (1901) 374-387, esp. p. 379ss.

Morin, G., OSB, «Berger, S., *Histoire de la Vulgate pendant les premiers siècles du Moyen Âge*, Paris: Hachette, 1893 (reimpr. 1976 & all.)», en *Revue bénédictine* 10 (1893) 433-438.

De Bruyne, D., «Étude sur les origines de la Vulgate en Espagne», en *Revue bénédictine* 21 (1914-1919) 373-401.

—, *Préfaces de la Bible latine*, Namur, 1920.

Morin, G., OSB, «La part de Saint Isidore dans la constitution du texte du psautier Mozarabe», en *Miscellanea Isidoriana*, Roma, 1936, 151-163.

Pérez de Urbel, J., *San Isidoro de Sevilla. Su vida, su obra y su tiempo*, León: Universidad de León-Cátedra de San Isidoro, 1995, 88ss. (= Barcelona, Labor, 1940).

Ayuso Marazuela, T., «Algunos problemas del texto bíblico de Isidoro», en M. C. Díaz y Díaz (ed.), *Isidoriana*, León: Centro de Estudios «San Isidoro», 1961, 143-191.

Brou, L., «Le psautier liturgique wisigothique et les éditions critiques des psautiers latins», en *Hispania Sacra* 8 (1955) 1-24.

Fischer, B., OSB, «Bibelasugaben des frühen Mittelalters», *La Bibblia nell'Alto Medioevo*, Spoleto: Centro italiano di studi sull'Alto Medieovo, 1963, 519-600.

—, *Der Stuttgarter Bilderpsalter* II, Stuttgart: E. Schreiber, 1968, 257-258.

Díaz y Díaz, M. C., «Introducción», en J. Oroz Reta – M.-A. Marcos Casquero (ed. y trad.), *San Isidoro de Sevilla. Etimologías*, 2 vols., Madrid: BAC, 1993, 2 ed., 1-257.

Bogaert, P.-M., «Le psautier latin des origines au XIIe siècle. Essai historique», en A. Aejmelaeus – U. Quast (Hrsgg.), *Der Septuaginta-Psalter und seine Tochterübersetzungen*, Göttingen: Vanderhoeck & Ruprecht, 2000 (*MSU* XXIV), 51-81.

González Blanco, A., «El pensamiento histórico, escriturístico, teológico y eclesiástico o litúrgico y ascético de San Isidoro», en J. González Fernández (coord.), *San Isidoro, Doctor de las Españas*, Sevilla, 2003, 137-200.

Drews, W., *Juden und Judentum bei Isidor von Sevilla. Studien zum Traktat «De fide catholica contra Iudaeos»*, Berlin: Duncker & Humblot, 2001 (Berliner Historische Studien 34), 134-170, esp. pp. 153-154 (su adaptación inglesa *The Unknown Neighbour. The Jew in the Thought of Isidore of Seville*, Leinden-Boston: Brill, 2006, 47-64).

5.5. Nuevos elementos de juicio (3)

Andrés Sanz, M. A., «*Prooemia*» y «*De ortu et obitu Patrum*», en J. Elfassi, J. – D. Poirel *et Alt*., «Isidorus Hispalensis Ep.», P. Chiesa – L. Castaldi (cur.), *La trasmissione dei Testi Latini del Medioevo. Mediaeval Latin Texts and their Transmission. Te.Tra. 1* y *2*, Firenze: SISMEL-Edizioni del

Galluzzo, 2004 y 2005 (Millenio Medievale 50 y 57; Strumenti e Studi n. s. 8 y 10), 196-226 y 274-417.

Id., «Las versiones del salterio latino en las obras de Isidoro de Sevilla», en C. Codoñer – P. F. Alberto (eds.), *Wisigothica. After M. C. Díaz y Díaz*, Firenze, SISMEL-Edizioni del Galluzzo, 2014, 41-54.

Bogaert, P.-M., «*Florus et le Psautier. La lettre à Eldrade de Novalèse*», en *Revue bénédictine* 119 (2009) 403-419.

LA FILOLOGÍA BÍBLICA DE ANTONIO DE NEBRIJA. DE VALLA A ERASMO

VÍCTOR PASTOR
Colegio Claret, Zamora

Me propongo estudiar las obras bíblicas[1] de Nebrija en el contexto del Renacimiento cristiano, que va de Lorenzo Valla a Erasmo, y presentar una propuesta de edición del *Corpus Biblicum Nebrissense*[2].

1. LA FILOLOGÍA BÍBLICA DE ANTONIO DE NEBRIJA

Elio *Antonio de Nebrija* gramático, así quiso que se le conociese. «*Gramático* es el nombre profesional, pues no hemos desdeñado esa consideración profesional que nos ha reportado tanto prestigio que, aun callándome yo, confiesan mis detractores»[3]. En este momento –1495– nuestro gramático tiene unos 40 años (n. 1444) e inicia la última etapa de su carrera profesional. Al dedicarle a la reina Isabel la Católica sus *Introductiones Latinae*, 1495, la tercera edición o *recognitio*, le dice en el prefacio «... *este mi último esfuerzo por el Arte de la gramática*»[4]. Y al comentar más adelante

1 Las obras bíblicas de Nebrija no han sido aún incluidas en las *Opera Omnia* que edita la Universidad de Salamanca. Desde 1992 hasta 2009 han aparecido 7 volúmenes.

2 Una edición paralela y complementaria a la realizada por C. del Valle, *Corpus Hebraicum Nebrissense. La obra hebraica de Antonio de Nebrija*, Madrid: Aben Ezra, 2000.

3 «*Grammaticus* nomen est professionis, neque enim dedignitati sumus nos ea professione censeri, quae nobis tantum honoris peperit, quantum etiam me tacente obtretactores mei confitentur». *Introductions Latinae* 1495, glosa a pref., f. 2v.

4 «*Extremum hunc artis grammaticae laborem deum*...».

las palabras del prefacio *extremum laborem*, añade: «Extremum laborem, *porque es nuestra intención, una vez concluyamos las "Antigüedades de España", consumir el tiempo que nos queda de vida en el estudio de las Sagradas Escrituras*»[5]. Ocho años más tarde, 1503, le confiesa a Juan de Zúñiga, en el *Comentario a Persio*, que tiene emprendidos trabajos sobre la gramática de las Sagradas Escrituras[6]. Don Juan de Zúñiga, su mecenas, morirá el 26 de julio de 1504, y la reina Isabel, su protectora, el 25 de noviembre del mismo año, así que Nebrija se presenta en abril de 1505 a la cátedra de gramática, en este momento vacante, de la Universidad de Salamanca. Nebrija la obtiene y vuelve a la Universidad de la que saliera unos veinte años antes[7].

Es hacia esta época cuando el Inquisidor General fray Diego de Deza, «alarmado por las investigaciones de un gramático sobre el texto bíblico, confisca sus papeles»[8]. Poco después, en 1507, Nebrija en la *Apologia* recuerda este incidente, cuando Deza ya ha dejado el cargo (1499-1507) a principios de 1507. El 18 de mayo del mismo año es nombrado Cisneros Inquisidor General. Él defiende su causa ante Cisneros y escribe sus principales obras de filología bíblica bajo su tutela y amistad. Deza le habría confiscado la que llamaríamos *Prima Quinquagena*, unas correcciones a cincuenta lugares controvertidos de la Sagrada Escritura, cuyos *lemmata* ha publicado Carlos Gilly, a partir del ms. 19.019, del siglo XVI, de la Biblioteca Nacional, con un estudio muy completo, en 1998[9]. Gilly señala que sería la edición de 1506 que no pudo publicar. Estos 50 *lemmata* dispuestos en orden alfabético pasarían a la *Secunda* Quinquagena, publicada en Logroño en 1507, impresa a continuación de la *Apologia.* Al dedicar esta última a Cisneros parece indicar que hace poco más o menos un año han tenido la primera reunión[10]. Además, según señala Bataillon, el autor

5 «"Extremum laborem", quia nobis in animo est postea quam *Antiquitates Hispanienses* absolverimus, omnem reliquum vitae nostrae tempos in Sacris Litteris consumere». *Introductions Latinae* 1495, glosa a pref., f. 5v. Manejo el incunable I-13 de la Biblioteca Pública del Estado de Guadalajara.

6 «Ego autem eram occupatus atque in medio cursus fervore illius opere quod de Sacrarum Litterarum grammatica impridiem parturio». *Com. a Persio*, 1503, f. aI.

7 Cf. M. Bataillon, *Erasmo y España,* México: FCE, 1966, 28.

8 *Ibid.*, 29.

9 C. Gilly, «Otra vez Nebrija, Erasmo, Reuchlin y Cisneros», en *Boletín de la Sociedad Castellonense de Cultura* 74 (1998) 257-340, 331.

10 Traduzco el epílogo o despedida (a continuación vienen los 50 lemmata) al Cardenal como aparece en la edición de la *Apologia* de 1507, ff. 6v-7r. (a la vez sirve de prólogo, con otro encabezamiento, a la *Tertia Quinquagena*). Manejo el ejemplar R 2.212 de la Biblioteca Nacional de Madrid. «*Al mismo Reverendísimo padre y clementísmo señor Cardenal hispano. Todas las vigilias que durante estos diez años he consagrado a las Sagradas Letras, se han encaminado*

del Ms. 8.470 de la Biblioteca Nacional conocía una edición de Logroño de 1508 (sic)[11]. En este Ms. se destaca la importancia del hecho de que el Rey Fernando se encuentra en Salamanca desde octubre de 1505 hasta la segunda semana de marzo de 1506[12]. Cisneros debió acompañarle durante todo el tiempo, y Nebrija tendría ocasión de acudir a las reuniones que solía organizar el Cardenal para discutir sobre diversos temas de la Sagrada Escritura. Nebrija ha leído ante él algunas de sus anotaciones y parece que la reacción de Cisneros, según la *Apologia*, ha sido francamente favorable[13]. Y en 1507, en la *Apologia*, confiesa solo atender «al alimento que no perece... e investigo, como dice san Jerónimo, (*aprendamos*, le dice Jerónimo a Paulino) en la tierra aquellas cosas cuya ciencia ha de perseverar en el cielo»[14].

¿Por qué una apología, una defensa? Tal vez nos ayuden a entender unos fragmentos del *Argumentum ad lectorem*[15], que precede a la *2ª edición de 1535* (Granada) de la *Apologia*:

> *«Me llaman temerario, porque con solo el Arte de la Gramática me meto por todas las demás artes y disciplinas, no como tránsfuga, sino como explorador y centinela, para ver lo que hace cada uno en su profesión. Lo hice antes con la*

a limpiar algunos lugares de ellas que estaban viciados por los copistas, o a descubrir los sentidos recónditos de las palabras. Pero como una orden superior me tenía sellados los labios para que no hablase de estas cosas, en que había puesto tanto trabajo, me sometí a los superiores eclesiásticos, esperando que vendrían tiempos en que podría manifestar libremente mi parecer. Y he aquí que lo que nadie podía esperar, andando el tiempo llegó ese día. Cuando el año pasado te leí en Salamanca, mientras comías, algunas anotaciones que tengo hechas sobre ciertos lugares de la Sagrada Escritura, por la cara que ponías y por las señales de asentimiento que dabas, fácilmente entendí cuán grande te eran estos trabajos míos. Y no sé si te acordarás que en aquella ocasión me recomendaste que no dejase perecer aquellas notas sueltas. Yo creo que no reprobarás ahora lo que entonces aprobaste, si no es que entonces me lisonjeaste como oyente particular, y ahora como censor público juzgas de otro modo. A la Apología, con que, siendo tú mi juez, respondí a mis acusadores, añado cincuenta lugares de las Sagradas Escrituras con una exposición nada vulgar, los cuales saldrán multiplicados de la imprenta como de una fortaleza que me has entregado con este fin, para que vayan por toda España como exploradores, y por el primer choque de ellos con los enemigos podamos conjeturar el resultado de la batalla. Y no hay duda de que me aguardan mejores auspicios que a aquellos cincuenta y dos soldados enviados por Ocozías rey de Israel a Elías el Tesbita, a los que consumió el fuego que descendió del cielo (2 Re 1,9)».

11 M. Bataillon, *o.c.*, 29.

12 Citado por A. Sáenz Badillos, *La filología bíblica en los primeros helenistas de Alcalá*, Estella 1990, 38.

13 «Ex renidenti vultu atque fautore tuo assensu facile perspexi quam grata illi essent in hac parte studia mea». *Apologia*, 1507, f. 6v.

14 «Nunc vero quia operor *cibum qui non perit*, atque, ut inquit Hieronymus, *investigo in terris quórum scientia perseveret in coelo*». *Ibid.*, f. 1.

15 Manejo la edición de la Biblioteca Nacional de Madrid, Uzoz 1054, ff. 1v-2r.

Medicina y con el Derecho Civil, [...] eso mismo quiero hacer ahora con las Letras Sagradas, protestando que no saldré de mi jurisdicción ni abusaré de la licencia que da San Gregorio a los amantes de la Sagrada Escritura, diciendo que no están sujetos a las reglas del gramático Donato. Escribí dos comentarios sobre las Sagradas Letras: uno, que me arrancó a la fuerza el Obispo de Palencia, que después fue Arzobispo de Sevilla e Inquisidor General, no tanto para aprobarlo o condenarlo, cuanto para hacer que el autor dejara de escribir; y otro, que sustituí al primero y lo dejé para publicarlo en mejor ocasión. Porque aquel buen prelado no pretendía con todo esto sino que se borrasen hasta los vestigios de las dos lenguas de las que depende nuestra religión, por los cuales pudiésemos en las cosas dudosas llegar a conocer con certidumbre la verdad. Escribí esta Apología cuando me acusaban de impío ante el Inquisidor General, diciendo que no sabiendo yo Sagrada Escritura, me atrevía con sola la Gramática a hablar de lo que no conocía. Elegí como juez edificio a Fray Francisco Ximénez de Cisneros, Arzobispo de Toledo y Primado de las Españas ante el cual respondí a las objeciones que me hacían mis acusadores».

Si pasamos ahora a la *Apologia*, 1ª ed., 1507, escucharemos las reflexiones personales de Nebrija, que debate consigo mismo y teniendo como lector al Cardenal, el conflicto entre Gramática y Teología.

«¿Qué destino será el mío que no sé pensar sino cosas difíciles, ni acometer sino cosas arduas, ni publicar sino cosas que dan la mar de disgustos? [...] Pero, como me dedico a buscar un alimento que no perece y, como dice Jerónimo, investigo en la tierra aquellas cosas cuyo conocimiento persevera en el cielo, me llaman temerario, sacrílego y falsario. [...] De mí se puede decir aquello del Eclesiastés: Qui addit scientiam, addit laborem. [...] ¿Acaso no me basta cautivar el entendimiento in obsequi Christi en las cosas que la Iglesia me manda creer, sino que he de cautivarlo además en las que me son conocidas y manifiestas, más claras que la luz y más verdaderas que la verdad, porque está fundadas, no en alucinaciones, opiniones o conjeturas mías, sino en razones adamantinas, en argumentos irrefragables, en demostraciones apodícticas? ¿He de decir a la fuerza que no sé lo que sé? ¿Qué esclavitud es esta o qué poder es este tan despótico que no te permite decir lo que sientes, dejando siempre a salvo la religión? [...] ¿Y qué cosas son esas que ni pensarlas te permiten? Las que se refieren a la misma religión, en las cuales, según el salmista, debe meditar el varón justo de día y de noche. La primera manera de meditarlas, según San Agustín, es procurando tener el texto bien corregido (castigato)».

He aquí sus palabras, tomadas del libro segundo *De Doctrina Christiana:* «Ayuda muchísimo ver y comparar (*collatis*) entre sí muchos códices, siempre que no haya falsedad. Porque lo primero que tienen que hacer los que desean conocer las Escrituras Sagradas es enmendar (*emendatis*) cuidadosamente los manuscritos (*codices*) para que los que no están corregidos se conformen con los que lo están, porque si no, ¿cómo vamos a saber lo que es o no es de fe, lo que nos está mandado y lo que nos está prohibido? La regla para esto la da el mismo Santo Doctor allí mismo y en muchos otros lugares, en este mismo libro segundo *De Doctrina Christiana* y en el tercero. Y también San Jerónimo en todos sus prólogos, epístolas y comentarios, y es la que nos enseñaron los antiguos y santísimos doctores: que siempre que en el Nuevo Testamento haya alguna diversidad entre los libros latinos, recurramos a los griegos; y siempre que en el Antiguo Testamento difieran los códices latinos entre sí o con los griegos, recurramos a los hebreos; o sea, que en las dudas siempre hay que recurrir a la lengua precedente». Ilustra este principio con *dos ejemplos*: el *primero* tomado de Apocalipsis 1,15: «Esto exempli causa quod in Apocalypsi Joannis legimus: Et pedes eius similes aurichalco Sicut in camino ardenti. Quidam codices habent pro aurichalco aerichalco, quidam orichalco, non Nelli aurichalco libani: ut quod nuper legimus in codice pervetusto bibliothecae Sancti Pauli Pallantini ordinis praedicatorum». Sigue la explicación sobre la mejor opción textual (*vera lectio*)[16]: «Et pedes Rius similes chalco libano, id est masculo thuri, aut chalco libani, hoc est thuri ex monte libano; qui sensus videtur interpreti placere, si chalco libani et non chalco libano scriptum reliquit. Sed de hiis in observationibus plura dicemus». Con estas últimas palabras tiene que referirse a la *TQ* 4: lemma *Aurichalcum,* donde expone una exégesis detallada con citas de autores clásicos, y nos habla de la visita al *coenobium divi Pauli quod a fratribus dominicis habitatur*, y de la consulta en comentarios al Apocalipsis.

El *segundo ejemplo*: *De differentia inter latinos et graecos sit exemplum quod Marcus evangelista* (Mc 5,41) [...] *Lucas in apostolica historia* (Hch 9,36). Después de aplicar el criterio de la lengua precedente, concluye: «Sed quia evangelium Marci et Actus Apostolorum ex graeco venerunt ad latinos: consuluimus libros graecos et offendimus in Marco scriptum *talitha* per l litteram, in Luca vero *tabitha* per b». A continuación añade el argumento de autoridad de Remigio y de San Jerónimo, y concluye así: «Dime, envidioso, ¿quién de los dos es más digno de castigo: yo, que digo con Marcos, mejor dicho, con Cristo *Talitha cumi,* o tú, que dices con los ignorantes *Tabitha cumi?*». Este mismo ejemplo será tratado de modo extenso en la *Tertia Quinquagena* 45: lemma *Talitha et Tabitha.* Incluso volverá a dedicarle un amplio estudio en *In Reuclinum Phorcensem et Erasmum Roterdanum, quod de «talita» in evangelio Marci et «tabita» in Luca non bene senserunt*[17].

16 En *Nuevo Testamento trilingüe,* J. M. Bover – J. O'Callaghan (eds.), Madrid: BAC, 1977, 1290: «et pedes eius similes orichalco». Trad.: «y sus pies semejantes a oriámbar».

17 Ms. 19.019 de la Biblioteca Nacional.

Ahora va a responder a las objeciones de sus adversarios[18]:

1ª objeción: «los mss. latinos son más correctos que los griegos, por lo tanto no hay que consultar los griegos o los hebreos. Alegan el testimonio de San Jerónimo en el prefacio a los cinco libros de Moisés, quien dice que los ejemplares (*exemplaria*) latinos está más correctos que los griegos y estos que los hebreos».

Respuesta: Que no han entendido la ironía de Jerónimo, pues este habla de su tiempo, cuando por las herejías que habían surgido en la Iglesia, los griegos y los judíos habían adulterado los libros de las Sagradas Escrituras. Es imposible, les dice, que a lo largo del tiempo no sufran algunas modificaciones: «el uno añade, el otro quita, el otro tacha o pone una palabra por otra. Dirán que esto Antonio se lo inventa. Pero no. Os contaré un hecho que está en boca de todos: ¡Cuánta erudición y talento tenía el Maestro Pedro de Osma! ¿Quién no lo sabe? Seguramente el que más, después del Tostado, de escolástico salmantino a Obispo de Ávila. Fue racionero de la iglesia de Salamanca, y por un decreto del Cabildo se le dio el encargo de revisar y corregir los libros eclesiásticos. [...] Hay en aquella iglesia un códice antiquísimo (*codex pervetustus*), que yo he manejado mucho para esto que estamos tratando, que contiene ambos Testamentos. Por él debió comenzar su tarea (*castigatio*) el de Osma, comparándolo, a lo que yo creo, con otros códices más modernos (*recentiores*). Así es que quitando lo correcto y poniendo lo incorrecto alteró más de 600 pasajes de aquel códice (*exemplar prototypo*)».

2ª objeción: «Dicen que basta el latín ya que han pasado todas las bibliotecas griegas y hebreas a las latinas».

Respuesta: «¿A qué vienen los decretos de los Sumos Pontífices, mandando que en los gimnasios públicos se lean las lenguas griega y hebrea, como lo viene haciendo en España hace tiempo el lusitano Arias Barbosa, hombre erudito en griego y latín? [...] Pero si nos prohíben la lectura de los libros hebreos, si eliminan los códices hebreos, los hacen desaparecer, los rompen, los queman; si tampoco juzgan necesarios los griegos, lengua en la que se echaron los primeros cimientos de la naciente Iglesia, volveremos a aquel antiguo caos (*chaos*), en que no habían aún aparecido las letras, y privados (*orbati*) de los dos Testamentos nos veremos envueltos en las tinieblas (*caligine*) de una noche sempiterna».

3ª objeción: «Los códices sagrados no sería lícito que los corrigiera un hombre como yo, no iniciado en las Sagradas Letras, pero ni aun los maes-

18 El número de objeciones y respuestas es mío. También he puesto algunas palabras latinas, propias de la crítica textual, entre paréntesis para destacar su pericia en este campo. Algunas otras servirán para confrontar la traducción.

tros y doctores en Teología sin tener autoridad para ello del Sumo Pontífice e incluso del Concilio General».

Respuesta: «También yo digo que debe hacerse eso mismo, siempre que se trate de asuntos referentes a la fe y a la religión, sobre las cuales está prohibido disputar a los seglares. Pero ¿cómo? ¿no se le permitirá a Antonio de Nebrija disputar de ortografía, cuando a ellos se les permite corromperla; ni dar reglas de acentuación a los que no las saben, ni sacar a la luz los significados recónditos y oscuros de algunas palabras? ¿Acaso no son estas materia de la Gramática? ¿No acuden a ella para esto las demás disciplinas siempre que lo necesitan? Porque supongo que no quieran escudarse (*confugere*) en aquello de Gregorio: las Letras Sagradas no están sujetas a las reglas de Donato. [...]

Y en cuanto a la autoridad pontificia, todos los días crea el Papa en las iglesias catedrales o nombra Maestrescuelas, que tienen por oficio corregir los libros eclesiásticos. Y yo mismo he sido nombrado por la autoridad apostólica Maestro de artes liberales Y Catedrático de Gramática de la Universidad, con facultad para disputar, disertar, juzgar y discernir acerca de las cosas tocantes (*pertinentibus*) a mi profesión». Y sobre los sentidos o significados recónditos u oscuros que quiere aclarar Nebrija no para satisfacer la curiosidad sino para entender bien las Sagradas Letras, le dirán que lo han dicho otros doctores antiguos y modernos. Les contesta: «Yo solo interpreto lo que ha dicho el autor de la Sagrada Escritura por boca de los profetas y de los Apóstoles, solo me atengo a sus palabras y me apoyo en los autores más autorizados (Jerónimo, Agustín), que no han leído nunca los que me atacan, sino a ciertos Ebrardos, Mamotretos, Papías, Hugociones y otros».

4ª objeción: «Digamos, por último, algo sobre el escándalo que dicen que doy».

Respuesta: «Yo les pregunto: ¿Quiénes se escandalizan de mis trabajos? ¿Los doctos? ¿Los indoctos? ¿O más bien lo que no siéndolo se las dan de doctos? Los doctos, no, porque esos piensan como yo, y por el mismo motivo. Los indoctos, tampoco, porque desean saber y no se avergüenzan de ser enseñados por los que saben. No quedan más que los terceros, de los cuales escribió Platón: "El colmo (*ultimus cumulus*) de la injusticia es que, siendo tú malo e ignorante, quieras parecer bueno y sabio". [...] Yo solo pretendo que se restituya a su integridad la versión de San Jerónimo que por negligencia de los copistas (*librariorum*) está incorrecta (*depravata*). Esto lo hemos hecho ya en parte nosotros mismos, y en parte lo haremos, comparando los códices modernos antiguos con los de venerable antigüedad, en los cuales fácilmente se ve lo que escribió Jerónimo, y si está conforme o no con los códices griegos o hebreos. Y ahora quisiera saber de esos (que me censuran) qué tipo de herejía hay en mi trabajo. ¿Qué hay de herético, o que sepa a herejía, en ordenar las palabras y ponerlas como deben estar? De todos modos estoy dispuesto a sujetarme en todo a la Iglesia Romana y a sus ministros, y si la República cristiana lo requiere borraré con la lengua todo lo que he escrito [...] para que vea todo el mundo que no soy tan terco y obstinado que me atreva a resistir las leyes y decretos apostólicos (sucesores de los apóstoles). Entre tanto, nadie me prohíbe que siga cultivando estos estudios, y que anime a otros que hagan lo mismo, y que quiera morir con este único pensamiento». Acaba pidiendo al Cardenal: «No permitáis que las Sagradas Letras las contaminen los ignorantes de todas las buenas artes. Favoreced los ingenios y pedid encarecidamente a Dios que las lenguas griega y hebrea, las dos luces de nuestra religión, no se extingan».

La Tertia Quinquagena

Si nos fijamos en el título de la *Apologia: Antonii nebrissensis grammatici apologia cum quibusdam sacrae scripturae locis non vulgariter expositis*[19], se da a entender que a continuación de la *Apologia* se exponen unos lugares de la Sagrada Escritura. Donde acaba la Apología (h. 6: en la parte de abajo) comienza: *Ad Eundem perquam Reverendissimum patrem ac claementissimum dominum Cardinalem hispanum.* En la h. 7 (mitad) comienzan los *Lemmata ex utroque testamento ab eoden Antonio nebrissense non vulgariter exposita: Abimelech pro achimelech... zona pro marsupii quodam genere.* Acaban los 50 lemas pero no hay ninguna exposición de los mismos. Tenemos que entender que a continuación estaría la *¿Secunda? Quinquagena*, pues la primera le fue confiscada. Además, 9 de estos lemas[20] no pasan a la *Tertia Quinquagena* (1516) y por el contrario 9 lemas de la *TQ*[21] no se encuentran en la llamada *¿Segunda?* Algunos de los 9 lemas de la primera tuvieron un tratamiento en otras obras del propio Nebrija: «*Bethsabe*» y «*Beersabe*» se encuentran en la *Repetitio III (1506, De peregrinarum dictionum accentu);*

19 Manejo el ejemplar R 2.212 de la Biblioteca Nacional, 4º, 7 hh. 1 h. (portada), Tipos góticos, Logroño: Arnao Guillén de Brocar, 1507. Año e impresor, según Odriozola, 1946.

20 A saber: *Abimelech pro achimelech; Bersabee urie uxor pro Betsabé; Bersabee puteus pro beersabe; Cyprus planta est; D. littera pro .r. Er contra .r. pro .d.; F. littera non debere poni prope .h.; H. Nota aspirationis ubi non debemos poni; M. Littera otiose adiecta; Magi an tres et an reges; Praetorium et praetolium quid est.*

21 A saber: *Arceuthina et thina ligna quae sunt; Cynus pros chino; Git sive melanthium quid; Herba fullorum sive borith; Maenianum quid est; Phashe pascha pesach; Phiton pro pythone; Scruta que sunt; Traducere quid sit in matthaeo,* Cumpluti, 1516.

sobre «*Praetorium*» trata en el *Iuris Civilis lexicón (1506) y* sobre «*Magi an tres et an reges*» trata en *De magis observatio*[22].

Solo podemos aventurar algunas hipótesis sobre la pérdida de la *¿Secunda? Quinquagena*. ¿Por qué se retiró de la ed. de 1507 de la Apología? El P. Félix G. Olmedo[23] nos informa de la estancia de Nebrija en casa de Arnaldo Guillén de Brocar a finales de agosto de 1507 (el 18 de mayo Cisneros había sido nombrado Inquisidor General) para imprimir sus *Introductiones Latinae.* Y desde allí escribía a Juan Sobrarias: «Yo estoy aquí entre los cántabros, y aún me detendré aquí hasta mediados de septiembre, por orden de mi prelado el Cardenal de España, dirigiendo la impresión de cierto trabajo sobre la Sagrada Escritura, elaborado parte por mí y parte por el mismo Cardenal. Por la muestra que te envío podrás ver qué clase de trabajo es este. Te envío además parte de mis *Introductiones* a las cuales he dado la última mano»[24]. El libro a que aquí se refiere parece que no puede ser otro que la *Secunda Quinquagena*. Se pregunta el P. Olmedo: «¿Se había prestado Cisneros, según esto, a aparecer como colaborador de Nebrija? Si así fue, parece natural que, una vez nombrado inquisidor, viendo que no hacía falta dar su nombre y que bastaba admitir la dedicatoria del libro, indicase a Nebrija que lo publicase con su nombre nada más».

Además, en el ejemplar de la Biblioteca Nacional, R 2.221 que he manejado aparecen junto con la *Apología* encuadernadas otras obras del propio Nebrija: la *Tertia Quinquagena,* 1516; el *De litteris hebraicis cum quibusdam annotationibus in scripturam sacram,* A. Guillén de Brocar, ca. 1515. Esta última obra y la *Apologia* llevan en su portada el ex libris con escudo de la Biblioteca de don Fernando José de Velasco, *In Aula Criminali Supremae Castillie Senatus Fiscalis*. Y detrás de la *Apologia* se han encuadernado en el mismo volumen dos cartas (fechada la última: 22 de agosto del 1750) del señor Herreros dirigidas a don Fernando José de Velasco, gran bibliófilo, que creía que el Santo Oficio había condenado el libro de Nebrija (se deduce de la respuesta de Herreros) y deseaba tener un ejemplar de él. Velasco tenía un ejemplar gótico de la *Apologia cum quibusdam Sacrae Scripturae locis,* en el que faltaban precisamente los «lugares de la Escritura». Herreros le contestaba en agosto de 1750: «No tengo noticia de la obra que vuestra merced me dice del famoso Antonio de Nebrija, como prohibida por el Santo Oficio, ni (en) el *Índice* creo se hallará, y la he buscado,

22 Ed. y trad. de C. Gilly, *Otra vez Nebrija, Erasmo, Reuchlin y Cisneros* o.c.

23 Cf. F. G. Olmedo, *Nebrija (1441-1522). Debelador de la barbarie. Comentador eclesiástico. Pedagogo-Poeta,* Madrid: Editora Nacional, 1942, 138-140.

24 Texto citado y traducido por Olmedo, cf. *Ibid.*, 139, de L. M. Siculo, *Epistolarum,* libro tercio, epíst. penúltima.

aunque de prisa; pero debo decir que aquí se está haciendo un Índice de todos los libros recogidos, con el fin de quemarlos, como es preciso, quedando con solo dos o tres juegos de cada autor; y tendré cuidado, si sale el que vuestra merced me dice, para guardarlo, y que vuestra merced lo tenga, como tan curioso, para lo que es menester la diligencia que vuestra merced me encarga para ese tribunal, pues es más fácil acá». No debió encontrar Herreros lo que don Fernando buscaba, pues a continuación de sus dos cartas encuadernó don Fernando José de Velasco un ejemplar de la *Tertia Quinquagena*, impresa en Alcalá el año 1516.

La *Tertia Quinquagena* contienen las explicaciones o notas (a las que hace referencia de pasada en la *Apologia*) a cincuenta (en realidad son 49 lugares o lemas ordenados alfabéticamente, el lema 36 está suprimido, aunque sigue la numeración hasta el 50). Los temas tratados abarcan el AT y NT. Los asuntos son variados: crítica textual (*TQ* 1, 14, 23, 31 43 y 45), etimología (*TQ* 11), grafías (*TQ* 14, 34), fonética (*TQ* 3, 48, 20), transcripción de nombres propios (*TQ* 22, 25, 33, 49, 29), ortografía, sintaxis (*TQ* 43, 45 –vocativo–), sentidos oscuros, identificación objetos, animales y plantas; nombres geográficos, cuestiones teológicas, litúrgicas, etc.

A continuación ofrezco la traducción casi en su totalidad del lema 10:

10. *Cynus* (acacia) en vez de *schino* (álamo)

«En Daniel, cap. 14[25], donde se narra la historia de Susana según la traducción de Theodoción, todo los códices leen "si la viste, di bajo qué árbol (los) viste". Este respondió "bajo un álamo" en lugar del correcto "bajo una acacia". Iacopo Costanzi, contrariamente a Nicolás de Lira, defiende la lectura incorrecta, afirmando que en tal lugar debe leerse "álamo", no "acacia".

Rebuscando (*excuterem*) yo, según mi costumbre en las numerosas librerías (*bibliopolia*) que hay en Salamanca di por casualidad con unas *Observaciones* de Iacopo Costanzi, hombre muy erudito, pero a quien solo conocía de nombre. [...] De estas las dos primeras tratan de algunos lugares de la Sagrada Escritura. [...] En una arremete duramente contra Nicolás de Lira, porque en ese lugar lee "schino" con el sentido de acacia, sosteniendo la lectura "cino", que él imagina que se trata de una clase de laurel». Luego nos cuenta, resumo, como Costanzi busca apoyos en los autores clásicos para justificar su elección, pero se apoya en dos testimonios deturpados o corruptos (uno de Plinio, donde entre dos lecturas po-

25 Dn 13,54-59.

sibles cuius/cinus, elige esta última; el otro de Ovidio, donde elige cinus, cuando la mayoría de códices ofrecen "ficus", higuera) elige la incorrecta. Y sigue Nebrija: «Pero nosotros, frente a dos testimonios deturpados y corruptos por la malignidad del oponente, elegimos a Jerónimo y a su propia verdad que vale por mil testimonios. Así escribe en el proemio de Daniel, que un africano (se trata de Porfirio), quien para demostrar la falsedad de la Sagrada Escritura había reunido muchos argumentos contra Orígenes, entre otras razones se había opuesto a la historia de Susana por haberla inventado un griego chistoso (*nugatore*) y lo había demostrado por la etimología de las palabras [...] No debió tocar, pues, Costanzi aquello que ignoraba...».

2. De Valla a Erasmo

Nebrija se encuentra dentro del humanismo cristiano renacentista que inaugura Lorenzo Valla (1407-1457), continúa Nebrija (1444-1522) y prosigue Erasmo (1469-1536). Esto nos lo dice la cronología de sus vidas, pertenecen a distintas generaciones, pero hay entre ellos mucho en común respecto al tema que nos ocupa.

2.1. Formación

Los tres tienen una formación humanista latina, la *gramática* y la lectura de los autores latinos es fundamental en su preparación. Valla escribe las *Elegantiarum linguae latinae libri VI*, Erasmo escribe unas *Paráfrasis* sobre ellas en 1488 y Nebrija unas *Elegancias romanzadas* (1494-1495). La labor del gramático, filólogo diríamos nosotros, es para ellos fundamental y motivo de crítica por parte de los teólogos. Así le dice *Erasmo* a Henry Bullock, insigne teólogo y antiguo alumno suyo, en una carta (agosto 1516)[26]: «Piensan que sería algo indigno de ellos rebajarse a esas minucias de los gramáticos. Ese es el nombre que suelen dar a los que conocen las lenguas, juzgando que es un gran insulto el nombre de gramático. Como si hubiera que alabar a los teólogos por el hecho de no saber gramática: el mero conocimiento de la gramática no basta para hacer a nadie teólogo. Pero mucho menos la ignorancia de la gramática. El dominio de esta disciplina ayuda mucho al conocimiento de la teología, mientras que el no dominarla es un fuerte impedimento. Y no se puede negar que Jeró-

26 D. Erasmus, «Carta 456, en Id., *Opus epistolarum. II: 1514-1517*, P. S. Allen (ed.), Oxford 1910, 323ss.

nimo, Ambrosio y Agustín, en cuya autoridad tanto se apoya la teología, pertenecían a esa categoría de gramáticos». O lo que dice *Nebrija*: «Me llaman temerario, porque con solo el Arte de la Gramática me meto por todas las demás artes y disciplinas, no como tránsfuga, sino como explorador y centinela, para ver lo que hace cada uno en su profesión»[27]. Sus obras gramaticales (castellana y latina), sus diccionarios (latino-español, español-latino, el médico, el jurídico, el bíblico) y sus comentarios no solo gramaticales a los autores clásicos y cristianos son una aportación única a nuestro renacimiento.

2.2. *El conocimiento de las lenguas*

En su tarea de filólogos bíblicos el conocimiento de las lenguas originales es muy necesario. Los tres consideran el griego imprescindible para el estudio del NT. Valla lo estudió con Aurispa y Rinuccio en Roma (1420-1421) y sacó buen provecho de su estudio, entonces y después, como lo demuestra en sus traducciones de Heródoto y Tucídides, a petición del Papa Nicolás V, en su *Collatio Novi Testamenti* (1443), dedicada a Nicolás V[28], y, sobre todo, en sus *Annotationes in Novum Testamentum* (entre 1453-1457, Ms. que encuentra y edita Erasmo en 1505) donde no le faltó la ayuda y apoyo del Cardenal Besarión. Como Valla solo trabajó el NT, no vio la necesidad del aprendizaje del hebreo. En cambio, Nebrija en su estancia de 10 años (1463-1473) en Italia, sobre todo en Bolonia, llegó a ser el *homo trilinguis* de la España renacentista: tuvo como maestro de hebreo a Vincenzo de Bolonia, en 1466-1468, en la cátedra «ad literas hebraicas» recién creada en la Universidad de Bolonia (1465), siendo estudiante de Teología[29]. Por último, Erasmo, quien conocía muy bien la literatura latina, se dio cuenta de la necesidad del aprendizaje del griego para seguir adelante en un comentario a las Epístola a los Romanos, que estaba preparando. Contaba ya 25 años, cuando le escribe a su amigo John Colet, desde París, en 1504: «… pienso dedicar todo el tiempo de mi vida a la Sagradas Escrituras… y como estoy empeñado en escribir sobre la carta de Pablo a los Romanos… hace ya casi tres años que me dedico casi por entero al griego y no he perdido el tiempo. Había comenzado a estudiar hebreo, pero me

27 E. A. de Nebrija, *Apologia* (1535), *o.c.*, f. 1v.

28 L. Valla, *Collatio Novi Testamenti*, A. Perosa (ed.), Florencia: Sansoni, 1970.

29 Cf. J. Gil, «Nebrija en el Colegio de los Españoles en Bolonia», en *Emerita* 33 (1965) 347-349. Señala que se le menciona en un acta de 1468: «domino de lebrixa theologo»; pero ya ese año había prevalecido su afición a las letras: en otro documento se le nombra «domino antonio de lebrixa, viro doctissimo in arte humanitatis».

asusté al ver que era una lengua tan distinta. Llegué a convencerme de que ni la edad ni la cabeza le permiten al hombre hacer varias cosas a la vez, así que desistí»[30]. El estudio del griego lo continuará en sus visitas a Italia en 1506: después de su doctorado en Teología en Turín, pasa un año en Bolonia en casa de Bombasio dedicándose al estudio del griego, y más de medio año en Venecia con Aldo Manucio, a la vez que publica textos griegos.

2.3. *Vocación de biblistas y defensa de la misma*

a. Valla

No tenemos un texto que nos informe claramente sobre su inclinación a los estudios bíblicos. Sin embargo, su tarea se parece tanto a la de Nebrija y Erasmo que podemos deducir que influyó, sin duda, el estudio de los autores clásicos: estudiar el Nuevo Testamento como texto desde sus conocimientos del latín y el griego. También pudo influir la cercanía a la corte papal (era sobrino de Melchor Scrivani) y el apoyo de Nicolás V (a quien dedica su *Collatio Novi Testamenti*). En cambio, tenemos un texto –dos Apologías– donde defiende su quehacer de estudioso del Nuevo Testamento: *Apología a Eugenio IV* (1444)[31] y el *Antidotum primum contra Poggium* (1452)[32]. En esta última afirma: «Si volviera a vivir, pienso que corregiría de nuevo los lugares (del NT) en los que está corrompido o con muchos errores, como demuestro en mi obra *Collatio Novi Testamenti*. Por consiguiente, para no extenderme demasiado, cuando corrijo algo, no corrijo la Escritura Sagrada, sino su traducción, y no hago nada injurioso contra ella, sino más bien algo piadoso, limitándome a traducir mejor que el anterior traductor. Si mi traducción es verdadera, se le podrá dar el nombre de Sagrada Escritura a ella, y no a la del primer traductor. Pero propiamente la Sagrada Escritura es la que escribieron los santos autores en hebreo o en griego, y ningún texto latino tiene tal categoría»[33]. Su intención como la de Nebrija es filológica, pero la crítica a la Vulgata es más dura, al igual que en Erasmo, aunque no podemos ver en Valla una intención teológica como en el holandés. A continuación, en la misma

30 D. Erasmus, «Carta 181», en Id., *Opus epistolarum. I: 1484-1514*, P. S. Allen (ed.), Oxford 1906, 403ss.

31 Inédita en el Ms. cod. Ottob. Lat 2.075, ff. 238-247.

32 Editado en sus *Opera* (Basilea 1540) y modernamente por A. Wesseling, *Antidotum primum: la prima apologia contro Poggio Bracciolini*, Assen-Amsterdam 1978.

33 *Ibid.*, 268.

obra, hará Valla una apología de su crítica textual: «Cité las palabras de Jerónimo en las que afirma que en su tiempo había tantos tipos textuales (*exemplaria*) del Nuevo Testamento como códices. Si apenas transcurridos cuatrocientos años ya corría tan turbio el río que manaba de la fuente, no es de extrañar que en estos mil años que han pasado desde el tiempo de Jerónimo, este río, que no ha sido nunca limpiado, haya ido tomando cierto barro e impurezas»[34]. En su manera de hacer filología el texto bíblico de Valla debe ser considerado el maestro de Erasmo (preparó la ed. de 1505 del Ms. de Valla, que él había encontrado un año antes en la abadía de Parc, y aplicó o desarrolló sus principios a sus cinco ediciones del Nuevo Testamento) y de Nebrija, tanto en sus *Quinquagenas* como en las *Annotationes ad Novum Testamentum*[35], de las que después trataremos.

b. Nebrija

Podemos añadir a lo dicho anteriormente, el período alcalaíno de Nebrija y su participación en la Biblia Políglota Complutense.

«La *Epistola del Maestro Lebrija al Cardenal,* quando avisó, que en la interpretación de las Dicciones de la Biblia no mandasse seguir al Remigio sin que primero viessen su obra[36]. La debió de escribir entre 1507 y 1516 (habla de una Repetitio de 1507 y de cuando vino a Alcalá, 1513). Refiere cuál sería la tarea de Nebrija la Biblia Políglota: «enmendación del latín que está común mente corrompido en todas las biblias latinas cotejándolo con el hebraico, chaldaico i griego». [...] Entonces Vuestra Señoría me dixo que hiziese aquello mesmo que alos otros avía mandado, que no hiziese mudanza alguna delo que común mente se halla en los libros antiguos, mas que si sobre ello a my otra cosa paresciese, que devía escribir algo para fundamento i prueva de mi intención». En este sentido, la redacción de la *Quinquagena*, señala F. González Vega[37], buscaba dar satisfacción a los requerimientos del Cardenal mediante un bien motivado desglose de razones, de las que la epístola es un anticipo y aviso del mal proceder interpretativo que representa Remigio de Auxerre (s. IX), a quien se le atribuían unas *Interpretationes hebraicorum nominum* de gran difusión e influencia desde los tiempos medievales. Aunque esto lo podamos admitir,

34 *Ibid.*, 269.

35 Ms. 41,2, ff. 185r-257v, de la Biblioteca Histórica «Marqués de Valdecilla», de la Universidad Complutense, siglo XVI.

36 Ms. 19.019, C. Gilly (ed.), *Otra vez Nebrija, Erasmo, Reuchlin y Cisneros, o.c.*, 308-315.

37 Cf. F. González Vega, «Paginae Nebrissenses», en A. de Nebrija, *Gramática de la lengua castellana,* Madrid: Real Academia Española, 2011, 310.

yo creo más probable que la colaboración de Nebrija en la Políglota consistió: en primer lugar, en la elaboración del léxico del vol. 6: *Interpretationes hebraicorum chaldeorum, graecorumque nominum veteris ac novi testamenti secundum ordinem alphabeti,* sub voce *Tabita cumi.* Marci 5 .d. In greco scribitur talitha cumi: quod ex syro et hebreo interpretatur puella surge. También sus dos léxicos bíblicos (de nombres y lugares) editados en 1950 por Galindo y Ortiz. Y por lo que se refiere al texto latino del Nuevo Testamento de la Políglota, vol. 5 parece que no se tuvo en cuenta lo que había escrito Nebrija en sus *Annotationes ad Novum Testamentum*[38], porque en el versículo citado de Marcos se mantiene en el texto latino «Thabita».

La última referencia de Nebrija respecto a su dedicación a la filología bíblica, podría ser lo que dice en 1520 en una de las cartas que anteceden a la magna obra (3 vols. a dos columnas) de Enrique de Hamusco, *Divinum Apiarium* (Toledo o Alcalá, Arnao Guillén de Brocar): «... *el tiempo que me quede de vida, imitándote en todo, entregaré mis desvelos (vigilias) a la Sagradas Letras.* Mientras tanto, publica tu obra contando con buenos augurios y no nos prives de tan preciado regalo. Vale ex Compluto... 4 de mayo de 1520»[39].

c. Erasmo

Además de lo que hemos señalado sobre él en apartados anteriores, podemos añadir que el descubrimiento y la edición de la *Annotationes ad Novum Testamentum* de Valla, en 1505, junto con la Carta-prefacio a Cristophe Fisher, constituyen un primer hito en su labor de filólogo bíblico (NT). Después de contarle a Ch. Fisher la historia de su hallazgo, pasa a defender (en realidad esta carta es una primera apología) a Valla de sus enemigos y el derecho de la filología a entrar en el campo de la Sagrada Escritura y en el de la Teología, en especial para Erasmo. «Mucho me temo que los que más nos van a importunar sean precisamente los que más utilidad pueden sacar de esta obra, los teólogos. Dirán que es una temeridad insoportable el que un gramático, después de haber pasado por todas las otras ciencias tenga la petulancia de abordar también el estudio de las Sagradas Letras. [...] ¿Alguien diría que el gramático Valla no tiene el derecho a hacer lo que hace el teólogo Nicolás de Lira? Yo le respondería que grandes hombres colocan a Lorenzo (Valla) tanto entre los filósofos como entre los teólogos y que Lira cuando analiza una expresión, ¿hace más la tarea de gramático que la de teólogo? Traducir las Escrituras requiere el oficio del

38 Ms. 41,2, ff. 185r-257v.

39 Cf. F. González Vega, *o.c.*, 334.

gramático. Y no es ningún absurdo que Jetró en ciertas materias sepa más que Moisés. [...] La gramática es de un rango inferior a otras muchas ciencias, pero ninguna aporta una ayuda más indispensable. [...] Los que no tengan tiempo de aprender a fondo griego encontrarán siempre una gran ayuda estudiando a Valla. [...] Grande será la deuda de los estudiosos con Lorenzo Valla»[40].

La segunda apología de su quehacer filológico del Nuevo Testamento tendrá lugar en 1515, cuando se disponía a preparar la primera edición de su *Novum Instrumentum*. Le ha escrito desde Lovaina Martin Dorp aconsejándole que no haga una nueva traducción latina del Nuevo Testamento, a lo más que corrija aquellos pasajes que afecten al sentido («... has anotado más de mil pasajes, no sin consecuencias para los teólogos») y que lo indique en notas[41]. Erasmo le contesta en 1515 con una larga carta[42] que es realmente una apología, y que a partir de 1516 será el prólogo del *Elogio de la locura*. Es una respuesta dura y contundente contra la Vulgata: cuando el texto está totalmente corrupto no queda más remedio que buscar el original griego, como hacen los Padres. En 1516 saldrá su *Novum Instrumentum*, dedicado al Papa León X buscando su aprobación frente a los posibles enemigos que se le van a echar encima. Al texto bilingüe griego –editio princeps– y latino –el de la Vulgata– (parece que le hizo caso a Martin Dorp) y más de medio volumen de *annotationes* (no solo de crítica textual sobre las discrepancias entre el texto griego y la Vulgata sino sobre temas teológicos y filosóficos), le preceden la *Paraclesis*, el *Methodus* y la *Apologia*[43]. Los críticos (Lee, Diego López de Zúñiga, Mason, Latomus, Beda, etc.[44]) no tardan en hacerle llegar su malestar ante esta edición y las cuatro siguientes (1519 –con su propia traducción latina–, 1522, 1527 –además de su traducción vuelve a aparecer la Vulgata– y 1535) en las que las anotaciones crecen hasta triplicarse al calor de la polémica, y las apologías de Erasmo forman un grueso volumen en dos partes (IX de sus *Opera omnia*, Lugduni Batavorum, 1706).

40 D. Erasmus, «Carta 182», en Id., *Opus epistolarum. I: 1484-1514*, P. S. Allen (ed.), Oxford 1906, 406ss.

41 Id., «Carta 304» en *Ibid., II: 1514-1517*, Oxford 1910, 10ss.

42 Id., «Carta 337», en *Ibid.*, 90ss.

43 Cf. Érasme, *Les préfaces au Novum Testamentum (1516). Présentées, traduites et comentes* par Y. Delègue avec la collaboration de J.-P. Guillet. Géneve: Labor et Fides, 1990.

44 Cf. E. Rummel, *Erasmus and his catholic critics. I: 1515-1522; II: 1523-1536*, Nieuwkoop: De Graaf, 1989.

3. La edición de las obras bíblicas de Nebrija[45]

El *Corpus Biblicum Nebrissense* estaría formado por:

- La *Apologia* (Logroño 1507).
- *Tertia Quinquagena* (Alcalá 1516).
- *Segmenta ex epistolis Pauli, Petri, Iacobi et Ioannis, necnon ex prophetis quae in re divina leguntur per anni circulum tam in diebus Dominicis Quam in sacrorum festis et profestis, quipus Antonius Nebrissensis adiecit grammatica quaedam scholia non contemnenda* (Alcalá 1516).
- *De Analogia hoc est Repetitio Quinta* (11 de junio de 1508)[46].
- *Epistola del Maestro Lebrija al Cardenal, quando avisó, que en la interpretación de las Dicciones de la Biblia no mandasse seguir al Remigio sin que primero viessen su obra*[47].
- *De magis observatio* (Ms. 19.019 de la BN)[48].
- *In Reuclinum Phorcensem et Erasmum Roterdanum, quod de 'talita' in evangelio Marci et 'tabita' in Luca non bene senserunt* (Ms. 19.019 de la BN)[49].
- *Lexica biblica: lat.-heb.* (Ms. Vat. Borg. Lat. 148)[50].

45 Quedarían excluidas de este *Corpus*, las obras de hebreo, que han sido editadas por C. del Valle como *Corpus hebraicum nebrissense.* La obra hebraica de Antonio de Nebrija, Madrid: Aben Ezra, 2000), 347 págs. [Seis obras: *De litteris hebraicis,* ca. 1515; *De accentu hebraico,* ca. 1515; *De dictionum peregrinarum et quarundam aliarum accentu opus utilissimum,* 1502; *De peregrinarum dictionum accentu,* 1506; *De corruptis hispanorum ignorantia litterarum vocibus,* 1486; *De vi ac potestate litterarum,* 1503]. De los 6 títulos solamente el último contaba con una edición moderna.

46 Es el códice 132 del Archivo del Colegio de España (Bolonia). Lo ha estudiado y editado J. R. Jones, «An unpublished Lecture of Antonio de Nebrija», en *Studia Albornotiana* 12 (1972) 311-351. Un estudio más reciente es el V. Bonmatí Sánchez, «*Repetitio Quinta* sobre la Analogía de Elio Antonio de Nebrija (11 de junio de 1508)», en *Homenaje a Vicente Picón,* Madrid: UAM, 2008, 559-574.

47 Publicada por D. Roque Chabás en *Revista de Archivos Bibliotecas y Museos* 8 (1903) 493-496. Nueva edición de C. Gilly, *o.c.*, a partir del Ms. 19.019 de la Biblioteca Nacional de Madrid, pp. 308-315.

48 Edición con las variantes del Ms. de Copenhague y traducción de C. Gilly, *o.c.*, 302-307. No olvidemos que el *lema* 30 de la *Prima Quinquagena* se titulaba *Magi an tres et an reges.* Dicho *lema* no fue recogido en la ed. de 1516.

49 Edición y traducción de C. Gilly, *o.c.*, 272-295.

50 Publicados en 1950 por P. Galindo – A. Ortiz, *Nebrissensis Biblica,* vol. II, Madrid: CSIC, 1950.

- (Cinco notas exegéticas): *Cynus pro schino; Digittorum supputatio; Sedere ad dextram; Lustrum; Tibicines* (Compluti, ca. 1513, A. Guillén de Brocar). 6 folios[51].
- *Annotationes ad Novum Testamentum* (Ms. 41,2, ff. 185r-257v, de la Biblioteca Histórica «Marqués de Valdecilla», Universidad Complutense, siglo XVI)[52]. Esta obra se halla precedida en el mismo volumen por *Novum Testamentum adnotatum a Doctoribus Complutensibus* (Ms. 41,1, ff. 1r-183v) y seguida por *Laurentii Vallensis ... In latinam Noui Testamenti interpretationem ex collatione gr[a]ecorum exemplarium adnotationes apprime vtiles*, Paris 1505, J. Petit, in aedibus Ascensianis (Ms. 41,3, con la paginación del impreso). Estas *Annotationes*, atribuidas a Nebrija, siguen el modelo de las de L. Valla (1505). El Ms. 41 perteneció al Cardenal Cisneros.

51 Ejemplar en la Biblioteca Nacional de Madrid: R 2.701. La primera nota será recogida en la *Tertia Quinquagena*, 1516; la segunda, en la edición de la *Tertia Quinquagena*, 1535 (Granada).

52 Estas *Annotationes* son atribuidas a Nebrija por estudiosos como J. H. Bentley, *Humanists and Holy Writ. New Testament Scholarship in the Renaissance*, Princeton: University Press, 1983, 98-111, y por V. Bonmatí Sánchez, «La Filología Bíblica del humanista Elio Antonio de Nebrija (1444-1522)», en *Studia philologica valentina* 10 (2007) 47-63.

LA EXÉGESIS BÍBLICA DE MARTÍNEZ DE CANTALAPIEDRA (1518-1579)

Víctor Pastor
Colegio Claret, Zamora

1. En el marco de la Biblia Políglota de Alcalá

Se cumplen 500 años de la publicación de la *Biblia Políglota Complutense*, un hito en la historia de la exégesis bíblica en cuanto a la edición de los textos originales y de sus traducciones. El Cardenal Cisneros reunió para esta empresa a los mayores especialistas del momento (Nebrija, el Pinciano, Alfonso de Zamora, etc.). Uno de ellos, Antonio de Nebrija, ya había visto la necesidad de trabajar con los textos hebreo y griego, según nos dice en la *Apologia* (1507). Cincuenta años después, los hebraístas salmantinos fray Luis de León, Gaspar de Grajal y Martín Martínez de Cantalapiedra (1518-1579), harían una defensa, que les valdría un largo y triste proceso, de la consulta del texto hebreo en su enseñanza universitaria como profesores de Biblia y de hebreo en las aulas salmantinas. Estudiaremos a uno de ellos, a Martín Martínez de Cantalapiedra y su obra las *Hypotyposes* en este contexto.

En el primer prólogo de la Políglota de Alcalá Cisneros, Cardenal de España y Arzobispo de Toledo y de los reinos de Castilla, se dirige al Papa León X, para presentarle la obra y pedirle su aprobación[1]. Dice

1 La impresión de los tomos, según los colofones es la siguiente: el tomo 5 (NT) se imprime el 10 de enero de 1514, luego el 6 (Vocabulario hebreo y arameo) el 15 de marzo de 1515, la Gramática hebrea, el 31 de mayo de mismo año, y finalmente el 10 de julio de 1517 los 4 tomos del AT. El Cardenal morirá en Roa (Burgos) el 8 de noviembre de 1517. El *Motu proprio* de León X aprobando la obra llegará el 22 de marzo de 1520, debido posiblemente a

así: «Muchos son los motivos, beatísimo Padre, que nos han impulsado a imprimir (*excudendas*) la Sagrada Escritura en las lenguas originales. En primer lugar, porque ninguna versión puede trasladar fielmente toda la fuerza y propiedad del original, principalmente cuando se trata de la lengua en que Dios mismo ha hablado, [...] cuyas palabras están, por decirlo así, preñadas (*fecunditate repleta*) de sentidos y tan repletas de misterios que solo pueden vislumbrarse o conocerse a través del original en que las Sagradas Escrituras fueron escritas. A esto se añade que los manuscritos latinos de la Biblia con mucha frecuencia disienten entre sí, o hay motivos suficientes para creer que se hallan corrompidos (vemos que esto sucede frecuentemente por la ignorancia y negligencia de los copistas) por lo cual debe recurrirse al texto original de la Escritura (*ad primam scripturae originem*), como lo advierten San Jerónimo y San Agustín y otros autores eclesiásticos, para examinar la autenticidad (*synceritas*) de los libros del Antiguo Testamento, según la verdad hebrea (*Hebraica veritas*) mientras la de los del Nuevo Testamento según los ejemplares griegos. Para que de esto modo cualquier estudioso de las Divinas Letras tenga a mano los propios textos originales y pueda, no contento con las aguas de los arroyuelos (*rivulis*), apagar su sed en la propia fuente de donde brota el agua (que salta) hasta la vida eterna, hemos mandado imprimir los textos originales (*archetypas linguas*) de la Sagrada Escritura juntamente con sus traducciones en varias lenguas y dedicarlas al nombre de su Santidad»[2]. A continuación explica la publicación de los textos e instrumentos para su estudio (diccionarios y gramáticas), a saber: NT greco-latino y diccionario de todas las palabras griegas que contiene (*omnium dictionum quae possunt in eo legentibus occurrere*). Después el AT con sus vocabularios de hebreo y arameo, «donde no solo se expone la múltiple significación, sino también el pasaje de la Escritura en que aparece el testimonio de ese acepción (creemos que esto será muy útil para los estudiosos)»[3]. El interés didáctico del proyecto del Cardenal en toda la Biblia Políglota es fundamental. No se ha señalado lo suficiente. Tiene que ver con la disposición tipográ-

los privilegios concedidos de 5 años a Erasmo, que ha editado el NT en 1516, y a los editores de la primera Biblia Rabínica en 1517. La venta de la obra comenzaría seguramente en 1522. En 1517 la Biblia Políglota de Alcalá ya está acabada e impresa en los talleres de Arnao Guillén de Brocar, en Alcalá de Henares (Cumplutum): se han dejado dos caras de folio en blanco, al final de los prólogos, para colocar el *Motu proprio* papal, que en unos ejemplares pasa por la imprenta (ejemplar que he consultado de la Universidad Complutense de Madrid) o se escribe en letra manuscrita (en el ejemplar que he consultado de la Biblioteca Nacional de Madrid).

2 Cf. *Apéndice* 1.

3 Cf. *Apéndice* 1.

fica de los textos, con la relación entre el texto original y la traducción mediante letras colocadas sobre las palabras, la versión interlineal de la Septuaginta, la traslación «ad verbum» del Targum de Onquelos, las raíces hebreas y arameas de los márgenes exteriores de las páginas, el uso y aprovechamiento de los diversos diccionarios y gramáticas.

Le pide al papa León X que examine los textos y las versiones que han realizado (*castigatissima*) con muchísimo esmero y trabajo eminentísimos hombres versados en lenguas sobre textos originales muy antiguos (*vetustissima*) hebreos, griegos y latinos de distintos lugares. «Respecto a los griegos damos gracias a su Santidad que nos enviara de la Biblioteca Apostólica códices muy antiguos del Antiguo y Nuevo Testamento, que nos fueron de suma ayuda para nuestra empresa»[4]. Después de dar término al NT greco-latino impreso con su Diccionario y al Diccionario hebreo y arameo, con su gramática, hemos añadido a la obra de Nicolás de Lira *Tractatus differentiarum Veteris Testamenti*[5] adiciones en muchos lugares, debidas a hombres muy peritos en lenguas. «Finalmente, con la ayuda divina hemos impreso el AT en varias lenguas. Toda la obra entera enviamos ahora a su Santidad. Pues, ¿a quién mejor podíamos dedicar todos nuestros desvelos que a esa Sede Apostólica, a la que debemos todo? ¿O quién debe recibir de modo más acogedor y favorable los sagrados libros de la religión Cristiana que el sagrado vicario de Cristo? Reciba, pues, su Santidad con ánimo bondadoso esta pequeña ofrenda que echamos en el *gazofilacio* del Señor para que comiencen los estudios de la Divinas Letras, algo muertas (*hactenus intermortua*), ahora por fin a revivir». Se despide pidiéndole que examine estos libros, los someta a su juicio y si le parece que son útiles para la *reipublicae Christianae* reciban de su Santidad el permiso de su edición.

La Biblia Políglota de Alcalá marca una nueva época, pues es la primera políglota: en ella aparecen las *ediciones principes* del texto griego del NT, de la Septuaginta (con su traducción interlineal), de la Vulgata en cuanto edición crítica (se editó por primera vez la Vulgata con seriedad y rigor críticos sirviéndose de manuscritos antiguos, dos españoles[6] de los siglos IX-X), de la traducción latina del Targum de Onquelos y

4 Cf. *Ibid.*

5 Tenemos un ejemplar en El Escorial (signatura 28-II-20), s. l. a., titulado Nicholaus de Lyra, *Tractatus de differentia nostrae translationis ab hebraica littera veteris testamenti... cum aliquibus additionibus sive annotationibus.* Este ejemplar contiene una nota manuscrita del padre José de Sigüenza, según la cual el autor de las *Additiones* sería Pablo Coronel. (Cf. K. Reinhardt, BBIM, 12-13).

6 Mss. 31 y 32 de la Biblioteca Marqués de Valdecilla de la Universidad Complutense de Madrid.

el texto hebreo, aunque le precedieron la ediciones de Soncino (1488), Nápoles (1491) y Brescia (1494), se acabó de imprimir en 1517, el mismo año que salía en Venecia la primera Biblia Rabínica. En ella aparece también el primer diccionario griego del Nuevo Testamento y la primera gramática griega impresa del mismo. Además, bajo el mecenazgo y dirección del Cardenal Cisneros trabajaron como colaboradores los mejores filólogos bíblicos de entonces: los judeoconversos Alfonso de Zamora, Pablo Coronel y Alfonso de Alcalá, grandes conocedores, por su origen, del hebreo y arameo; Antonio de Nebrija, Hernán Núñez de Guzmán El Pinciano, Demetrio Ducas, Juan de Vergara, Diego López de Zúñiga, excelentes helenistas y latinistas. Esta políglota, la primera, influyó en las principales biblias políglotas de los siglos XVI y XVII: la de Amberes o Regia (1568-1572) en 8 volúmenes, bajo la dirección de Arias Montano; la de París (1628-1645), en nueve volúmenes; la de Londres o de Walton (1654-1669), la más rica de las tres en cuanto a textos se refiere, en seis volúmenes.

La Biblia Políglota de Alcalá fue el punto de partida en 1947 de la *Biblia Polyglotta Matrisensia*, en el CSIC (creado en 1940) a través del Instituto Arias Montano y con la publicación, hasta ahora (2014) de 78 volúmenes (la ed. prínceps del Tg Neofiti, del Códice los Profetas de El Cairo, vols. de la *Biblia Polyglotta Matritensia*, a partir de 1950, etc.) de Textos y Estudios «Cardenal Cisneros». En esta políglota se optó por la publicación de los textos en volúmenes independientes. El proyecto continúa. No podemos olvidar la creación del Instituto «Francisco Suárez» de Teología (en 1940), también el CSIC, que editó la revista *Estudios bíblicos* y algunos de los targumín de Alfonso de Zamora, el *Repertorium biblicum* de Stegmuller, la *Biblia Medieval Romanceada*, ed. P. Llamas, etc.

Finalmente, se publicó la edición facsímil en 1987 de la BIBLIA POLÍGLOTA COMPLUTENSE con una tirada de 1.000 ejemplares numerados (frente a los 600 de la original), proyecto que surgió durante la celebración en Salamanca, en 1983, del Congreso Internacional de *Vetus Testamentum*.

2. De Nebrija a Cantalapiedra pasando por la Políglota Complutense

2.1. *La Vulgata y los textos originales según Nebrija. Su colaboración en la BPC*

Cisneros en el *prólogo* de la *BPC* nos decía: «Debe recurrirse al texto original de la Escritura (*ad primam scripturae originem*), como lo advierten San Jerónimo y San Agustín y otros autores eclesiásticos, para examinar la autenticidad (*synceritas*) de los libros del Antiguo Testamento, según la verdad hebrea (*Hebraica veritas*) mientras la de los del Nuevo Testamento según los ejemplares griegos».

Pero ya Nebrija en la *Apologia*, ed. 1507, señalaba, apoyándose en San Agustín y San Jerónimo: «Ayuda muchísimo ver y comparar (*collatis*) entre sí muchos códices, siempre que no haya falsedad. Porque lo primero que tienen que hacer los que desean conocer las Escrituras Sagradas es enmendar (*emendatis*) cuidadosamente los manuscritos (códices) para que los que no están corregidos se conformen con los que lo están, porque si no, ¿cómo vamos a saber lo que es o no es de fe, lo que nos está mandado y lo que nos está prohibido? La regla para esto la da el mismo Santo Doctor (San Agustín) allí mismo (*De Doctrina Christiana*) y en muchos otros lugares, en este mismo libro segundo *De Doctrina Christiana* y en el tercero. Y también San Jerónimo en todos sus prólogos, epístolas y comentarios, y es la que nos enseñaron los antiguos y santísimos doctores: que siempre que en el Nuevo Testamento haya alguna diversidad entre los libros latinos, recurramos a los griegos; y siempre que en el Antiguo Testamento difieran los códices latinos entre sí o con los griegos, recurramos a los hebreos; o sea, que en las dudas siempre hay que recurrir a la lengua precedente»[7]. Esto en lo que respecta a las lenguas originales.

Y con relación a la versión de Jerónimo, o sea la Vulgata, decía Nebrija también en la *Apologia:* «Yo solo pretendo que se restituya a su integridad la versión de San Jerónimo que por negligencia de los copistas (*librariorum*) está incorrecta (*depravata*). Esto lo hemos hecho ya en parte nosotros mismos, y en parte lo haremos, comparando los códices modernos antiguos con los de venerable antigüedad, en los cuales fácilmente se ve lo que escribió Jerónimo, y si está conforme o no con los códices griegos o hebreos. Y ahora quisiera saber de esos (que me censuran) qué tipo de herejía hay en mi trabajo. ¿Qué hay de herético, o que sepa a herejía, en ordenar las palabras y ponerlas como deben estar? De todos modos estoy dispuesto a sujetarme en todo a la Iglesia Romana y a sus ministros, y si la República cristiana lo requiere borraré con la lengua todo lo que he escrito [...] para que vea todo el mundo que no soy tan terco y obstinado que me atreva a resistir las leyes y decretos apostólicos (sucesores de los apóstoles). Entre tanto, nadie me prohíbe que siga cultivando estos estudios, y que anime a otros que hagan lo mismo, y que quiera morir con este único pensamiento»[8]. Acaba pidiendo al Cardenal: «No permitáis que las Sagradas Letras las contaminen los ignorantes de todas las buenas artes. Favoreced los ingenios y pedid encarecidamente a Dios que las lenguas griega y hebrea, las dos luces de nuestra religión, no se extingan». ¿No

7 V. Pastor, «La filología bíblica de Antonio de Nebrija. De Valla a Erasmo», en *Helmántica* 65 (2013) 441.

8 V. Pastor, *o.c.*, 444.

se expresa en este final lo mismo que desea el Cardenal en sus palabras al Papa León X, que leímos anteriormente? («… para que comiencen los estudios de la Divinas Letras, algo muertas (*hactenus intermortua*), ahora por fin a revivir»).

¿Cómo colaboró Nebrija en la *BPC*? En la *Epistola del Maestro Lebrija al Cardenal*, que debió de escribir entre 1507 y 1516 (habla de una *Repetitio* de 1507 y de cuando vino a Alcalá, 1513), refiere cuál sería su tarea en la Biblia Políglota: «enmendación del latín que está común mente corrompido en todas las biblias latinas cotejándolo conel hebraico, chaldaico i griego». […] Entonces Vuestra Señoría me dixo que hiziese aquello mesmo que alos otros avía mandado, que no hiziese mudanza alguna delo que común mente se halla enlos libros antiguos, mas que si sobre ello a my otra cosa paresciese, que devía escribir algo para fundamento i prueva de mi intención»[9]. En este sentido, la redacción de la *Tertia Quinquagena*, buscaba dar satisfacción a los requerimientos del Cardenal mediante un bien motivado desglose de razones, de las que la epístola es un anticipo. Yo creo que la colaboración de Nebrija en la Políglota consistió: en primer lugar, en la elaboración del léxico del vol. 6: *Interpretationes hebraicorum chaldeorum, graecorumque nominum veteris ac novi testamenti secundum ordinem alphabeti* , sub voce *Tabita cumi.* Marci 5 .d. In greco scribitur talitha cumi: quod ex syro et hebreo interpretatur puella surge. El mismo texto aparece en el vol. 5 (*Interpretationes hebraicorum chaldeorum, graecorumque nominum novi testamenti,* siguiendo ahora el listado no por orden alfabético sino el de los libros del NT y por capítulos). Y por lo que se refiere al texto latino del NT de la Políglota, vol. 5 parece que no se tuvo en cuenta lo que había escrito Nebrija en sus *Annotationes ad Novum Testamentum* (Ms. 41,2 de la Biblioteca Histórica «Marqués de Valdecilla», Universidad Complutense, siglo XVI, ff. 185r-257v., 195v), porque en el versículo citado de Marcos se mantiene en el texto latino de la Vulgata «Thabita»; sin embargo, en el mismo Ms. 41,1, fol. 29v: leemos «talitha cumi».

2.2. *El maestro Martínez de Cantalapiedra: la consulta de los textos originales y la Vulgata*

Martínez de Cantalapiedra nació en 1518, un año después de acabarse la impresión de la *BPC,* y el mismo año en que el Papa León X encargara al teólogo dominico Silvestre Mazzolini el asunto de las «indulgencias» (31-octubre-1517) de Lutero, que será advertido en 1520 en la *Exsurge*

9 *Ibid.*, 439, nota 10.

Domine y excomulgado en 1521 con la bula *Decet Romanum Pontificem.* Ese mismo año el Emperador en Worms lo declara hereje y prohíbe sus obras. Uno de los colaboradores de *BPC*, el Pinciano, implicado en la lucha comunera, vuelve a la Universidad salmantina, en 1523, donde será catedrático de griego durante sus últimos 20 años. Será el maestro de León de Castro, quien le sucederá en la cátedra de griego (1553-1576) y apoyará al joven Martínez de Cantalapiedra para que le concedan el *partido de hebreo* en 1543 También volverá a Salamanca Pablo Coronel[10], catedrático de hebreo, 1530-1534. Pero antes de terminar la década de los 20, en 1527, las Juntas de Valladolid (los teólogos de la Universidad de Salamanca, con Vitoria al frente, sostienen la acusación, y los de Alcalá, la defensa) en dieciséis sesiones y con cerca de treinta participantes, tratan de resolver el vivo debate suscitado por la recepción del pensamiento erasmista en España. El inquisidor Manrique (simpatizante de Erasmo) suspendió las reuniones sin que se llegara a ninguna conclusión. Como diría Santa Teresa: «Andaban los tiempos recios»[11]. O como dirá poco después en el proceso el hebraísta Gaspar de Grajal: «era una época de

10 En un libro de Claustros de la Universidad de Salamanca, con fecha 7 de abril de 1533, se encuentra una nota: «... maestro Pablo catedrático del Estudio de la Universidad de Salamanca, se obligó por su persona e bienes... que Çamora, vecino de la villa de Alcalá, que escribe la biblia para esta Universidad de Salamanca enviara dicha obra a la dicha Universidad escrita de la dicha biblia todo lo que valga en quantía de doze ducados que la Universidad le libró a veintidós de março...»; aquí sigue la firma de Pablo Coronel. ¿De qué se trata? El Claustro de la Universidad de Salamanca quiso tener una Biblia Aramea completa, como se tenía en la Universidad de Alcalá de Henares, y comisionó a Pablo Coronel, que pidiese a Alfonso de Zamora que hiciese una copia de toda la Biblia Aramea que se atesoraba en la Biblioteca de la Universidad de Alcalá de Henares. Alfonso de Zamora aceptó dicho trabajo, que le fue compensado por la Universidad de Salamanca, y dicha copia estuvo finalizada en el año 1532; fecha que llevan los colofones de los mss. de Salamanca. Alfonso de Zamora no copió el primer volumen, correspondiente al Targum Onqelos, porque ya estaba impreso en el vol. I de la Biblia Políglota Complutense; sí copió el resto, siguiendo los apógrafos que se encontraban en la Biblioteca de la Universidad de Alcalá de Henares. Actualmente dicha Biblia Aramea está incompleta en la Universidad de Salamanca; no sabemos las causas, ni las razones, por qué han desaparecido dos vols: el vol. III: Tg Isaías, y el vol. IV: TgJer y TgLam. Cf. L. Díez Merino, «El texto arameo en la Políglota Complutense», en *Estudios bíblicos* 72 (2014) 119-160.

11 Santa Teresa, *Vida,* (1562-1565) cap. 33.5: «También comenzó aquí el demonio, de una persona en otra, procurar se entendiese que había yo visto alguna revelación en este negocio, e iban a mí con mucho miedo a decirme que *andaban los tiempos recios* y que podría ser me levantasen algo y fuesen a los inquisidores. A mí me cayó esto en gracia y me hizo reír, porque en este caso jamás yo temí, que sabía bien de mí que en cosa de la fe contra la menor ceremonia de la Iglesia que alguien viese yo iba, por ella o por cualquier verdad de la Sagrada Escritura me pondría yo a morir mil muertes. Y dije que de eso no temiesen; que harto mal sería para mi alma, si en ella hubiese cosa que fuese de suerte que yo temiese la Inquisición; que si pensase

reciedumbre» En 1533 tenemos el proceso a Juan de Vergara, por luterano, erasmista y alumbrado, quien había sido colaborador de la *BPC*, secretario de Cisneros (1516-1517) y defensor frente a Erasmo de su compañero de la Políglota, Diego López de Zúñiga. Y los Decretos de Trento[12] sobre la Sagrada Escritura (sesión cuarta, 8 de abril, 1546). El primer decreto completo será colocado al comienzo del capítulo 7 del libro primero de la *Hypotyposes* de Cantalapiedra en la 2 ed. 1582, aunque no lo indica el Índice expurgatorio de Quiroga. El segundo[13] fue clave en los procesos de los hebraístas salmantinos e incluso formó parte su contenido de las clases de fray Luis de León (en el curso anual de 1567-1568, en su lectura *De fide*, fray Luis se detuvo explicando *De Sacrae Scripturae ratione et eius auctoritate*) y también Gaspar de Grajal (en la lectura que tuvo el mes de marzo de 1562, de dos a tres de la tarde, como dice en el proceso, trató *De translationibus sacrae Scripturae)*[14]. En 1554 la *Censura de Biblias*[15]; en 1559, el Índice de Valdés; en 1569, las reuniones para revisar la llamada *Biblia de Vatablo*[16], que será publicada en Salamanca 1584 y que tiene mucho que ver con el proceso a los hebraístas salmantinos: Grajal, fray Luis y Cantalapiedra.

había para qué, yo me la iría a buscar; y que si era levantado, que el Señor me libraría y quedaría con ganancia».

12 *Decretum primum: recipiuntur libri sacri et traditionem apostolorum* (Decreto sobre las Escrituras canónicas); *Decretum secundum: recipitur Vulgata editio bibliae praescribiturque modus interpretandi sacram scripturam, etc.* (Sobre la edición y uso de la Sagrada Escritura). El texto latino se encuentra en G. Alberigo et al., *Conciliorum Oecumenicorum Decreta,* Bologna, 1972, 663-665. Citado en adelante como Aberigo, *COD.*

13 Dice en primer párrafo: «*Considerando, además de esto el mismo sacrosanto Concilio, que se podrá seguir mucha utilidad a la Iglesia de Dios, si se declara qué edición de la sagrada Escritura se ha de tener por auténtica entre todas las ediciones latinas que corren; establece y declara, que se tenga por tal en las lecciones públicas, disputas, sermones y exposiciones, esta misma antigua edición* Vulgata, *aprobada en la Iglesia por el largo uso de tantos siglos; y que ninguno, por ningún pretexto, se atreva o presuma desecharla*».

14 Editado y traducido por C. Miguélez en Gaspar de Grajar, *Obras Completas,* vol. 2, León, 2004, 326-343, con el título *De latina et Vulgata editione* (Sobre la autoridad de la edición latina Vugata).

15 Cf. V. Bécares, «La filología bíblica y la *Censura Generalis* de 1554», en M. Pérez González (coord.), *Congreso Internacional sobre Humanismo y Renacimiento,* vol. 1, León, 229-237.

16 Cf. Id., «La Biblia de Vatablo y las Biblias salmantinas del siglo XVI», en J. Campos – V. Pastor, (eds.), *Congreso Internacional «Biblia, memoria histórica y encrucijada de culturas»*, Zamora, 2004, 303-313.

3. Martínez de Cantalapiedra en el proceso a los hebraístas salmantinos

El 27 de marzo de 1572, a las seis de la tarde, ingresaba en las cárceles de Valladolid fray Luis de León, y el mismo día, el familiar Cristóbal de Cepeda arrestaba, según mandamiento judicial, al maestro Martín Martínez de Cantalapiedra. Cinco días antes había sido detenido el maestro Gaspar de Grajal[17]. Este fallece en las cárceles inquisitoriales en 1575. Su absolución en 1578 llegó tarde. Fray Luis de León[18] y Cantalapiedra serán también absueltos en 1576 y 1577 respectivamente, y volverán a sus cátedras salmantinas. Los tres son sometidos a un proceso común desde el momento que el P. Pedro Fernández, prior de los dominicos en la corte de las Españas, entrega, el 2 de diciembre de 1571, al Consejo Supremo del Santo Oficio, diecisiete proposiciones en latín, referentes a los tres hebraístas. Estas proposiciones, que decían que sostenían algunos catedráticos de la Universidad de Salamanca, señala el P. Miguel de la Pinta[19], son una pieza general acusatoria que debe dar principio a los tres expedientes que forman un mismo proceso.

De las 17 proposiciones presentadas nos vamos a detener en las que tienen que ver con la consulta de los textos originales, la autenticidad de la Vulgata, las explicaciones de los Padres y las de los Rabinos de las Sagradas Escrituras.

3ª. *Común y normalmente se deben explicar las santas Escrituras según las explicaciones de los rabinos, y rechazar las de los escritores santos.*

17 M. de la Pinta Llorente, *Proceso criminal contra el hebraísta salmantino Martín Martínez de Cantalapiedra,* Madrid: CSIC, 1946, 95. Gaspar de Grajal será catedrático de Biblia de 1560-1572, tras la jubilación en 1560 de Juan Gallo. Solo vio publicada en vida los *Comentarios al profeta Miqueas*, 1570.

18 Catedrático de Biblia de 1579-1591 (después de salir de la cárcel). Comienza su profesorado en 1561 obteniendo la cátedra de Santo Tomás (lee y comenta la *ST*); en 1565 sucede al padre Guevara en la de Durando (lee y comenta la *Sentencias*); en el curso anual de 1567-1568, en su lectura *De fide*, fray Luis se detuvo explicando *De Sacrae Scripturae ratione et eius auctoritate*. En ella defiende respecto a la Vulgata lo mismo que dirá en el proceso a las acusaciones de Medina: «*Juntamente digo: que con esta verdad, que e dicho aver declarado acerca de la Vulgata, se compadece bien que aya en ella, como ay, algunos pasos, de menor importancia, corrompidos por el descuido de los escrivientes y otros, cuya verdadera licion se a hecho dudosa por la misma causa, y otros que el interprete pudiera trasladar mas clara y comodamente y con mas significación. Y, por consiguiente, que no se a de entender que el Espiritu Sancto ditto al interprete latino todas y cada una de las palabras latinas que puso, como las ditto a los prophetas, ny el concilio de Trento declaro tal cosa ny quiso declarar*». Cf. Fray Luis de León, *Escritos desde la cárcel. Autógrafos del primer proceso inquisitorial*, El Escorial, 1991, 302-303. Edición y estudio de J. Barrientos García. En adelante citaremos esta obra como *Escritos desde la cárcel.*

19 M. de la Pinta Llorente, *o.c.*, 4.

5ª. *No hay inconveniente en afirmar que los antiguos Padres que desconocieron el hebreo no tuvieron verdadera inteligencia de las santas Escrituras.*

13ª. *Se puede tener una mejor traducción de la Biblia que aquella que ahora hay la Iglesia.*

14ª. *Esta versión que hoy tiene la Iglesia contiene muchas falsedades, aunque no en lo que se refiere a la fe y costumbres.*

A partir del 17 de diciembre de ese 1571 van compareciendo los testigos, entre otros, Bartolomé de Medina, León de Castro y Juan Gallo. Ya en 1572 presentará la acusación el fiscal Diego de Haedo contra el maestro Martínez[20]. Señala el fiscal que el maestro Martínez desautoriza la edición de la Vulgata, atribuyéndole falsedades y que dice que podría hacerse otra edición mejor; que prefiere en la interpretación bíblica a Vatablo, Pagnino y los judíos en lugar de la Vulgata y los santos; que sostiene la imperfección de los Setenta[21], y que el Concilio de Trento no definió como de fe, sino tan solo aprobó la Vulgata; que afirma que la teología escolástica daña y perjudica en el estudio de la Sagrada Escritura, etc. Cantalapiedra contesta a cada una de ellas negándolas, afirmando que no las ha dicho, remitiendo a su libro *Ypotiposeon*: «que en su libro veran zitados diez mil bezes los santos, y no tres vezes los Rabinos»[22]; «y que no excluye la teología escolastica, antes la alaba en el Prologo del dicho su libro sesto, y que a los estudiantes les amonesta que se den a lo escolastico, mas que no por eso dejen de darse a la Sagrada Escriptura». «Niega aber echo tal comparación de los Rabinos con los santos, y que cuando an aprobado las exposiciones de Rabinos es en la Biblia de Batablo, biniendo en ello toda la facultad de teología quando les bieron por comision de los señores del Consejo de la general Ynquisicion».

20 M. de la Pinta, *o.c.*, 147-150.

21 También fray Luis, *Escritos desde la cárcel*, 55: «*Iten leyendo la materia De fide de la Sagrada Escrittura, y trattando de la traslacion que hizieron los Setenta interpretes, tuve que los dichos interpretes en la interpretacion que hizieron no fueron prophetas, sino interpretes. En esto segui al señor San Jheronimo que lo tiene asi espresamente, aunque Sancto Augustin y otros parecen tener lo contrario. Pero al parecer de San Jheronimo se llego el juizio y el hecho de la Iglesia que desecho del uso eclesiastico a la traducion de los Setenta, y admitio y recibio en su lugar la traduçion de San Jheronimo, que agora llamamos Vulgata, y le da mas authoridad que a otra ninguna; lo qual no hiziera la Iglesia si la de los Setenta fuera hecha por el Espiritu Sancto. Yo por esta authoridad y juizio de la Iglesia me movi a poner la dicha proposicion. Y bien se que el maestro Leon de Castro es de differente parecer; pero no se que a nadie otro aya desagradado*».

22 M. de la Pinta, *o.c.*, 150-152. Cf. También la cita de Gaspar de Grajal, *o.c.*, 1, *Comentarios al profeta Miqueas*, 106: «… nuestro querido Martín Martínez, hombre ilustre no solo por el conocimiento de las lenguas sino también por las innumerables citas de los santos Padres».

Finalmente, en 1576, el Inquisidor Andrés de Alaua presenta 18 proposiciones[23] que en el libro *Ypotisposeon*, «que el hizo, y esta impreso[24], se an hallado algunas proposiciones malsonantes y escandalosas y sospechosas, de las quales se le haze cargo...». También en el proceso de fray Luis, en un momento del mismo se sacan 17 proposiciones en latín, como en Cantalapiedra, de su tratado *De fide*, entonces manuscrito[25], en concreto de la sección 3ª «*Appendix ad disquisitionem de vulgata editione sive eius Compendium*»[26], presentadas en la vista oral de la causa el 21 de enero de 1574, y a las cuales responde, el 20 de marzo del mismo año, o remite a lo que ha expuesto en el de *De fide* («*donde esta la mesma letura mas estendidamente*»)[27]. Las coincidencias en las respuestas de fray Luis con las del maestro Cantalapiedra son casi totales, en lo que se refiere a la autoridad de la Vulgata para la fe y costumbres, en el confrontar muchos ejemplares para enterarse de la verdadera lección y que sujetará siempre al juicio de la Iglesia romana.

En el caso de Gaspar de Grajal, las coincidencias con fray Luis son tantas que dos obras (*Sobre la edición y uso de la Vulgata* y *Sobre los sentidos de la Sagrada Escritura*) comparten la autoría sobre ellas, según los críticos, ambos. No voy a entrar en el debate.

4. Vida académica de Martínez de Cantalapiedra[28]

Martín Martínez de Cantalapiedra nació el 1518 (25-3-1518) en Cantalapiedra y murió en 1579 (18-11-1579) en Salamanca. Bachiller en Teología por la Universidad de Valladolid (1543) y en Artes por la Universidad de Salamanca (1547) y licenciado en Teología también por la de Salamanca, en 1561. Ya en 1543 don Juan de Bracamonte, rector de la Universidad salmantina, le adjudica la cátedra de las tres lenguas (hebreo[29],

23 M. de la Pinta, *o.c.*, 349-353.

24 1ª edición, 1565, de las *Hypotyposeis*.

25 Impreso aparecerá en sus *Opera* 5, 223-238.

26 *Opera* 5, *De fide* 327-332. Cf. también *El proceso inquisitorial de fray Luis de León*, Á. Alcalá (ed.), Salamanca, 1991, 403-407.

27 *Escritos desde la cárcel*, 443.

28 Sigo para la vida académica el comienzo de mi estudio V. Pastor, «Los sentidos de la Sagrada Escritura en Martínez de Cantalapiedra (1518-1579)», en J. Campos – V. Pastor (eds.), *Congreso Internacional «Biblia, memoria histórica y encrucijada de culturas»*, Zamora, 2004, 271-280, 271 y 272.

29 La cátedra de hebreo existía ya en 1411, pues se hace referencia a ella en un rescripto de Benedicto XIII del 26 de julio de 1411. Su creación tiene que arrancar del Concilio de Vienne (1311-1312), ya que en el Decreto 24 (Alberigo, *COD*, 379) se habla sobre la crea-

caldeo y árabe) por considerar una eminencia al joven estudiante (tenía 24 o 25 años). Será en 1548 cuando publique en París sus *Institutiones in linguam sanctam* (*Institutiones hebraicae*) en cuyas páginas dos y tres leemos «*Martinus Martinez C. sacrae theologiae studiosus, linguarum trium professor, severissimo eiusdem Salmanticensis Academiae senatu salutem.*» Y también «*Quinque aut eo plus aguntur anni, cum ex honorifico vestrum omnium suffragio, consensu, cathedrae linguarum praepositus hoc munus exequor, ea auditorum frequentia*[30], *quae nulli (quod sine arrogantiam dicam) ante me contigit*». Y en el *explicit* del prólogo, a continuación del *valete* (p. 5) termina así: «*Ex hac florentissima Academia quinto calendas Augusti anno a Virginis partu sesquimillesimo quadragesimo septimo* (MDXLVII)». Pero antes, en 1546, cuando el trinitario Juan Beltrán abandona Salamanca y se va a la Universidad de Alcalá, se le concede la cátedra de este, pero ya leía una primera cátedra o *lección*, ahora leerá dos. La primera sobre los *principios*, o sea, el curso de iniciación, y la segunda sobre la *construcción*, es decir, nivel avanzado. Finalmente, en 1559 presta juramento como catedrático de *Hebrayco*, el 1 de mayo. Como señala Juan García[31], hasta 1561 fue la cátedra de hebreo no en propiedad, sino a modo de *partido*. Se conserva en el AUS (Libro de claustros y Libro de juramentos) el juramento de Cantalapiedra y el ritual académico del mismo[32]. También en el AUS, Visitas a cátedra de los años 1560-1563, aparecen datos interesantes sobre la labor académica del maestro Martínez de Cantalapiedra[33], que extracto: sus clases eran dos diarias, una de dos a tres, y otra de tres a cuatro; en una leía hebreo, en la otra, un año *caldeo* y otro *arábigo*; además de enseñar la gramática hebrea, aramea y árabe, leía el AT (Salmos, Cantar, Isaías); los alumnos eran escasos (de 7 a 10), pero tenían una buena opinión (fama) de su catedrático, como declara el padre Francisco Suárez[34] en el proceso. En el mismo proceso el testimonio de algunos alumnos no es tan favorable.

ción de cátedra de lenguas orientales *scholas … Salmantino Studies providimus erigendas … Hebraicae, Arabicae, et Chaldaeae linguarum.*

30 Sobre el número de alumnos: entre 7 y 10, según la *Visita a Cátedras.*

31 L. Juan García, *Los estudios bíblicos en el siglo de oro de la Universidad salmantina*, Salamanca, 1921, 18.

32 Cf. C. Carrete Parrondo, *Hebraístas judeoconversos en la Universidad de Salamanca (Siglos XV-XVI)*, Salamanca, 1983, 35.

33 Cf. M. de la Pinta, *Proceso*, *41-42.

34 El Padre Francisco Suárez, al comparecer como testigo en el proceso de Martínez de Cantalapiedra, a la pregunta sobre la fama del maestro Martínez responde: «que le tiene por hombre muy docto y leido en dotores sagrados». Cf. M. de la Pinta, *Proceso*, 305. Ya se fijó en este dato del proceso P. Cereda, «Un profesor desconocido de Suárez: el biblista Martín Martínez de Cantalapiedra», en *Estudios Eclesiásticos* 22 (1948) 439-447.

5. Las *Hypotyposes* y la exégesis bíblica según Martínez de Cantalapiedra

5.1. Las Hypotyposes*: contenido y ediciones*

El maestro Martínez de Cantalapiedra, después de más de veinte años dedicado al estudio y enseñanza de las lenguas del AT, con las notas recogidas en sus estudios, se propuso publicar una obra con normas o claves, mejor que reglas (pero el título viene ya de la segunda mitad del siglo IV, con Ticonio y su *Liber regularum*, primer manual exegético) para interpretar la Sagrada Escritura. En 1565 publica las *Hypotyposeis*[35], manual de introducción a la Sagrada Escritura, en 10 libros, repleto de doctrina sólida y sana, que somete al juicio supremo de la Iglesia, como indica en el *Proemio*[36]. Son las *Hypotyposes* un libro de enorme valor, de los que hacen época en la historia de los estudios bíblicos, y muy especialmente de la hermenéutica. Constituyen un monumento superior a todo lo publicado antes (Jaime Pérez de Valencia, Pedro Antonio Beuter, Francisco Ruiz, Pedro Ciruelo, fray Luis de León, Gaspar de Grajal) dentro y fuera de España (la famosa introducción a la Escritura, *Bibliotheca Sancta*, de Sixto de Siena, se publicará en 1566, o sea, un año después de la de Cantalapiedra).

El libro de las *Hypotyposes* se compone de dos partes: la primera abarca 8 libros y la segunda, dos, en los tenemos las 100 reglas (una cita de un padre de la Iglesia le sirve para extraer una enseñanza u observación para la exégesis), 50 cada uno. La primera parte es la rica de contenido: 1. La oscuridad de la Escritura y la utilidad de la exégesis (de este libro I trataré en el siguiente epígrafe); 2. Sobre los nombres dados a Dios y a Cristo en la Sagrada Escritura; 3. Sobre la venida de Cristo y sobre el Anticristo; 4. Sobre los profetas tanto buenos como malos, sobre los títulos de los Profetas y sobre los títulos de los Salmos; 5. Sobre las narraciones

35 *Libri decem hypotyposeon theologicarum sive regularum ad intelligendum scripturas divinas in duas partes distributi. Quarum prior, qui octo libros complectitur locos aliquot comunes ad scripturarum exactam intelligentiam expectantes, adeo enucleate tractat, ut nil amplius, aut possit aut debeat desyderari. Posterior, quae duobus voluminibus clauditur, duas regularum quincuagenas continet quas non inútiles fore illis theologis qui sacris Bibliorum mysteriis initiantur; re ipsa cognosces.* Salmanticae, Ioannes Maria a Terranova, Anno MDLXV. [Manejo el ejemplar de la BN Madrid: R. 28677].

36 *Proemium 9v: Porro cum res quam adorior ardua ac difficilis sit, captumque nostrum longo intervallo superans, meo iure postulare posse videor, si me et mea omnia limae et correctioni ecclesiae subiecero. Quapropter si quid dictum aut literas commissum a nobis sit, in quo labi aut titubare videamur, tum contra ecclesiae Romanae scita et decreta tum etiam contra priscorum patrum dogmata, indictum et obliteratum esse a mentibus hominum exopto.*

en la Escritura; usos verbales; uso de las interrogaciones, etc.; 6. Sobre las citas del AT en el NT y otras cuestiones de morfología gramatical; 7. Sobre los sentidos de la Sagrada Escritura; 8. Observaciones sobre algunas peculiaridades de Pablo en sus Cartas; sobre los preceptos y consejos evangélicos; cuestiones gramaticales (artículo, los adverbios, las preposiciones).

En 1582 salió la 2ª edición en Salamanca, I. a Terranova et Neyla. Incluida en el Índice de libros prohibidos de Quiroga de 1583 y en Expurgatorio del mismo Quiroga de 1584. Veremos algunos ejemplos a continuación.

Ya a comienzos del siglo XVII el benedictino Mancio de Torres, salmantino, hace un resumen en castellano de las *Hypotyposes*: *Epitome hypotheposeon(¡) magistri Martinez Cantapetrensis* (a. 1626) por Mancio de Torres Salmantino, OSB, *Ms. 199,* f. 1-190v. de la BU (de Santa Cruz) de Valladolid[37]. Este manuscrito está en castellano pero ha pasado desapercibido por los estudiosos, porque en la descripción de Reinhardt aparece en la sección de manuscritos de las *Hypotyposeis.*

Por último, tendrá una tercera edición en 1771, Madrid: J. Ibarra. Reproduce la 2ª edición, pero hace algunos cambios, añadidos o supresiones, como veremos en un ejemplo más adelante. Sabemos que era libro de texto de la asignatura de Sagrada Escritura en la Universidad de Salamanca, como podemos leer en una *Real orden a la (Universidad) salmantina de sacar a oposición la de escritura y requisitos para los ascensos,* de 22 de noviembre de 1768: «*Don Carlos por la gracia de Dios…A vos el Rector y Claustro de la Universidad de Salamanca… al hallarse también vacante la Cathedra de Propiedad de Escritura, por muerte de el maestro Fr. Manuel Portillo, Carmelita descalzo, y la de el Doctor Sutil Escoto, por la de el Maestro Fr. Manuel Bernardo de Rivera, del orden de Calzados de la Santisima Trinidad, y sus resultas, en respuesta con fecha de diez y seis de este mes, ha expuesto lo siguiente: Que las Cathedras de Escoto y de Escritura, son diferentes entre si; pues la de Escritura por su objeto está destinada à la interpretación de los libros sagrados, sobre que escribió sus Comentarios, ò Hypotiposes el Doctor Martin Martinez de Cantalapiedra, y requiere el conocimiento de las Lenguas Santas, Griega, y Hebrea, además del profundo estudio en el Texto, è interpretes de las divinas Letras. De aquí es, que la Theologia Scholastica y la Enseñanza de la Escritura, son estudios muy diferentes, y por consiguiente lo son tambien las enseñanzas, y no puede ascenderse de las Cathedras de Theologia Scholastica, à la de Escritura, ni al contrario…y al mismo tiempo se puede prevenir, que la de Escritura se regente, y enseñe por el celebre tratado de Martin Martinez de Cantalapiedra*»[38].

37 K. Reinhardt, *Bibelkommentare spanischer Autoren (1500-1700)* 2, Madrid: CSIC, 1999, 53.

38 C. Mª Ajo G. y Sáinz de Zúñiga, (Dir.), *Historia de las Universidades Hispánicas: orígenes y desarrollo desde su aparición hasta nuestros días*, vol. 4, Madrid (Centro de Estudios e

5.2. *El libro primero de las* Hypótyposes *o sobre la exégesis bíblica*

El libro primero de las *Hypotyposes* es una monografía, podríamos decir, dedicada a la exégesis bíblica. Sus 17 capítulos plantean y tratan de contestar a las siguientes preguntas: ¿por qué motivos las Sagradas Escrituras son oscuras e intrincadas?, ¿por qué Dios ha hablado mediante enigmas y parábolas?, ¿a cuántas lenguas y en qué época se tradujo el AT? , ¿qué autoridad se ha de conceder a los textos originales de las Escrituras?, ¿qué utilidad les aporta a los alumnos el conocimiento de las lenguas?, ¿qué provecho nos proporciona el conocimiento de las Reglas de la Sagrada Escritura?, ¿cuáles son las ciencias auxiliares de un intérprete de la Sagrada Escritura? Y responde: geografía, historia, humanidades, dialéctica. Acaba el libro primero con unas reflexiones y consejos a los que desean ser buenos alumnos de Teología.

Interesa a nuestro tema, al menos por ahora, la primera cuestión: ¿por qué motivos las Sagradas Escrituras son oscuras y difíciles de entender?, pues de aquí arranca la utilidad y necesidad de la exégesis. Martínez de Cantalapiedra da ocho razones, tomadas de los Padres, por las cuales la Sagrada Escritura es oscura, he aquí algunas de ellas: la oscuridad del AT ya que era prefiguración del NT; la propia dificultad de la lengua hebrea, muy distinta de la griega y latina; las diferentes maneras de hablar que utilizaron muchas veces los profetas; muchas cosas se dijeron en el AT oscuramente por la incredulidad y obstinación de los oyentes. Fijémonos en la que llama el maestro Martínez *octava causa: «ea se offert ratio quod nonnulli divinarum scripturarum authores propter ignorantiam artis grammaticae quaedam perturbato et confuso ordine enarrarunt*[39]. El sintagma *propter ignorantiam artis grammaticae* aparece suprimido con una oración añadida o tachado en la 2ª edición de 1582, y en la 3ª edición de 1771 aparece suprimido y se ha añadido una frase.

Octaua ratio.

Octauo loco, ea ſe offert ratio, quòd nonnulli diuinarum ſcripturarum authores, propter ignorantiam artis grãmaticæ, quædam perturbato & confuſo ordine enarrarunt. &

Texto de la edición 1ª (1565) col. 16 (BN Madrid)

Investigaciones «Alonso de Madrigal») 1960, 433-434.

39 Col. 16 (1ª ed.).

Octaua ratio.

Octauò loco, ea ſe offert ratio, quòd nonnulli diuinarum ſcripturarum authores, vt myſteria prophanis hominibus contegant, quædam perturbato & confuſo ordine enarrarunt. Et hanc ob rem eorum libri ſcatent,

Texto de la 2ª edición (1582) col. 16, según el ejemplar de la Biblioteca de Filosofía y Letras de la Universidad Complutense: el sintagma aparece suprimido y se ha añadido la oración: ut mysteria prophanis hominibus contegant

Octaua ratio.

Octauò loco, ea ſe offert ratio, quòd nonnulli diuinarum ſcripturarum authores, [tachado] quædam perturbato & confuſo ordine enarrarunt. Et hanc ob rem eorum libri ſcatent,

Texto de otra 2ª edición (Fondo Antiguo de la Universidad de Granada) de 1582, col. 16: el sintagma aparece tachado

Octava ratio.

Octavò loco, ea ſe offert ratio, quòd nonnulli Divinar. Script. AA. Deo ſic diſponente, quædam perturbato, & confuſo ordine enarrarunt. Et hanc ob rem, eorum libri ſcatent Hy-

Texto de la 3ª edición (1771) p. 3 según el ejemplar de Biblioteca de Múnich: se ha suprimido el sintagma y se ha añadido AA. Deo sic disponente.

También desaparece de la 2ª y 3ª edición la referencia del margen de la 1: *Paulus imperitus sermone et artis grammaticae ignarus*[40]. Tal censura aparece en el *Índice Expurgatorio*[41], pues esta obra, las *Hypotyposeis*, fue

40 *Hypotyposeon*, lib. IV, col. 293: «*Porro quod sancti omnes multa ignoraverint, et multa illos fefellerint docet Hiero. In quaestionibus ad Damasum, q. 3. His verbis. Nullus homo, excepto eo qui ob nostram salutem carnem est dignatus induaere, plenam habuit scientiam, et certissimam veritatem*».

41 *Index librorum expurgatorum … Gasparis Quiroga*, Madrid: Alfonso Gómez, 1584, fol. 177v [Manejo el ejemplar de la BN de Madrid: R. 10936]: *Cap. I. col. 16. deleantur illa verba: Propter ignorantiam artis Grammaticae. Ibidem, in glossa marginali, quae incipit, Paulus, deleatur, & artis Grammaticae ignarus.*

denunciada a la Inquisición y aparece en el *Índice de libros prohibidos* de 1583[42] de Gaspar de Quiroga. Este señala en los ff. 177v-180v del *Índice expurgatorio* los pasajes concretos que deben expurgarse, indicando el capítulo, página y línea de la obra donde hay que borrar (*deleatur*), añadir (*addatur*) o cambiar (*deleatur et ponatur / legatur eius loco*). Si se trata de suprimir párrafos completos se indica mediante *deleatur ab ... usque ad.*

Las correcciones propuestas por el *expurgatorio* proceden en su mayor parte de las calificaciones y resoluciones adoptadas sobre las proposiciones a lo largo del proceso: en un momento determinado del mismo, en 1576, se sacan 18 proposiciones de su libro, las *Hypotyposeis*, indicando la columna, como en el *expurgatorio*[43]. Hemos comparado cinco de dichas proposiciones con el texto del *expurgatorio* y constatamos que son exactas, literales[44]. A las 18 proposiciones, en el proceso, Cantalapiedra va respondiendo primero oralmente y a continuación hallamos las respuestas autógrafas al detalle, con abundantes referencias bíblicas, citas de los *sanctos* o remitiendo a pasajes de su libro.

Veamos como ejemplo la 3ª proposición, columna 33:

> *(Ait) nihil in libris prophetìcis a veritate hebrayca alienius transferri potuisse Quam quod septuaginta viri transtulere. Subiungitur idem de translaciones 70 virorum quos affirmat non tam intellexisse libros sacros quam odoratos fuisse*[45].

Contesta Cantalapiedra oralmente a la tercera proposición: «A la tercera proposicion dixo que en esta proposicion no se habla palabra de la Bulgata, sino se habla de solos los Setenta interpretes, los quales no trasladaron bien en aquellos lugares el hebrayco, y por esto no lo admitio la Iglesia, y ansi cotejado San Geronimo segun el hebrayco y la Bulgata, y cotejese con los Setenta, y echaran de uer por cosa muy diferente de lo

42 *Index et catalogus librorum prohibitorum mandato... D. Gasparis a Quiroga...*, Madrid: Alfonso Gómez, 1583, 36r: *Hypotyposeon Martini Martinez Cantapetrensis, liber: nisi fuerit ex repurgatis et impressis ab anno 1582.* [Manejo el ejemplar de la BN Madrid].

43 Cf. M. de la Pinta, *Proceso*, 349: «*Proposiciones principales del libro [Ypotiposeon] del maestro Martínez que ofendían a la censura*».

44 1ª proposición = expurgatorio, libro 1º, capítulo 1º, columna 16; 3ª proposición = expurgatorio, libro 1º, capítulo 4º, columna 33; 5ª proposición = expurgatorio, libro 1º, capítulo 7º, columna 47; 12ª proposición = expurgatorio, libro 3º, columna 267; 18ª proposición = expurgatorio, libro 8º, columna 627.

45 En las *Hypotyposeis: Quippe in libros propheticis nihil alienius a veritate Hebraica transferri potuit. Nec tam mihi videntur intellexisse libros quos trasferebant, Quam odoratos fuisse.* Los cambios en los tiempos verbales son los esperados al dar en el proceso este texto en estilo indirecto.

que dize el hebrayco y la Bulgata, y esto se a de uer en los comentos de San Geronimo sobre profetas»[46].

Respuesta autógrafa de Cantalapiedra a la tercera proposición: «Solo Titelman niega la conclusión que en el Uiejo Testamento solo los psalmos y Ecclesiastico quedasen de los 70 por buenos y aprouados; esta claro a quien tiene ojos y diligencia, y uiere a San Hieronimo, y las Biblias comunes, y desto se entiende la 3, que tomando a Hieronimo sobre prophetas ueran alli nuestra edicion del hebreo sacada, como concierta con el hebreo, y difiere de los 70»[47].

5.3. *El capítulo VI del libro primero de las* Hypotyposes*: los textos originales, el conocimiento de las lenguas y la Vulgata*

Después de haber leído detenidamente el libro primero, hemos encontrado diversos pasajes y parágrafos suprimidos, añadidos y cambiados en la 2ª edición (1582) con respecto a la 1ª edición (1565), y sobre los que no dice nada el *expurgatorio.* Creemos que estos arreglos o desarreglos de la 2ª edición tienen una gran importancia para entender la exégesis de Cantalapiedra[48]. Veamos en qué consisten.

En el capítulo VI del libro 1º, el título del capítulo rezaba así en la 1ª edición: *Archetypis scripturarum quid authoritatis deferendum, et quid utilitatis linguarum cognitio, ipsarum sectatoribus afferat.* En cambio, en la 2ª edición, se suprime la primera oración: *¿Qué autoridad se debe conceder a los textos originales de las Escrituras?*[49]. Fijémonos en esto: aunque son dos oraciones coordinadas copulativas, sin embargo su relación es más estrecha, pues evidentemente el conocimiento de las lenguas era y es necesario para consultar los textos originales. Si quitamos la consulta de los textos originales, que como veremos hace la censura de la 2ª edición, el aprendizaje de las lenguas es algo inútil.

Comienza el capítulo con un texto de San Agustín, *De doctrina christiana* I, cap. 11, donde el santo afirma que el conocimiento de las lenguas –hebreo y griego– es un gran remedio ante las dificultades del texto bíblico, y señala la necesidad de consultar los originales si hay alguna duda debido a la infinita variedad de traducciones latinas. Ahora bien, cuando Cantalapiedra le dice al lector: ¿preguntarás cuáles son los originales a los que hay que acudir? y le responde: las fuentes son el AT hebreo, excepto

46 *Proceso,* 354.
47 *Ibid.*, 358.
48 Cf. *Apéndices* 2 (páginas de la 1 ed. 1565) y 3 (páginas de la 2 ed. 1582).
49 Cf. *Apéndices* 2 y 3: se pueden comparar las páginas de la 1ª y de la 2ª edición.

Macabeos, Sabiduría, Eclesiástico, Tobías, Judit y Baruc, y el NT griego, tanto la pregunta como la respuesta (un par de párrafos que ocupan la columna 41 y el comienzo de la 42) se suprimen en la 2ª edición[50].

A continuación viene la cita de San Jerónimo, *Adversus Helvidium,* quien afirma que «el testamento de la vieja y nueva Escritura fue traducido de la fuente hebrea y griega al latín. Por tanto, se debe reconocer que es mucho más pura el agua de la fuente que la del arroyuelo»[51]. De nuevo otro testimonio de S. Jerónimo, de la carta 106, a Sunnia y Fretela, a quienes les dice: «En el NT, siempre que surge entre los Latinos (ellos son godos) una dificultad y hay variantes entre unos códices y otros, recurrimos a la fuente griega, en que está escrito el *Instrumento Nuevo.* Del mismo modo, cuando respecto al AT se da discrepancia entre Griegos y Latinos (textos) acudimos a la *Hebraica veritas*». No vamos a dar otras citas del propio Jerónimo y de Orígenes, que vienen después, porque contienen el mismo pensamiento. Acaba la columna 41 y comienza la 42 con unas palabras de la carta 71 *A Licinio* (*Ad Lucinum Baeticum*) del mismo Jerónimo sobre la necesidad de recurrir en los textos del AT a los códices hebreos y a la fuente griega para el NT siempre que surja una duda e intentar solucionarla. En esta cita interviene el *expurgatorio*: «*Cap. 6, col. 42, lin. 4. ibi,* Ad Licinium desumptum, *addatur,* Quamvis haec quae DD. Hieronymus et Agustinus docuerunt vera sint, tamen, post Concilii Tridentini decretum, non licet vulgatae Latinae testimonia, quovis praetextu, reiicere: prout in ipsius concilii decreto constitutum est»[52].

¿Qué reflexiones nos merece este fragmento del *expurgatorio*? En primer lugar, la defensa a ultranza del decreto tridentino sobre la *autenticidad* de la Vulgata, que, si bien fue disciplinar, en España se entendió como dogmático. En segundo lugar, había dos frentes en este momento: los protestantes (los *luteranos* dirá Cantalapiedra en otro lugar de esta obra) con su interpretación *libre* de la Sagrada Escritura, y los judíos, a los que hace referencia al comienzo del libro VII, col. 492, al hablar de los sentidos de la Sagrada Escritura: «Al exponer las Sagradas Escrituras conviene huir de dos vicios extremos: unos se abrazan del tal manera al sentido místico y son tan adictos a él que quien quisiera servirse del sentido histórico y literal les parecería a ellos que ha abandonado la religión cristiana y se ha pasado al Judaísmo. Por el contrario, los otros se aferran de tal modo al sentido literal que creerías que desprecian el sentido místico y que no lo tienen en nada».

50 Cf. *Apéndices* 2 y 3.

51 Esta cita ya aparecía en Nebrija y en la *Biblia Políglota Complutense.*

52 *Index expurgatorius,* fols. 177v-178r.

Más adelante, en el mismo libro 1, en el último párrafo de la columna 43, toda la 44 y el comienzo de la 45 (hasta acabar el párrafo) se suprimen en la 2ª edición. ¿De qué tratan estos pasajes suprimidos? Así comienza el texto suprimido: «Pero algunos, además de ser desconocedores de las lenguas –hebreo y griego– y *analfábetoi* (texto en griego), piensan que el estudio de estas y la consulta de los originales es quehacer reprobable y sostienen que se debe además descuidar. Y con el pretexto de que los libros de los Hebreos están corrompidos y mutilos, lo que hacen es encubrir y disimular su estupidez e ignorancia». Pone de ejemplo la fábula de Esopo de la zorra sin cola, que anima a las demás a seguir su ejemplo quitándosela. Y va probando Cantalapiedra mediante observaciones personales (*inspiciendum libros a Iudaeis de hac re editos, quos Maçoret, id est, traditio*) como los judíos mediante la masora han sido *superstitiosos* de las tradiciones paternas. Y si las hubieran falseado, se pregunta por qué no falsearon las Semanas de Daniel, las profecías de Jacob, los testimonios sobre la trinidad de personas, la encarnación, la pasión, etc. «*Non igitur non falsarunt*», concluye. Y ¿por qué? Sencillamente, dice Cantalapiedra, porque «no tenemos disputas con los judíos por las palabras (*in verbis*) sino por la pura y auténtica inteligencia de las Escrituras, la cual ellos *velamine posito*[53] no pueden ver».

Y después de esto, ¿qué queda?. Evidentemente, Cantalapiedra es partidario de hacer la exégesis a partir de los textos originales, como enseñaba en sus clases de hebreo. Hay un párrafo del proceso que nos puede aclarar. Habla uno de los calificadores sobre «si el reo satisfizo a las proposiciones de que se le hicieron cargo»:

> *«Pero deuese advertir si este reo leyendo publicamente en catreda, y siguiendo el hebreo y no la traslacion de la Vulgata, haga contra el tenor del conzilio tridentino que manda quod in publicis lectionibus se siga la Vulgata, porque si se averiguase que a hecho contra el conzilio meresçe ser castigado con las penas que el conzilio pone; si el reo solamente leyera y explicara la gramatica, y congruidad del testo hebreo, no paresçe hacia contra el concilio, y esto no podia, y a esto obligaba su catreda y facultad, mas que se metia en esplicar el sentido del testo hebreo, obligado estaua como si fuera lector de sagrada scriptura a poner a la postre la traslacion Vulgata, y su sentido mas cierto, y no tropellarla, como paresçe haze, y no pasar por alto sin dezir nada della, en lo qual da gran sospecha que la tiene en poco y en menos que a la hebrea de sus Rabinos»*[54].

53 Recordemos la representación en el arte medieval de la Iglesia y la Sinagoga: esta aparece con los ojos cubiertos por un velo.

54 *Proceso*, 370.

6. Apéndices

1. *Primer prólogo de la Biblia Políglota Complutense, vol. 1, 2r [Ejemplar de la BN Madrid: U-5887-Vol. 1]*

Ad sanctissimum ac clemẽtissimum dominum nostrum. D. Leonem Decimum diuina prouidentia Pontificem Maximum Reuerendissimi in Christo patris ac dñi. D. F. Francisci Simenii de Cisneros Sacrosanctæ Romanæ ecclesiæ tituli. S. Balbinæ Presbyteri Cardinalis Hispaniæ Archiepiscopiq; Toletani ac regnorũ Castellæ Archicãcellarii &c. in libros veteris ac noui testamẽti multiplici lingua impressos.

Prologus.

Multa sunt beatissime Pater: quæ ad excudendas impressoriis formis originales sacræ scripturæ linguas nos incitarũt. Atq; hæc imprimis. Quod cum vniuscuiusq; idiomatis suæ sint verborum proprietates: quarum totam vim non possit quamtumlibet absoluta traductio prorsus exprimere: tum id maxime in ea lingua accidit: per quam os domini locutum est. Cuius littera q̃uis ex se mortua sit & uelut caro: quæ non prodest quicq̃ (Nam spiritus est qui viuificat) quia tamen Christus verborum figuris velatus intra eius vterum manet inclusus: nõ dubium: quin tam admiranda sit fæcunditate repleta: tam exuberãti mysteriorũ copia cumulata: ut cum plena semper sit & redundãs: flumina de ventre eius fluãt aquæ viuæ: vnde hi quibus datum est reuelata facie gloriã dñi speculari: vt in eãdẽ imaginem trãsformentur: possint assidue haurire mira diuinitatis eius arcana. Quippe cum nulla dictio nulla litterarum connexio esse possit: ex qua non emergant & veluti pullulent reconditissimi cœlestis sapientiæ sensus. Ex quibus cum non possit eruditissimus quisq; interpres nisi vnicũ explicare: necesse est vt post interpretationem maneat adhuc scriptura grauida: variisq; ac sublimibus intelligentiis plena: quæ nequeant aliunde q̃ ex ipso archetypæ linguæ fonte cognosci. Accedit: q̃ vbicũq; latinorum codicum varietas est: aut deprauatæ lectionis suspitio (id quod librariorũ imperitia simul & negligentia frequentissime accidere videmus) ad primam scripturæ originem recurrẽdum est: sicut beatus Hieronymus & Augustinus ac cæteri ecclesiastici tractatores admonent: ita ut librorũ Veteris testamẽti synceritas ex Hebraica veritate: Noui autẽ ex Græcis exemplaribus examinetur. Vt ipsa igitur originalia in promptu haberet quicũq; diuinarũ litterarũ studiosus: possetq; non solis riuulis esse contẽtus: sed ex ipso fonte salientis aquæ in vitam æternã sitim pectoris extinguere: iussimus archetypas sacræ scripturæ linguas cum adiunctis variarũ linguarũ translationibus impressioni mandari Sãctitatis tuæ nomini dedicãdas. Atq; imprimis Nouũ testamentum Græco Latinoq; sermone excudẽdum curauimus simul cum Lexico Græcarum omnium dictionum: quæ possunt in eo legentibus occurrere: vt his quoq; qui nõ integram linguæ cognitionem adepti sunt pro viribus consuleremus. Deinde vero anteq̃ Vetus testamentum aggrederemur: Dictionarium præmisimus Hebraicorum Chaldaicorumq; totius veteris instrumẽti vocabulorum. Vbi non tm̃ multiplex significatio cuiusq; dictionis exprimitur: sed (quod studiosis vtilissimũ fore credimus) locus scripturæ in cuiusq; significati testimoniũ citatur. Rursus: cum nõ solus litteræ occidentis cortex sed introrsus latitans spiritus viuificantis nucleus maxime sit a studioso diuinæ scripturæ requirendus: atq; huius præcipua pars ex propriorũ nominũ interpretatione depẽdeat: quorũ ab æterno præuisa impositio incredibilẽ opẽ affert ad propalãdos spirituales abstrusosq; sensus & detegẽda arcana mysteria: quæ sub ipso litteralis textus vmbraculo spiritus sanctus velauit: Idcirco interpretationes propriorũ nominum a viris linguarũ peritia præcellẽtibus maxima diligẽtia iussimus elucubrari: & secũdum Alphabeticã seriẽ dispositas Dictionario adiungi. Quibus succedit legendorũ Hebræorũ characterũ instructio & eiusdẽ idiomatis Grãmatica ex pluribus receptæ fidei Hebræis autoribus collecta & ad latini artificii normã reducta. Quibus omnibus ueluti p̃ præludio ita peractis: ad excussionem diuersarum veteris testamẽti linguarum nos conuertimus: adiicientes etiam singulis earum suam latinam translationẽ. Qua in re id aperte Beatitudini tuæ testari possumus Pater sanctissime: maximam laboris nostri partem in eo præcipue fuisse versatã: vt & virorũ in linguarum cognitione eminentissimorum opera vteremur: & castigatissima omni ex parte vetustissimaq; exẽplaria pro archetypis haberemus: quorũ quidẽ tã Hebræorũ q̃ Græcorũ ac latinorũ multiplicẽ copiã variis ex locis nõ sine summo labore cõquisiuimus. Atq; ex ipsis quidẽ Græca Sanctitati tuæ debemus: qui ex ista apostolica Bibliotheca antiquissimos tum Veteris tum Noui testamẽti codices perq̃ humane ad nos misisti: qui nobis in hoc negocio maximo fuerunt adiumẽto. Consumata itaq; excussione Noui testamenti Græce Latineq; impressi cum suo Lexico. Impresso etiam Hebraico Chaldaicoq; Dictionario: cui adiũcta est Grammatica cum nominum propriorum interpretationibus. Absolutis præterea annotationibus differentiarum Veteris testamenti: quas cum Nicolaus de Lyra nõ omnino absolutas edidisset: eas nos per viros linguarum peritissimos multis in locis addi fecimus. Tandẽ diuino auxilio Vetus testamentum multiplici lingua excudi fecimus. Quæ omnia nũc ad Sanctitatem tuam mittimus. Nam cui potius vniuersæ vigiliæ nostræ dicandæ sunt: q̃ Apostolicæ isti sedi: cui omnia debemus? Aut quis libentius sacros Christianæ religionis libros suscipere & amplecti debet: q̃ sacer Christi vicarius? Accipiat igitur Sanctitas tua læta fronte munusculum: quod in domini gazophylatium offerimus: vt incipiant diuinarum litterarũ studia hactenus intermortua nũc tandẽ reuiuiscere. Obsecramus autẽ Beatitudinẽ tuam enixissime: vt libros hosce: qui nunc se sacris istis vestigiis supplices aduoluũt: examines: & ad seuerissimi iuditii tui censurã reuoces: vt si Christianæ reip. vtiles fore videbuntur: editionis beneficium a Sanctitate tua recipiant. Nã eos nos hucusq; continuimus: sacrum istũ Apostolici fastigii oraculum consulturi. Sed iam hæc ad Beatitudinem tuam satis. Nũc ad instruendum de operis artificio lectorem conuertimus.

✠ iii

Prólogo de la Biblia Políglota Complutense (El Cardenal Cisneros al Papa León X)

40 Liber primus 41

vtuntur.70. ſi interpreteris,ſignificat iuxta Heſychiũ. συγγραφὰσ, διαγραφὰσ,παγίδασ,ἐμπλοκὰσ.i.arcana, fœdera,& laqueos ſiue nexus. Item Pſalm. 15.vbi.70.legunt. Multiplicatæ ſunt infirmitates eorum, poſtea acceleraue-
Alius locus Pſalmi.15. runt. At Hiero.hunc in modum interpretatus eſt. Multiplicabuntur idola eorum, poſt tergum ſequentium.ecce ſi verba expendas diuerſæ ſunt tranſlationes,ſed ſenſus idem.nã idola,quę iuxta Hebręos vocantur Açabim, à mœrore deductum habent nomẽ,quia eodem ſtatu & habitu ſemper permanẽt.quod verò deinceps ſequitur.70 clarius tranſtulerunt,poſtea accelerauerunt,ſ. ad colendũ ea. Deniq; Pſalm.108.iuxta.70. ſic habet. caro mea immutata eſt propter oleum. Sed quis
Locus pſal. 108. expoſitus. ſapiens intelliget hæc?niſi cõſulat Hiero. ad hunc modum hunc locum interpretantem. caro mea immutata eſt abſq; oleo.id eſt,caro mea ad extremã maciem redacta eſt,ob ieiunium.Nam nomine olei, pinguedo aut humor ſucculentus intelligitur, aut bona corporis habitudo,qua deſtitutꝰ erat Dauid ob crebra ieiunia.

¶ Archetypis ſcripturarũ quid authoritatis deferendum, & quid vtilitatis linguarum cognitio, ipſarum ſectatoribus afferat. Cap. vj.

QVod præcipit Aug.non ex animo,ſed quaſi noſtræ inertię conniuens & patrocinans, ſuperiori capite vidiſtis,attamen quid ipſe ſenſerit alijs in libris à ſe editis,teſtatum reliquit(. Quãuis in hac parte, tam Hebraicæ linguæ,vt conſtat,quàm Græcæ,vt ipſe contra Creſconium ſcribens ingenuè fatetur,laude caruerit.)tum alibi,tum etiã lib.1.de doct. Chriſti ca.11. Contra ignota,inquit,ſigna, magnũ remedium eſt linguarum cognitio. & Latinæ linguæ homines duabus alijs ad ſcripturarum diuinarum cognitionẽ habent opus,Hebraica ſcilicet & Græca,vt ad exemplaria præcedentia recurratur,ſi quam dubitationem attulerit Latinorum interpretum infinita varietas.& Hiero.i epiſtola ad Vitalem,inquit.Quando in ſcriptura dubium ortum fuerit,ſi aliter habent.70.interpretes, aliter vulgata editio,cõſugiendum eſt ad ſolita præſidia,& arcem lingue tenere vernaculæ. ¶ Sed quæres quæ ſint præcedentia exemplaria ad quæ veluti ad arcem confugere oportet?Dicendum,ſummã fidem Hebræorũ libris tribui,in veteri inſtrumẽto. Si excipias Machabæorum libros,& librum Sapientiæ, Eccleſiaſtici,Thobię & Iudith & Baruch,qui apud Hebræos non extant. Rurſum verò in cõcuſſa veritas omnibus in libris noui inſtrumenti à codicibus Græcis petitur,& emanat. Vnde Hiero.in lib.aduerſus Heluidium ait. Veteris & nouæ ſcripturæ inſtrumentum,in Latinũ ſermonẽ ex Hebraico & Græco fonte tranſlatum eſt.Ideo multò purior manare credenda fontis vnda quàm riui.& in epiſto. ad Suniam & Fretelam,inquit.ſicut in nouo teſtamento,ſi quando apud Latinos quęſtio exoritur,et eſt inter exemplaria varietas, recurrimus ad fontrem Græci ſermonis, quo nouum ſcriptum eſt inſtrumentũ.Ita in veteri teſtamento,ſi quando inter Græcos Latinosq; diuerſitas eſt,ad Hebraicam recurrimꝰ veritatem.Lege Auguſt.cõtra Fauſt. lib. 11. cap.2.& Grego.20.mor.ca.24.

De Hebræis voluminibus inſtrumenti veteris hæc ſe offerunt teſtimonia.Primum ex Hiero.in cõment.Zachariæ.c.8.Cogimur,inquit,in dubijs ad Hebræos recurrere,& ſcientię veritatem de fonte magis quàm de riuulis quęrere.Præſertim cũ non prophetia aliqua de Chriſto,vbi tergiuerſari ſolent,& veritatẽ celare mendacio,ſed hiſtorię ex præcedentibus & ſequentibus ordo texatur. Item Zacharię.7.Quod male verſum eſt ex Hebræo nulla ratione explanari poteſt,vt illud. Miſit Bethel Saraſar,& Arabath Sager rex. Ideo nõ inclinemus in falſos cõmentantium conatus qui de interpretatiõis errore veniũt. & Ezechie.41.ait. Non eſt neceſſe dubia & non ſcripta diſſerere,cũ in ea quæ Hebræorum tenentur libris debeamus incumbere. In prooemio quoq; .Q.in Geñ. inquit.Origenes cũ in homilijs quas ad vulgum loquitur cõmunem editionem ſequatur, in tomis
& diſputatione maiori Hebraica veritate ſti- *In ſerijs diſputationibus quibus [illegible] vtebatur Origenes.*
patus,& ſuorum circũdatus agminibus interdum Hebraicæ linguę quęrit auxilia.& iterum in eodem prooemio,ait.Perſpicuũ eſt illa magis vera eſſe exẽplaria ſcripturę ſanctę quę cum noui teſtamenti authoritate cõcordant.Ideo cũ ea quę dñs & Apoſtoli citent magis cũ veritate Hebraica,quã cum trãſlatione.70.quadrẽt,veriora eſſe credẽda ſunt. Deniq origе.ho.11.in Iere. ait, exemplaria veriora cũ Hebræis cõſonant. Verum oportet

2. HYPOTYPOSEON 1ª ed. 1565 [R. 28677 de la BN], Lib. I, Cap. VI, cols. 40-41.

42 Hypotypoſeon. 43

Quæ in eccleſijs ſunt recepta diſſerenda.

tet & id quod in vſu eſt, atq; in eccleſijs legitur exponere, & quod in Hebræis codicibus inuenitur, intactum non preterire. Lege in decretis. D.9.c. vt veterum. ex Hiero. in epiſt. ad Licinium deſumptum.

At verò quod diximus de nouo inſtrumẽto, nempè recurrendum eſſe ad fontem Greci ſermonis, quoties in illo dubium aliquod exortum fuerit, labefactare conantur multi viri imprimis illuſtres, primùm Iohannes Cãtacuzenus imperator Conſtanti. Apolo.4. aſſeuerat euangelium Marci Latinè fuiſſe ſcriptum, inquiens, ὁ δὲ ἕτερος μάρκος, λατινῶς δὲ εἰς τὴν ἀχαίαν, καὶ ἐδόθη εἰς τε τὴν ἰταλίαν καὶ τὴν ῥώμην ἀλλὰ δὴ καὶ εἰς τὰ κατὰ τὰ ἑσπέρια πάντα ἔθνη. i. Secundus euangeliſta Marcus Latinè publicauit euangelium in Achaia, Italia, Romæ, adhuc in omnes gentes occidentales. Ego arbitror fuiſſe deceptũ ex carminibus illis Grego. Naziãzeni in catalogo diuinę ſcripturæ.

Error Cantacuzeni de euangelio Marci.

Ματθαῖος μὲν ἔγραψεν ἑβραίοις θαύματα χριστοῦ
Μάρκος δ' ἰταλίῃ, λουκᾶς ἀχαιιάδι.

Qui nõ dicit in italica lingua fuiſſe ſcriptum, ſed Italiæ. nam Romæ, iuxta Hiero. rogatus à fratribus breue ſcripſit euangelium. Deinde Hiero. Hoſeæ. 11. cap. & Iſaiæ. 6. & Euſebius. li. 3. hiſt. ca. vlt. & Nazian. & Irenæus, & innumeri alij autumant Matthæi euangeliũ Hebraicè fuiſſe ſcriptum. epiſtolã quoq; ad Hebræos Hebraico idiomate in lucẽ prodijſſe, multi viri ingenij prẹſtantis affirmant. Ab vtrorumq; iudicio libenter diſcedere nõ verebor. Primũ euangelium Matth. nullus teſtatur ſe eum vidiſſe Hebraicè exaratum, ſed ab alijs accepiſſe. Dempto Hiero. qui in catalogo ſcrip. de Matthæo loquens, ſic inquit. Porrò ipſum Hebraicũ habetur vſq; hodie in Cẹſarienſi bibliotheca. Mihi quoq; à Nazarẹis qui in Berrea vrbe Syriæ hoc volumine vtuntur, deſcribendi facultas fuit. Sed nõ loquitur de Euangelio Matthæi (nã ſi hoc eſſet aliquãdo illius teſtimonio vſus eſſet) ſed de Euãgelio Nazarenorum apocrypho, quo Hebionitæ hæretici vtuntur. & huius teſtimonio vtitur Hiero. nõnunquã, vt Matt. 6. inquiens. Vbi legitur in Matthæo. Panem noſtrum ſuperſubſtantialẽ. In euangelio ſecundum Hebræos pro ſuperſubſtantiali pane, repperi Machar quod dicitur craſtinum, i. futurum, da nobis hodie. Et in epiſtola ad Eph. c.5. in expoſitione illius loci. Eſtote ergo &c. cum de vrbanitate loquitur, ait. Verum hæc à ſanctis viris penitus propellẽda, quibus ma

Matthæus Græcè ſcripſit euangelium.

Vide. Q.4. ad Hedibiã.

gis cõuenit flere, vt in Hebraico quoq; euangelio legimus, dominũ ad diſcipulos loquentẽ. nunquã, inquit, læti ſitis, niſi cũ fratrẽ veſtrũ videritis in charitate. & Mat. 12. cap. inquit. in euãgelio quo vtũtur Nazareni & Hebionitæ, quod nuper de Hebræo in Grẹcum ſermonẽ trãſtulimus, & quod vocatur à pleriſq; Matthæi authenticũ, homo iſte qui aridã habẽs manũ in ſabbato ſanatur, cementarius ſcribitur, iſtiusmodi vocibus auxilium precãs. Cemẽtarius erã, manibus victum quẹritãs, precor te Ieſu, vt mihi reſtituas ſanitatẽ, ne turpiter mẽdicẽ cibos. & in pœmio li. 18. cõmẽt. in Iſaiã, ait. Apoſtoli in reſurrectione Chriſtum putarũt ſpiritũ, vel iuxta euãgeliũ, quod Hebræorum lectitãt Nazarẹi, in corporale dæmoniũ. Et in li. de viris eccleſi. in vita Iacobi. Deniq; li. 3. cõtra Pelagi. circa principiũ, inquit. in euangelio iuxta Hebrẹos quod Chaldaico quidem ſyroq; ſermone, ſed Hebraicis literis ſcriptum eſt, quo vtuntur vſq; hodie Nazareni, ſecundũ apoſtolos, ſiue vt pleriq; autumant iuxta Matthæum, quod & in Cẹſariẽſi habetur bibliotheca. narrat hiſtoria illa. ecce mater dñi & fratres eius dicebãt ei. Iohãnes baptiſta baptizat in remiſsionem peccatorũ, eamus & baptizemur ab eo. Dixit aũt eis. Quid peccaui vt vadã & baptizer ab eo? niſi fortè hoc ipſum quod dixi ignorãtia eſt. Et in eodẽ volumine. ſi peccauerit, inquit, frater tuus in verbo, & ſatis tibi fecerit, ſepties in die ſuſcipe ipſum. Dixit illi Symõ diſcipulus eius. Septies in die? Reſpõdit dominus & dixit ei. Etiã ego dico tibi, vſq; ſeptuagies ſepties. Clem. Stro.4. ex eo citat. qui admiratus fuerit, regnabit. Idẽ poterã multis rationibus probare de epiſt. ad Hebræos, ſed gratia breuitatis miſſas faciam.

Matth. 12. Cementarius manũ habens aridã ſanatur.

Euangeliũ apoſtolorũ ſiue Mat. citatum à Hieron.

Epiſtola ad Hebræ. an Hebraicè ſcripta.

At aliqui linguarũ prorſus ignari & ἀναλφάβητοι, hoc illarũ ſtudiũ, & archetyporũ euoluẽdorũ labor, improbandũ putãt, & prorſus negligẽdũ eſſe affirmãt. Hoc prætextu vtentes, quòd libri Hebræorũ corrupti & mutili ſint, cũ re vera id faciãt, vt propriam ſocordiã & inſcitiã contegant, aut diſſimulẽt. vt vulpecula illa ẹſopica cui abſciſſa fuerat cauda, quẹ reliquas adhortabatur vulpes vt caudã, veluti rẽ inutilem & nullo vſui futuram, amputarent. Alioqui ſi libros antiquorum aliquãdo euoluiſſent, aut tranſlationes cũ ipſis fontibus cõtuliſſent, nõ dubitarem quin ab hac ſententia decederent. Legiſſent vtiq; Hiero. in cõmen. Iſaiæ. c. 6. ad hũc modũ ſcribentẽ.

Libri Hebræorũ an corrupti.

Aeſopi vulpes.

Qui

2. *HYPOTYPOSEON 1ª ed. 1565, Lib. I, Cap. VI, cols. 42-43.*

44 **Liber primus** 45

Locus Hiero. egregi⁹.

Qui dicunt Hebræorum libros esse falsatos, audiant Origenē in.8.volumine explanationum Isaiæ,dicentem.Quod nunquam dñs & Apostoli qui cætera crimina arguunt in scribis & Pharisęis de hoc crimine,quod erat maximum,reticuissent.sin autem dixerint post aduentum dñi & prædicationē Apostolorū, libros esse falsatos cachinnum tenere quis poterit.vt Saluator & euangelistæ ita testimonia protulerint,vt Iudæi falsaturi erant.Ambro.quoq; lib.2.de Spiritu sancto.cap.6.ait. Latinorum codicum varietas est,propterea quòd perfidi eos falsarunt.Ideo Hebræos & Græcos inspiciamus codices.Hęc ille.Nec arbitror vllum sanæ mentis hominem inueniri posse,qui in tantam audaciam prorūpat, vt sentētiā Orige.& Hiero.audeat labefactare. Præcipuè si animum adhibuerit ad inspiciēdū libros à Iudæis de hac re editos, quos Maçoreth.i.traditionis vocant.In quibus nō solum versus totius vet.instrumēti numerant, sed etiam literas & dictiones ad numerū reuocant.Deinde in vnoquoq; libro, vbi medium literarum,vbi mediū dictionum & versuū sit constituunt. Deniq; in tota scriptura & in quolibet libro inquirunt quoties . A. inueniatur,quoties .b.& sic de alijs alphabeti literis,vt si aliquod mendū irrepserit, eminus,veluti ab alienis finibus,depellatur.& ita omnes versus libri Geneseos sunt.1534.& numerus versuum legis.5842.Numerus autem literarū totius legis.600045.& in tota biblia dicunt cōtineri.a 42377 .vicibus. & b. 38218.vicibus.& G.29537.vicibus. Atq; ideo,ni fallor,deus qui cuncta sapienter moderatur ac regit, permisit Iudæos esse adeò superstitiosos,& paternarū traditionū , quas δευτερώσεις vocant,tenaces,vt ne hoc quidem testimonio,(omni exceptione maiori , hoc est ab inimicis desumpto,)ad probandū incorruptas esse scripturas,caruissemus. Præterea si Iudæi flagrarunt desyderio corrumpēdi scripturas,aut illos corrupissent locos qui pro nobis faciunt,aut illos quibus aduersus nos pugnare decernunt.Nō primum, qa nec hebdomadas Danielis,nec prophetiā Iacob corruperunt,quæ maximè illos vrgent, & vexant.nec testimonia quæ trinitatē personarum diuinarum,aut incarnationē, passionem,resurrectionem,&c.astruūt,è libris eraserunt.nec illa quæ vsuram prohibent, (qua vel maximè ipsi inhiant.)aboleuerunt.At secundum diuisionis mēbrum nec illi affirmare audebunt.nō igitur eos falsarunt.Quāobrem?nimirum quia non est nobis cōtentio cū Iudæis in verbis,nec in ipso contextu sermonis,sed in syncera & germana intelligētia scripturarum,quam illi velamine posito intueri non possunt.Adhuc,post Hiero.ætatem nō est ecclesia mendicata libros à Synogoga, sed his quos à patribus accepit,vsa est.

Noia propria in scripturis corrupta.

¶ Nōnihil etiam adiumenti ad exactam scripturarum intelligentiā affert linguarum cognitio propter nominum propriorum corruptionem,quæ ob nostrorū socordiam inoleuit.Nam pauci à Hiero.ætate vsq; ad hęc nostra tempora inuenti sunt,qui huic rei incubuerint.Ideo Hiero.Ezechi.40. ca. inquit. Diligentem & studiosum admonendū puto, si tamē scientia scripturarum ducitur,vt sciat omnia ꝑpe verba Hebraica & nomina, quæ in Græca & Latina translatione sunt posita, nimia vetustate corrupta , scriptorūq; vitio deprauata,& dum de inemendatis scribuntur inemendatiora, de verbis Hebraicis facta esse Sarmatica,imò nullius gentis , dum Hebraica esse desierūt,& aliena esse nō cœperit.

Adhuc cū literæ nostræ,Hebræis non exæquo respōdeant, contingit nō infrequēter Latinis aut Græcis literis verba hebræa scripta,ita à se ipsa fuisse abalienata,vt aliā quoque induisse formā videantur. Vnde Hiero. in cōment.episto.ad Titum.cap.3. ait.solent nos irridere Hebręi in pronuntiatione quorundam nominum , maximè in aspirationibus,& in quibusdam cum rasura gutturis ꝓferendis.Hoc autem euenit,quod . 70. interpretes, per quos in Græcum sermonem lex diuina translata est,specialiter in Cheth literam & Ain, & cęteras huiusmodi, quia cū duplici aspiratione in Gręcam linguam trāsferre nō potuerant,alijs literis additis expresserunt. Verbi causa.vt Rahel,Rachel dicerēt. & Ieriho,Iericho.& Hebrō,Chebrō,& Seor, Segor.In alijs verò conatus iste defecit.Nam nos & Gręci vnam tantùm literam S habemus,illi verô tres. Samech,Sadde, Sin, quæ diuersos sonos possident. Isaac & Sion per Sadde scribunt.Israel per,Sin,& tamē nō sonat hoc quod scribitur.Si igitur à nobis hæc nominum & linguæ idiomata, vt videlicet barbara,nō ita fuerint expressa, vt exprimūtur ab Hebręis,solent cachinnū attollere, & iurare se penitus nescire quod dicimus. Vnde & nobis curæ fuit oēs veteris legis libros, quos vir doctus Adamātius in exempla digesserat

2. HYPOTYPOSEON 1ª ed. 1565, Lib. I, Cap. VI, cols. 44-45.

46 Hypotyposeon. 47

gesserat de Cæsatiẽsi bibliotheca descriptos ex ipsis authenticis emendare.

Deniq; cùm ecclesia Romana ex Iudæis pariter ac Græcis conflata sit, oportuit vt vtriusq; gentis memoria apud nos perpetuò duraret, atque ideo ipsorũ vocabula crebrò in ecclesijs inculcãtur, absq; vllis interpretationibus. Vnde Aug. in epist. 178. ait. Nõlicet hoc nomẽ Amẽ in aliam linguã transferre. & 2. li. de doct. Christ. cap. 11. Hebræa, inquit, verba non interpretata sæpe inueniuntur in scripturis, sicut Amẽ, Haleluia, Racca & Hosanna, & si quæ sunt alia. Quorũ partem propter sanctiorem authoritatem, quãuis interpretari potuissent, seruata est antiquitas, sicut in Amen & Haleluia. Partim verò in aliam linguam transferri non potuisse dicuntur. Sicut alia duo quę posuimus. Hæc ille. nomen Racca, variũm sonat, est nomen conuitij quod irrogatur alicui, cùm volumus ipsum stultum, & cerebro vacuum appellare. Hosanna. Salua obsecro, significat. vt apud Mat. c. 21. Hosanna filio Dauid, benedictus qui venit in nomine domini, Hosanna in excelsis. Hoc est. Fer opem ô deus filio tuo qui è Dauid ducit originem, cùm sit illi adeũda hæreditas regni paterni. fœlix faustusq; sit vtinam, talis regis aduẽtus. atq; ideo te obsecramus vt tu deus qui habitas in excelsis opem feras illi.

De hoc lib. 2. c. 1. Aug. de nominibus peregrinis q̃b⁹ utitur ecclesia.

Racca.

Hosanna.

Quanuis supra statuerimus in libris noui instrumenti in rebus dubijs ad Græci sermonis fontem esse confugiendum. At Orige. tract. 8. in Matt. non censet illis tribuendam esse fidem indubitatam. Multam, inquit, differentiam inter exemplaria inuenimus, siue propter negligentiam scribarum, siue ex temeritate quorundam, siue propter eos qui emendare negligunt scripturas, siue propter eos qui quod ipsi [illegible]idetur in emẽdationibus, vel adijciunt vel [illegible]ducunt.

Libris etiam Hebræorum, quorum authoritas sacrosancta est, non desunt qui fidẽ alicubi velint eleuare. vt Hiero. libr. 2. epistol. ad Gala. circa principium. & in commẽt. Micheæ. cap. 5. & Iustinus in Tryphone.

Porrò aduerte cum meridum aliquod visum fuerit occurrere, ne sensum nostrũ accõiecturam sequentes, à recta aberremus via, tã quã Ariadnes filium Augustini verba sequamur. li. 11. contra Faustum. cap. 2. dicentis. Sacrarum literarum studiosis, notisimæ sententiarum varietates. vel ex aliarũ regionum codicibus vnde ipsa doctrina nostra emanauit, dubitatio diiudicanda est. vel si ibi quoq;. codices variant plures paucioribus, aut vetustiores recentioribus præferantur. etsi adhuc esset incerta veritas, præcedens lingua, vnde illud interpretatum est, cõsulatur. Alioqui si his auxiliis destituti, nostro marte aliq̃d emẽdare voluerimus, nullibi nõ labemur & offendemus. Quandoquidẽ, teste Augu. Psal. 105. Multoties putaremus librarij esse errorem, nisi haberemus beneficiũ dei quo scripturas suas in multis linguis voluit esse transfusas. vt in Pal. 105. interfecta est terra in sanguinibus, arbitraremur legendũ esse, infecta. Hactenus Aug. Nos vtamur aptioribus exẽplis. Psa. 41. Sitiuit aĩa mea ad deum fortem, viuũ. quo in loco multi legunt, fontẽ viuũ. & Isaię 40. c. Quoniã cõpleta est malitia eius. pro militia eius. Iob quoq;. 5. Virum stultũ, pro verè stultũ. & ca. 18. de vrbe, pro de orbe. & 28 sicut impius, pro sic vt impius. & Micheæ. 6. voluptatibus, pro voluntatibus. & Psal. 34. qui maligna, pro qui magna. & 71. & erit firmamentum, pro & erit frumentũ. & in Isaia. filiæ tuæ de latere surgent. pro sugent. & Psal. 26. vt videam voluntatem domini. pro voluptatem. Deniq;. 3. Reg. ca. 2. vbi in codicibus Latinis legitur, post Salomonẽ nõ ambulauit, in Hebræo legitur, post Absalom.

¶ Catalogus librorum vtriusque instrumenti. Cap. vij.

Antequam libros vtriusq; testamẽti ad numerum reuocemus, oportet exponere quid hoc nomen, Berith, hoc est testamentum, significet. & quidẽ si verbum Hebraicum exactè expendas, fœdus significat inter viuentes. clarè & purè decisum & transactum, à verbo Barar mundauit. sic Laban cũ Iacob testamẽtum fecerũt. & Gen. 21. Accepit Abraham oues & boues & dedit Abimelech & percusserunt fœdus. & ca. 17. circuncidetis carnem præputij vestri & erit signum fœderis. Postea Paulus abusus hoc nomine vt solet, de quo dixi li. 8. c. 1. ĩ eã significationẽ detorsit, vt significet testamentum quod ratum non est nisi mors testatoris interueniat. in hac significatione accipitur quando significat nouum testamentũ. Nam nisi testator noster Chistus mortuus

Hebr. 9.

Hoc ignorans Caiet. negat Paulũ esse authorẽ epistolæ ad Hebr.

B fuis

3. *HYPOTYPOSEON 1ª ed. 1565, Lib. I, Cap. VII, cols. 46-47.*

40 **Liber primus** 41

Alter locus Isa. 7. elucidatus.

tæ. Nisi credideritis non intelligetis. Alius interpretatus est. Nisi credideritis non permanebitis. Quis horum vera secutus sit, nisi exẽplaria linguæ præcedẽtis legantur, incertum est. Sed tamen ex vtroque magnum aliquid insinuatur, scienter legentibus. Difficile est enim ita diuersos à se interpretes fieri, vt non se aliqua vicinitate contingant. Ergo quoniã intellectus in specie sempiterna est, fides verò in rerum temporalium quibusdam cunabulis quasi lacte alit paruulos. Nunc autem per fidem ambulamus, non per speciem: nisi autem per fidem ambulauerimus, ad speciem peruenire non poterimus, quæ non transit, sed permanet per intellectum purgatum, nobis cohærentibus veritati: propterea ille ait. Nisi credideritis non permanebitis. Ille verò. Nisi credideritis non intelligetis. Et ex ambiguo linguę præcedentis plerunque interpres fallitur, cui nõ benè nota sententia est, & eam significationem transfert, quæ à sensu scriptoris penitus aliena est. Sicut quidam codices habent. Acuti pedes eorum ad effundendum sanguinem: ὀξὺς enim apud Græcos & acutum & velocem significat. Ille ergo vidit sententiam qui transtulit. Veloces pedes eorum ad effundendum sanguinem. Ille autem alius ancipiti signo in aliam partem raptus errauit. Non enim intelligendos, sed emendandos tales codices potiùs præcipiendum est. Hinc etiam illud, quoniam μόσχος Græcè vitulus dicitur, μοσχεύματα quidam non intellexerunt esse plantationes, & vitulamina interpretati sunt. Qui error tam multos codices præoccupauit, vt vix inueniatur aliter scriptum, & tamen sententia manifestissima est, quia clarescit consequentibus verbis. Nanque adulterinæ plantationes nõ dabunt radices altas: conuenientius dicitur quàm vitulamina, quæ veluti pedibus per terram gradiũtur & non hærent radicibus. Huc vsque ille. Multa exempla his similia ex commentarijs Hierony. in Prophetas coaceruari poterant, in illis præcipuè locis, vbi interpretationes. 70. Symmachi & Aquilæ & cæterorum interpretum inter se conferuntur. Nos tamen cum illius fontes sint in promptu, ex nostris riuulis vnum & alterum adhibebimus exemplum, quo res fiat dilucidior rudibus. In Psalm. 124. vbi in 70. legitur. Declinantes in obligationes adducet Dominus cum operantib. iniquitatem: transfert Hiero. qui declinant ad prauitates suas, deducet eos Dominus cum his qui

Psalm. 13. *Sapien. 4.* *Locus Psal.*

operantur iniquitatem. Legendum igitur, declinantes in obliquationes. Nam nomen στραγγαλιάς, id est, obligationes, quo vtuntur 70. si interpreteris, significat iuxta Hesychiũ. συστροφάς, διαστροφάς, παγίδας, πλοκάς, id est, arcana, fœdera, & laqueos siue nexus. Item Psalm. 15. vbi 70. legunt. Multiplicatæ sunt infirmitates eorum, postea accelerauerunt. At Hierony. hunc in modum interpretatus est. Multiplicabuntur idola eorum, post tergum sequentium. Ecce si verba expendas diuersæ sunt translationes, sed sensus idem: nam idola, quæ iuxta Hebræos vocantur Açabim, à mœrore deductum habent nomen, quia eodem statu & habitu semper permanẽt: quod verò deinceps sequitur. 70. clarius transtulerunt, postea accelerauerunt, scilicet, ad colendum ea. Denique Psalm. 108. iuxta 70. sic habet: caro mea immutata est propter oleum. Sed quis sapiens intelliget hæc? nisi consulat Hierony. ad hunc modum hunc locum interpretantem: caro mea immutata est absque oleo: id est, caro mea ad extremam maciem redacta est, ob ieiunium. Nam nomine olei, pinguedo aut humor succulentus intelligitur, aut bona corporis habitudo, qua destitutus erat Dauid ob crebra ieiunia.

Alius locus Psalm. 15. *Locus Psal. 108. expositus.*

Quid vtilitatis linguarum cognitio, ipsarum sectatoribus afferat.

CAP. VI.

QVOD præcipit Augusti. non ex animo, sed quasi nostræ inertiæ conniuens & patrocinans, superiori capite vidistis, attamen quid ipse senserit alijs in libris à se editis, testatum reliquit. (Quanuis in hac parte, tam Hebraicæ linguæ, vt constat, quàm Græcæ, vt ipse contra Cresconium scribens ingenuè fatetur, laude caruerit.) tum alibi, tum etiam lib. 2. de doctr. Christ. ca. 11. Contra ignota, inquit, signa, magnum remedium est linguarum cognitio. Et Latinæ linguæ homines duabus alijs ad scripturarum diuinarum cognitionem habent opus, Hebraica scilicet & Græca, vt ad exemplaria præcedentia recurratur, si quã dubitationem attulerit Latinorum interpretum infinita varietas. & Hiero. in epistola ad Vitalem,

3. HYPOTYPOSEON 2ª ed., 1582, [BH DER 1266,UCM] Lib. I, CAP. VI, col. 41.

46 Hypotypoſeon. 47

quod dixi ignorantia eſt.. Et in eodem volumine. Si peccauerit, inquit, frater tuus in verbo, & ſatis tibi fecerit, ſepties in die ſuſcipe ipſum. Dixit illi Simon diſcipulus eius. Septies in die? Reſpondit Dominus & dixit ei. Etiam ego dico tibi, vſque ſeptuagies ſepties. Clem. Stro.4. ex eo citat: qui admiratus fuerit, regnabit. Idem poteram multis rationibus probare de epiſto. ad Hebræos, ſed gratia breuitatis miſſas faciam.

¶ Catalogus librorum vtriuſque inſtrumenti.

CAP. VII.

DECRETVM DE CAnonicis ſcripturis.

Seſsio.4. celebrata die viij. Menſis 1546.

SACROSANCTA OECVmenica, & generalis Tridentina Synodus, in Spiritu ſancto legitimè congregata, præſidentibus in ea eiſdẽ tribus Apoſtolicæ Sedis legatis, hoc ſibi perpetuo ante oculos proponẽs, vt, ſublatis erroribus, puritas ipſa Euangelij in Eccleſia conſeruetur: quod promiſſum ante per Prophetas in Scripturis ſanctis Dominus noſter Ieſus Chriſtus, Dei filius, proprio ore primum promulgauit, deinde per ſuos Apoſtolos, tanquam fontem omnis, & ſalutaris veritatis, & morũ diſciplinæ, omni creaturæ prædicari iuſsit: perſpicienſque hanc veritatem, & diſciplinam contineri in libris ſcriptis, & ſine ſcripto traditionibus, quæ ipſius Chriſti ore ab Apoſtolis acceptæ, aut ab ipſis Apoſtolis, Spiritu ſancto dictante, quaſi per manus traditæ, ad nos vſque peruenerunt, orthodoxorum Patrum exempla ſecuta, omnes libros tam veteris, quàm noui Teſtamẽti, cum vtriuſque vnus Deus ſit auctor, necnon traditiones ipſas, tum ad fidem, tum ad mores pertinentes, tanquam vel oretenus à Chriſto vel à Spiritu ſancto dictatas, & continua ſucceſſione in Eccleſia Catholica conſeruatas, pari pietatis affectu, ac reuerentia ſuſcipit, & veneratur. Sacrorum verò librorũ † Indicem huic decreto adſcribendum cenſuit, ne cui dubitatio ſuboriri poſsit, quinam ſint, qui ab ipſa Synodo ſuſcipiuntur. Sunt verò infraſcripti, Teſtamenti veteris quinque Moyſi, id eſt, Geneſis, Exodus, Leuiticus, Numeri Deuteronomium, Ioſue, Iudicum, Rut, quatuor Regum, duo Paralipomenon, Eſdræ primus, & ſecundus, qui dicitur Neemias, Tobias, Iudith, Heſther, Iob, Pſalteriũ Dauidicum centum quinquaginta pſalmorum, Parabolæ, Eccleſiaſtes, Canticum canticorum, Sapientia, Eccleſiaſticus, Iſaias, Hieremias cum Baruch, Ezechiel, Daniel duodecim Prophetæ minores, id eſt, Oſea Ioel, Amos, Abdias, Ionas, Micheas, Naum, Abacuch, Sophonias, Aggæus, Zacharias, Malachias, duo Machabæorum, primus & ſecundus. Teſtamenti noui, quatuor Euangelia, ſecundum Matthæum, Marcum, Lucam, & Ioannem: Actus Apoſtolorum à Luca Euangeliſta conſcripti: quatuordecim Epiſtolæ Pauli Apoſtoli, ad Romanos, duæ ad Corinthios, ad Galatas, ad Epheſios, Ad Philippenſes, ad Coloſſenſes, duæ ad Theſſalonicenſes, duæ ad Timotheum, ad Titum, ad Philemonem, ad Hebræos: Petri Apoſtoli duæ, Ioannis Apoſtoli tres, Iacobi Apoſtoli vna, Iudæ Apoſtoli vna, & Apocalypſis Ioannis Apoſtoli. Si quis autem libros ipſos integros cum omnibus ſuis partibus, prout in Eccleſia catholica legi conſueuerunt, & in veteri vulgata Latina editione habentur, pro ſacris, & canonicis non ſuſceperit, & traditiones prædictas ſciens & prudens contempſerit, anathema ſit. Omnes itaque intelligant, quo ordine, & via ipſa Synodus, poſt iactum fidei confeſsionis fundamẽtum, ſit progreſſura, & quibus potiſsimum teſtimonijs, ac præſidijs in confirmandis dogmatibus, & inſtaurandis in Eccleſiæ moribus, ſit vſura.

Marc. vlti.

† In can. Apoſt. c. 48. Gelaſius in con. 1 1. 70 epiſc. cõcil.

Laodic. cã. 59. concil. Carthag. 3. can. 47. ca. ſancta Romana, diſt. 15. & ſi. epiſto. Eug. in concil. Floren. ad Armenos.

ANTEQVAM libros vtriuſque teſtamenti ad numerum reuocemus, oportet exponere quid hoc nomen, Berith, hoc eſt teſtamentum, ſignificet: & quidem ſi verbum Hebraicum exactè expendas, fœdus ſignificat inter viuentes: clarè & purè deciſum & trãſactum, à verbo Barar mundauit. ſic Laban cum Iacob teſtamentum fecerunt. & Gen. 21. Accepit Abraham oues & boues & dedit Abimelech & percuſſerũt fœdus. & cap. 17. circuncidetis carnem præputij veſtri & erit ſignum fœderis. Poſtea Paulus in eam ſignificationem vſus eſt hoc nomine, vt ſignificet teſtamentum quod ratum non eſt niſi mors teſtatoris interueniat. In hac ſignificatione accipitur quando ſignificat nouum teſtamentũ. Nam niſi teſtator noſter Christus mortuus fuiſſet,

Hebr. 9. Hoc ignorans Caiet. negat Paulum eſſe authorem epiſtolæ ad Hebraos.

e

3. *HYPOTYPOSEON 2ª ed.,1582, [BH DER 1266, UCM] Lib. I, CAP. VII, cols. 46-47.*

NUEVAS POLÍGLOTAS: LA TRADUCCIÓN DE LA SEPTUAGINTA AL ESPAÑOL

INMACULADA DELGADO JARA
Universidad Pontificia de Salamanca

Este estudio gira en torno a Septuaginta (LXX), la primera traducción e interpretación de la Biblia hebrea al griego, llevada a cabo en primer lugar en Alejandría, durante el reinado de Ptolomeo II Filadelfo (285-246 a. C.), y que se prolongaría hasta el s. I d. C[1]. La exposición abordará tres aspectos de esta obra: en primer lugar, se presenta un *Estado de la cuestión* para mostrar su uso y desigual influencia a lo largo de la historia de la interpretación bíblica. En un segundo punto, *El porqué del renacimiento de Septuaginta*, se analizarán las circunstancias que han motivado el resurgir de los estudios en torno a esta obra y la necesidad de llevar a cabo una traducción de la misma a las lenguas modernas. Por último, nos detenemos en las *Características de la traducción al español* de la Biblia griega.

1 Para un estudio general de Septuaginta, cf. N. Fernández Marcos, *Septuaginta. La Biblia griega de judíos y cristianos*, Salamanca: Sígueme, 2008; Id., *The Septuagint in Context: Introduction to the Greek Version of the Bible*, Leiden, 2000; K. H. Jobes – M. Silva, *Invitation to the Septuagint*, Grand Rapids, MI, 2000; M. Harl – G. Dorival – O. Munnich, *La Bible grecque des Septante*, Paris: Cerf, 1988; T. M. Law, *Cuando Dios habló en griego. La Septuaginta y la formación de la Biblia Cristiana*, Salamanca: Sígueme, 2013; Id. – A. Salvesen, *The Oxford Handbook of the Septuagint*, Oxford, 2014; M. Müller, *The First Bible of the Church. A Plea for the Septuagint*, Sheffield: Sheffield Academic Press, 1996; H. B. Swete, *An Introduction to the Old Testament in Greek*, Cambridge: Cambridge University Press, 1914; E. Tov, «The Septuagint», en M. J. Mulder (ed.), *Mikra. Text, Translation, Reading and Interpretation of the Hebrew Bible in Ancient Judaism and Early Christianity* (Compendium Rerum Iudaicarum ad Novum Testamentum, II.1), Maastricht: Van Gorcum – Philadelphia: Fortress Press, 1988, 161-188.

1. Estado de la cuestión

Con el hallazgo de los manuscritos del mar Muerto en el s. XX, una de las primeras conclusiones a las que llegaron los investigadores fue que en muchos casos los manuscritos de los libros de la Escritura encontrados eran diferentes de la Biblia hebrea recibida y, es más, incluso coincidían en su versión con pasajes divergentes de Septuaginta. Lo más incómodo para muchos investigadores que habían insistido en la autoridad del texto hebreo era reconocer que esos manuscritos reflejaban estadios más antiguos de los libros bíblicos[2].

Hemos de retrotraernos al s. V d. C. y a la traducción latina de san Jerónimo, que destrona a la Biblia griega en Occidente, para retomar la historia estrepitosa de la Biblia griega judía o Septuaginta. Hasta bien entrado el s. XX no ha resurgido su uso ni su estudio, aunque antes del monopolio de la *Hebraica veritas* por parte del texto masorético a partir del s. II d. C., la Biblia judía, históricamente y de hecho, era a la vez el texto hebreo y el texto griego. Es más, la forma textual de LXX era más popular y fue más utilizada que la hebrea entre los autores del NT y entre los primeros cristianos[3].

Con su traducción del texto hebreo del Antiguo Testamento al latín en el año 405, llamada *iuxta Hebraeos*, para distinguirla de la *Vetus latina* del s. II que había sido traducida según Septuaginta, la novedad de Jerónimo no fue sólo una cuestión de estilo, sino que creó una nueva Biblia para la Iglesia, motivado por una vuelta a la *Hebraica veritas*[4]. Aparte de una pequeña población de cristianos que había usado la peshitta siriaca basada en la Biblia hebrea, era la primera vez en la historia cristiana que otra biblia no basada en Septuaginta era promovida para uso de la Iglesia. Durante cuatrocientos años la mayoría de los cristianos habían oído y leído Septuaginta y las traducciones nacidas de ella.

La ambigüedad de Jerónimo sobre sus motivos para el cambio de la *graeca veritas* a la *Hebraica veritas* se comprende en el contexto político de su tiempo. Los siglos IV y V fueron tumultuosos en el Imperio romano pero también en las relaciones entre judíos y cristianos. Jerónimo en principio no fue crítico hacia Septuginta. Se refirió incluso a la traducción utilizada por los apóstoles como *vera interpretatio* (cf. *Praefatio in evangelio*

2 Cf. N. Fernández Marcos, «The Use of the Septuagint in the Criticism of the Hebrew Bible», en *Sefarad* 47/1 (1987) 66-68.

3 Cf. R. T. McLay, *The Use of the Septuagint in New Testament Research*, Grand Rapids, MI – Cambridge, U.K.: Eerdmans, 2003, 13; M. Müller, *The First Bible of the Church...*, 122.

4 Cf. R. González Salinero, *Biblia y polémica antijudía en Jerónimo*, Madrid: CSIC, 2003, 29-41.

II, 1515.19). Sin embargo, en 386, se estableció en Belén y gradualmente fue cambiando de actitud hacia Septuaginta, aumentando su simpatía hacia el texto bíblico hebreo[5].

Por su parte, Agustín de Hipona, un contemporáneo de Jerónimo, obispo en el norte de África, consideró la nueva traducción latina una amenaza para la unidad de una todavía frágil iglesia. Indiferente a la erudición de Jerónimo, Agustín mantuvo la autoridad de la Septuaginta como la Biblia de la Iglesia. Apeló a la historia de su uso cristiano, empezando por los escritores del NT, y a la utilización que de ella seguían haciendo las iglesias de Oriente. Consideraba que cualquier cambio en la versión del texto bíblico en Occidente podía acabar en un cisma[6].

Pero los hechos discurrieron de otro modo[7], pues sólo la Iglesia ortodoxa mantendría Septuaginta como Biblia oficial hasta nuestros días. Por otro lado, en la franja oriental del mundo cristiano pervivió también a partir del s. IV d. C. la traducción al siríaco o pesitta, mientras que en Occidente se impuso la Vulgata. Ésta fue utilizada casi como única versión de la Biblia a lo largo de toda la Edad Media, hasta que el latín se fragmentó en las lenguas romances y comenzaron a brotar múltiples traducciones a las lenguas vernáculas[8].

Aun con la llegada del Renacimiento y el regreso a las fuentes originales, prevalecieron consideraciones doctrinales –como las expresadas por el cardenal Cisneros en su prólogo al lector de la Políglota Complutense– que tampoco favorecían a la Septuaginta. Señala el cardenal haber colocado el texto de la Vulgata en el centro de la página entre los textos hebreo y griego[9], como a la Iglesia romana o latina entre la Sinagoga y la Iglesia oriental, a la manera de Jesús entre los dos ladrones[10]. Y lo justifica de la siguiente manera: «Haec enim sola supra firmam petram aedificata (reli-

5 Cf. T. M. Law, *Cuando Dios habló en griego. La Septuaginta y la formación de la Biblia cristiana*, Salamanca: Sígueme, 2013, 213-223; M. Müller, «The Reception of the Septuagint Legend into the Church», en *The First Bible of the Church*, 83-89.

6 Cf. T. M. Law, *o.c.*, 223-230; M. Müller, «The Reception of the ...», 89-94.

7 Cf. M. Müller, *Ibid.*, 68-97.

8 Cf. N. Fernández Marcos, *La Biblia griega. Septuaginta. I. Pentateuco*, Salamanca: Sígueme, 2008, 23-24.

9 En ella participaron, entre otros, los conversos Alonso de Alcalá, Pablo Coronel y Alfonso Zamora, que se encargaron de la parte hebrea y aramea; de la parte griega lo hicieron Diego López de Zúñiga, Demetrio Ducas y Hernán Núnez de Toledo (el Pinciano). Antonio de Nebrija intervino en la corrección de la Vulgata.

10 He aquí las palabras del prólogo que aluden a esta disposición: «mediam autem inter has Latinam B. Hieronymi translationem velut inter Synagogam et orientalem ecclesiam posuimus tanquam duos hinc et inde latrones, medium autem Iesum, hoc est Romanam sive Latinam ecclesiam collocantes».

quis a recta Scripturae intelligentia quandoque deviantibus) inmobilis semper in veritate permansit»[11].

Aun con todo, en la Políglota de Alcalá (1514-1517) se imprime por primera vez (*editio princeps*)[12] en la imprenta de Arnao Guillén de Brocar el texto completo de la biblia griega. El 10 de enero de 1514 se terminaba de imprimir el primer volumen, con el texto griego[13] y latino (Vulgata) del Nuevo Testamento Complutense: así lo afirma el colofón. Era la primera vez que se publicaba todo el NT griego junto con un léxico[14], también el primero, dos años antes de que lo hiciera Erasmo (Basilea 1616). Resulta extraño, sin embargo, que hubiera que esperar más de medio siglo desde la invención de la imprenta para la publicación del NT en griego, sobre todo cuando la Vulgata, primer libro impreso (Mainz 1450-1456), conta-

11 «Pues únicamente ésta, edificada sobre una piedra firme, permaneció siempre fija en la verdad (mientras que las restantes a veces se desvían de la recta comprensión de la Escritura)».

12 El primer volumen que vio la luz constituye la primera edición impresa del Nuevo Testamento griego. Sin embargo, no fue publicada hasta unos años más tarde, a la espera de completar todos los volúmenes de la Políglota (terminados el 10 de Julio de 1517) –el 2º con los diccionarios y complementos y los otros cuatro con todo el Antiguo Testamento–. Esto es lo que posibilitó que la edición del Nuevo Testamento griego de Erasmo de Rotterdam, *Novum Instrumentum*, publicada en 1516, se llevara el título de *editio princeps*, consiguiendo, además, un privilegio exclusivo de 4 años de publicación de parte del emperador Maximiliano I de Habsburgo y del Papa León X. La edición de Erasmo, basada en manuscritos de baja calidad, se convirtió desde entonces, y por más de dos siglos, en el *textus receptus*. La Políglota de Alcalá no consiguió el *placet* de Roma hasta 1520 y, de hecho, sólo en 1522 comienza su distribución efectiva. También antes, 1518-19, vio la luz la Biblia Aldina, con el texto de la versión griega de la Biblia, la Septuaginta. Cf. Á. Sáenz-Badillos, «La Biblia Políglota Complutense», en L. Jiménez Moreno (coord.), *La Universidad Complutense Cisneriana. Impulso filosófico, científico y literario. Siglos XVI-XVII*, Madrid, Editorial Complutense, 1996, 137-153.

13 Cf. J. A. L. Lee, «The Complutensian Polyglot, the Text of Sirach, and a Lost Greek Word», en *Bulletin of the International Organization for Septuagint and Cognate Studies* 42 (2009) 95; N. Fernández Marcos, «Sources Greek of the Complutensian Polyglot», en Id., *Filología bíblica y humanismo*, Madrid: CSIC, 2012, 261; N. Fernández Marcos, «El texto griego de *Septuaginta* en la Políglota Complutense», en *Estudios Bíblicos* 72/1 (2014) 103-104.

El texto septuaginal de la complutense es la fuente más importante de que se dispone para conocer LXX en su recensión de Luciano, que es la principalmente reflejada por aquél, aunque entrecruzada con otras, fuera del cual sólo existen manuscritos con restos o huellas de dicha recensión y citas en los Padres de la Iglesia. Cf. N. Fernández Marcos, «The Use of the Septuagint in the Criticism of the Hebrew Bible», en *Sefarad* 47.1 (1987) 59-72, 60.

14 Cf. J. A. L. Lee, «The Complutensian Polyglot, the Text of Sirach, and a Lost Greek Word», *Bulletin of the International Organization for Septuagint and Cognate Studies* 42 (2009) 95-108; Id., *A History of New Testament Lexicography*, New York, 2002.

ba ya a fines del s. XV con más de cien ediciones. Junto a la dificultad y costo que suponía la fundición de los tipos griegos[15], la principal causa del retraso en la impresión del NT fue sin duda el prestigio de la Vulgata y la posibilidad que ofrecía a los estudiosos de criticar y corregir la Biblia usada por la Iglesia[16]. Las Biblias Políglotas, con la presentación sinóptica de las lenguas originales, se convertían en un gran desafío exegético: Cuál era el auténtico texto bíblico[17].

A su vez, las políglotas de los siglos XVI y XVII sólo le concedieron a Septuaginta un puesto subsidiario frente a la Vulgata y al original hebreo[18]: la Biblia Regia o Políglota de Amberes, de Arias Montano, en ocho volúmenes (1569-1572) y también la Políglota de París, en diez volúmenes (1629-1645), siguieron el texto griego de la Complutense, en el que Cisneros puso tanto empeño en seleccionar y procurarse los manuscritos base de su edición –en general, la recensión antioquena o de Luciano–[19]. La Políglota de Londres (1654-1657), editada por Brian Walton, en seis tomos, sigue el texto de la *Biblia Sixtina* o *Vaticana*, en la que se utilizó por primera vez el códice B, el *Codex Vaticanus*, al que añade variantes del *Codex Alexandrinus*, además de versiones orientales[20].

15 No se puede dejar de señalar que el Nuevo Testamento de la Complutense constituye la mayor aportación española a la historia de la tipografía por la belleza de los caracteres griegos inspirados en los manuscritos de los siglos XII y XIII. Cf. N. Fernández Marcos, «Políglotas y versiones. Luces y sombras del biblismo español en el siglo XVI», en *Filología bíblica y humanismo*, Madrid: CSIC, 2012, 250.

16 Cf. A. García-Moreno, «La Biblia en el entorno de Trento», en *Scripta Theologica* 15 (1983) 567-585 y 574-575.

17 Cf. N. Fernández Marcos, «Políglotas y versiones. Luces y sombras del biblismo español en el siglo XVI», en *Filología bíblica y Humanismo*, Madrid: CSIC, 2012, 251-252.

18 *V.gr.* la nueva Biblia Políglota de Arias Montano, llamada la Biblia Políglota Regia, encargada por Felipe II, preparada en Amberes en las prensas de Plantino, y que vio la luz entre 1569 y 1572, con evidente afán de superación. En el s. XVII el oratoriano francés Morin emprende la tarea de una nueva Biblia políglota, conocida como la Políglota de París, elaborada de 1629 a 1645, en diez tomos. Poco tiempo después, entre 1654 y 1657 ve la luz en Londres la más completa de las Biblias políglotas de esa época: la de Brian Walton, conocida también como Políglota Londinense, en seis tomos, acompañada de un útil *Lexicon heptaglottum* en apéndice, y de la que en 1958 apareció en Graz una reproducción fotomecánica.

19 Cf. Á. Sáenz-Badillos, *La Filología Bíblica en los helenistas de Alcalá*, Estella: Verbo Divino, 2000; M. Á. Tabet, *Introducción general a la Biblia*, Madrid: Palabra, 2004, 268-269.

20 Cf. N. Fernández Marcos, «Los estudios de *Septuaginta.* Visión retrospectiva y problemática más reciente», en *Cuadernos de Filología clásica* 11 (1976) 413-468, pp. 417-420; Id., «Greek Sources of he Complutensian Polyglot», en *Filología bíblica y humanismo*, 261; Scott Mandelbrotte, «English Scholarship and the Greek Text of the Old Testament: The Impact of Codex Alexandrinus», en A. Hessayon – N. Keene (eds.), *Scripture and Scholarship in Early Modern England*, Aldershot, 2006, 74-93.

No le fue mejor a Septuaginta con la Reforma en el mundo protestante. Los reformados, siguiendo a Jerónimo, se adhirieron al canon de la Biblia hebrea y relegaron a la categoría de apócrifos los libros propios de Septuaginta. Lutero los tradujo al alemán en un apéndice indicando que los consideraba «útiles y buenos para ser leídos», pero no los incluyó en su versión de la Biblia alemana publicada en 1534, basada en el texto hebreo[21].

Hoy día, gracias a los descubrimientos de Qumrán[22], sabemos algo que, al parecer, ni Orígenes ni Jerónimo pudieron sospechar, porque pensaban que el texto hebreo por ellos conocido había permanecido inalterado desde el tiempo de los traductores: que la Septuaginta es portadora de variantes reales del hebreo, tanto textuales como literarias, y que, al menos en algunos libros, es un testigo de una tradición diferente de la del texto masorético[23].

El hallazgo de los manuscritos del mar Muerto –hemos dicho– puso de manifiesto la existencia de versiones diferentes de algunos libros de la Biblia hebrea recibida. Por tanto, se abrió así la posibilidad de que los traductores de Septuaginta no fueran los responsables de las diferencias del texto bíblico; quizá estaban traduciendo otros textos hebreos en estadios más antiguos. Este dato echó por tierra la afirmación aceptada en muchos círculos de exégetas que explicaban las divergencias en el texto de la Septuaginta de manera sencilla: o los traductores eran muy creativos o no entendían el texto hebreo que tenían delante[24]. Por tanto, el descubrimiento de estos manuscritos y la nueva apreciación de la Septuaginta no sólo ha revolucionado el estudio del AT y de la Biblia hebrea, sino también el del NT y el cristianismo primitivo. Aparte de las numerosas citas del AT en el NT[25], que son casi enteramente del griego, el lenguaje

21 Cf. M. Brecht, *Martin Luther*, Minneápolis: Fortress Press, 1985-1993, t. III, 98: «Apócrifos: Estos Libros no se consideran iguales a las Escrituras, pero son útiles y buenos de leer».

22 La Biblia griega era conocida en Qumrán, como lo demuestran los fragmentos griegos de las cuevas 4 y 7, los fragmentos griegos de los Doce Profetas hallados en Nahal Hever y los fragmentos de Masada. Cf. E. Ulrich, *The Dead Sea Scrolls and the Origins of the Bible*, Grand Rapids, MI: Eerdmans, 1999, 165-183; E. Tov, «The Greek Biblical Texts from the Judean Desert», en S. McKendrick – O'Sullivan (eds.), *The Bible as Book. The Transmision of the Greek Text*, London: The British Library & Oak Knoll Press, 2003, 97-122.

23 Cf. N. Fernández Marcos, *Scribes & Translators. Septuagint & Old Latin in the Books of Kings*, Leiden-NewYork-Köln, 1994, 10 y 14; M. Müller, *The First Bible of the Church*, 99.

24 Cf. E. Ulrich, *The Dead Sea Scrolls and the Origins of the Bible*, Grand Rapids, MI: Eerdmans, 1999, 17.

25 Cf. R. T. McLay, *The Use of the Septuagint in New Testament Research*, Grand Rapids, MI – Cambridge, U.K.: Eerdmans, 2003.

y la teología de los escritores del NT están en deuda mucho más con la Biblia griega que con la hebrea[26].

Coincidimos con T. Law al subrayar cuatro razones de la importancia crucial de LXX:

1. Arroja luz en el desarrollo del pensamiento judío entre el s. III a. C. y el s. I d. C. El NT no se puede leer separadamente de su contexto en el judaísmo helenístico, y por ello nos acercamos más a la comprensión de su contexto con la lectura de Septuaginta.
2. La traducción del AT en casi todas las versiones modernas de la Biblia se basa en la Biblia hebrea, pero la forma de escritura usada por los autores del NT se aproxima más a Septuaginta. Las escrituras judías griegas permitieron a los primeros cristianos reivindicar una tradición histórica. El potencial para la expansión de la Iglesia aumentó exponencialmente cuando tuvieron esta tradición disponible en la lengua del mundo mediterráneo, la koiné.
3. No sólo la mayor parte de los primeros cristianos usaron LXX, sino que también su teología fue explícitamente conformada por ella y no por la Biblia hebrea[27].
4. En muchos lugares, Septuaginta contiene un mensaje diferente al del texto masorético. Esto no se debe sólo a que los traductores crearan nuevos significados. En muchos casos, provee el único acceso que tenemos a las formas más antiguas. Las ediciones modernas de la Biblia hebrea contienen un texto que fue más o menos establecido en el s. II d. C., y mientras que las tradiciones textuales de algunos de los libros se retrotraen al s. III e incluso al s. V a. C., sus textos se diferencian de las tradiciones conocidas y usadas por los lectores de la Escritura en tiempos antiguos. Los autores del NT, conscientes o no, transmitieron un mensaje basado en la lectura teológica de las escrituras judías aportada por LXX, que a menudo era diferente del mensaje de la Biblia hebrea en la versión masorética. Se pueden observar ejemplos en los Evangelios, en el apóstol Pablo, en el escritor de Hebreos, en el de Apocalipsis, que demuestran que la Biblia griega tuvo un profundo impacto en el desarrollo del pensamiento del NT.

26 T. M. Law, *Cuando Dios habló en griego. La Septuaginta…*, 9-10.

27 Para una introducción a la interpretación teológica en los LXX, cf. D. A. Hagner, «The Old Testament in the New Testament», en S. J. Schultz – M. A. Inch (eds.), *Interpreting the Word of God. Festschift in Honor of Steven Barabas*, Chicago: Moody Press, 1976, 95-98; K. H. Jobes – M. Silva, *Invitation to the Septuagint*, Grand Rapids: Baker, 2000, 288-307.

> Sabemos que los libros bíblicos se formaron después de un largo proceso de acumulación, combinación y reformulación de otras fuentes[28]. Desde esta perspectiva, la Septuaginta ilumina una parte perdida de la historia de la formación del AT: muestra diferentes estadios del texto hebreo mucho antes de que éste alcanzara su forma final en el s. II d.C. ¿Por qué, entonces, el papel de la Septuaginta ha sido tan reducido en el pensamiento cristiano moderno?[29].

Ante este estado de la cuestión, muchos estudiosos se preguntan, a veces con argumentos extremos pero no faltos de razón, por qué los cristianos han de utilizar traducciones de un texto hebreo medieval y no traducciones de la Septuaginta que fue la Biblia de la Iglesia primitiva[30]. En una perspectiva histórica, es la verdadera Biblia de la Iglesia y debería ser la base para las traducciones y comentarios del AT como parte de la Biblia cristiana[31]. E. Ulrich, afirma en uno de sus artículos[32]: «Como ahora ya no se ve necesariamente el texto masorético como la mejor forma textual de cada libro, y como parece que el canon no estaba fijado en la primera centuria cristiana, los traductores cristianos de la Biblia podían cuestionar con mayor atención la base textual de su obra (…). Uno puede preguntar respetuosamente por qué los cristianos habrían de usar un texto fijado por escribas judíos en los siglos VIII-IX d. C. (…) cuando hasta los judíos de la época del nacimiento del cristianismo no consideraban estos textos superiores, y cuando tenemos manuscritos alternativos y traducciones que conservan lecturas superiores»[33].

La pregunta está en el aire, y otros estudiosos también se preguntan, como el gran humanista D. Barthélemy[34], secundado por Natalio Fernández Marcos[35]:

28 Cf. T. M. Law, *Cuando Dios habló en griego. La Septuaginta…*, 10.

29 *Ibid.*, 13-16.

30 Cf. W. Kraus, «Hebräische Wahrheit und Griechische Übersetzung. Überlegungen zum Übersetzungsprojekt Septuaginta-deutsch (LXX.De)», en *Theologische Literaturzeitung* 129 (2004) 990-1007.

31 M. Müller, *The First Bible of the Church...*, 121.

32 «Our Sharper Focus on the Bible and Theology Thanks to the Dead Sea Scrolls», en *Catholic Biblical Quarterly* 66 (2004) 1-24, 15-16.

33 Hay que tener en cuenta, además, que la Iglesia católica no ha leído el texto masorético hasta mediados del siglo XX en que aparecen las primeras traducciones hechas sobre «los textos originales». Cf. H. Tremblay, «Autonomie de la Septante», en R. David – M. Jinbachiam (eds.), *Traduire la Bible hébraïque. De la Septante à la Nouuevelle Bible Segond*, Montreal: Médiaspaul, 2005, 63.

34 «La place de la Septante dans l'Église», en D. Barthélemy, *Études d'histoire du texte de l'Ancien Testament* (OBO 21), Fribourg – Göttingen: Éditions Universitaires – Vandenhoeck & Rupprecht, 1967, 126.

35 *Septuaginta. La Biblia griega de judíos y cristianos*, Salamanca: Sígueme, 2008, 49.

> *«Me basta con proponer, como san Agustín, como forma original del Antiguo Testamento cristiano una Biblia en dos columnas: una contendría la Septuaginta de los primeros siglos de nuestra era, la otra el texto hebreo tal como lo han canonizado los escribas de Israel»*[36].

2. El porqué del renacimiento de Septuaginta

Todas estas circunstancias confluyen en la explicación del porqué del renacimiento de los estudios de la Biblia griega y de la necesidad de traducciones a lenguas modernas del texto griego[37]: en inglés (Oxford University Press, Oxford 2000-2007), alemán (Deutsche Bibelgesellschaft, Stuttgart 2009[38]), francés (Éditions du Cerf, Paris 1986-2011), italiano (Edizioni Dehoniane, Roma 1999-)[39], japonés (Kawa-de Shobo Shinsha, Tokio 2002-), portugués, español[40] (Sígueme, Salamanca 2008-), entre otras[41]. En esta última es Natalio Fernández Marcos junto a Mª Victoria Spottorno Díaz-Caro quienes coordinan la empresa, apoyados institucionalmente por el CSIC y la editorial salmantina Sígueme. Han aparecido los volúmenes I (*Pentateuco*), II (*Libros históricos*) y III (*Libros poéticos o sapienciales*). Únicamente falta el último volumen, IV. *Libros proféticos*. Como apunta el gran especialista español en Septuaginta, Fernández Marcos, «si los judíos de Alejandría tuvieron la audacia de traducir sus Escrituras a la lengua común de su tiempo, el griego helenístico, tenemos en cierto sentido la responsabilidad de verter este legado a nuestra len-

36 «Pour clore cet exposé, qu'il me suffise de proposer avec saint Augustin comme forme originale de l'Ancien Testament chrétien une Bible en deux colonnes: l'une contiendrait la Septante des premiers siècles de notre ère, et l'autre le texte hébraique tel que les scribes d'Israel l'ont canonisé».

37 Cf. W. Kraus, «Contemporary Translations of the Septuagint: Problems and Perspectives», en W. Kraus – R. Glenn Wooden, *Septuagint Research: Issues and Challenges in the Study of the Greek Jewish Scriptures*, United States of America: Society of Biblical Literature Septuagint, 2006, 63-83.

38 Además de la edición de Göttingen = *Septuaginta: Vetus Testamentum graece auctoritate Societatis Göttingensis editum*, Göttingen 1931, la más grande de los LXX. Además del texto griego, cita las familias o grupos del texto, tratando de reconstruir el texto crítico más cercano al original.

39 Se inició con la presentación de la traducción del Pentateuco en 1999 y desde entonces no se ha publicado ningún otro volumen.

40 Cf. N. Fernández Marcos, «The First Spanish Translation of the Septuagint», en *Estudios Bíblicos* 68/4 (2010) 419-428.

41 En otras lenguas se ha anunciado su inmediata traducción, *v.gr.* en ruso. Cf. A. S. Desnitsky, «The Septuagint as a Base Text for Bible Translations in Russia», en *The Bible Translator* 56 (2005) 245-252.

gua común, el español, y transmitirlo a la posteridad»[42]. Si en el siglo XVI Cisneros aspiró a lograr una Biblia políglota, plurilingüe, que contara con el mejor texto hebreo, griego y latín, hoy urge una Biblia español-griego de los LXX.

3. Características de la traducción al español[43]

La traducción que se mantiene en todo el proyecto es literal, respetuosa con el original, pues sólo así quedan reflejadas las novedades de la Biblia griega. Pero a la vez intenta ser un español legible, es decir, intenta ser una traducción literaria e incluso estilística. En caso de conflicto hemos preferido optar por la traducción literal, aunque a veces reproduzca un estilo hierático o un deje propio de los textos religiosos de la Antigüedad. En la medida de lo posible se mantiene ese aura propia de los textos sagrados que se percibe en la misma traducción de Septuaginta.

Pero traducir no es transliterar sino encontrar las equivalencias adecuadas y restaurar de la mejor manera posible en la lengua término lo que está formulado en la lengua origen. El sentido no reside en las palabras sino en las combinaciones y red de relaciones con las que éstas se articulan. Teniendo en cuenta que algunos de los libros de la Biblia griega son versiones muy literales del texto hebreo, pero no mecánicas, ya que el traductor empleó no sólo equivalencias formales, sino también funcionales entre la lengua del original y la lengua término, *v.gr.* en el caso de Eclesiastés[44] o de 2 Esdras[45], a veces es difícil encontrar una solución. Incluso más que en las equivalencias léxicas, es en las estructuras morfosintácticas donde el traductor más manifiestamente intenta equiparar el griego y el hebreo, y también donde los resultados son difíciles de resolver o incluso absurdos.

Se traduce directamente del griego de *Septuaginta* como obra literaria que tiene valor por sí misma. Aunque se trate de una traducción, ésta suplantó desde el principio a la Biblia hebrea en el judaísmo de la

42 Cf. N. Fernández Marcos, *La Biblia griega. Septuaginta. I. Pentateuco*, Salamanca: Sígueme, 2008, 27.

43 Exponemos las normas seguidas por el equipo de traducción y que se pueden ver en la introducción a *La Biblia griega. Septuaginta. I. Pentateuco*, 27-30. Cf. también Id., «The First Spanish Translation of the Septuagint», en *Estudios Bíblicos* 68/4 (2010) 422-425.

44 Cf. I. Delgado Jara, «Eclesiastés», en N. Fernández Marcos – Mª V. Spottorno Díaz-Caro, *La Biblia griega. Septuaginta III. Libros poéticos y sapienciales*, Salamanca: Sígueme, 2013, 351-353 y 356-357.

45 Cf. I. Delgado Jara, «Esdras», en N. Fernández Marcos – Mª V. Spottorno Díaz-Caro, *La Biblia griega. Septuaginta II. Libros históricos*, Salamanca: Sígueme, 2011, 594-599.

diáspora. Al ser adoptada mayoritariamente como Biblia del cristianismo adquirió para éste el valor de original y fundacional. Hay que tener en cuenta que Septuaginta es la primera traducción y por consiguiente la primera interpretación de la Biblia hebrea[46], es decir, de un texto consonántico con una tradición de lectura pero todavía no vocalizado, y por lo tanto susceptible de varias lecturas y sentidos diversos, aspecto que se ha considerado en las notas aclaratorias de la traducción. Si toda traducción es interpretación, en el caso de la Biblia griega esto es todavía más cierto, puesto que la versión se puede comparar a la ejecución de una partitura musical a partir de las consonantes del texto hebreo[47].

Hay traductores de la Septuaginta a lenguas modernas que señalan en cursiva las divergencias con el hebreo (añadidos, omisiones, transposiciones, etc.). Nuestro proyecto no sigue ese camino, pues pensamos que las peculiaridades de la Biblia griega se manifiestan en una serie de matices difíciles de reflejar gráficamente como son las reelaboraciones, los distintos aspectos verbales, los tiempos y modos escogidos, el léxico y la nueva red de significados que desencadena dentro del sistema griego, los desplazamientos de los campos semánticos, etc. No hay que olvidar que el traductor no es un simple copista. Al traducir tiene que buscar el sentido en la lengua término y, como buen escriba, produce a la vez, de ordinario de forma inconsciente, una obra literaria propia.

Tanto por el lenguaje como por el contenido, la traducción es nueva e innovadora, sin seguir las huellas trilladas del lenguaje bíblico que proceden del uso secular de la Vulgata en Occidente o de las más recientes versiones españolas a partir del hebreo. Se traduce el texto griego que se tiene delante, no el texto hebreo que está detrás; lo que dice el griego, no lo que dice el hebreo. Es decir, el sentido que tiene el texto griego en su contexto judeo-helenístico en el que fue traducido y para unos destinatarios grecoparlantes.

Frente a la traducción inglesa (NETS) que pone el énfasis en la *Septuaginta* en cuanto *producida*, como traducción interlineal del hebreo al servicio de la lengua fuente[48], y que considera el hebreo como árbitro del

46 M. Müller, *The First Bible of the Church. A Plea for the Septuagint* (JSOTS 206), Sheffield: Sheffield Academic Press, 1996, 107-110.

47 Cf. N. Fernández Marcos, *Septuaginta* versus *Biblia hebrea: la Biblia de los cristianos*, Madrid: Publicaciones San Dámaso, 2010, 1-27, 2.

48 Según Natalio Fernández Marcos, *Septuaginta* versus *Biblia hebrea: la Biblia de los cristianos*, 11, no está convencido de la reciente teoría sobre el paradigma de la interlineridad: el paradigma interlineal y la práctica escolar podría ser válido para la traducción de Áquila y se practicaría en las Hexapla y más tarde en las modernas biblias Políglotas, pero

significado[49]; y frente a la traducción francesa de la Biblia de Alejandría, que considera la *Septuaginta* como obra literaria autónoma en cuanto *recibida*, y que pone el énfasis en la historia de la recepción, la traducción española se acerca a la *Septuaginta* como a una obra literaria que *suplantó* a la Biblia hebrea en el ámbito del judaísmo helenístico. En consecuencia, pone el énfasis en el sentido de esta traducción para los lectores judeo-helenísticos, y busca el significado dentro de la red de relaciones del sistema griego. El hecho de que sea una traducción, matiz que no se puede pasar por alto, forma parte de este contexto en el que se genera el significado.

Frente al proyecto francés de *La Biblia de Alejandría*, prima el contexto judeo-helenístico en el que nace *Septuaginta*, no la historia de la recepción, ni la nueva lectura de la Biblia griega que se hace desde los acontecimientos narrados en el Nuevo Testamento, o desde la lectura cristiana de los Padres de la Iglesia. Se ha de buscar el sentido de las palabras en el contexto judeo-helenístico y a la luz de los papiros de la época, no el sentido que dichas palabras asumen siglos más tarde cuando se redacta el Nuevo Testamento. Traducir la Septuaginta con los significados de las palabras griegas del Nuevo Testamento sería un anacronismo patente. Nuestros principios de traducción están más próximos a los de la traducción al alemán de la Septuaginta (LXX-De).

Termino con unas palabras del prólogo al Nuevo Testamento de la Biblia Políglota:

> *«Nada queda ya que pueda impediros el acceso a la Sagrada Escritura. Ni los códices llenos de errores, ni las traducciones sospechosas, ni la carencia de textos originales: sólo falta por vuestra parte que tengáis ánimo e inclinación por esta tarea. Si no faltan éstos, no hay duda de que al gustar la suavidad de las letras sagradas despreciaréis todos los demás estudios» (f. 3r).*

no es el medio más adecuado para explicar la traducción del Pentateuco y de la mayor parte de la Biblia griega.

49 Cf. R. T. McLay, *The Use of the Septuagint in New Testament Research*, Grand Rapids, MI – Cambridge, U.K.: Eerdmans, 2003, 44-99.

EL LIBRO DE JOB EN SEPTUAGINTA.
UN ANÁLISIS DE JOB 1,1-2,10; 42,10-17

ANSELMO MATILLA
Universidad Pontificia de Salamanca

«*Había cierto hombre en tierra de Ausítide llamado Job*». Con estas palabras comienza el libro de Job en la versión de los LXX. Ya desde el inicio del texto el traductor manifiesta que la obra emprendida no es una pura transcripción, ni siquiera una traducción literal: su propósito a la hora de llevar a cabo una tarea tan importante, apasionante y a la vez difícil como transmitir el libro de Job en un contexto en el que ya nadie conocía la lengua judía sagrada, el hebreo, no es la rígida fidelidad al texto original. La intención del traductor es, más bien, ejercer un doble ministerio: el de maestro y el de exegeta. Maestro porque su pretensión es explicar, mostrar y hacer comprender a los judíos helenistas de la diáspora la historia revelada sobre el paciente Job. Y exegeta porque no se limita a llevar a cabo una explicación del texto, sino que lo inserta en unas categorías y en una cultura nuevas, y lo introduce en un ámbito completamente distinto. En definitiva, convierte el texto en vida para los judíos alejandrinos del siglo II a. C.

¿En qué contexto se sitúa nuestra exposición? El tema del que tratamos se enmarca en la elaboración del proyecto final de grado en Filología Bíblica Trilingüe. La conferencia tratará sobre las investigaciones que hemos realizado para la elaboración de dicha monografía. No se trata de exponer todo el trabajo definitivo, pues eso ocuparía bastantes más páginas que las que debe tener un artículo de investigación en un Seminario como el que recoge la presente obra, en la que colaboran muchos y mejores especialistas en el tema. Se trata más bien de exponer las líneas fundamentales de nuestra indagación, así como las dificultades encontradas a lo largo del proceso de elaboración del trabajo y las conclusiones a las que hemos llegado.

Pero ¿por qué Septuaginta? ¿Por qué el libro de Job y, en concreto, la parte narrativa de la obra? Hay un doble motivo que nos hizo emprender esta tarea: una *motivación general*; pero también una *particular*. La primera reside en que desde el hallazgo, en 1947, de los manuscritos de Qumrán, en el Mar Muerto, los estudios sobre Septuaginta han aumentado, y la versión griega de la Biblia ha adquirido una importancia insospechada que desde la elaboración de la *Vulgata* (en la que san Jerónimo buscaba la *veritas hebraica*) no había tenido en ningún momento a lo largo de la historia (salvo su inclusión en la elaboración de la Políglota Complutense). LXX es la gran olvidada a lo largo de la historia de la fe y la teología judeo-católicas. Únicamente en Oriente, entre los ortodoxos, LXX seguía siendo el texto normativo en el que se basan las modernas traducciones de la Biblia. Si bien el cristianismo latino olvidó desde san Jerónimo a Septuaginta, sin embargo la importancia de LXX en la transmisión e interpretación de la Escritura es clara. De hecho el Nuevo Testamento utiliza, para las citas del Antiguo, la versión de los LXX. Y también los Padres anteriores a san Jerónimo utilizaron para sus obras la citación según Septuaginta. Por otra parte, la fe cristiana nace en un ambiente de judaísmo helenístico, propiamente griego, en el que la lengua κοινή era el idioma franco. Por eso LXX era el texto propicio para los cristianos, por una triple razón: *apologética* (LXX propiciaba la terminología y los conceptos griegos que los primeros cristianos y los Padres de la Iglesia utilizarán para defenderse frente a las acusaciones paganas), *evangelizadora* (LXX permitía la transmisión de la verdad revelada en un ambiente en el que no se conocía el hebreo, y también ayudaba a explicar a los paganos la novedad del cristianismo respecto a la fe judía) y *dogmática* (LXX ayuda a aclarar, asentándose también en el Antiguo Testamento, los primeros errores teológicos y las primeras herejías). La importancia de Septuaginta es, teniendo en cuenta estos datos, evidente.

En cuanto a la *motivación particular*, podemos señalar tres aspectos que nos han movido a elegir un tema como el que proponemos. Esta triple motivación da razón de los cuatro elementos presentes en la temática del trabajo. En primer lugar, nos centramos en el *Antiguo Testamento*. ¿Por qué el Antiguo Testamento y no el Nuevo? En primer lugar, la seducción que nos produce la parte judía de la historia de la salvación cristiana. Si tenemos en cuenta que *Novum in vetero latet et Veterum in novo patet*, notamos la importancia de la historia de la salvación judía para la fe cristiana, y nos damos cuenta de las raíces judías de nuestra fe, unas raíces que no podemos obviar ni eliminar, porque nos constituyen como creyentes. Por otra parte, dentro del Antiguo Testamento nos hemos centrado en *el libro de Job* y, dentro del libro de Job nos teníamos que decantar por el estudio de una parte concreta, por unos capítulos o unos versículos. Hemos optado por la *parte narrativa* del texto, que en el libro aparece dividida a modo de prólogo y epílogo. Porque la historia que se narra en el prólogo-epílogo del libro de Job forma una unidad temática que se diferencia notablemente de la parte central de la historia (razón de cohesión) y porque los capítulos que componen esta parte son el núcleo temático que hace que se componga el resto de la obra (razón histórico-redaccional).

Razones generales y razones particulares. Razones basadas en la importancia de LXX para el cristianismo actual y primitivo y razones más personales. Todas estas motivaciones confluyen en una única que es central: profundizar en la Revelación de Dios a los hombres, una Revelación que late en el Antiguo Testamento y se hace patente en el Nuevo. La causa última de la presente investigación es, en definitiva, la búsqueda de la verdad revelada, el intento de afianzar y comprender los fundamentos de nuestra fe cristiana (dado que *fides quaerens intellectum*) y, en definitiva, el propósito de entregarnos más a Dios, de buscarle de una manera más firme, de aceptarlo aún más como única Verdad, Motor y Sentido de nuestra vida.

Dividiremos nuestra exposición en tres grandes apartados. En un primer momento reflexionaremos sobre *el carácter unitario y autónomo del prólogo-epílogo de Job*. Este primer apartado será como un marco en el que nos referiremos, brevemente, a una serie de cuestiones generales sobre el libro de Job y sobre la parte narrativa del mismo. Posteriormente aludiremos a la *metodología seguida* a lo largo de la elaboración del trabajo. Finalmente nos referiremos a *algunos elementos observados durante el estudio*. Será un capítulo más concreto, referido directamente a la comparación entre el texto masorético y el griego de LXX en el prólogo-epílogo del libro de Job. La exposición finalizará con las *conclusiones del trabajo*.

1. El carácter unitario y autónomo de la parte narrativa de Job

1.1. *Elementos generales del libro de Job*

a. Autor y fecha de composición

Si la *autoría* de los libros bíblicos en general es una cuestión difícil de dilucidar, en el de Job este problema es aún más complejo de resolver. Pope indica, de hecho, que es casi imposible hablar del autor de cualquier libro bíblico[1]. De ahí que los especialistas no se pongan de acuerdo acerca de si Job es obra de un autor o, por el contrario, es una recopilación, hecha por un redactor, de distintos materiales y tradiciones que circulaban en el momento de la composición de la obra y que habían sido transmitidos fundamentalmente de manera oral[2]. Ambas opciones son posibles y ambas tienen sus límites.

Sería largo exponer todas las propuestas que se han dado a la cuestión del autor del libro de Job. Nos decantamos por la opción de Schökel, quien al analizar el estilo de las partes observa la obra de distintas manos, diferentes tradiciones, perícopas cuyas características literarias y temáticas son bastante diferentes las unas de las otras. Ahora bien, que haya distintas manos no significa que el libro haya sido compuesto por azar, de la nada, sin unidad alguna. La cohesión que se le ha dado al escrito permite que pueda ser leído sin problemas de comprensión, de principio a fin, lo que nos habla de un buen redactor que, recopilando las distintas tradiciones (probablemente orales) que circulaban en su época sobre el personaje de Job, elaboró una obra bien trabada, con unidad interna, que da una visión de conjunto y coherente de la historia de Job.

La autoría del libro va íntimamente ligada al problema de su *fecha de composición*. En este punto los resultados a los que llegan los especialistas del libro de Job son similares a los de la cuestión sobre el autor de la obra. Hay estudiosos que dicen que se trata de un libro compuesto en diversas etapas, mientras otros prefieren señalar una fecha concreta para la composición del libro. No cabe duda de que se trata, de nuevo, de una cuestión muy difícil de resolver y como indica Schökel (1983), «el problema de la datación [en el caso del libro de Job] es secundario. El libro de Job, como las grandes obras literarias, rompe el estrecho límite de la época en la que fue compuesto, y adquiere una dimensión supratemporal» (p. 68). Cuando nos acercamos al libro de Job nos damos cuenta de que estamos ante una obra que ha traspasado los límites del tiempo, porque plantea problemas universales para el corazón humano, que pueden ser planteados de una manera similar a como lo hace el libro bíblico en cualquier época y lugar.

Pero aunque la pregunta sobre la fecha de composición no sea tan relevante a nivel de la comprensión de la obra, sin embargo sí es útil para entender mejor la trabazón interna y la estructura del libro de Job, así

1 «It is scarcely possible to speak of the author of any biblical book». M. H. Pope, *Job*, New York: Doubleday & Company, 1965.

2 Recordemos que el libro de Job, como el resto de textos bíblicos, se inserta en el contexto de una cultura oral en la que la memoria de la tradición era una cuestión de vital importancia para marcar la pertenencia al grupo y para adquirir una identidad propia.

como para delimitar nuestro propio campo de estudio. Para ello hemos utilizado la síntesis de Lévêque, que establece tres grandes etapas en la configuración del libro de Job[3]:

1. *El cuento primitivo* (Job 1,1-2,10; 42,10-17). Job tiene en la base un cuento antiguo, de cultura sumeria, que tomó forma a finales del II milenio (ca. 1000 a. C.). Este dato vendría señalado por la alusión, en el libro, a los dromedarios y su domesticación. El relato se aclimató pronto a Israel, y por eso en torno al 600 a. C. Ezequiel (cf. Ez 14,12-23) alude a Job como un héroe conocido, con lo que estaríamos hablando de un cuento datado en torno a los siglos X-IX a. C. Este cuento primitivo correspondería a la unidad temática y literaria que forman el prólogo y el epílogo del libro (Job 1,1-2,10; 42,10-17), a los que se habría añadido, en época más tardía, la parte central. La narración primitiva tiene un carácter popular y patriarcal[4].
2. *Los diálogos poéticos y el discurso profético de Elihú* (Job 3,1-27,23; 29,1-42,9). Estas perícopas datarían del siglo V a. C. Un poeta, probablemente israelita (por las características religiosas de la parte dialogal del libro), se dio cuenta de las posibilidades que encerraba el relato de Job, razón por la cual separó el prólogo y el epílogo e introdujo los grandes monólogos y diálogos de Job y Yahvé, así como los discursos de Elihú que, según Lévêque, coinciden en problemática con el profeta Malaquías, un profeta del siglo V a. C.
3. *El poema sapiencial* (Job 28). Por sus rasgos literarios, estilísticos y teológicos el poema sapiencial del capítulo 28 tiene un tinte de tipo helenista. Es un poema probablemente de los siglos IV-III a. C. que un redactor distinto del anterior habría insertado a la obra, demostrando, en palabras de Lévêque, un buen gusto, dado que el poema tiene pleno sentido, y encaja perfectamente bien en el contexto de la obra. Con esta inserción, el redactor mostraba cómo «con todo su saber y con todas sus palabras, el hombre no conoce el verdadero camino de la Sabiduría»[5]. De esta manera el segundo redactor establece un puente entre los diálogos y los discursos de Elihú y Yahvé, donde Job verá criticada su sabiduría.

3 Cf. J. Lévêque, *Job. El libro y el mensaje*, Estella: Verbo Divino, 1985, 5-6.

4 Como señala Pope: «These early datings were doubtless suggested by the patriarchal background reflected in the folk tale, the Prologue-Epilogue». M. H. Pope, *o.c.*, XXX-XXXI. El vocablo patriarcal al que alude Pope se refiere a un patriarcado cultural (prevalencia del varón sobre la mujer) propio de las culturas semitas y de Oriente Próximo, y no tanto a los patriarcas bíblicos.

5 J. Lévêque, *o.c.*, 6.

En síntesis, podemos decir que en el libro de Job encontramos un texto con un sustrato antiguo (la narración del prólogo-epílogo, un cuento de carácter patriarcal-folclórico) al que se unieron posteriormente algunas tradiciones (diálogos, discursos y poema sapiencial) relativas a Job, lo que hace del libro una obra compleja, elaborada por distintas manos y en distintas épocas, pero muy bien trabada y cohesionada. Se trata, por tanto, de un texto que transmite un mensaje unitario, coherente y profundo.

b. Job como obra literaria

El libro de Job pertenece a la *literatura sapiencial bíblica*. Este hecho dota al escrito de unas características propias del género sapiencial que lo diferencian del resto de textos que pertenecen al canon de la Sagrada Escritura. Junto a este hecho, presenta su propio *género literario*[6], dado que contiene subgéneros específicos que no encontramos en el resto de los libros sapienciales, como el juicio, el lamento y la controversia. Este dato ha hecho que se hable de Job como una obra inclasificable. Dos son las características temáticas del libro de Job como obra literaria. En primer lugar, *su carácter moral*, es decir, el hecho de ser una enseñanza moral acerca del comportamiento respecto a Dios y la retribución de ese comportamiento (justicia e injusticia divina). Y en segundo lugar, *la propuesta de una teodicea o justificación de Dios* distinta entre el prólogo-epílogo y el diálogo central de la obra. De hecho, en el texto vemos cómo se pasa de la aceptación de la propia desdicha por parte del protagonista (prólogo) a la discusión con Dios (parte central; diálogo). En dicha discusión se llega a un acuerdo entre Dios y Job por el que Dios hace de nuevo dichosa la vida de Job (epílogo). Estas dos temáticas presentes en el libro dan cohesión al texto y muestran la originalidad de una obra complicada que a la vez es bella y profunda.

Como ocurre con otros libros bíblicos, el libro de Job parece no tener una *estructura* concreta que nos permita comprender la trama narrativa. Sin embargo, si nos fijamos detenidamente podemos observar una organización de los contenidos de la obra. Los especialistas coinciden en distinguir dos grandes partes en la obra, correspondientes a las tradiciones que forman el libro de Job. Por una parte estaría la *parte narrativa* de la obra, el prólogo (Job 1,1-2,10) y el epílogo (Job 42,10-17) que, como indicamos más arriba, en torno al siglo V un redactor separó a modo de *marco* de una *parte dialogada*, central (Job 3,1-42,6). Esta parte central no es sino un

6 «His own literary genre». Th. L. Constable, *Notes on Job*, 2014, 5. http://sonilight.com/constable/ notes/pdf/job.pdf [Consulta: 1-III-2014].

complemento hermenéutico a la narración primitiva (verdadero núcleo de la obra de Job). Ambas secciones se diferencian a nivel literario (narración *vs.* diálogo, nuevos personajes en la parte central respecto a la parte narrativa,...) y a nivel teológico-filosófico (abandono y fidelidad de Job a Dios pese al sufrimiento *vs.* queja de Job ante Dios por las desgracias).

¿Qué elementos podemos señalar para hacer la distinción entre estas dos partes, aparte del estilo literario? El primer redactor de la obra, que unió los monólogos de Job y los diálogos de éste con sus amigos y con Yahvé, dejó en la composición dos pistas que dan noticia de que la obra es, en realidad, fruto de la unión de tradiciones distintas. Se trata de puntos de sutura muy bien elaborados, que encajan perfectamente en la temática de la obra y que dotan de unidad al texto, haciendo que el lector, o mejor dicho el oyente, no note que en realidad se trata de perícopas distintas. Esas dos pistas son la *introducción* (Job 2,11-13) y la *conclusión* (Job 42,7-9) de la parte central de la obra. Si analizamos estas suturas redaccionales comprobaremos que se trata de puentes que el redactor elabora para unir dos partes que son bastante diferentes. Así, en Job 2,11-13 se habla por primera vez de los tres amigos de Job. Junto a eso, se menciona el silencio de siete días que Job comparte con sus amigos, un silencio de luto que, paradójicamente, anticipa la gran conversación que Job tendrá consigo mismo, el monólogo que se inicia en Job 3. En cuanto a Job 42,7-9, en estos versículos se cierra la parte central con una nueva alusión a los amigos de Job. Después de esta mención que se les hace, éstos van a desaparecer, dado que ni el prólogo ni el epílogo los mencionan[7]. Asimismo, en el v. 9 se habla de la dicha que Yahvé va a mostrar a Job por haber sido justo, una dicha que tiene que ver con la paciencia que Job ostenta en el prólogo de la obra y que se va a manifestar en los versículos del epílogo.

Pero si hay unanimidad al distinguir entre la parte narrativa y la parte dialogada de la obra, grande es la discrepancia entre los especialistas cuando se trata de dilucidar si ambas partes (prólogo-epílogo y diálogo) presentan una unidad interna. La propuesta que más nos convence es la de Lévêque, quien prefiere ofrecer una estructura basada en la formación del texto. Así, distingue la *parte narrativa* (Job 1,1-2,13; 42,7-17) de la *poética* (central), y dentro de la parte central indica que hay dos *monólogos de Job* (Job 3,1-26; 29,1-31,40), dos *diálogos de Job con sus amigos* (Job 4,1-27,23); el *discurso de la sabiduría* (Job 28,1-28); el *discurso profético de Elihú* (Job 32,1-37,24); y finalmente *los discursos de Yahvé* (Job 38,1-42,6),

7 Frente a lo que ocurre en el texto masorético, en LXX sí que se menciona de nuevo a los amigos de Job al finalizar el epílogo, en LXX Job 42,17.

que cerrarían la parte central (cf. pp. 5-6). El redactor final del libro de Job no habría dado, por tanto, una estructura narrativa a la parte central del libro. El texto quedaría dividido de esta manera en dos grandes partes (narrativa y poética), la segunda de las cuales sólo se puede estructurar según las distintas adiciones que los sucesivos redactores introdujeron en la obra original. Una pequeña objeción se le puede hacer a Lévêque. El autor considera que las dos suturas redaccionales que actúan de puente entre la parte narrativa y la parte poética pertenecen a la parte narrativa. Desde nuestro punto de vista se trata de dos elementos creados por el redactor para dar unidad al escrito.

1.2. La autonomía de Job 1,1-2,10; 42,10-17

El prólogo de Job es un cuento antiguo, legendario y folclórico compuesto de cuatro escenas que alternan escenario entre el cielo y la tierra[8]. El proemio del libro es, en realidad, una narración en la que las acciones acontecen entre el ámbito divino y el ámbito humano. A este prólogo narrativo se une el epílogo, la conclusión del texto sobre la dicha de Job al final de su vida por haber aceptado las desdichas sufridas. De ahí que Habel señale que la conclusión original de la historia era probablemente alguna configuración del epílogo[9]. Se puede afirmar, por tanto, la unidad narrativa y teológica del llamado *marco narrativo*[10] del libro de Job, una unidad cuya función actual es poner marco a la parte poética, al amplio diálogo central que encontramos en el libro de Job. Probablemente uno de los redactores del libro de Job, que conocía la historia de memoria por tradición oral la dividió y la unió a otras tradiciones sobre Job mediante suturas redaccionales, haciendo del núcleo de la historia el marco perfecto para contextualizar los lugares y personajes que el oyente conocería en la parte poética.

Ahora bien, ¿cómo justificar la unidad del prólogo-epílogo de Job? ¿Se puede demostrar desde los textos que se trata de una historia unitaria, es más, que es el núcleo del que surge el libro de Job tal y como actualmente lo conocemos? Schökel indica que «el marco narrativo no es una pieza unitaria, al menos en su origen»[11], allá por el siglo IX a. C., en el

8 «The Prologue of Job is an old folk legend composed of four major scenes alternating between heaven and earth». N. C. Habel, *The book of Job*, Cambridge: Cambridge University Press, 1975, 11.

9 «The original conclusion of the story was probably some form of the Epilogue». *Ibid.*, 12.

10 Cf. L. A. Schökel, *Job. Comentario teológico y literario*, Madrid: Cristiandad, 1983, 93.

11 *Ibid.*, 37.

seno de la cultura sumeria. Sigue señalando el mismo autor que «el marco narrativo contiene piezas que disuenan; hay puntos oscuros y desorden en la presentación de los hechos»[12], como repeticiones de escenas (*v.gr.* el diálogo entre Satán y Elohim, en 1,7ss y 2,2ss) y elementos que parecen no encajar en el conjunto (*v.gr.* la intervención de la esposa de Job, en 2,10; o la entrada en la escena de todos los amigos y familiares de Job, en 42,11). Estas diferencias son ciertas. Sin embargo, si nos acercamos, la redacción del texto tal y como la conservamos, notamos cómo se trata de una narración bastante coherente, a la que el redactor dio gran unidad. Para notar estos puntos oscuros hay, de hecho, que realizar un estudio muy pormenorizado del texto.

Esta trabazón interna en el conjunto de la parte narrativa del libro de Job la notamos en diversos elementos. Comprobamos, *v.gr.*, cómo el protagonista sigue siendo Job (אִיּוֹב; cf. 1,1; 42,10). Además, en ambas secciones se menciona a los hijos e hijas de Job (cf. 1,4; 42,13). La temática es similar en el prólogo y el epílogo: se deja patente la justicia y la fidelidad de Job, aunque en el epílogo no se diga de manera explícita, sino mediante la retribución que recibe (cf. 1,1.8; 42,17). Asimismo, el relato presenta una *dispositio* concéntrica más o menos clara, aunque se trate de una estructura muy general. El esquema que sigue es el siguiente: *(A) dicha de Job* (1,1-5); *(B) diálogo Elohim-Satán y desdicha de Job* (1,6-22); *(B') diálogo Elohim-Satán y desdicha de Job* (2,1-10); *(A') dicha de Job* (42,10-17). Aun siendo general y de tipo temático, el esquema manifiesta, de alguna manera, la unidad entre el prólogo y el epílogo de Job.

Otros detalles más concretos aluden a la coherencia interna del relato. Por ejemplo, las posesiones de Job (cf. 1,3) y los premios que Dios entrega al protagonista tras los sufrimientos (cf. 42,12) son exactamente los mismos bienes, si bien en el epílogo éstos son aumentados al doble (42,10)[13]. Hay también coherencia en cuanto la *actitud* de Job hacia Elohim tanto en el prólogo como en el epílogo. Job acepta en todo momento la voluntad de Dios sobre su vida (algo que no ocurre en la parte poética del libro, en la que el protagonista se rebela contra Dios). Esa fidelidad, presente desde el principio, es la que hace que en 1,1 se hable de él como

12 *Ibid.*, 39.

13 Según las indicaciones del texto, las posesiones que Job recibió tras los sufrimientos eran el doble de las que ya poseía. Así, si en un principio Job tenía siete mil ovejas, en el momento de la retribución se le entregan catorce mil; y si en un primer momento Job tenía tres mil camellos, al recibir el premio posee seis mil (cf. Job 1,3; 42,12). Como podemos comprobar, las nuevas posesiones del protagonista son exactamente el doble de lo que antes tenía.

un hombre afortunado y en 42,12 Dios le premie con una fortuna incluso mayor de la que tiene, como acabamos de mostrar. Todos estos elementos no invalidan la tesis de Schökel de que el prólogo estuviera formado por diversas tradiciones que fueron siendo añadidas por uno o varios redactores[14]. Ahora bien, la hipótesis de una multitud de redactores, o como el propio Schökel los denomina, narradores anónimos basándose en las incoherencias del relato, es casi imposible de comprobar.

Una última cuestión podemos afirmar respecto de la unidad entre el prólogo y el epílogo del libro de Job. La cohesión del marco narrativo de la obra se hace más patente aún cuando se muestran sus diferencias con la parte poética. Como indica Pope, el problema de la integridad literaria es más evidente en las incoherencias entre la parte narrativa y el diálogo[15]. Llama la atención que el prólogo (y también el epílogo) nos presente al paciente y piadoso santo tradicional que mantuvo la compostura e integridad pese a los sufrimientos que se le infligieron[16]. Ésta quizás es la diferencia mayor entre la parte narrativa y la parte dialogada. Sin embargo, hay otras incoherencias menores de tipo temático y de caracterización de los personajes. Por ejemplo, en la parte narrativa del libro de Job el protagonista es escrupuloso en su observancia del culto sacrificial, mientras que en el diálogo no presenta el menor interés en esta cuestión[17].

Además, las formas literarias de la parte narrativa y del diálogo son también diferentes: la primera está escrita en prosa, mientras que el segundo en poesía[18]. Estas diferencias entre la narración y el diálogo del libro de Job no sólo muestran lo que algunos autores piensan, que el marco narrativo de Job constituye un antiguo cuento que el autor del diálogo utilizó como punto de partida para su tratamiento poético del problema del sufrimiento[19], sino también que se trata de un relato unitario. Modificado y forjado tal vez a lo largo de las distintas etapas de su historia, aunque no de manera muy significativa, se trata de un texto

14 Cf. L. A. Schökel, *Job. Comentario teológico y literario*, 39.

15 «The problem of literary integrity is most immediately evident in the incongruities et inconsistencies between the Prologue-Epilogue and the Dialogue». M. H. Pope, *o.c.*, XXI.

16 «The Prologue [and the Epilogue] presents to us the traditional pious and patient saint who retained his composure and maintained his integrity through all the woes inflicted on him». *Ibid.*, XXI-XXII.

17 «There are other minor incongruities, for example, in the Prologue-Epilogue Job is scrupulous in his observance of the sacrificial cults, but in the Dialogue betrays not the slightest interest in this particular concern». *Ibid.*, XXII.

18 «The literary forms are also different: the Prologue-Epilogue is in prose [...]; the Dialogue is in poetry throughout». *Ibid.*

19 «An ancient folk tale which the author of the Dialogue used as the framework and point of departure for his poetic treatment of the problem of suffering». *Ibid.*

coherente cuya trabazón interna es notable y que nos permite leer y comprender de principio a fin la narración primitiva y fundamental acerca del paciente y justo Job. Hay que decir que la Biblia griega fue fiel a la cohesión mencionada de dicha parte. Este dato muestra también, pese a ser en algunos puntos diferentes ambas versiones, la unidad interna del prólogo-epílogo del libro de Job.

2. Metodología de trabajo

2.1. Etapas de la investigación

¿Qué etapas hemos seguido a la hora de elaborar nuestro trabajo de investigación? En un primer momento *recopilamos los textos hebreo masorético*[20] *y griego*[21]. Una vez recopilados llevamos a cabo una labor de *traducción* de los mismos. Concluida ésta, elaboramos una *sinopsis del texto griego y su traducción y del texto hebreo y su traducción*, con el fin de comparar ambas versiones. Cuando habíamos elaborado la sinopsis de textos llevamos a cabo una *primera comparación* del hebreo y el griego, en la que fuimos señalando, a grandes rasgos, los elementos llamativos en los que el texto griego se diferenciaba del texto hebreo. Esta primera comparación la hicimos sobre los textos. En un momento ulterior llevamos a cabo una *segunda comparación* de las columnas en la que fuimos señalando, por versículos, los aspectos hallados en la primera comparación y en esta segunda.

Al terminar la segunda comparación elaboramos una *organización y sistematización de las diferencias encontradas, por versículos*. Cuando separamos todos los versículos realizamos una *clasificación de las distintas diferencias encontradas*, según se tratara de divergencias *léxico-semánticas*, *gramaticales* (morfosintácticas) o más bien *inserciones en el texto griego* (bien de versículos, bien de tradiciones o perícopas completas). Esta clasificación fue ya iluminadora a la hora de interpretar las diferencias existentes en el texto de LXX respecto del hebreo masorético. Sin embargo, todo buen investigador debe dejarse iluminar por los hallazgos obtenidos por parte de los grandes estudiosos del tema. Por eso mientras llevábamos a cabo la investigación sobre los textos bíblicos (la fuente principal de la monografía) íbamos consultando *bibliografía general y específica* sobre Septuaginta, Job y LXX Job. Las consultas nos han ayudado a responder a la pregunta planteada.

20 Según la edición de la Biblia Hebraica Stuttgartensia: K. Elliger – W. Rudolph (eds.), *Biblia Hebraica Stuttgartensia*, Stuttgart: Deutsche Bibelgesselschaft, 1997.

21 En la edición crítica de Septuaginta: A. Rahlfs – R. Hanhart (eds.), *Septuaginta. Editio altera*, Stuttgart: Deutsche Bibelgesselschaft, 2012.

Según la retórica clásica toda elaboración de un discurso está compuesta por tres grandes etapas. La primera de ellas es la *inventio* (de *invenire*, ir y venir), es decir, la investigación de los datos, las consultas pertinentes, cotejar informaciones sobre el tema sobre el que vamos a tratar. Tras la *inventio* está la *dispositio* (¿cómo organizar el material encontrado?). Es la sistematización de los datos hallados y la organización jerárquica de los mismos según una coherencia interna. La organización del trabajo, a la que vamos a referirnos a continuación, alude a esta *dispositio* de contenidos. El último paso es la *elocutio*, la redacción o proclamación del discurso. Esta última parte da lugar al trabajo final, una vez se han hecho las pertinentes correcciones. Nuestro trabajo ha seguido la metodología de estas tres etapas de investigación, tal y como reflejan los pasos concretos que hemos seguido para llevarla a cabo, explicados más arriba.

2.2. *Algunas dificultades*

La conclusión de una investigación parece obviar todo el proceso que la ha llevado a salir a la luz, y puede parecer que el camino seguido ha sido sencillo. Sin embargo, el proceso de elaboración de una monografía está compuesto de altibajos, de momentos fáciles, en los que la investigación es fluida, pero también de oscuridades en las que el estudioso se estanca. Por eso, en este apartado, señalamos algunas dificultades que hemos encontrado en el proceso de elaboración. Una primera dificultad, en los inicios de la búsqueda, residía en que *el tema que nos habíamos propuesto investigar era para nosotros algo casi nuevo, conocido de oídas*. Sobre Septuaginta conocíamos algunas cuestiones generales aprendidas durante los años de estudio. Lo mismo ocurría con el libro de Job: si bien teníamos algún dato más que en el caso de LXX.

A esta dificultad general se le añaden algunas más específicas. Una primera se refería a que la *traducción del texto de LXX nos ha resultado un poco complicada*, por varios motivos. En primer lugar, el griego de Septuaginta es bastante específico. Contiene términos (*v.gr.* palabras compuestas) a los que hay que dar matices concretos que a veces no conocíamos, así como *hapax legomena*[22] que hay que interpretar. A ello se une la influencia de las traducciones vernáculas de la Biblia que hemos escuchado y leído. Por ello hemos tenido que hacer un ejercicio de cierto olvido, para que dichas traducciones (hechas desde el hebreo) no enturbiaran la traducción del texto griego, que en algunos versículos es diferente. Finalmente, la difi-

22 Denominamos *hapax* a aquella expresión o palabra griega que únicamente aparece una vez dentro de la Biblia Griega, lo que hace difícil su interpretación.

cultad está motivada por el hecho de afrontar la traducción de aquellas tradiciones totalmente nuevas para nosotros existentes en Septuaginta: los añadidos que LXX hace respecto al texto masorético, especialmente las dos perícopas de LXX Job 2,9 y 42,17.

Una tercera oscuridad en el trabajo reside en que nos encontramos en *los inicios de la investigación comparada*, es decir, del estudio de los textos bíblicos mediante sinopsis, poniendo el texto griego junto al hebreo masorético. Para nosotros esto ha sido una verdadera novedad, algo fructífero pero costoso, porque se trata de ir al detalle de los textos. Finalmente, debemos aludir a *otras dificultades menores*, referentes sobre todo al texto griego de LXX que hemos utilizado para nuestra investigación. Al principio extrajimos el texto de Septuaginta del programa *BibleWorks*, un programa electrónico magnífico que facilita mucho la tarea a los investigadores, pues presenta digitalizadas las principales ediciones críticas de la Biblia. Sin embargo, esta edición no presentaba signos de puntuación, con lo que tuvimos que dedicar bastante tiempo, junto a la directora del trabajo, a puntuar la edición, comparando con el texto impreso de LXX Rahlfs, pues la puntuación también influye en la interpretación del griego (*v.gr.* en las oraciones interrogativas). Por otra parte, la edición que proponía *BibleWorks* estaba ya superada por la *editio altera* de Rahlfs-Hanhart, de modo que hicimos también la comparación con este texto más contemporáneo, y hallamos algunas diferencias, aunque no eran muy significativas.

A modo de conclusión debemos decir que, pese a las dificultades y aunque en algunos momentos de la investigación nos hemos asustado y cansado, dado que parecía no haber luz alguna, sin embargo nunca hemos pensado en dejarla de lado. Las oscuridades en la elaboración del presente trabajo han ayudado a adquirir mayor interés sobre el tema y sobre el apasionante mundo de la traducción y la interpretación.

3. La parte narrativa de LXX Job

3.1. *Aspectos generales de la edición de Job en LXX*

a. Título, fecha y lugar de la traducción

La edición griega del libro de Job «toma su título del nombre de su protagonista,᾿Ιώβ»[23]. El traductor se limita, de esta manera, a transcribir directamente el nombre hebreo del mismo (איוב). Según el mismo autor,

23 J. M. Cañas Reíllo, «Introducción al libro de Job», en *La Biblia Griega. Septuaginta. III. Libros poéticos y sapienciales*, Salamanca: Sígueme, 2013, 413-424, 413.

«la traducción al griego del libro de Job puede situarse en torno al año 150 a. C., y fue elaborada en Alejandría, dado que se trata de una traducción conocida ya por el historiador Aristeas (finales del siglo II y comienzos del I a. C.)»[24]. Aunque no se conoce el traductor del libro, las semejanzas de Job con Proverbios apuntan a que, probablemente, ambos libros tienen el mismo traductor. Al mismo tiempo, parece que se trata de una traducción hecha en Alejandría, dadas las «coincidencias gramaticales y léxicas con papiros de la época y con autores como Filón de Alejandría»[25]. Este dato viene corroborado por el hecho de que el traductor de Job está familiarizado con elementos de la literatura y la mitología clásicas, muy desarrolladas en Alejandría. Así, por ejemplo, en 42,14 el traductor de Job utiliza la expresión *cuerno de Amaltea*[26] (Ἀμαλθείας κέρας) para traducir el nombre de la tercera de las hijas de Job (en hebreo llamada קֶרֶן הַפּוּךְ, es decir, Cuerno de Azabache). No es descabellado, por su relación con otros escritos del momento y por el estilo literario-cultural utilizado por el traductor, pensar que la traducción del libro de Job del hebreo al griego se hizo a mediados del siglo II a. C. en la gran metrópoli del momento: Alejandría.

b. Carácter literario, estructura y contenido

¿Cuál es el carácter literario, la estructura y el contenido del texto griego del libro de Job? El *contenido literario* del libro tiene como base exactamente la misma historia que en el texto hebreo. La traducción pertenece al «género didáctico-sapiencial, con una estrecha vinculación con textos similares de otras culturas del Próximo Oriente»[27]. Al tener como base la tradición hebrea de Job, el texto griego también se presenta como «un corpus poético en forma de diálogos»[28]. Por eso, teniendo en cuenta que se trata de una traducción, las líneas generales de la *estructura* de la obra son prácticamente iguales a las del texto hebreo. Como ocurre en el texto masorético, el prólogo abarca los dos primeros capítulos del libro.

24 *Ibid.*

25 *Ibid.*

26 El *Cuerno de Amaltea* o *Cornucopia* es el cuerno de la cabra nodriza de Zeus en el monte Ida que intentaba protegerlo de su padre Crono, quien quería devorarlo como al resto de sus hermanos. Según una de las versiones del mito, de pequeño Zeus con su rayo le rompió uno de los cuernos. Para compensar este hecho Zeus confirió al cuerno roto la posibilidad de que concediera todo lo que quisiera a quien lo poseyera. Con la cornucopia se representa, por ejemplo, a Hades, dios del inframundo. Cf. P. Grimal, *Diccionario de mitología griega y romana*, Paidós: Barcelona, 2010, 24.

27 J. M. Cañas Reíllo, *o.c.*, 413.

28 *Ibid.*, 414.

En él se insertan, como tendremos oportunidad de reseñar, cinco versículos adicionales que prolongan el v. 9 (cf. Job 2,9a-e). La parte narrativa corresponde a los capítulos 3 al 42,6, exactamente los mismos capítulos que el texto hebreo de Job[29]. Y el epílogo abarca también el capítulo 42,7-17, con la misma indicación que en el caso del prólogo: se añaden cinco versículos nuevos en 42,17 (cf. Job 42,17a-e).

En cuanto a la *teología*, el griego también es fiel al hebreo. Según Cañas Reíllo, «en el fondo se plantea un problema teológico que tiene como eje principal la relación del ser humano con Dios»[30]. Se trata, como en hebreo, del planteamiento de una teodicea que tiene unas características concretas en el prólogo y el epílogo, y otras muy distintas en la parte narrativa. El planteamiento teológico-filosófico general de la traducción griega es, entonces, el mismo que en el hebreo: se trata de responder a la afirmación de que «si Job era un hombre justo, piadoso y temeroso de Dios, debería haber recibido la retribución esperada»[31]. En consecuencia, tanto a nivel literario como a nivel estructural y teológico, la traducción de LXX no se diferencia sustancialmente del texto hebreo, sino que sigue las líneas generales de la tradición transmitida por el judaísmo palestinense.

No obstante, se pueden señalar algunas diferencias del texto griego respecto al hebreo en cuanto a los aspectos que hemos señalado. Cañas Reíllo indica, *v.gr.*, que «del protagonista se proporcionan pocos datos en hebreo [...]. El texto griego, en cambio, intenta situar a Job en un contexto histórico y geográfico específico»[32]. Precisamente, los versículos adicionales de Job 42,17 pretenden fijar de modo muy concreto dicho contexto situacional de Job. ¿Por qué este interés por señalar los caracteres concretos de Job? ¿Por qué la intención del traductor por indicar que Job «tenía de padre a Zaré, de los hijos de Esaú [...] de modo que él era el quinto desde Abrahán»[33] (Job 42,17c)? Probablemente trate de situar a Job dentro de la tradición israelita, en un contexto de judaísmo de la diáspora en el que era muy importante la tradición y ser descendientes de Abrahán (el padre en la fe), dentro de la tradición israelita.

Arriba hemos visto cómo el personaje de Job llega a Israel del pueblo sumerio y se va adaptando a las necesidades del pueblo en la historia de

29 Aunque el libro griego de Job contenga «390 esticos o líneas menos que en hebreo». N. Fernández Marcos, *Septuaginta. La Biblia Griega de judíos y cristianos*, Salamanca: Sígueme, 2008, 31.

30 J. M. Cañas Reíllo, *o.c.*, 214.

31 *Ibid.*

32 *Ibid.*, 415.

33 ἦν δὲ αὐτὸς πατρὸς μὲν Ζαρε [...] ὥστε εἶναι αὐτὸν πέμπτον ἀπὸ Αβρααμ.

su formación como escrito judío normativo. En un contexto como es el helenista, en el que este dato no se ha asumido, es necesario legitimar la figura de Job para considerar el libro como normativo. Además, para los judíos que elaboraron LXX es también muy importante mostrar cómo la traducción ha sido, igual que las Escrituras Sagradas hebreas, inspirada por Dios, y por eso se sitúa a Job entre los descendientes de Abrahán. De esta manera «el texto griego integra a Job en la línea genealógica de los patriarcas de Israel y entra a formar parte de su historia»[34], lo que serviría como legitimación del texto griego ante los judíos de Alejandría.

Por otra parte, y como ya hemos señalado anteriormente, el texto griego se inserta en una cultura que es muy diferente a la semítica: la cultura helenística. Esto hace que los traductores de la obra viertan el mensaje del libro de Job en esta cultura, y utilicen diversos elementos de la misma en la elaboración de su traducción. Este hecho, sin duda, dota a la traducción de un carácter literario que, siendo semejante al del hebreo, sin embargo, tiene matices propios[35].

La misma idea indica Cox. Según este autor, en la versión griega el libro completo está en prosa, incluso cuando ha sido organizado mediante versículos o esticos[36]. Es decir, la traducción está hecha en prosa, aunque la organización en versículos tiene en la traducción la estructura métrica propia del mundo griego. En todo caso, la traducción del libro de Job del hebreo al griego se presenta como un verdadero ejercicio de inculturación. El texto narrativo-poético de Job traspasa los límites de la cultura sumeria (primero) y hebrea (después) para tener un carácter en cierta manera universal. El personaje de Job, conservando unos caracteres muy específicos propios de las culturas de Oriente Próximo, se acaba convirtiendo en un personaje que supera los límites del espacio y del tiempo, en el prototipo bíblico y cultural del hombre que ama a Dios, que es fiel, que permanece junto a Yahvé pese a la dificultad (parte narrativa) o que acaba quejándose contra Él y se rebela por el mal recibido pese a vivir de manera justa.

34 J. M. Cañas Reíllo, *o.c.*, 415.

35 «Job fue traducido en griego como prosa, aunque largos fragmentos del libro hebreo de Job son poemas. Se trata de una buena edición que evita imitar el estilo hebreo que con frecuencia aparece en otros libros, de forma que algunos la consideran la más singular de todas las traducciones griegas». T. M. Law, *Cuando Dios habló en griego. La Septuaginta y la formación de la Biblia cristiana*, Salamanca: Sígueme, 2014, 80.

36 «In the Greek, the entire book is in prose, even though arranged stichometrically, in the manuscript tradition». C. E. Cox, «To the reader of Job», en *A New English Translation of the Septuagint*, 2009, 667. [http://ccat.sas.upenn.edu/nets/edition/28-iob-nets.pdf. Consulta: 1-i-2014].

c. La traducción griega y sus características

A diferencia de lo que ocurre en otros libros bíblicos, la traducción griega del libro de Job especialmente en el caso del prólogo y el epílogo presenta notables diferencias respecto al hebreo masorético. Por eso indica Law que «la versión griega plantea interrogantes complejos»[37]. Pero ¿cuáles son esas diferencias? La primera de ellas reside en que la versión de LXX Job es «casi cuatrocientos versículos más breve que la de la Biblia hebrea»[38], lo que supone que el texto griego es «en torno a una sexta parte más corto que el masorético»[39]. Este dato hace que haya que considerar una doble hipótesis a la hora de interpretar las diferencias de traducción entre el texto griego y el texto hebreo de Job: se puede pensar «que son responsabilidad del traductor, y que el texto hebreo que sirvió de *Vorlage*[40] era diferente del masorético»[41].

Es decir, se puede considerar que las licencias de la traducción griega respecto al texto masorético en el libro de Job, y en concreto en el prólogo y el epílogo, son *obra de quien realizó la traducción* (y en ese caso se insiste en la originalidad del traductor como quien realiza una interpretación del texto hebreo que fundamenta la traducción, es decir, la tradición masorética existente antes de ser fijada de modo definitivo). O bien se trata de diferencias debidas a que *debajo del texto griego hay un texto hebreo distinto del masorético*, una tradición legítima y aceptada por los judíos que se tomó para realizar la traducción en un contexto de oralidad y de intertextualidad previa a la fijación del texto masorético definitivo, pues en este contexto, era muy frecuente la transmisión de tradiciones que, siendo iguales en el contenido fundamental, sin embargo diferían en aspectos menores, debido a la propia oralidad en la transmisión.

¿Cuáles son las características de la traducción que LXX hace del libro de Job? Estas características propias que ahora presentamos valen para toda la obra y, por tanto, también para la parte narrativa. Además se puede insertar esta pregunta sobre las características de la traducción de LXX Job en el contexto de los estudios sobre las técnicas de traducción en Septuaginta. El estudio de estas técnicas de traducción es importante porque ha provisto a los estudiosos de importantes datos acerca de las bases religiosas y estéticas, así como de las formas de expresión de los traduc-

37 T. M. Law, *o.c.*, 80.

38 *Ibid.*

39 J. M. Cañas Reíllo, *o.c.*, 416.

40 «Sumisión». Se plantea, por tanto, si el texto hebreo que sirvió como base del texto griego es el propio texto masorético o es una tradición distinta.

41 J. M. Cañas Reíllo, *o.c.*, 416.

tores[42]. Por eso mismo, el estudio de la técnica de traducción de LXX Job nos ayudará a conocer mejor quiénes fueron los intérpretes del Job hebreo, cuáles eran sus inquietudes religiosas, qué les motivó a llevar a cabo tal empresa y en qué manera influyen dichas técnicas de traducción en las diferencias entre el texto griego y el texto masorético del libro de Job.

Uno de los elementos literarios que los libros traducidos en LXX presentan es lo que el propio Noegel denomina juegos de palabras[43]. Al ser el libro de Job, además, un texto poético, debemos tener una consideración especial de los recursos poéticos, como la paronomasia y la polisemia[44]. En efecto, los traductores de LXX también hacen uso de estos recursos literarios hebreos al llevar a cabo la traducción. No es fácil traducir poesía, y menos poesía semítica al griego κοινή. Por eso LXX tiene la necesidad de interpretar los matices que estos recursos literarios dan al texto griego y, utilizando los mismos recursos literarios, intenta decantarse por uno de los significados que la polisemia y el paralelismo hebreo suscitan. Este hecho hace que las diferencias entre el texto griego y el texto hebreo de Job sean bastante acusadas, lo que ha dado lugar a que, para explicar los casos de variación textual en LXX, se haya postulado, en ocasiones, un texto hebreo base diferente al masorético[45]. Sin embargo, un estudio más concreto de los textos de Job como el que hace Noegel sugiere que en algunos casos la variedad textual puede deberse al deseo, por parte de los traductores, de preservar el mundo sagrado judío encerrando su polisemia[46].

¿Qué otros elementos o características de la traducción presenta el libro de LXX Job? La traducción al griego está marcada por una ausencia de hebraísmos, es decir, el traductor intenta llevar a cabo una transposición al griego, y evita toda reminiscencia al texto hebreo que no pudieran entender los oyentes de la traducción. Indica Cox al respecto que la ausencia de los habituales hebraísmos es una marca narrativa de la traducción

42 «Translation technique in the Septuagint (LXX) has been studied for decades and has provided the scholarly world with important insights into the aesthetics, idioletic systems, and religious biases of the LXX translators». S. B. Noegel, «Wordplay and Translation Technique in the Septuagint of Job», en *Aula orientalis*, 14 (1995) 33. http://www.aulaorientalis.org/AuOr%20escaneado/AuOr%2014-1996/ N _1/4.pdf [consulta: 1-I-2014].

43 *Ibid.*

44 «The more allusive poetic devices, such as paronomasia (soundplay) and polysemy (plays on multiple meanings)». *Ibid.*

45 «In order to explain instances of textual variance [...] in the LXX, a different *Vorlage* has been posited». *Ibid.*

46 «In some cases the variance may be due to the translators» desire of preserve the sacred word by rendering it fully, i. e., by capturing its polisemy». *Ibid.*, 43.

griega en muchos de los libros de LXX[47]. ¿Dónde podemos comprobar esta ausencia de hebraísmos? Un ejemplo lo tenemos en Job 1,5, versículo en el que la expresión verbal típicamente hebrea וַיְהִי (y sucedía) se traduce al griego mediante la locución conjuntiva καὶ ὡς ἄν (cuando), y no con la expresión καὶ ἐγένετο (y sucedió), como sucede en otros textos de LXX.

Por otra parte, otra característica general de la traducción reside en trasladar perícopas de otro lugar de Job o de otras partes de LXX[48]. Al respecto, Cox indica algunos ejemplos. Según su estudio, LXX Job 34,13 fue inspirado por Sal 24,1, y LXX Job 34,15b está glosando el texto de Gn 3,19. Finalmente, un elemento más general de la traducción de Job al griego reside en el uso de todo tipo de partículas por parte del traductor[49]. Este uso de las partículas se debe, probablemente, en LXX Job a la intención del traductor, que quiere dar una mayor unidad al texto hebreo, bastante menos cohesionado[50]. La traducción del hebreo al griego implica también dar una mayor cohesión al texto mediante conectores y partículas inexistentes en el texto hebreo, sin duda más simple que el griego. Así, *v.gr.*, en Job 2,5 el traductor utiliza la locución οὐ μὴν δὲ ἀλλὰ (pero no ciertamente), mientras que en el texto hebreo únicamente aparece la partícula adversativa אוּלָם (pero).

Junto a estas características generales de la traducción de LXX Job, podemos señalar algunos elementos más concretos. Para ello, como indica Cox, primero debemos imaginar un texto hebreo que no estaba vocalizado y entre cuyas palabras no había divisiones[51]. Estas características del texto que el traductor de LXX utilizó tienen una doble consecuencia. En primer lugar, dificultan la elaboración de la traducción. En segundo lugar, dotan a la traducción de caracteres específicos que la diferencian, como se ha venido indicando, del texto hebreo. El primero de esos elementos reside en que la carencia de marcas vocálicas permitía que el texto pudiera ser entendido y vocalizado a veces de varias maneras al mismo tiempo[52]. Al introducir la vocalización, el texto griego hace una interpre-

47 «Absent are the usual 'Hebraisms' that are the tell-tale signs of translation Greek in much of the Septuagint corpus». C. E. Cox, *o.c.*, 667.

48 «Another general characteristic of the translation consists of transferring passages from elsewhere in Job or from other parts of the Septuagint into the translation». *Ibid.*, 668.

49 «The translator's use of particles of all kinds». *Ibid.*

50 «Seems to be the translator's intent in Job, i. e., to give the rather loosely linked Hebrew text a conectedness». *Ibid.*

51 «We must imagine the Hebrew text in front of the translator. It was an unvocalized text and there may have been no divisions between the words». *Ibid.*

52 «The lack of vowel markings permitted the text to be vocalized, and therefore understood, in more than one way sometimes». *Ibid.*

tación de las raíces hebreas que sin vocalizar tienen distintos significados (polisemia) y facilita, en cierta manera, la comprensión del texto, aunque excluya otros significados posibles.

Un segundo elemento concreto de la traducción del texto hebreo al griego reside en que el traductor era responsable de dividir el texto en pequeños versículos según el sentido que él diera al texto[53]. Si el texto que utilizó como base el agente de la traducción carecía de divisiones él mismo le tuvo que dar una estructura concreta. Esto hace que algunos versículos no coincidan en el texto griego y en el texto hebreo. *V.gr.*, el griego sitúa la expresión καὶ εἶπεν (y dijo) al final de Job 1,20, mientras que en el texto hebreo masorético el autor pone la expresión equivalente, וַיֹּאמַר (y dijo), al comienzo del versículo 21. Por otra parte, algunas letras hebreas se confunden fácilmente en los manuscritos, y LXX Job a veces también refleja este dato[54]. Así, por ejemplo, en muchos manuscritos la letra hebrea ד (dālet) se confunde con la ר (rêš), la י (yôd) con la ו (wāw), y la שׂ (śîn) con la שׁ (šîn), lo que supone también diferentes interpretaciones de las palabras por la falta de claridad en los manuscritos, debida a las rudimentarias técnicas para poner por escrito el texto.

Asimismo, hay logros literarios en las traducciones que mejoran el texto original, como figuras etimológicas o aliteraciones[55]. En Job 1,5, por ejemplo, la expresión οἱ αἰχμαλωτεύοντες ᾐχμαλώτευσαν (llegando los que llevan cautivos) es la traducción literal del pueblo de שְׁבָא (Saba), que aparece mencionado en el texto hebreo masorético. Además, en el texto griego son abundantes los *hapax legomena* provenientes de la literatura griega, en concreto de Homero, de los trágicos y de los líricos de la época clásica[56]. Un *hápax* es una expresión o palabra griega que únicamente aparece una vez dentro de la Biblia Griega, lo que hace difícil su interpretación. Fernández Marcos pone como ejemplo de *hápax*, entre otros, la expresión de Job 5,25: τὸ παμβότανον τοῦ ἀγροῦ. Otro *hápax* lo encontramos en Job 2,5: el vocablo ἐκτείσει (del verbo ἐκτίνω, que traduce el

53 «The translator was responsible for dividing the text into small segments according to sense». *Ibid.*

54 «Some letters of the Hebrew alphabet are easily confused in the manuscript tradition, and Greek Iob reflects this». *Ibid.*

55 «There are literary achievements in the translations that improve, so to say, the original, etymological figures and alliterations». N. Fernández Marcos, «The Septuagint reading of the book of Job», en W. A. Beuken, *The Book of Job*, Leuven: Leuven University Press, 1994, 259.

56 «Abound *hápax legómena* within Greek literature and the vocabulary exhibits some knowledge of Homer, the Greek tragedians, lyrics like Theognis or Simonides and Greek philosophy». *Ibid.*

hebreo יִתֵּן). También es frecuente la utilización de elementos propios de la cultura helenística por parte del traductor[57].

La adaptación del libro de Job al contexto helenista es patente en el caso de los nombres de Dios. Según Fernández Marcos, esta helenización se logra en LXX reduciendo a uno los distintos nombres de Dios usados por los amigos del protagonista[58]. En consecuencia, la traducción del libro de Job manifiesta claramente la adaptación al contexto helenista por medio de los recursos que hemos indicado, y especialmente a un nivel filosófico y teológico (el platonismo y el neoplatonismo, con su teología sobre las jerarquías celestes; cf. Job 1,6).

3.2. *Diferencias textuales entre la parte narrativa de LXX Job y el texto masorético*

a. Tipos de diferencias encontradas y algunos ejemplos

¿Qué tipos de diferencias textuales hemos hallado a la hora de comparar el texto de LXX Job y el texto masorético del mismo libro?[59]. Al comparar ambos escritos hemos comprobado que se trata de dos textos bastante diferentes, frente a lo que ocurre en otros libros bíblicos. Este hecho se debe a una doble causa, que indicamos ya más arriba: en primer lugar, Job es un texto que los traductores consideraban narrativo (y no legal, como ocurría con el Pentateuco); en segundo lugar, el texto hebreo de Job contiene elementos oscuros que probablemente no eran comprendidos por aquellos fieles a los que se dirigía la traducción de LXX. Teniendo esto en cuenta, hemos sistematizado las diferencias encon-

57 «A much more subtle Hellenization of symbols, metaphors and comparisons. The translator, accustomed to deal with obscure passages or with semantic fields remote from the original, reacts by their substitution with other more understable images taken from other Biblical passages, especially from the Wisdom literature or from the cultural milieu of the Hellenistic world». *Ibid.*

58 «This Hellenization is achieved by reducing to one the diverse names of God used by Job's friend: El, Eloah, Elohim; more rarely Saday and Yahvé into θεός or κύριος [cf. Job 1,5 (πρὸς θεόν); 1,6 (τοῦ θεου); 1,7 (ὁ κύριος; τῷ κυρίω); 2,1 (τοῦ θεου; ἔναντι κυρίου);...]. Following tradition that had already begun with the translation of the Pentateuch, the divine court with the sons of God and Satan among them is transformed in the Greek Job into ἄγγελοι and διάβολος (Job 1,6)». *Ibid.*, 256.

59 En este punto hemos elaborado una clasificación y breve elenco de las diferencias encontradas al comparar LXX Job y el texto masorético del mismo libro. No podemos indicar en el apartado absolutamente todas las diferencias, pues son múltiples. Hemos optado, por ello, en señalar simplemente unos cuantos ejemplos significativos que iluminan las causas de esas diferencias. Para ver la sistematización de todas las discordancias halladas.

tradas en tres grandes bloques: *diferencias léxicas* (vocabulario); *diferencias gramaticales y sintácticas*; y finalmente *inserciones del texto griego* respecto del hebreo masorético. Estas mismas divisiones se subdividen, a su vez, en varias categorías. Así, en el primer bloque distinguimos diferencias léxicas de *palabras* y *expresiones concretas*. En el caso del segundo bloque hemos encontrado diferencias entre *categorías gramaticales, tiempos verbales* y *estructuras gramaticales*. Finalmente, en el tercer bloque existen inserciones de *palabras, expresiones concretas* y *perícopas completas*. Este último sub-apartado indica bastante novedad del texto griego de Job respecto al texto masorético.

¿Por qué nos centramos en las *diferencias* entre ambos textos, y no en las *semejanzas* (también muy comunes)? La razón es que con nuestro cometido tratamos de responder una doble pregunta. Por un lado, nos preguntamos si el traductor utilizó o no una tradición distinta a la de la Masora o si por el contrario el prólogo-epílogo es una interpretación distinta del hebreo masorético de Job y por tanto las diferencias se deben al traductor. Por otro lado nos planteamos si esas diferencias influyen en la interpretación del libro de Job o si, por el contrario, son complementarias con las posibles interpretaciones del texto masorético y, en consecuencia, dentro de nuestra limitación para interpretar los textos[60], nos pueden dar más luz sobre la Revelación Bíblica, y en concreto sobre el mensaje del libro de Job. Teniendo esto en cuenta, señalemos algunas de las diferencias halladas a la hora de hacer la comparación de ambos textos.

Diferencias léxicas

La primera de las diferencias léxicas de *palabras* que encontramos entre el texto griego y el texto masorético aparece en Job 1,1. El autor de LXX denomina la patria de Job Ausitis (Αὐσίτιδι), y no Hus (עוּץ), como ocurre en el texto masorético. Aunque el nombre cambia (el traductor podría haber transcrito el nombre, como hace con el protagonista[61]). Los

60 Tengamos en cuenta que la Biblia es palabra humana (son escritos de unos autores sagrados), pero sobre todo y ante todo es *Palabra de Dios* (los hagiógrafos fueron inspirados por Dios para transmitir su Revelación a lo largo de la Historia de la Salvación de la humanidad). Esta polaridad de la Sagrada Escritura de ser Palabra de Dios encarnada en palabras humanas hace que seamos limitados a la hora de acercarnos a los textos, pues si la Biblia es Palabra de Dios y viene de Dios no la podemos agotar. Como decía san Agustín, «si cepisti [comprehendis], non est Deus». Agustín de Hipona, *Sermo* 52,16 (PL 38, 360).

61 LXX Job denomina al protagonista del libro Ιωβ (cf. LXX Job 1,1), transcripción directa del nombre hebreo אִיּוֹב (cf. Job 1,1).

estudiosos[62] indican que se trata del mismo lugar, una región de difícil situación, probablemente en la zona de Edom. En el mismo versículo el griego traduce como θεοσεβής (piadoso, e. d. que adora a Dios[63]; cf. también Job 1,8; 2,3) la expresión hebrea וִירֵא אֱלֹהִים (temeroso de Elohim). Notemos que se traduce אלהים como θεός, criterio que, salvo en un caso (LXX Job 2,10), se mantendrá a lo largo de toda la parte narrativa (cf. Job 1,6; 1,9; 1,22; 2,1; 2,3; 2,7)[64]. Se trata de una helenización del texto griego. De hecho en LXX Job 1,9 se traduce el verbo hebreo יָרֵא (teme) por el griego σέβεται (adora).

Por su parte, LXX Job 2,3 cambia los adjetivos honrado y justo (תֹּם וְיָשָׁר) por los griegos bondadoso[65], veraz, intachable (ἄκακος, ἀληθινός, ἄμεμπτος), y en 2,10 el verbo griego ἐδεξάμεθα (soportamos[66]) traduce el hebreo נְקַבֵּל (hemos recibido[67]). Ya en el epílogo, en LXX Job 42,10 se traduce el verbo hebreo שָׁב (cambió[68]) como ηὔξησεν (ensalzó[69]). En 42,11 la palabra griega τετράδραχμον (tetradracma) traduce el hebreo קְשִׂיטָה (cantidad de dinero). Finalmente, algo parecido a lo que pasaba en LXX Job 1,15 sucede en 42,14. El traductor traduce los nombres hebreos de las hijas de Job (Ieminah, יְמִימָה; Flor de Canela, קְצִיעָה; y Cuerno de Azabache, קֶרֶן הַפּוּךְ) por nombres propios griegos (Día, Ἡμέραν; Casia, Κασίαν; y Cuerno de Amaltea, Ἀμαλθείας κέρας).

En cuanto a las *expresiones concretas*, en LXX Job 1,5 el hebreo וְהִשְׁכִּים בַּבֹּקֶר (madrugaba en la mañana) es traducido al griego como ἀνιστάμενος τὸ πρωὶ (levantándose temprano). Otro cambio de expresión se produce en LXX Job 1,8. En este caso el griego utiliza la expresión ἀπεχόμενος ἀπὸ παντὸς πονηροῦ πράγματος (estando lejos de toda acción mala) para traducir el hebreo וְסָר מֵרָע (apartado del mal). En el caso de LXX Job 2,3 la expresión: ¿Prestaste atención en tu disposición a mi hijo Job? (Προσέσχες οὖν τῷ θεράποντί μου Ιωβ;) traduce el hebreo ¿Has puesto tu atención en mi siervo Job? (הֲשַׂמְתָּ לִבְּךָ אֶל־עַבְדִּי אִיּוֹב). En el mismo versículo la expresión

62 Cf. J. M. Cañas Reíllo, *o.c.*, 425. La nota a. de Job 1,1.

63 Compuesto del griego θεός (Dios) y σεβής-ες, adjetivo del verbo σέβομαι (honrar, venerar, adorar). El θεοσεβής es, por tanto, el que adora a Dios, el piadoso, no el que lo teme.

64 Este dato es común en LXX, igual que el tetragrama sacro (יְהוָה) se suele traducir como κύριος. Cf. LXX Job 1,6; 1,7; 1,9; 1,12; 2,1; 2,2; 2,3; 2,6; 2,7). La excepción, como indicamos, es LXX Job 2,10. En este texto se traduce הָאֱלֹהִים como κυρίου.

65 Este adjetivo es una de las inserciones de palabras en el texto griego. Cf. *infra*.

66 De δέχομαι (soportar, aceptar).

67 De קָבַל (recibir).

68 Del verbo שׁוּב (tornar, cambiar).

69 De αὐξάνω, aumentar, ensalzar.

todavía él [está] persistiendo en su bondad (וְעֹדֶנּוּ מַחֲזִיק בְּתֻמָּתוֹ) se traduce como *todavía es tenido en la bondad* (ἔτι δὲ ἔχεται ἀκακίας).

En LXX Job 42,10, versículo que hemos señalado más arriba para aludir a un cambio léxico de palabra, la expresión *ensalzó el Señor a Job* (ὁ δὲ κύριος ηὔξησεν τὸν Ιωβ) es la traducción del hebreo *cambió Yahvé la suerte de Job* (וַיהוָה שָׁב אֶת־(שְׁבִית) [שְׁבוּת] אִיּוֹב). Por su parte, el hebreo לְפָנִים וְכָל־יֹדְעָיו (todos sus conocidos para su rostro) se traduce en LXX Job 42,11 como πάντες ὅσοι ᾔδεισαν αὐτὸν (todos los que lo habían conocido). En el caso de 42,12 la expresión *y sus posesiones eran* (ἦν δὲ τὰ κτήνη αὐτου) se expresa en hebreo como *llegó a tener* (וַיְהִי־לוֹ). Finalmente, en LXX Job 42,13 el hebreo *tuvo para él* (וַיְהִי־לוֹ) es traducido al griego como *y le nacieron* (γεννῶνται δὲ αὐτῷ).

Diferencias gramaticales y sintácticas

Respecto a las diferencias gramaticales y sintácticas, hay discrepancias en el uso de las *categorías gramaticales*. Por ejemplo, en LXX Job 1,3 el traductor utiliza el género masculino ὄνοι añadiéndole el adjetivo θήλειαι para formar el género femenino (burros hembra) y así poder traducir el vocablo hebreo אֲתוֹנוֹת (burras). En LXX Job 1,8 el cambio se produce a nivel del tipo de categoría gramatical. Se sustituye el nombre propio hebreo הַשָּׂטָן (Satán) por el pronombre de identidad αὐτῳ, que en este caso funciona como pronombre personal átono con función de complemento indirecto (le). Por su parte la expresión hebrea כְּדַבֵּר אַחַת הַנְּבָלוֹת (como el hablar de las necias) es traducida por LXX Job 2,10 mediante un grupo nominal en el que el adjetivo *insensatas* hace la función de modificador del nombre, y no por medio de un adjetivo sustantivado (ὥσπερ μία τῶν ἀφρόνων γυναικῶν; como una de las mujeres insensatas). Finalmente, para Job 42,10 (בְּהִתְפַּלְלוֹ; en su suplicar) LXX Job utiliza un participio, y no un infinitivo[70].

Respecto a los *verbos*, los cambios son también frecuentes. Así, en LXX Job 1,5 el verbo συνετελέσθησαν (acabaron) en aoristo pasivo (3ª pl.), traduce el imperfectivo hiphil (3ª pl.) הִקִּיפוּ (pasaban), lo que da un matiz distinto al texto. En el caso del griego el carácter del verbo indica pasado perfecto, es decir, que la acción ha finalizado en el momento en el que se está hablando y no tiene repercusiones para el presente. En el caso del hebreo se remarca, debido al carácter imperfecto del tiempo, la

70 En hebreo la palabra es infinitivo constructo hitpael del verbo פָּלַל, y presenta un sufijo de tercera persona ו que en castellano se traduce como complemento del nombre (dado que el infinitivo es un sustantivo verbal).

continuidad de la acción, cuyas consecuencias llegan hasta el presente. En LXX Job 1,14 un verbo simple, no perifrástico, como es ἠροτρία[71] (araban), traduce la forma verbal perifrástica hebrea (הָיוּ חֹרְשׁוֹת; estaban labrando). Respecto a LXX Job 2,5, al inicio del versículo el traductor opta por utilizar un participio de aoristo (ἀποστείλας; enviando) en lugar de un imperativo (שְׁלַח; envía). En ese mismo versículo el traductor cambia el significado del texto hebreo (no bendecir en lugar de bendecir[72]), y además cambia el tiempo: en vez de utilizar un presente/imperfectivo (יְבָרְכֶךָּ; bendice) utiliza un futuro (εὐλογήσει; bendecirá). Para Job 2,8, donde la forma verbal se expresa mediante el participio del verbo יָשַׁב (יֹשֵׁב; sentándose), LXX prefiere el imperfecto de κάθημαι (ἐκάθητο; se sentaba). Ya en el epílogo, en LXX Job 42,15 el traductor cambia la persona del verbo: en vez de utilizar el singular, como ocurre en el hebreo masorético (וְלֹא נִמְצָא; y no se encontraron), utiliza el plural (οὐχ εὑρέθησαν).

Respecto a las *estructuras gramaticales* LXX Job 1,7 elabora un cambio bastante significativo en la sintaxis y en la morfología. Así, en vez de utilizar la expresión *de dar vueltas por la tierra y de merodear por ella* (וּמֵהִתְהַלֵּךְ בָּהּ מִשּׁוּט בָּאָרֶץ) prefiere una estructura en forma personal y con otro tipo de elementos gramaticales, como es περιελθὼν τὴν γῆν καὶ ἐμπεριπατήσας τὴν [...] πάρειμι (he estado recorriendo la tierra y caminando por ella). En LXX Job 2,2, dado que el texto alude a la misma situación que en el caso de 1,7, se utiliza una expresión parecida, pero con algún matiz. Así, el traductor utiliza la expresión «vengo dando vueltas a la que debajo del cielo y paseándola entera» (διαπορευθεὶς τὴν ὑπ' οὐρανὸν καὶ ἐμπεριπατήσας τὴν σύμπασαν πάρειμι), frente a la expresión hebrea que ya aparecía en 1,7 (מִשֻּׁט בָּאָרֶץ וּמֵהִתְהַלֵּךְ בָּהּ; de dar vueltas en la tierra y de merodear en ella). En el caso de LXX Job 2,9 se produce un cambio total en la estructura de ambas ediciones. Si en griego la estructura introduce un nuevo texto, una gran inserción que más abajo comentaremos (Hasta cuándo aguantarás diciendo; Μέχρι τίνος καρτερήσεις λέγων), en hebreo se trata de una proposición completamente diferente (¿Todavía persistes en tu honradez? Maldice a Elohim y muérete; עֹדְךָ מַחֲזִיק בְּתֻמָּתֶךָ בָּרֵךְ אֱלֹהִים וָמֻת). Finalmente, en LXX Job 42,14, donde se nombra a las hijas de Job, si comparamos la estructura del masorético y la del texto griego comprobamos que se trata de dos estructuras completamente diferentes.

71 Tercera persona del singular del imperfecto de indicativo activo de ἀροτριάω.

72 Esto se debe a que el texto hebreo utiliza el verbo בָּרַךְ (bendecir) como eufemismo por maldecir.

Inserciones del texto griego

Si las diferencias entre el texto hebreo y el texto griego de la parte narrativa de Job son abundantes, no menores son las inserciones que el texto griego hace sobre el texto hebreo. Este dato llama la atención, teniendo en cuenta que más arriba señalábamos cómo el texto griego de Job es bastante más breve que el texto hebreo. Hay tres tipos de inserciones en el texto. La primera de ellas es la inserción de *palabras*. Así, *v.gr.*, en LXX Job 2,3 se inserta el adjetivo ἄκακος (bondadoso). En 2,10 se inserta el participio de aoristo ἐμβλέψας (mirándola). Ya en el epílogo, en 42,11 de nuevo se introduce un participio, en este caso de presente, que no aparece en hebreo (πιόντες). Y en 42,17 se introduce el adjetivo anciano (πρεσβύτερος).

En segundo lugar, en LXX Job nos encontramos con inserciones de *expresiones concretas*. Así, en 1,5 se introduce la expresión κατὰ τὸν ἀριθμὸν αὐτῶν καὶ μόσχον ἕνα περὶ ἁμαρτίας περὶ τῶν ψυχῶν αὐτῶν (según el número de ellos [e. d. de sus hijos], y un solo vástago por el pecado dentro de su alma). En 1,21 el texto griego también encaja una nueva expresión: ὡς τῷ κυρίῳ ἔδοξεν οὕτως καὶ ἐγένετο (como le pareció al Señor, así sucedió). En 1,22b el traductor parece explicar el texto indicando que Job, pese a su sufrimiento, no hizo en ningún momento *nada en contra del Señor* (ἐναντίον τοῦ κυρίου). LXX Job 2,2 insiste en que los ángeles de Dios vinieron ἐνώπιον τοῦ κυρίου (en presencia del Señor). Por su parte, 2,8 remarca que Job salió ἔξω τῆς πόλεως (fuera de la ciudad). Para introducir la perícopa completa que se sitúa en LXX Job 2,9 el traductor inserta una expresión de tiempo: transcurrido mucho tiempo (χρόνου δὲ πολλοῦ προβεβηκότος). Ya en el epílogo, el texto griego da un nuevo matiz al final de la obra de Job indicando que el Señor les perdonó su pecado (ἀφῆκεν αὐτοῖς τὴν ἁμαρτίαν) a los amigos de Job (cf. LXX Job 42,10), elemento que da un sentido bastante diferente al texto griego respecto del hebreo. En 42,11 hay de nuevo una inserción del texto griego: se nos dice que *escucharon todos sus hermanos y hermanas*[73] *todo lo que le había sucedido* (ἤκουσαν δὲ πάντες οἱ ἀδελφοὶ αὐτοῦ καὶ αἱ ἀδελφαὶ αὐτοῦ πάντα τὰ συμβεβηκότα αὐτῷ[74]). El texto griego insiste, también, en el hecho de que

73 Estas palabras sí aparecen en hebreo.

74 En este texto, respecto al verbo *consolar* (נחם) coinciden tanto el hebreo masorético como el griego como el *Targum de Job* encontrado en la gruta XI de Qumrán. Sin embargo, ni en el texto de Qumrán ni en el hebreo masorético aparece la expresión citada. Lo mismo ocurre con 42,10: en ninguna de las ediciones hebreas se habla de que Dios perdonó el pecado de los amigos de Job. Probablemente se trate de una interpretación del traductor

el Señor bendijo el final de la vida de Job como había sido anteriormente (ὁ δὲ κύριος εὐλόγησεν τὰ ἔσχατα Ιωβ ἢ τὰ ἔμπροσθεν; cf. LXX 42,12), para terminar señalando, de manera muy concreta, los años que vivió Job, en 42,16: τὰ δὲ πάντα ἔζησεν ἔτη διακόσια τεσσαράκοντα ὀκτω (todo lo que vivió, doscientos cuarenta y ocho años).

Junto a las inserciones de palabras y expresiones concretas, el traductor de Job añade a la parte narrativa dos perícopas completas de cinco versículos cada una. La primera de ellas aparece en LXX Job 2,9, y se añaden cinco versículos (a-e) en los que aparece un monólogo de la mujer de Job. Lo mismo ocurre en LXX Job 42,17, donde de nuevo encontramos cinco versículos. En este caso se nos narran los orígenes de Job y se lo sitúa en la descendencia de los patriarcas de Israel. Al tratarse de dos inserciones especiales y bastante amplias, de las que no hay reseñas en el texto masorético, hemos preferido estudiarlas aparte, como secciones autónomas.

b. ¿A qué causas podemos atribuir las diferencias halladas?

¿Cuáles son las *causas* de estas diferencias entre la edición masorética del libro de Job y LXX Job?[75] Cañas Reíllo señala algunas de ellas que nos parecen bastante acertadas. Él distingue «dos hipótesis básicas al respecto: que son *responsabilidad del traductor*, y que *el texto hebreo que sirvió de Vorlage era diferente al texto hebreo*[76]. El mismo autor indica que la más aceptada hoy es la primera. Teniendo este dato en cuenta, señala algunos de los *factores* que explican las diferencias entre ambos textos desde la responsabilidad del traductor[77]. Las diferencias pueden deberse al insuficiente dominio del hebreo por parte del traductor, algo bastante probable, pues si el texto hebreo de Job es ya de por sí difícil a ello se le añade que el traductor estaba trabajando con un texto aún sin vocalizar (recordemos que la masora fija las vocales del texto muy tarde, en el siglo IX d. C.). Si el texto estaba sin vocalizar, el traductor podía hacer varias interpretaciones y lecturas, teniendo en cuenta, además, que los manuscritos en esa época eran rudimentarios también cabe la posibilidad de «errores de lectura, especialmente por intercambio y confusión de letras en hebreo y por cortes erróneos de palabras»[78], algo que nos sigue ocurriendo ahora con frecuencia.

griego. Cf. J. M. P. van der Ploeg – A. S. van der Woude, *Le targum de Job de la grotte XI de Qumrân*, Leiden: Brill, 1971, 86-87.129.

75 J. M. Cañas Reíllo, *o.c.*, 416-419.

76 *Ibid.*, 416.

77 Cf. *Ibid.*, 416-419.

78 *Ibid.*, 416.

Por otra parte, algunas intervenciones forman parte del proceso de traducción. ¿A qué se refiere Cañas Reíllo con esta afirmación? A cuestiones como la influencia e introducción de pasajes paralelos al libro de Job, la llamada *traducción anafórica*, que pretendería armonizar el griego sin tener en cuenta el hebreo, o el uso de unos métodos de exégesis particulares, distintos de los judíos, un dato posible y usual en la Alejandría del siglo II a. C., en la que bullía la cultura (Biblioteca), la ciencia (el Museo) y, en consecuencia, los estudios pormenorizados y las interpretaciones de los textos. Al mismo tiempo hay una intención dogmático-teológica del traductor que indudablemente se refleja en el texto. El agente de la traducción tiende, en general, al evitar los antropomorfismos hebreos, aunque en el helenismo esos antropomorfismos eran frecuentes, pero con una concepción que difería bastante de la semítica. No obstante, este dato no es muy patente en la parte narrativa, que en LXX Job 1,6-12 y 2,1-6 presenta a Dios con caracteres humanos, incluso dialogando en asamblea con sus ángeles.

Existen también algunas licencias de traducción del griego. Se trata de interpretaciones que el traductor hace del texto hebreo. Así, por ejemplo, en Job 1,11 aparece el verbo יְבָרְכֶךָּ (bendice). El texto griego traduce este vocablo hebreo como *no* [...] *bendecirá* (μὴν [...] εὐλογήσει), haciendo una interpretación del texto hebreo. Una de las licencias del traductor reside, por tanto, en «la equivalencia de una palabra hebrea por la contraria griega»[79]. Junto a ello en algunos casos se hace una «traducción del hebreo por equivalencias en griego que no se corresponden exactamente con el original, aunque se adaptan al contexto» (*v.gr.* el caso de la traducción de los nombres propios; cf. supra), y en otras ocasiones se producen cambios en la traducción por la introducción de sufijos pronominales, omisión de sufijos y proposiciones del hebreo... Entre estos elementos de adaptación cultural al texto hebreo destaca el caso de la adaptación de términos pertenecientes al universo mitológico semítico a la mitología griega. Es el caso, citado más arriba, de la mención del Cuerno de Amaltea (Ἀμαλθείας κέρας) como uno de los nombres de las hijas de Job, en LXX Job 42,14.

Estos elementos nos llevan también a comprobar la existencia de peculiaridades léxico-sintácticas en el texto griego que marcan claras diferencias con el texto hebreo. De esta manera en la traducción surgen «conceptos propios del mundo griego sin correspondencia del mundo

79 *Ibid.*, 417.

semítico»[80] y se utilizan recursos específicos de los escritores griegos, especialmente recursos de tipo retórico. Precisamente por eso «el texto griego resultado de esta traducción es muy correcto y literario, muy alejado en general del estilo bíblico que encontramos, por ejemplo, en los libros del Pentateuco»[81]. Un claro ejemplo de estas peculiaridades léxicas de LXX Job lo tenemos en «la adaptación al griego de los nombres y epítetos hebreos que designan a Dios»[82]. Así, el nombre hebreo אֱלֹהִים es traducido en LXX Job como θεός (cf. LXX Job 1,6.9.22; 2,3), mientras que para traducir el tetragrama sacro יְהוָה el autor prefiere el vocablo griego κύριος (cf. LXX Job 1,6.7.9.12.21; 2,1.3.6.7; 42,10), con la excepción de LXX Job 2,10.

Otro ejemplo reside en la traducción literal de los nombres propios hebreos al griego, como ocurre en LXX Job 1,15, donde el traductor de LXX traduce el nombre propio hebreo del pueblo de Saba (שְׁבָא) como participio de presente del verbo αἰχμαλωτεύω (llevar cautivos). En otras ocasiones las diferencias léxicas entre el hebreo masorético y el griego de LXX se deben a que una misma raíz puede tener una vocalización distinta que la dota de un significado diferente, de modo que LXX interpreta las palabras mediante el uso de unas vocales diferentes a las que utilizará posteriormente el hebreo masorético. No obstante, ninguno de los ejemplos encontrados, al menos con los datos que poseemos, se deben a interpretaciones de vocalización de raíces por parte del traductor.

La segunda hipótesis sobre las diferencias entre LXX Job y el Job masorético defiende que el texto hebreo que utilizó el traductor era diferente al texto masorético que conservamos. Es posible que en algunos puntos concretos del libro como ocurre con las perícopas de LXX Job 2,9 y 42,17 el traductor esté utilizando una tradición diferente a la que después defenderá el texto hebreo. Sin embargo parece poco probable esta hipótesis, mientras no aparezcan más manuscritos hebreos del libro de Job. De hecho el *Targum de Job de la gruta XI de Qumrán*[83], donde se encontró el texto de Job 42,9-11, coincide plenamente (aunque todavía sin vocalizar) con el texto masorético, y no con la versión de LXX Job. Además, si observamos las perícopas introducidas por el traductor notamos que el estilo es muy semejante, y que se trata de la obra de un autor cuya pretensión, en realidad, era transmitir entre los judíos helenistas el texto revelado del

80 *Ibid.*, 418.

81 *Ibid.*

82 Esta característica está presente a lo largo de todos los libros de LXX, no sólo en Job. Cf. *Ibid.*, 419.

83 Cf. J. M. P. van der Ploeg – A. S. van der Woude, *o.c.*, 86-87.129.

libro de Job. Las diferencias entre el prólogo y el epílogo del libro de Job en LXX y en la masora se deberían, entonces, a la originalidad del traductor que, siendo fiel a la obra original, a la tradición judía de Job, sin embargo imprime, inspirado por el *ruah*, al libro su impronta, una impronta en la que están muy presentes las características propias del traductor y del contexto al que se dirige, para que la obra pueda ser entendida.

En LXX Job nos encontramos, en consecuencia, con un texto de hermenéutica bíblica, de interpretación, de exposición de la Palabra de Dios en un medio en el que ya no se conocía el hebreo y era necesario transmitir la tradición judía, la Historia de la Salvación de Dios con su pueblo. El estilo (léxico, sintaxis, retórica,...) de LXX Job en el prólogo y el epílogo así nos lo muestra. No es baladí la existencia de tantas diferencias en el núcleo narrativo del libro de Job. La comprensión de la historia primitiva de Job es imprescindible para enmarcar y comprender la parte poética del texto. Además, quizás los puntos más oscuros del libro se encuentran en este marco narrativo. De ahí que el traductor tenga una necesidad más grande de explicar a los oyentes griegos aquello que no está tan claro, que crea dudas y que, entendiéndose en un ámbito judío hebreo, sin embargo vertido en una nueva cultura puede crear problemas de interpretación.

c. Interpretación de los elementos discordantes entre el Job masorético y LXX Job

A modo de síntesis, ¿cómo interpretar los elementos discordantes entre el texto masorético y LXX Job en la parte narrativa del libro? Estas discordancias ¿son obra del traductor o más bien se trata de diferencias debidas a una fuente hebrea primitiva, distinta del texto masorético? Según la comparación que hemos hecho de sendas versiones y según los datos cotejados, concluimos con una doble afirmación. En primer lugar, en el caso de las *diferencias a nivel menor* (léxicas, gramaticales y sintácticas, inserciones) se trata de elementos elaborados por el traductor. ¿A qué se deben estos cambios respecto del texto hebreo masorético? Fundamentalmente a que el traductor está interpretando la tradición hebrea del libro de Job para hacerla comprensiva en un nuevo contexto (el helenista) para unos judíos (los de la diáspora) que habían dejado de conocer el hebreo bíblico, de modo que no entendían la Palabra de Dios, la tradición de los primeros padres, el verdadero fundamento de la fe judía.

Al verter el texto hebreo en un nuevo contexto es necesaria una adaptación cultural (al mundo mitológico y religioso helenista), semántica (a aquel léxico utilizado por los griegos que puede ser equivalente al vocabulario judío), sintáctica (a las normas retóricas y gramaticales de un idioma completamente distinto al semita) y hermenéutica (a los criterios lingüísticos de interpretación de los textos propios del mundo griego). Siendo completamente fiel a la historia original de Job (sustancialmente no cambia nada a nivel narrativo y teológico), sin embargo el traductor elabora una obra muy original, que puede considerarse inspirada por Dios y, por lo tanto, escrito normativo y canónico para los judíos alejandrinos.

Respecto a las *inclusiones de LXX Job 2,9* y *42,17*, al analizar ambas secciones también notamos la mano del traductor. En el caso de LXX Job 2,9 nos encontramos con la elaboración de una tradición completamente novedosa: la actitud de la mujer de Job ante su sufrimiento. El análisis concreto de los cinco versículos que componen esta perícopa manifiesta que el texto es una elaboración personal del traductor que, utilizando el mismo vocabulario y las mismas expresiones existentes en el resto de la traducción, interpreta la insensatez de la mujer de Job como una inmoralidad, porque va contra la voluntad de Dios. Esta perícopa, por tanto, sería una elaboración personal y original del agente de la traducción. De LXX Job 42,17 se puede decir que tiene una base tradicional autónoma (una fuente aramea), probablemente oral. Sin embargo, conociendo esta fuente, el traductor no cae en el literalismo, sino que reelabora los datos y los asimila al resto de LXX Job. En consecuencia LXX Job 42,17 es una creación original del traductor, que a la vez tiene en cuenta datos externos que ayudan a entender mejor la figura de Job y a situarla dentro de la historia del pueblo de Israel.

La traducción de LXX Job no es sino una obra de actualización, de inculturación, de hermenéutica. Los datos que actualmente tenemos (incluidos los manuscritos de Qumrán) no nos permiten postular un texto hebreo distinto al masorético que sirviera de *Vorlage* para la traducción de LXX. El análisis del texto (la mejor fuente para poder llegar a una hipótesis más o menos fiable) manifiesta que la parte narrativa de LXX Job tiene una originalidad propia que se atisba al comprobar las múltiples diferencias entre el texto masorético y el texto griego. Esta originalidad deriva de que, igual que ocurre en otros libros de Septuaginta, el traductor intenta hacer comprensible, en un contexto nuevo, el texto original de la obra, lo que hace del prólogo-epílogo de LXX Job una traducción normativa y canónica para el judaísmo de la diáspora alejandrina.

Lejos de una dependencia directa e insoslayable del texto griego hacia el hebreo masorético, lo que nos encontramos en la parte narrativa de LXX Job es fidelidad en la originalidad. Fidelidad porque la tradición masorética y la traducción de LXX Job presentan los mismos contenidos teológicos y narrativos sobre el protagonista (el justo sufriente que acepta la voluntad de Dios y le es fiel pese a las desgracias que le sobrevienen), contenidos que suponen en ambas versiones (masora y LXX) el fundamento del resto del libro, de la parte poética de Job. Pero a la vez originalidad porque el traductor, teniendo como base el texto hebreo consonántico, ya casi fijado, que en el siglo I d. C. acabará de afianzar la masora, sin embargo hace una interpretación de dicha tradición, aclarando los elementos más oscuros y vertiendo los hebraísmos y las categorías propias de la lengua semítica a la cultura, la lengua y la retórica del mundo griego helenista.

4. Conclusiones

A modo de síntesis y a raíz del estudio realizado, ¿qué decir de la comparación entre el texto masorético y el texto griego de la parte narrativa de Job? LXX Job 1,1-2,10.42,10-17 es el claro ejemplo de que Septuaginta no es sino la interpretación de la Biblia judía hebrea en medio de los judíos alejandrinos de la diáspora. La parte narrativa de LXX Job es plenamente fiel a la temática, la estructura, la historia y las verdades que el texto hebreo masorético narra acerca del paciente Job. El traductor de LXX Job, utilizando la base del texto masorético, aún no terminado de fijar, vertió la narración de Job en un nuevo contexto religioso y cultural, dejando múltiples improntas propias en el texto traducido de la parte narrativa de Job, improntas que hacen ver que no está utilizando una tradición totalmente distinta del texto masorético, sino que está reelaborándolo, inspirado por el *ruah*, para hacerlo comprensible a los judíos de Alejandría.

El texto analizado manifiesta, así, que la intención de los traductores de LXX, y en concreto de LXX Job, no era hacer algo completamente nuevo, sino transmitir la misma y única Palabra de Dios judía en un nuevo ambiente. LXX se convertirá así en el escrito normativo para los judíos de la diáspora, y posteriormente será asumido también por los primeros cristianos y por los Padres de la Iglesia hasta san Jerónimo como Palabra de Dios. La ingente tarea que supuso la traducción de Septuaginta dio y sigue dando frutos. LXX es el claro ejemplo de que la Palabra de Dios no es una entidad muerta, ni es tampoco obra de hombres: se trata de un organismo vivo, que se actualiza a lo largo de los siglos por la acción del Espíritu Santo, que ilumina la vida del hombre siendo ella misma Vida, que se puede hacer presente en contextos y ambientes diversos y distintos siendo siempre fiel a la verdad, porque Dios se ha revelado no a unos pocos, sino a todos los hombres, y quiere ofrecer su salvación a todo el género humano.

5. Bibliografía específica

Cook, J., «Are the Additions in LXX Job 2,9a-e to be deemed as the Old Greek text?», en *Biblical Studies on the Web* 91 (2010) 275-284.

—, «The relationship between the LXX versions of Proverbs and Job», en Id. - Stipp, H.-J. (eds.), *Text-Critical and Hermeneutical Studies in the Septuagint*, Leiden: Brill, 2012, 145-155.

—, «Were the LXX versions of Job and Proverbs translated by the same person?», en *Hebrew Studies* 51 (2010) 129-156.

Cox, C. E., «The historical, social and literary context of old Greek Job», en *XII Congress of the International Organization for Septuagint and Cognate Studies*, Leiden: Brill, 2006, 105-115.

—, «To the reader of Job», en *A New English Translation of the Septuagint*, 2009, 667-670.

Dafni, E. - Broto, J., «A favourite word of Homer in the Septuagint version of Job», en *Verbum et ecclesia*, 28 (2007) 35-65.

Elliger, K. - Rudolph, W., *Biblia Hebraica Stuttgartensia*, Stuttgart: Deutsche Bibelgesselschaft, 1997.

Fernández Marcos, N. - Spottorno Díaz-Caro, M. V., *La Biblia Griega. Septuaginta. III. Libros poéticos y sapienciales*, Salamanca: Sígueme, 2013.

Fernández Marcos, N., «The Septuagint reading of the book of Job», en Beuken, W. A., *The Book of Job*, Leuven: Leuven University Press, 1994, 251-266.

—, *Introducción a las versiones griegas de la Biblia*. Madrid: csic, 1998.

—, *Septuaginta. La Biblia Griega de judíos y cristianos*, Salamanca: Sígueme, 2008.

Habel, N. C., *The book of Job*. Cambridge: Cambridge University Press, 1975.

Law, T. M., *Cuando Dios habló en griego. La Septuaginta y la formación de la Biblia cristiana*, Salamanca: Sígueme, 2014.

Lévêque, J., *Job. El libro y el mensaje*, Estella: Verbo Divino, 1985.

Noegel, S. B., «Wordplay and Translation Technique in the Septuagint of Job», en *Aula orientalis* 14 (1995) 33-44.

Olofsson, S., *The LXX version. A guide to the Translation Technique of the Septuagint*, Stockholm: Almqvist & Wiksell International, 1990.

Pietersma, A. - Wright, B. (eds.), *A New English Translation of the Septuagint*, Oxford: Oxford University Press, 2009.

Rahlfs, A. - Hanhart, R., *Septuaginta. Editio altera*, Stuttgart: Deutsche Bibelgesselschaft, 2012.

Rogers, J., «The Testament of Iob as an adaptation of LXX Job», en Cook, J. – Hermann-Josef, S. (eds.), *Text-Critical and Hermeneutical Studies in the Septuagint*, Leiden: Brill, 2012, 395-408.

Schökel, L. A., *Job. Comentario teológico y literario*, Madrid: Cristiandad, 1983.

Tov, E., *The Greek & Hebrew Bible. Collected Essays on the Septuagint*, Leiden-Boston-Köln: Brill, 1999.

Yoshiko Reed, A., «Job as Jobab: the interpretation of Job in LXX Job 42,17b-e», en *Journal of Biblical Literature* 120/1 (2001) 31-35.

ÍNDOLE CIENTÍFICA DE LA TEOLOGÍA EN FRANCISCO DE VITORIA

Antonio Osuna
Facultad de Teología de San Esteban

En el día de San Lucas (18 octubre) de 1526 iniciaba Francisco de Vitoria su magisterio en la Universidad de Salamanca como catedrático de Prima en teología. No era un primerizo en la materia, pues ya antes se había preparado en París llegando a ser doctor y sobre todo, después, en tres cursos transcurridos en San Gregorio de Valladolid. Llevaba, pues, diez años explicando la *Suma*, pero sólo su magisterio en Salamanca es lo que ha hecho llegar hasta nosotros testimonios de su brillante magisterio.

El magisterio en Salamanca entrañaba la docencia continuada de un programa establecido en la universidad con lecciones ordinarias. Vitoria practicó el dictado en clase de sus lecciones, aunque en su tiempo estaba prohibido por los estatutos, por lo que los apuntes de los alumnos tienen un valor testimonial grande. Como consecuencia de ese trabajo de copia de los alumnos, empezaron a difundirse unas *repeticiones* o apuntes de clase que se copiaban unas a otras, aun por quienes no eran discípulos ni habían asistido a la docencia, pero les movía su deseo de conocer lo mejor de la teología de un maestro al que todos citaban con admiración. En tiempos de gran escasez de cartapacios y solicitud de ellos por quienes oían hablar de tan eminente magisterio, se iban difundiendo copias manuscritas de la enseñanza que llevaban el nombre de *Reportata*, más o menos abundante dependiendo de la fama del maestro y del lugar donde resonaba su voz. Algunos maestros alcanzaron a publicar ellos mismos sus clases, sobre todo en tiempos posteriores tras la introducción de la imprenta en Salamanca. Pero Vitoria no alcanzó ese esplendor y nunca publicó nada de su magisterio a pesar de la resonancia que tuvo.

1. Lecturas y Relecciones. Las tres fases de su investigación

Si hoy queremos tener conocimiento de aquel magisterio, debemos acudir a las Lecturas o *Reportata* que nos han llegado. Y la primera tarea que se imponía realizar, era hacer una catalogación de los manuscritos que han llegado hasta nosotros.

Ya desde el principio se vio la diferencia que había en estos manuscritos entre los que mostraban un contenido de las relecciones y los de la docencia continuada. Ambos derivan de su magisterio universitario, pero el maestro entonces cargaba con un doble tipo de obligaciones: uno, el principal, que era la clase ordinaria y continuada explicando un texto que se le imponía y, otro, eran unos actos solemnes de toda la academia universitaria que estaba obligado a impartir al menos una vez cada curso y eran de libre elección y desarrollo por parte del maestro. Es importante distinguir esta doble actividad académica, pues los testimonios escritos que nos han llegado son de distinto valor en ambos casos. Podemos decir que hay tres pasos obligados en la investigación para editar los manuscritos que poseemos de sus discípulos.

Aunque no publicó nada Vitoria, las relecciones o testimonio de los actos extraordinarios de docencia fueron publicadas once años después de su muerte en una edición en Lyon en 1557 y en otra posterior en Salamanca en 1566. Usaron por consiguiente textos muy cercanos a los que escribiera el maestro, mientras que sus lecturas de la clase ordinaria han quedado inéditas hasta el renacimiento vitoriano en el siglo pasado. Es decir, que la docencia de Vitoria en todos los temas no tratados en las relecciones ha sido desconocida para toda la tradición teológica universal. Sólo cabe una excepción, que era el poderoso influjo que la doctrina de Vitoria tuvo en sus continuadores de la cátedra de Prima, dominicos todos ellos, durante casi un siglo, y los maestros de las otras cátedras menores de la Facultad de Teología que tenían acceso a los textos redactados o copiados de sus lecciones. Por eso, lo primero que hay que notar es que el pensamiento teológico de Vitoria, exceptuados los temas de las relecciones que tuvieron abundantes ediciones y estaban difundidos en todos los principales centros de investigación teológica en la Iglesia, el resto de su pensamiento, ha quedado desconocido hasta nuestros días.

Si queríamos acceder a la enseñanza de Vitoria había que empezar por rastrear los manuscritos que se habían salvado de la incuria y la ignorancia de muchas generaciones. Es una tarea emprendida por beneméritos investigadores a los que debemos un reconocimiento público: F. Ehrle, F. Stegmüller, V. Beltrán de Heredia, M. Andrés, L. Martínez Fernández, quienes, a partir de los años 30 del siglo pasado, nos ofrecieron un elenco de los principales manuscritos existentes en las bibliotecas europeas de la Escuela de Salamanca en los siglos XVI y XVII. Ese repertorio, aunque todavía puede aumentarse con nuevos hallazgos, no obstante el elenco que poseemos ya es bastante completo.

Después de la fase de rastrear y catalogar los manuscritos existentes, venía una fase de valorización de los manuscritos. Se pudo llegar a un acuerdo tácito sobre la propuesta de Vicente Beltrán de Heredia de distinguir entre manuscritos de las relecciones y los de las lecturas, pues los de éstas derivaban todos ellos de apuntes cogidos inmediatamente en el aula universitaria o copiados por otros discípulos o estudiantes influyentes y admiradores de una doctrina tan novedosa y sugestiva. En cambio, los manuscritos de las relecciones no tenían origen en el aula sino en la transcripción hecha por discípulos o hermanos en religión de esos actos públicos de los apuntes o notas redactadas por el mismo Vitoria y transcritas por su autor o algún ayudante de sus trabajos. Hay por consiguiente en estos últimos un texto básico del autor, mejor o peor copiado y con más o menos adiciones, que se puede buscar por la comparación de los manuscritos y por reglas hoy admitidas por los editores de ediciones críticas, mientras que en las lecturas no hay un texto original indagado, sino que hay multitud de notas tomadas en el aula con mayor o menor acierto, pero siendo imposible acudir a un texto original del autor que pudiera buscarse y por ello el trabajo editorial consiste no en buscar un texto no contaminado y puro sino en comparar la destreza de los alumnos en tomar mejor o peor los apuntes de clase y ser capaz de trascribirlos.

Ciertamente que el primer historiador y el más benemérito en dar a luz las lecciones de Vitoria ha sido el P. Beltrán de Heredia. Y lo hizo tras una concienzuda investigación de los manuscritos que han llegado hasta nosotros, de su catalogación y de su valorización en una investigación que no ha sido desautorizada hasta nuestros días, aunque se haya encontrado algún manuscrito en las bibliotecas de fondos antiguos. Y los apuntes que publicó fueron los que se presuponía que eran la materia más acertada de las lecciones de Vitoria que eran los Comentarios a la parte moral especial de la Segunda Parte de la *Suma* de Teología de Santo Tomás en una totalidad de seis volúmenes[1].

1 Cf. *Francisco de Vitoria, Comentarios del maestro Francisco de Vitoria, OP a la Secunda secundae de Santo Tomas,* V. Beltrán de Heredia (ed.), t. I: *De fide et spe* (q. 1-22), Salamanca 1932; t. II: *De caritate et prudentia* (q. 23-56), Salamanca, 1932; t. III: *De iustitia* (q. 57-66), Salamanca 1934; t. IV: *De iustitia* (q. 67-88), Salamanca, 1934; t. V: *De iustitia* (q. 89-102), *De fortitudine* (q. 123-140), Madrid, 1935; t. VI: *De temperantia* (q. 141-170), *De prophetia* (q. 171-1178), *De vita activa et contemplativa* (q. 179-189), Appendix I: *De lege* (I-II, q. 90-108), Appendix II: *Fragmenta relectionum,* Appendix III: *Dictamina de cambiis,* Salamanca, 1952.

Venía ahora la fase de editar tales manuscritos. Al tratar de dar a luz por primera vez los manuscritos de lecturas, se presentó la duda sobre el modo de editar lo que nos ha quedado de las lecturas. Había una triple opción: editar todos los manuscritos en edición paralela para que el estudioso tenga a mano la posibilidad de elección y comprensión total del legado del maestro. Nadie duda que sería un método ideal y objetivo para conocer todo el legado que ha llegado hasta nosotros, pero al mismo tiempo es el método que tiene mayores inconvenientes en razón del dispendio económico y el trabajo que conlleva y hasta la poca utilidad práctica de tal edición. El segundo método sería reproducir el mejor códice a juicio del especialista. Y la tercera, sería publicar como texto base ese mejor código y añadir las divergencias o adiciones que se hallen en los demás pretendiendo una edición crítica. La segunda puede ser válida, sobre todo demostrando la mayor fiabilidad de uno de los manuscritos y, además, completándolo con las oportunas adiciones de aparato crítico. Pero esta solución podría ser válida para la edición de las relecciones, pero no lo era para las lecturas, pues los manuscritos difieren mucho en la redacción material de lo pronunciado, como es presumible en apuntes tomados en clase o redactados después de unas referencias tomadas en el aula. Lo demás ya es cuestión de oportunidad[2]. El P. Beltrán tuvo que elegir la segunda, pero en razón de una circunstancia temporal que era el miedo de que una vez más la obra quedara inédita por falta de medios económicos y se dilatara una edición que tan preciosa podía resultar para la teología. Él, para editar los comentarios a la *Secunda Secundae* de la *Suma*, escogió el manuscrito de la Universidad de Salamanca.

Todos los pasos dados hasta ahora son solo algo preliminar a la investigación teológica propiamente dicha. Toda la labor para editar el legado de manuscritos es algo previo a la investigación teológica. La ecdótica y la publicación de textos clásicos no es más que una ciencia auxiliar de la ciencia teológica. Después de saber lo que dice la autoridad hay que sopesar bien el valor de su contenido. Lo que importa al filósofo no es el *quid nominis* sino el *quid rei*. Y lo mismo sucede en teología.

2. La ciencia teológica en Francisco de Vitoria

Cuando recientemente se ha querido conocer el pensamiento de Vitoria sobre temas específicamente dogmáticos, se ha acudido a los manus-

2 Cf. P. V. Beltrán de Heredia, *Los manuscritos del maestro fray Francisco de Vitoria, OP*, vol. IV, Madrid-Valencia: Biblioteca de Tomistas Españoles, 1928, 122.

critos que nos han llegado. Un tema de interés para el discurso teológico es cuestionar la naturaleza científica de la teología. Es un tema del que había disertado Santo Tomás en la cuestión primera de la I Parte de la *Suma de Teología* y Vitoria tuvo que abordar también en el aula cuando explicaba esa cuestión.

Se dispone de varios manuscritos de la enseñanza de Vitoria sobre esta materia. De ellos destacaban por su fiabilidad y buena redacción los manuscritos del Seminario de Salamanca y de la biblioteca Menéndez Pelayo de Santander, posiblemente éste mejor que el primero. Ambos recogen las enseñanzas de Vitoria en la explicación a la I Parte de la *Suma* en el curso 1539-1540, que fue el último año en que el maestro enseñó durante todo el curso regularmente, ya que en los siguientes tuvo sustitutos[3].

Los otros dos que se conservan de las explicaciones de ese curso son el 16-2-22 de la Universidad de Barcelona[4] y el P. III, 27 del Escorial. Pero al juicio razonado del P. Beltrán ambos son inferiores: el manuscrito de Barcelona por deberse a copista asalariado desconocedor del latín e igualmente el de la Biblioteca de El Escorial[5]. También son de inferior categoría los del curso 1531-32, que se conservan en dos de los manuscritos: el de la Biblioteca Nacional de Lisboa (ms. 3023) y el 44-XII-20 de Ajuda[6].

Contando con ese juicio ponderado de los estudiosos, el P. Pozo se adelantó publicando una edición muy comprensible y didáctica de los dos manuscritos preferibles y confrontados en texto paralelo y, además numerando los párrafos distintos para facilitar una comparación entre los textos y que el lector pudiera hacer una síntesis aproximativa lo más fiable posible de la mente del maestro[7]. Solo tiene un pequeño fallo que es haber omitido el texto del convento de San Esteban que por lo que hemos podi-

3 Al comienzo de aquel curso había anunciado a sus discípulos que tal vez fuera «ultimus cursus quem ego legam in theologia». *Ibid.*, 118.

4 *Ibid.*, 46, n. 5.

5 *Ibid.*, 44, n. 4.

6 *Ibid.*, 54, n. 6 y 56, n. 7.

7 El P. Cándido Pozo Sánchez empezó a publicar comentarios a la cuestión primera de la I Pars en *Archivo Teológico Granadino* 20 (1957) 307-426, que luego reunió en la obra *Fuentes para la historia del método teológico en la Escuela de Salamanca*, t. I: *Francisco de Vitoria, Domingo de Soto, Melchor Cano y Ambrosio Salazar*, Granada: Facultad de Teología, 1962. Edita los manuscritos 182 de la Biblioteca Pontificia Universidad de Salamanca (V. Beltrán la sitúa en el Seminario: *Los manuscritos* o.c., 41, n. 3) y el 18 de la Biblioteca Menéndez Pelayo de Santander (en *ibid.*, 36, n. 2). Posteriormente, Luis Martínez extendió su indagación histórica a cinco autores más de la Escuela de Salamanca. Cf. L. Martínez Fernández, *Fuentes para la historia del método teológico en la Escuela de Salamanca*, Granada: Facultad de Teología, 1973.

do contrastar aporta también adiciones de interés aunque sea de inferior calidad a los dos anteriores[8].

3. Comentando la doctrina de Santo Tomás sobre teología

Queremos adelantar una sucinta advertencia que, aunque evidente, tiene consecuencias prácticas. El pensamiento teológico de Vitoria es fundamentalmente y en gran medida el pensamiento de Santo Tomás. Sus famosas lecturas son, ante todo, una introducción a las doctrinas y al pensamiento de Santo Tomás en las aulas, no sólo para conocer tales doctrinas sino para estudiarlas y proponerlas como la mejor solución a todos los problemas de la cristiandad, trescientos años después de haber sido formuladas. Hay que tener esto en cuenta a la hora de tomar conciencia y valorar la doctrina de aquellos maestros. Hoy también hay que leer a Vitoria teniendo delante el texto tomasiano en su literalidad, si es que queremos aprovechar y valorar la doctrina de Vitoria. Efectivamente, se hacen exposiciones de Vitoria que dan la impresión de que todo lo por él dicho, afirmado o defendido es de propia cosecha y tiene en él al ingenioso descubridor de una verdad, cuando no es más que repetir una doctrina de tres siglos anteriores. Lo que a veces se divulga como doctrina de Vitoria no es más que una repetición literal de la doctrina de Santo Tomás. Por ello lo que hay que hacer es leer a Vitoria teniendo siempre a la vista el texto de la *Suma* de Santo Tomás. Por supuesto, no es necesario hacer la impresión simultánea de los dos textos como hacían los antiguos, pues hoy la difusión de la imprenta y los medios electrónicos de impresión lo suplen abundantemente, pero sí es necesario tenerlo en cuenta en todo intento de actualizar este tipo de obras de comentario escolar y no atribuir a Vitoria lo que era ya adquirido desde tiempos anteriores. El estudioso de las lecturas de Vitoria debe tener siempre ante los ojos el texto de la *Suma*, del que sus lecturas son mera apostilla, aunque a veces resulten muy clarificadoras. Es una cuestión de método pero es importante advertirlo, pues no hacerlo así sería traicionar la misma voluntad del maestro Vitoria.

Debemos empezar refiriéndonos a la concepción de la teología de Santo Tomás. Él puso al frente de la *Suma* de Teología una cuestión previa sobre el carácter científico de la teología que ha sido determinante en toda ulterior investigación, incluida la de Vitoria.

8 De este manuscrito conventual de la Primera Parte hay edición muy corta. El P. Getino publicó en un artículo el artículo primero de esa parte. Cf. «El maestro Fr. Francisco de Vitoria», en *Ciencia Tomista* 3 (1911) 372-376. El manuscrito está descrito en V. Beltrán, *Los manuscritos* o.c., 35, n. 1.

En la Universidad de París para la que él trabajaba y a cuyos estudiantes dedica su obra escrita para «aprendizaje de principiantes», quiso redactarles una *Suma* de toda la teología. No era la teología precisamente la facultad que más prestigio y atracción ejercía sobre los espíritus. Eran más bien los maestros de la Facultad de Artes quienes estaban en el candelero de aquella sociedad y en el punto de mira de lo más granado de la sociedad. Y lo eran por el gran renacimiento que entonces se cumplía con la introducción de Aristóteles y su pensamiento divulgado mediante los traductores árabes y no directamente como renacimiento de la obra original aristotélica. Ese era el gran objeto de controversias en la universidad y el caldo de cultivo de la élite intelectual de la cristiandad. En aquel ambiente, hacer y enseñar teología entrañaba siempre la sospecha de introducir algo espurio en el ámbito universitario, por no revestir el carácter científico exigido en las demás facultades, pues se practicaba esta ciencia como mera cuestión de autoridad y conservación de unos textos siempre iguales y ajenos a la actualidad del saber de la cultura griega.

En estas circunstancias, lo primero que había que introducir en la enseñanza era definir el carácter científico de esa teología. Y para este objetivo Santo Tomás empieza defendiendo el carácter racional de esta ciencia. Y es lo que hace en el inicio de la *Suma* en el artículo primero de la cuestión primera. Había que salvar primariamente el carácter racional de la teología, su validez ante la razón humana y la concepción de la fe como un don de la gracia perfeccionadora del hombre y no arrasadora de su inteligencia racional. Dice: «La razón guiada por la fe se enriquece en que comprende más profundamente las realidades creídas y, por lo mismo, llega en cierto modo como a entenderlas»[9].

Este propósito está claro en el artículo 1 de la cuestión 1 de la *Suma* que determina si, además de la filosofía, hay teología o sacra doctrina (que así la denomina para no confundirla con la Teodicea de los aristotélicos). Esto es importante, pues por Filosofía entiende todo el saber humano, es decir, todo saber de la razón en cuanto distinto de la revelación. En la filosofía encierra todo el saber humano, por consiguiente, lo que hoy llamamos la ciencia[10]. La distinción entre filosofía y ciencia es moderna; no es conocida por Santo Tomás. Y eso es lo que constituye el núcleo de la enseñanza de lo que es la naturaleza de la teología para Santo Tomás y que ciertamente es lo más original de su propuesta doctrinal.

9 S. Tomás de Aquino, *In IV Sent.*, prol. a. 3, sol. 3.

10 La filosofía no es un conocimiento distinto de la ciencia, como decimos hoy. Para Santo Tomás la filosofía designa todo conocimiento racional, incluida la ciencia en nuestro modo de hablar.

Pero esta doctrina debía proponerse en una situación histórica y ambiental especial, cual era la ideología prevalente en la Facultad de Artes de París. Aquel saber predominante era una exaltación total de la razón humana para acercarse a la verdad. La razón tenía un documento propio: era el corpus aristotélico, que ya era accesible por completo en las obras de Averroes, comentarista árabe, y con él la de otros muchos autores como Avicena o Maimónides. El peligro para la fe en tal situación era evidente y Santo Tomás emprendió la tarea de entenderlos y explicarlos de una manera armoniosa con la fe.

Esto es lo que hace en el artículo segundo de esa cuestión y que a muchos comentaristas, entre ellos Vitoria, inducirá a error, pues creían que se trataba de definir la naturaleza de la teología, cuando era solo aplicar a la teología lo que en aquella universidad se respetaba como verdadera ciencia, es decir, la dialéctica aristotélica. En aquel ambiente dominaba la tesis de que solo la dialéctica era la verdadera ciencia. Ciencia designaba prevalentemente la dialéctica aristotélica cuya restauración estaba entonces en su cénit y era dominante en el corazón y en la mente de los profesores. Por eso hacer valer el carácter racional y humano de la ciencia teológica tenía que pasar por describir la teología como una ciencia dialéctica con capacidad para hacer ver sus doctrinas como fruto de una argumentación que fuera escrupulosamente respetuosa con todas las leyes del silogismo y de la deducción de la verdad con lógica formal.

Es esta situación en la que Tomás hace valer la igual condición dialéctica de la teología y por consiguiente su pleno merecimiento de sentarse al lado de los intelectuales académicos de aquel tiempo. La teología es una ciencia que usa todo el aparato dialéctico en sus doctrinas y es por consiguiente merecedora del rango de las ciencias de ese momento.

Para ello en el artículo segundo de la misma cuestión Santo Tomás ideó una explicación audaz. Si ciencia verdadera era la que deducía conclusiones dialécticamente de unos principios con argumentación apodíctica como en las formas silogísticas, en la teología esto acaecería de modo semejante al de las demás ciencias. En efecto, el rasgo principal de la ciencia para Aristóteles reside en ser un discurso de la razón que pasa de los principios a las conclusiones por un procedimiento que es el del silogismo que hace conocer las cosas con certeza[11]. Para ello había que suponer que en la teología los principios lo constituirían las verdades de la fe y las conclusiones serían las deducciones bien establecidas de esos principios, que

11 Santo Tomás refleja esa manera de pensar cuando afirma: «Cum ratio scientiae consistat in hoc quod ex aliquibus notis alia ignotiora cognoscantur ... scilicet discurrendo de principiis ad conclusiones». Id., *In Boetium de Trinitate*, q. 2, a. 2 c.

formarían las verdaderas conclusiones teológicas. Este esquema respetaba lo que era una verdadera ciencia teológica que no es otra cosa que el estudio racionalmente contrastado de la verdad revelada.

La dificultad de esta propuesta podía venir de que en la ciencia los principios tenían que ser evidentes en sí mismos, so pena de invalidar toda operación posterior y resultaba que para la razón humana la fe no era evidente en sí misma. Tal dificultad la salva ingeniosamente Santo Tomás afirmando que esos principios son principios de una ciencia subalternante que es la ciencia de los bienaventurados, lo cual está muy traído por los pelos porque los bienaventurados lo que tienen es certeza de las verdades de fe pero no ciencia. Y esto era conforme a la doctrina de la ciencia de entonces, a saber, que los principios podían no ser evidentes en la misma ciencia sino en otra superior que sería la subalternante. Tal cosa ocurriría en la teología en cuanto ciencia subalternada de la ciencia de los bienaventurados. Los principios en la teología, como en toda ciencia, deben ser *per se nota* para que la verdad de la conclusión sea también aceptable. En el caso de la teología esos principios no pueden ser más que la fe, pero la fe es esencialmente de *non visis* y, por tanto, carece por sí misma de evidencia humana. Y, recurriendo al concepto de ciencia subordinada, el paralelismo ya sería más aceptable: en el orden natural esa evidencia de los principios no existe en la misma ciencia, sino en una ciencia superior que se porta como ciencia subalternante. Habrá, pues, que aceptar la evidencia de los principios de la fe en una ciencia subalternante, que para Santo Tomás es la ciencia divina: «Los artículos de fe se comportan como si fueran los principios de esta ciencia»[12]. La evidencia de esos principios está no en la misma teología, sino en una preestablecida ciencia de Dios y de los bienaventurados que se comportaría como una ciencia subalternante[13]. Esto es tanto como decir que la ciencia es sólo de conclusiones, no de los artículos de fe; de las deducciones del Credo, no del mismo Credo. Esto acentúa notoriamente el valor de las conclusiones en teología y por ellas se califica de ciencia a la teología, no por otras razones.

12 *Ibid.*, q. 2, a. 2 ad 5. Cf. Id., *De duobus praeceptis caritatis*, prol.; Id., *In I Sent.*, prol. a. 3, qla. 2, sol. 2; *De verit.* q. 14, a. 9 ad 3.

13 Esta doctrina de la teología como ciencia subalternada de los bienaventurados había sido enunciada ya en *In Boetium De Trinitate*: «ipsa quae fide tenemus, sunt nobis *quasi prima principia* in hac scientia et alia sunt *quasi conclusiones*». Id., *Proem.* q. 2, a. 2c. ¡Importante este *quasi* de Santo Tomás de significado proteico! En cambio, en la *Suma de Teología* esta teoría pasará a ser teoría formal, pues la subalternante será sin más «scientia Dei et beatorum» y se añade llanamente que esta ciencia procede «ex principiis notis lumine superioris scientiae». Id., *STh* I, q. 1, a. 2.

Con esta sagaz explicación de Santo Tomás se salvaban los escrúpulos para aceptar la teología en el recinto noble de la ciencia. Pero sobre todo se construía una explicación aceptable para quien tenía el objetivo de proponer una ciencia teológica como la indagación intelectual de la fe revelada. La teología era admitida con todos los honores en la corte de las disciplinas humanas[14].

4. Interpretación de Vitoria y de la llamada «Escuela de Salamanca»

Si la doctrina de Santo Tomás es susceptible de progreso y revisión, con más razón la doctrina de Vitoria es también susceptible de una revisión doctrinal, que se hizo incluso entre sus seguidores y en nuestros tiempos.

Permítaseme poner dos ejemplos en que la doctrina de Vitoria ha sido revisada y superada. Uno, es su explicación del aumento de la caridad. Santo Tomás, aceptando el pensamiento aristotélico del aumento esencial del hábito adquirido, propone que el crecimiento de la caridad sólo se da intensivamente allí donde se da un acto más intenso que el anterior en el orden virtuoso y la mera repetición de actos no aumenta la caridad mientras no haya un mayor amor impulsor. Pero Vitoria juzga esta doctrina como un planteamiento filosófico insuficiente, pues no da razón suficiente de las palabras de Cristo: «*Cuantas veces lo hicisteis ... conmigo lo hicisteis*» (Mt 25,40). Pues bien, esta distinta manera de explicar el aumento de la caridad motivó un profundo rechazo e impugnación por otro gran admirador suyo, Domingo Báñez, quien dedicó una relección especial (*De augmento caritatis*) a rebatir las enseñanzas de su admirado predecesor en la cátedra[15]. Otro ejemplo sería la doctrina de Vitoria acerca del derecho de gentes que constituye un punto neurálgico suyo para tratar las cuestiones de moral, sobre todo la conquista de las Indias por la guerra. Explica el derecho de gentes como un derecho positivo de la razón, es decir, aquel derecho constituido por los pueblos de manera acordada por diversos procesos históricos, pero que podría haber sido distinto de mediar otras experiencias históricas o humanas de los pueblos. También esto ha sido objeto de rechazo por muchos autores tomistas que piensan que en el trasfondo de esta doctrina está una falsa interpretación de la doctrina tomista que no tiene consistencia alguna[16].

14 Lo dice abiertamente: «Sacra doctrina est scientia quia procedit ex principiis notis lumine superioris scientiae, quae scilicet est scientia Dei et beatorum». *Ibid.*, q. 1, a. 2.

15 Cf. D. Báñez, *De fide, spe et caritate*, c. 24, Salmanticae, 1586, col. 945ss.

16 Cf. la obra de S. Ramírez, *El derecho de gentes*, Madrid-Buenos Aires: Studium, 1955.

Estos ejemplos nos hacen parar mientes en que también las opiniones de Vitoria deben ser contrastadas y verificadas, no obstante su genialidad, con un pensamiento teológico que está en continuo crecimiento y superación de ideas antiguas no suficientemente contrastadas y que tiene que falsear la doctrinas de autores anteriores por no bien fundadas.

Vitoria y otros discípulos de Santo Tomás recogieron con cuidado la doctrina de la ciencia teológica entendida como ciencia de las conclusiones y la repitieron literalmente, pero sin parar mientes en que en ella había algo permanente y algo circunstancial de pleitesía rendida al concepto de ciencia vigente en aquel tiempo. Lo permanente y objetivo para Santo Tomás era defender la condición racional y humana de un saber acerca de la fe llamado teología y lo transitorio y circunstancial era la explicación concreta de ese saber como una ciencia dialéctica, tal como se entendía en el siglo XIII, en que todo se reducía a sacar conclusiones dialécticamente probadas y con argumentos válidos en su forma silogística.

Esa confusión ha perdurado mucho tiempo, quizá excesivo, entre los comentadores de Santo Tomás y en la teología en general. Y se detecta esa defectuosa interpretación en Vitoria. Vitoria abordó este tema en el comentario a la cuestión donde Santo Tomás trata el susodicho argumento, es decir, en el comentario a la cuestión primera de la I Parte. Es allí donde declara que la teología no puede ser ciencia si se reduce a la aceptación de lo que dicen las Sagradas Escrituras, pues eso no es la teología sino la virtud de la fe. Podría significar la teología una ciencia propuesta y defensa y explicitación de lo contenido en la Escritura, lo cual requiere un conocimiento superior al de la simple fe y es un conocimiento que no poseen los cristianos como tales sino que postula un adiestramiento de las facultades intelectivas humanas. Pero formalmente sólo hay ciencia teológica cuando designa la posesión del hábito de la inteligencia por el que se está capacitado para entender «*quae deducuntur ex articulis fidei et verbis formalibus sacrae scripturae tanquam conclusiones ex principiis sive ex se sive cum aliquibus aliis propositionibus*»[17]. Es a ésta a la que refiere Santo Tomas en el texto[18].

Así, pues, la teología se concibe entonces como una lógica o, en el mejor de los casos, como una metafísica de lo sobrenatural y ya no se ve cómo pueda integrar en tales razonamientos el conocimiento científico de los Padres de la Iglesia, la Sagrada Escritura en su propia evolución doctrinal y, con mayor motivo, los datos de la historia sobre la fe explícita de

17 Manuscrito de Santander sobre la *I pars*: edición de C. Pozo, *o.c.*, 357, n. 33.

18 Trata de explicar, en efecto: «utrum theologia tertio modo acquista, id est, de hac quam nobis tradit S. Thomas...». *Ibid.*

la Iglesia. Esto será todavía más lamentable por el hecho de que pronto se querrá hacer de la teología la ciencia de lo definible por el magisterio. Tal desacierto se hará tanto más de notar con el desarrollo en los siglos XVI-XVII de las ciencias históricas y bíblicas con la llegada de la crítica bíblica, de la historia de los dogmas y de la historia de las religiones[19].

Y es que la finalidad de la teología no es sacar nuevas conclusiones para la fe, sino comprender sus principios y hacer inteligible o por lo menos no contradictorias fe y razón. Los principios de esta ciencia no constituyen solo un punto de partida, sino un dato a entender mediante la razón humana, haciendo ver su congruencia con lo que se demuestra con la razón o por lo menos su no contradicción con todo lo que es asequible a la razón humana. Esto es lo que hoy procuran mostrar los teólogos en campos tan distintos como el movimiento bíblico, con la teología de la misión de la Iglesia en el mundo, con el estudio de las fuentes patrísticas y literatura de los orígenes del cristianismo o con la propuesta de valores que respondan a los retos del mundo moderno y los nuevos problemas sociales.

La enseñanza que Vitoria nos trasmite sobre la ciencia teológica se detiene sólo en mostrar que la teología es ciencia en virtud de que ofrece conclusiones ciertas o evidentes y éstas lo son como deducidas de la fe con un recto uso de la dialéctica demostrativa y deductiva. De este hábito afirma Vitoria que no es la fe ni le conviene la definición de fe pues su luz es la razón natural[20]. Y si no es fe, no participa de la certeza de la fe y se puede dar error en ella, como en cualquier ciencia humana. La conclusión teológica no es el campo propio de la fe.

Pero ¿y si viene la definición de la Iglesia a pronunciarse sobre una conclusión teológica? Este ya es un problema posterior que dividirá las sentencias de los teólogos continuadores y discípulos de Vitoria e incluso será un problema de la teología católica, pero Vitoria no ha expresado su pensamiento al respecto ni parece probable que lo abordara alguna vez. Será uno de los dilemas con los que se encontró la Escuela de Salamanca posterior[21]. Vitoria conoce que puede haber definición del magisterio de la Iglesia sobre cosas sólo virtualmente contenidas en la Escritura. Y el ejem-

19 Cf. J.-P. Torrell, *La teología católica*, Salamanca: San Esteban, 2010, 46ss.

20 «Differentia est inter habitum fidei et theologiam, quod fides est de principiis fidei, et theologia ex his quae sequuntur ex fide». F. de Vitoria, *Comentarios a la II-II...*, t. I q. 11, a. 2, n. 9, 219.

21 Cf. C. Pozo, *La teoría del progreso dogmático en los teólogos de la Escuela de Salamanca*, Madrid: CSIC, 1959, 61.

plo más claro es la existencia de dos voluntades en Cristo[22]. Pero, aunque sean determinaciones de fe, es algo que ya de algún modo pertenecía a la fe. Esta es la noción de virtual revelado, que conceptualmente es conocida por Vitoria[23], pero no desarrollado en sus explicaciones como lo estará en el tiempo posterior. Ciertamente que la sustitución de los artículos de fe y sus conclusiones por la distinción entre formal y virtual revelado puede arrojar luz en este tema. La conclusión teológica es lo virtualmente revelado y eso Vitoria en ningún sitio dice que sea de fe ni de la definición de la Iglesia habla nunca. Habría entonces un formalmente revelado que puede serlo explícitamente o implícitamente o por semejanza. Los artículos se sustituyen por lo formalmente revelado, que puede ser expresa o implícitamente revelado, pero la teología posterior investigará lo que está revelado de manera solo virtual o que tiene alguna conexión con lo revelado pero no se conoce sin una labor teológica discurriendo racionalmente sobre la fe[24].

Todas estas precisiones son consideraciones tratadas por los teólogos de esta escuela. Vitoria es el maestro de todos ellos, pero no podemos pedirle claridad en estas –divagaciones que son posteriores a su tiempo–, a saber, si las conclusiones teológicas son de fe –parece que no para Vitoria–, pero que la solución varía según de qué tipo de conclusión teológica se trata, si la conclusión formal o la conclusión virtual, y, si es virtual, si lo es por conexión física, moral o metafísica.

22 «Multae propositiones sunt determinatae ab ecclesia, puta quod in Christo sunt duae voluntates scilicet humana et divina et similes propositiones, et tamen illae non pertinent ad Symbolum nec sunt articuli fidei». F. de Vitoria, *Comentarios a la II-II*, t. I, q. 1, a. 10, n. 2, 51.

23 «Dupliciter aliqua propositio potest esse revelata, id est continetur in sacra scriptura: primo modo quia formaliter expressa est in sacra scriptura, vel quia evidenter sequitur et deducitur ex illa». Lectura de II-II, q. 11, a. 2, n. 7, citado en: C. Pozo, *La teoría del progreso dogmático...*, 63, nota 64.

24 Esta es la investigación notable de la obra de F. Marín-Sola, *La evolución homogénea del dogma católico*, con introducción general de Emilio Sauras, Madrid: BAC, 1952. Sostiene esta obra que sólo la conclusión teológica, y sólo es propiamente conclusión teológica la que es conclusión metafísico-inclusiva, es definible por la Iglesia y es tan de fe como los artículos de la fe. El gran error en este tema sería el de Molina, que negó que ninguna verdad teológica puede ser nunca de fe, mientras que Suárez y Lugo afirman que pueden ser de fe, pero lo explican, no como inclusión metafísica con lo revelado, sino como mero virtual que tenga cualquier conexión con lo revelado. Cf. *Ibid.*, 208ss. Pero Cándido Pozo concluye su investigación diciendo que «La noción de conclusión teológica, que aparece en los teólogos de la Escuela de Salamanca, no justifica la afirmación de que para todos los teólogos anteriores a Suárez la conclusión teológica era la conclusión metafísicamente cierta... Nada hemos encontrado que ofrezca el más mínimo indicio de que la conclusión teológica reúna estas notas en ninguno de los teólogos estudiados». C. Pozo, *La teoría del progreso dogmático* o.c., 259.

Un ejemplo de lo poco que sirve esa concepción dialéctica de la teología son los ejemplos que Vitoria pone que suelen ser siempre los mismos. Dice por ejemplo: Cristo era verdadero hombre, luego era risible; si en Cristo había una naturaleza humana y otra divina, había por tanto una doble voluntad, humana y divina. Reconozcamos que si la labor teológica se reduce a estos ejemplos, poco o ningún significado tiene la teología en la cultura moderna y poco es lo que la teología puede ayudar a dilucidar los problemas actuales del mundo y de la Iglesia. En efecto, no se ve cómo podrá haber una conexión metafísica con las verdades expresadas en el Credo en muchos dogmas de la Iglesia, tales como el supremo poder de jurisdicción del Romano Pontífice, la teoría de los sacramentos como signos eficaces de gracia en razón de su significación (*sacramenta causant quod significant*), la necesidad de la Iglesia para la salvación, la existencia de virtudes morales infusas, la naturaleza humana como imagen de Dios, y sobre todo los dogmas marianos de los últimos tiempos: ¿dónde está el argumento metafísico en el razonamiento «potuit, decuit ergo fecit»?

Había pues en la doctrina victoriana sobre la ciencia teológica una fidelidad a la letra de Santo Tomás, que era improcedente, por no haber sabido distinguir lo que había en la doctrina de Santo Tomás de perecedero y circunstancial en su concepto de ciencia y lo que había de validez perenne. Lo permanente era la defensa de la razón humana y sus capacidades y lo circunstancial era un concepto de ciencia sin validez en nuestros días. Y esto es tanto más de lamentar cuanto ha arrastrado a casi toda la escuela salmantina a seguir sus pasos y rizar el rizo en una cosa que estaba ya dilucidada en su tiempo. Su concepción de la conclusión teológica y su exigencia de limitarla al tipo de conclusiones de las ciencias dialécticas, hacía de la teología una ciencia estéril y generadora de múltiples razonamientos dialécticos mordiéndose siempre la cola, sin prestar un verdadero avance a nuestra comprensión racional de la verdad revelada por Dios, que es de lo que se trataba.

5. Apuntes sobre la índole científica de la teología

Para que una obra merezca el calificativo de teológica tiene que acudir a determinadas fuentes, tiene que emplear un método apto para contrastar opiniones y tiene que presentar criterios que hagan verificables sus aserciones. Entonces merecerá el nombre de ciencia, pues trata de verdades reveladas pero confrontadas con la razón humana, no para probar las mismas verdades sino para hacer ver su continuidad entre lo revelado y lo asequible a la razón humana. Así no se confunde la teología con los conocimientos humanos de cualquier orden, sino que se obtiene una congruencia digna entre lo revelado sobrenaturalmente y lo conseguido por la razón humana. Lo dijo el Concilio Vaticano I: «la razón ilustrada por la fe, cuando busca cuidadosa, pía y sobriamente, alcanza por don de Dios alguna inteligencia, y muy fructuosa, de los misterios, ora por analogía de lo que naturalmente conoce, ora por la conexión de los misterios mismos entre sí y con el fin último del hombre»[25]. Y el fruto de la teología es trazar un camino «por el que la Iglesia camina a través de los siglos hacia la plenitud de la verdad»[26]. Este es el trabajo propiamente científico: «fides quaerens intellectum», y no «fides quaerens conclusiones».

Querer interpretar todo el trabajo intelectual de la teología en los últimos siglos sólo con el paradigma medieval de las ciencias dialécticas es un empobrecimiento enorme y nada útil para comprender los retos de la teología actual. La teología de los últimos tiempos desde el Concilio de Trento ha significado mucho en la defensa de la fe y ha tenido que progresar incorporando todo progreso del pensamiento y las ciencias modernas al esclarecimiento de la fe y eso es de mucho más valor que limitarse a dar una explicación dialéctica de la teología. La fe ha crecido, se ha desarrollado y ha adquirido virtualidades y respuestas a los problemas modernos que nunca hubiera logrado con el concepto limitado de ciencia que se podía proponer en la universidad de París en el siglo XIII. Así, el conocimiento de la Escritura se ha perfeccionado enormemente con el aporte de las ciencias históricas, de las ciencias del lenguaje y con el conocimiento de la cultura de los pueblos que formaban el antiguo pueblo de Dios. El conocimiento de los Santos Padres ha adquirido dimensiones inéditas con las modernas ciencias del lenguaje, con la historia de las culturas en que se produjo su obra y con el conocimiento de la historia precisa de las herejías con que tuvieron que enfrentarse y responder a sus ataques. Y el conocimiento de las ciencias del lenguaje ha determinado una explicación más certera de lo que llamaban los antiguos artículos de la fe, que no pueden menos de llevar la impronta de la cultura y del lenguaje histórico en que fueron formuladas.

Es necesario prescindir por obsoleto de ese esquema elemental que distingue entre los artículos fe y las conclusiones y que convierte a la teología es una máquina de conclusiones deducidas en silogismos perfectos. También los artículos de fe tienen que explicarse y formularse siempre de nuevo en teología, pues los artículos de fe son expresiones lingüísticas de

25 Vaticano I, *Const. Dei Filius*, c. 4: Dz 33017 y 1796.
26 Vaticano II, *Const. Dei Verbum*, n. 8, 2.

la fe y como expresiones del lenguaje sufren todos los condicionamientos que tiene el lenguaje humano, como significación variable, limitación de todo lenguaje y referencia del habla a cada sociedad hablante. Esto es aplicable sobre todo al lenguaje de las Sagradas Escrituras en el que está expresada la revelación, pero es también aplicable al lenguaje de los artículos de fe, e incluso a los dogmas de la Iglesia. La teología no solo deduce cosas de los artículos de fe con conexión metafísica, sino también contribuye a perfeccionar la misma expresión del artículo por una desvelación de su sentido profundo y de su sentido histórico en el momento en que se formuló. La hermenéutica de los dogmas supone una profunda labor teológica, sin que se pare en deducir nuevas conclusiones. La teología tiene un gran cometido en explicar la verdadera significación de los mismos artículos de la fe y distinguirlo de los sentidos caducos de artículos tales como «bajó del cielo», «subió al cielo», «está sentado a la derecha del Padre», «descendió a los infiernos», «resucitó al tercer día»... Lo revelado por Dios son los misterios de salvación, es decir, sobre lo que versa el don de la fe, pero no son las palabras mismas en que son formulados esos misterios que son términos de un lenguaje cultural y que, por tanto, sufren los condicionamientos necesarios de su significación histórica y social[27]. Son muchos los retos que hoy tiene la teología como armonizar la fe con las ciencias empírico-antropológicas, hacer una crítica dilucidadora de los valores del mundo actual, la hermenéutica del lenguaje religioso, la secularización de la cultura, etc. Todo ello nada tiene que ver con el antiguo propósito de la teología de deducir conclusiones seguras de los artículos de la fe.

6. Otras contribuciones de valor en la teología de Vitoria

Lo sorprendente de la cuestión que tratamos es que quizá sea un defecto perdido entre los muchos resplandores de la concepción vitoriana de la teología. En efecto, nadie como él tuvo un recto concepto de los ámbitos

27 Es el mismo Santo Tomás quien habla y distingue el objeto de la fe y la proposición lingüística de esa verdad de fe, siendo lo principal el misterio afirmado y derivado la proposición de ese misterio, pues el misterio afirmado es uno con la unidad de que tiene un sujeto único (Dios), pero su formulación es complejo y parcial como todo lenguaje humano: «Actus enim credentis non terminatur ad enuntiabile, sed ad rem: non enim formamus enuntiabilia nisi ut per ea de rebus cognitionem habeamus: sicut in scientia ita in fide». *STh* II-II, q. 1, a. 2, ad 2. La fe tiene un objeto incomplejo, Dios, pero nuestro conocimiento es por algo complejo y así la fe tiene también un enunciado complejo. Luego el objeto de la fe es en sí algo simple (Dios) pero conocido a modo de lenguaje humano complejo.

materiales de la labor teológica. Así sucede con los problemas morales en los que una gran parte lo ocupa la filosofía del derecho natural, que es una cuestión filosófica en cuanto saber acerca de los principios de la conducta humana, pero es también integrable en el discurso teológico. En el prólogo a la relección *De indis* afirma que la teología delibera también sobre los artículos de fe pero reivindica que los temas referentes a la guerra entre los pueblos es también una cuestión teológica[28]. Combate a los jurisconsultos que se creen que es cometido de ellos la justicia de los indios pues es el derecho natural que incumbe al teólogo[29].

Este proponer el estudio del derecho natural en teología era una manera de desautorizar la concepción de la teología como mero extraer conclusiones de los artículos de fe. La fuente del derecho natural es la razón humana porque se define como un derecho de la razón natural universal y no las leyes dadas por Dios ni las leyes del pueblo de Dios en el Antiguo Testamento. Ciertamente el concepto de materia científica de la teología tiene que ser modificado y formular de otro modo lo que es la demostración teológica. En este tema es claro que la doctrina filosófica del derecho natural es argumento propio de la teología y es una manera de ayudar la fe o clarificar sus consecuencias morales. Y lo mismo que decimos de esta ciencia podríamos decir de las muchas ciencias que contribuyen a entender rectamente la formulación de la fe cristiana.

Que en esta concepción Vitoria tuvo enorme éxito lo comprueba, a nuestro modo de ver, lo que en los tiempos recientes de la Iglesia y simultáneamente al renacimiento de estas doctrinas vitorianas es la doctrina social de la Iglesia. La doctrina social de la Iglesia, tanto la propiamente social como la política, económica y jurídica, están fundadas en la razón humana y son verdaderamente teología, pues ilustran para los cristianos las exigencias de la fe. Pues bien, nunca los Papas han dicho que esa nueva doctrina social sean conclusiones de otros artículos de fe, sino de la comparación establecida por la teología entre las verdades de fe y las verdades de la razón humana. Es Pío XII quien dijo expresamente que se trata de unas enseñanzas de la teología fundadas en el derecho natural y la ley

28 «Nam et disputamus de Incarnatione Domini et de aliis articulis fidei. Non enim semper disputationes theologicae sunt in genere deliberativo, sed pleraeque in genere demonstrativo». F. de Vitoria, *De indis*, 3: Cf. T. Urdánoz, *Obras de Francisco de Vitoria. Relecciones teológicas*, Madrid: BAC, 1960, 649.

29 «Haec determinatio non spectat ad iurisconsultos vel saltem non ad solos illos. Quia cum illi barbari, ut statim dicam, non essent subiecti iure humano, res illorum non sunt examinandae per leges humanas, sed divinas, quarum iuristae non sunt satis periti ut per se possint huiuismodi quaestiones definire». Id., *De indis*, 3: cf. *Ibid*.

de Cristo: «La ley natural. He aquí el fundamento sobre el cual reposa la doctrina social de la Iglesia. Es precisamente su concepción cristiana del mundo la que ha inspirado y sostenido a la Iglesia en la edificación de esta doctrina sobre tal fundamento»[30]. Efectivamente a nadie se le ocurrirá hacer concluir, por ejemplo, la oportunidad o no de la existencia de sindicatos confesionales de un artículo de fe, ni el derecho a la libertad de opinión en toda sociedad derivada como conclusión del concepto paulino de que hemos sido salvados por la ley de la libertad.

Y otro valor significativo de la naturaleza de la teología en Vitoria para la historia de la teología es haber sido el iniciador de lo que llamamos lugares teológicos o fuentes de las que se pueden tomar argumentos teológicos propiamente. Cierto que el autor meritorio de un capítulo aparte en esta materia es Melchor Cano, discípulo directo de Vitoria, pero ya en Vitoria se encuentra una insinuación importante en esta materia en la que hubo grandes figuras en la escuela de Salamanca[31]. Indudablemente este concepto de lugares teológicos es más realista y fructífero que el entender la teología como una mera ciencia dialéctica discursiva sobre los artículos de fe.

30 Pío XII, «*Discurso al Congreso de Estudios Humanísticos* (25.IX.1949)», en *AAS* 41 (11949) 555-556; *Ecclesia* 9 (1949) 2, 398. Cf. *Doctrina Pontificia*, V: *Documentos jurídicos*, Madrid, 1960, 286.

31 En V. Beltrán de Heredia, *Los manuscritos...* se recogen estas palabras del manuscrito de San Esteban, folio 13v: «His suppositis, ex sancto Thoma hoc articulo, ad secundum, et etiam Secunda Secundae, q. 1, art. 10, colliguntur aliqua loca communia argumentandi in theologia. Optimus et potissimus locus et magis propius est Sacra Scriptura. Secundus propius locus et firmus est authoritas totius Ecclesiae universalis in rebus fidei et morum. Tertius est etiam propius et firmius, concilium generale rite congregatum. Quartus est concilium provinciale, sed est tamen probabilis locus. Quintus, aucthoritas sanctorum doctorum, qui est locus probabilis. Verum est quod sanctus Antoninus dicit tertia parte historiae, tractatu 22, cap. 5 esse potissimum locum ab aucthoritate etiam sanctorum, nam sic sunt argumentandi doctores latini contra graecos in concilio Florentino, ad probandum processionem Spiritus Sancti. Sextus est authoritas et definitio Papae, nam est locus firmus in rebus fidei et boni moribus. Septimus est consensus communis theologorum. Octavus, ratio naturalis. Nonus, authoritas philosophorum». (p. 35).

LA TEORÍA DE LA TRADUCCIÓN EN FRAY LUIS DE LEÓN

PABLO GARCÍA CASTILLO
Universidad de Salamanca

No es mucho lo que puede añadirse a los magníficos estudios sobre la teoría y la práctica de la traducción de fray Luis de León. Así Calero[1], Zorita[2], Cao[3], Alcántara[4], Lázaro Carreter[5] y Codoñer[6] entre otros, han explicado con claridad y precisión los contados textos en que el maestro agustino declara su modo de llevar a cabo tanto la traducción de los textos sagrados como de los clásicos griegos y latinos. Y, además de estas explicaciones de la teoría luisiana de la traducción, han aducido muestras de algunas de sus más conocidas versiones para establecer las diferencias entre la teoría y la práctica.

1 F. Calero, «Teoría y práctica de la traducción en fray Luis de León», en *Epos. Revista de Filología* 7 (1991) 541-558.

2 A. C. Zorita, «Fray Luis, traductor de Horacio», en C. Morón – M. Revuelta (eds.), *Fray Luis de León. Aproximaciones a su vida y obra*, Santander: Sociedad Menéndez Pelayo, 1989, 281-287.

3 R. Cao, «"El que traslada ha de ser fiel y cabal", Observaciones sobre algunos textos citados por fray Luis de León», en *Revista Agustiniana* 32 (1991) 989-1028.

4 J. R. Alcántara, *La escondida senda: poética y hermenéutica en la obra castellana de Fray Luis de León*, Salamanca: Ediciones Universidad de Salamanca, 2002.

5 F. Lázaro, «Fray Luis de León y la clasicidad», en V. García de la Concha – J. San José, *Fray Luis de León: historia, humanismo y letras*, Salamanca: Ediciones Universidad de Salamanca, 1996, 15-28.

6 C. Codoñer, «Fray Luis: "interpretación", traducción poética e *imitatio*», en *Criticón* 61 (1994) 31-46.

Lo cierto es que fray Luis, ya en su época de estudiante de artes en la Universidad de Salamanca, debió ejercitarse con frecuencia en la traducción de textos clásicos, pues era el método seguido entonces para perfeccionar el estilo, imitando los modelos antiguos, y era también la forma más segura de superar las evidentes deficiencias del latín escolástico que imperaba en las aulas.

Cuando fray Luis realiza su labor de traductor se hallan en confrontación en las aulas universitarias salmantinas dos modelos humanistas de hermenéutica crítica, que pretenden inculcar en el ánimo de los estudiantes de artes, tanto la perfecta forma literaria, como el contenido científico de los textos clásicos. Pues en ellos se descubren no sólo los cánones del arte de hablar y de persuadir, sino también una riqueza de contenidos de todos los saberes, que son trasmitidos en las cátedras renacentistas, desde la geografía a la cosmografía, sin olvidar las matemáticas o la astronomía. Es el que hemos denominado «humanismo científico»[7]. En este sentido, eran tan humanistas la *Geografía* de Ptolomeo y los *Elementos de Geometría* de Euclides, como la *Eneida* de Virgilio o el *Banquete* de Platón.

Sin embargo, hay una cierta evolución en este humanismo salmantino que va desde el método histórico de la gramática de Nebrija hasta el método generativo y racional de la del Brocense. Esta evolución de la gramática permite observar el progresivo acercamiento de nuestros renacentistas al método de la modernidad cartesiana.

Nebrija, que es la figura fundamental de la primera mitad del siglo XVI, siguiendo a Valla, se esfuerza por desarraigar la barbarie de nuestra nación, recogiendo lo esencial de la gramática histórica, de la retórica y de las ciencias cosmográficas para darlas a conocer desde la elevada fortaleza de la Universidad de Salamanca. Y lo hace preocupado exclusivamente por la educación de los maestros y profesores salmantinos con un criterio científico, con el rigor y la precisión de un filólogo y de un humanista. Podemos decir, por seguir la metáfora del título de la obra de Marciano Capella, que tiene como guía a Mercurio, la inteligencia, que se une a la filología.

El Brocense se siente continuador de este impulso humanista de Nebrija, pero da un paso importante de la gramática histórica a la gramática racional y de la retórica a la dialéctica, anticipando el nuevo método de la modernidad. El Brocense lleva a término la labor comentadora y ecléctica de los «novatores», como Ciruelo, Francisco Ruiz y Pérez de

7 C. Flórez – P. García Castillo – R. Albares, *El humanismo científico*, Salamanca: Caja Duero, 1999.

Oliva, quienes transmiten, con las correcciones e innovaciones que exige la razón, los textos canónicos de la astrología (Sacrobosco), de la geografía (Ptolomeo) o de la filosofía moral (Aristóteles). El Brocense es el paradigma del humanista que siente siempre preferencia por lo racional frente a cualquier otra instancia. El humanismo significa para él un saber de textos y éstos son siempre obra de los hombres, pues los dioses, como los inventaron los griegos, no escriben y los textos son la expresión siempre falible del saber humano.

El humanismo es la nueva educación del hombre por el hombre, no por la autoridad de ningún saber divino ni revelado. Y es la educación entre seres de la misma dignidad, de la misma capacidad de aprender mediante el uso crítico de la razón. La razón y los ejemplos constituyen los guías de esta reforma del *trivium*, que reduce la retórica a elocución, que sólo busca la belleza del decir, y amplía el dominio de la dialéctica, que persigue la verdad de la palabra. Y a la vez instaura un nuevo método pedagógico, puesto en práctica en sus comentarios de textos clásicos, en los que importa mucho más la estructura profunda del lenguaje, la argumentación dialéctica que da unidad a la forma exterior de las proposiciones. El Brocense abandona a Mercurio y se deja guiar por Minerva, la diosa que da título a su obra principal, que se inicia con estas palabras: «Cuenta Homero, el príncipe de los poetas, que Minerva se apareció a Diomedes entre las filas de los guerreros y le quitó la niebla de los ojos, para que pudiera distinguir en la batalla a los dioses de los hombres»[8]. Minerva representa la guía de la razón frente a la niebla de la autoridad sea de los maestros antiguos o de los dioses.

Este espíritu de preferencia por la razón es el que guía los comentarios de los discípulos y continuadores del Brocense, como Céspedes y Correas. Es el perfil del humanista salmantino que Baltasar de Céspedes dejó plasmado en su obra *Discurso de las Letras Humanas o el Humanista*, en la que propone como modelo de humanista al conocedor de todas las artes liberales, además de ciertas cualidades como buen traductor y ciertas dotes de poeta, cuya expresión más sublime es la obra de Fray Luis, en la que la poesía levanta su vuelo hasta culminar en la visión profética de quien se sueña arrebatado al cielo. Sus versos alcanzan la contemplación de los mundos celestes, las altas esferas y la región luciente, desde las que

8 *Minerva* I, 1. Son las palabras iniciales de la obra, tras la elocuente dedicatoria a la Universidad en la que se había educado en las artes durante cuarenta años. El Brocense pretende, sin embargo, acabar con las gramáticas al uso en la Universidad y expulsar de ella a Valla y a cuantos han bebido de él, para instaurar un método para aprender la gramática, cuyas reglas son racionales y fáciles.

observa el torpe suelo, como un mar embravecido frente a la serenidad y el sosiego del mundo estrellado. Un cielo en el que brillan las estrellas de las artes liberales que constituyen el centro de la *paideía* del humanismo científico.

Y fray Luis, como traductor, se halla, a mi juicio, más cerca de la creatividad del Brocense que de la imitación de Nebrija. Fernando Lázaro Carreter llega a afirmar que el ejercicio de la traducción no fue nunca, para fray Luis, «una actividad secundaria, y a la que no hemos concedido los críticos toda la atención que merece. Entre otras cosas, porque, al vencer las dificultades de la traducción, estaba forjándose su propia lengua poética»[9].

Compartimos también el certero juicio de José Ramón Alcántara, quien señala que «podemos darnos cuenta de que traducir significó para él más que simplemente verter un texto al castellano. Trasladar, a diferencia de sólo traducir, no es tarea simple, es un ejercicio esencialmente creativo. No es dudable, entonces, que en este ejercitarse fray Luis descubriera su vocación poética»[10].

Fray Luis es siempre respetuoso con el texto original y su traducción es un ejercicio disciplinado, cuya pretensión primera es trasladar la letra, el sentido y el aire de las palabras del autor sagrado o profano a la mente abierta del lector, para que éste pueda percibir el sabor y el aroma de la lengua en que nació el texto. Es siempre fiel a la letra y al espíritu del autor, pero su impulso poético le lleva a dejar también un nuevo acento en las palabras de la lengua castellana, a la que va puliendo y sublimando hasta dotarla de una capacidad expresiva y artística que jamás había alcanzado antes.

Para comprobar hasta qué punto llega la fidelidad de fray Luis al texto original y hasta dónde su creatividad al traducir, basta con comentar los dos textos en que expone su modo de traducir. El primero es el *Prologo* a *Traducción literal y declaración del libro de los Cantares de Salomón* y el segundo, la *Dedicatoria a don Pedro Portocarrero*, que precede a la edición de sus *Poesías*. Son los dos lugares principales en que se halla su teoría de la traducción.

A la luz de estos testimonios, podríamos decir que, cuando se trata de traducir libros sagrados fray Luis se muestra menos creativo y mucho más cercano al texto original, que intenta reproducir, en la medida de lo posible, con toda fidelidad. En cambio, cuando traduce a los clásicos

9 F. Lázaro, «Fray Luis de León y la clasicidad», *o.c.*, 19.

10 J. R. Alcántara, «La escondida senda », *o.c.*, 59-60.

griegos y latinos, entre los que prefiere a Horacio y Virgilio, se permite algunas licencias que, sin traicionar el estilo de los versos originales, convierten las viejas palabras latinas en nuevos hallazgos sonoros, musicales y conceptuales, que son innovaciones de un aliento poético que trasforma nuestra lengua en un instrumento dúctil y de una plasticidad desconocida hasta él.

En 1561, año en que obtuvo la cátedra de Santo Tomás de Aquino en la Universidad de Salamanca, tras haber recibido de Arias Montano, a su paso por Salamanca, la traducción y el comentario que éste había hecho del *Cantar de los Cantares*[11], inicia la *Exposición del Cantar de los Cantares*, que circuló manuscrita hasta su publicación en Salamanca, en 1798[12].

Así leemos en el *Prólogo al Cantar* lo siguiente:

> «*Lo que yo hago en esto, son dos cosas; la una es volver en nuestra lengua, palabra por palabra, el texto de este libro; en la segunda declaro con brevedad, no cada palabra por sí, sino los pasos donde se ofrece alguna oscuridad en la letra, a fin de que quede claro su sentido, ansí en la corteza y sobrehaz, poniendo al principio el capítulo todo entero y después de él su declaración. Acerca de lo primero procuré conformarme cuanto pude con el original hebreo, cotejando juntamente todas las traducciones griegas y latinas que de él hay, que son muchas, y pretendí que respondiese esta interpretación con el original, no sólo en las sentencias y palabras, sino aun en el concierto y aire de ellas, imitando sus figuras y maneras de hablar cuanto es posible a nuestra lengua, que a la verdad responde con la hebrea en muchas cosas*»[13].

Esta primera obra de fray Luis muestra ya el perfil de su humanismo cristiano. Su traducción es, primero, un reconocimiento de la preeminencia de las Escrituras, en las que se halla el Logos, la palabra divina, palabra originaria y fundante de la realidad del hombre y del mundo. Por eso fray Luis respeta la literalidad del texto hebreo, la «corteza de la

11 Tanto Arias como fray Luis conocían el Comentario de Cipriano de la Huerga al Cantar de los Cantares, que circulaba en numerosos manuscritos. Véase una comparación de los tres comentarios y un análisis de la originalidad de fray Luis en: V. García de la Concha, «Fray Luis de León: Exposición del Cantar de los Cantares», en Id., *Fray Luis de León*, o.c., 171-192.

12 Sobre la traducción castellana y la versión latina (*In Cantica Canticorum Explanatio*, Salamanca: Lucas de Junta, 1578), cf. el excelente estudio de E. Fernández, «Fray Luis de León, hebraísta: El Cantar de los Cantares», en C. Morón – M. Revuelta (eds.), *Fray Luis de León. Aproximaciones a su vida y su obra, o.c.*, 203-229. Una excelente edición de la obra, que incluye las tres interpretaciones de fray Luis, la literal, la espiritual y la profética, es: Luis de León, *Cantar de los Cantares*, J. Mª Becerra (ed.), El Escorial: Ediciones Escurialenses, 1992.

13 Luis de León, *Traducción literal y declaración del libro de los cantares de Salomón*, Salamanca: Francisco de Toxar, 1798, XI-XII. Es la primera edición de esta obra.

letra», y traduce palabra por palabra, de forma que su versión responda al original «no sólo en las sentencias y palabras, sino aun en el concierto y aire de ellas». Su traducción es literal, pero se mueve libremente entre las diversas posibilidades semánticas y se recrea en la búsqueda de la palabra más oportuna. Es una recreación poética de un texto amoroso oriental, cuya literalidad respeta, pero cuyo sentido alegórico y profético sabe desentrañar convirtiendo la filología y la exégesis en poesía religiosa sublime. Su humanismo, como su poesía, expresa la armonía renacentista entre la verdad del texto sagrado y la elocuencia cristiana, entre el amor humano de Salomón y su esposa y el amor de Cristo y su Iglesia.

Su amor a la palabra, sobre todo, a la que se hizo carne y dio vida al mundo, se refleja en el cuidado con que traslada una a una las voces originales, pesando y midiendo su espesor y su sentido para que no pierdan su originaria belleza y verdad. He aquí sus admirables palabras:

> *«El que traslada ha de ser fiel y cabal y, si fuere posible, contar las palabras, para dar otras tantas, y no más ni menos de la misma cualidad, y condición, y variedad de significaciones que las originales tienen, sin limitarlas a su propio sentido y parecer, para que los que leyeren la traducción puedan entender toda la variedad de los sentidos a que da ocasión el original, si se leyese, y queden libres para escoger de ellos el que mejor les pareciere»*[14].

Una fidelidad semejante pretende mantener también fray Luis cuando traduce el *Libro de Job*. En efecto, en la Dedicatoria de la *Exposición del libro de Job* asegura lo siguiente:

> *«Traslado el texto del libro por sus palabras, conservando, cuanto es posible, en ellas el sentido latino y el aire hebreo, que tiene su cierta majestad; otra, declaro en cada capítulo más extendidamente lo que se dice; la tercera, póngole en verso».*

Cuando unas palabras brotan de la pluma de un escritor sagrado son palabras divinas. Por ello, entiende fray Luis que han de ser trasladadas

14 *Ibid.*, 20. Francisco Calero considera que fray Luis tiene aquí en mente las palabras que Cicerón utiliza en sentido opuesto respecto a la traducción, cuando dice que «en éstas no tuve necesidad de volver palabra por palabra, sino que mantuve el tenor de las palabras en su conjunto y su significación. En efecto, no consideré necesario contarlas para el lector, sino, por así decirlo, sopesar su valor». Cicerón, *De óptimo genere oratorum*, A. S. Wilkins (ed.), Oxford: Clarendon Press, 1964, 5,14. En cambio, encuentra una sorprendente similitud de ideas en las siguientes palabras de Luis Vives: «Hay ciertas traducciones de contenido, en las que hay que considerar también de forma exactísima las palabras y, si es posible entre tanto, contarlas, como en pasajes muy difíciles y muy obscuros para la intelección». L. Vives, *Rhetoricae, sive de recte dicendi ratione libri tres*, Basilea, 1536, 228.

con la máxima fidelidad para que el mensaje llegue a los hombres con la máxima veracidad. Pero no es fácil encontrar palabras humanas con las que pueda transmitirse la infinita riqueza de la palabra de Dios, aunque el traductor ha de explorar todas las posibilidades que ofrece el lenguaje humano, en este caso, la lengua castellana, para que no se pierda la polisemia y la variedad de sentidos que encierra una palabra infinita.

Él mismo reconoce que no ha logrado esa fidelidad que se proponía. Así lo confiesa: «Bien es verdad que trasladando el texto, no pudimos tan puntualmente ir con el original; y la cualidad de la sentencia y propiedad de nuestra lengua nos forzó a que añadiésemos algunas palabrillas, que sin ellas quedara oscurísimo el sentido; pero éstas son pocas y las que son van encerradas entre dos rayas»[15].

Sin embargo, esta dificultad de traducir fielmente la palabra inspirada por Dios no existe al traducir a los clásicos. Y tal vez, por ello, y por la imparable vocación poética de fray Luis, cuando traduce a Homero o a Horacio encuentra el modo de mantener el sentido, el tono y la música del verso, pero deja volar con cierta libertad su asombrosa capacidad poética.

En la *Dedicatoria a don Pedro Portocarrero* muestra la dificultad de hacer hablar a poetas tan elegantes en otra lengua que no es la suya. Y dice lo siguiente:

> *«De lo que yo compuse juzgará cada uno a su voluntad; de lo que es traducido, el que quisiere ser juez, pruebe primero qué cosa es traducir poesías elegantes, de una lengua extraña a la suya, sin añadir ni quitar sentencia y guardar cuanto es posible las figuras de su original y su donaire y hacer que hablen en castellano y no como extranjeras y advenedizas, sino como nacidas en él y naturales. Lo cual no digo que he hecho yo, ni soy tan arrogante, mas helo pretendido hacer, y ansí lo confieso. Y el que dijere que no lo he alcanzado, haga prueba de sí, y entonces podrá ser que estime más mi trabajo; al cual yo me inclino sólo por mostrar que nuestra lengua recibe bien todo lo que se le encomienda y que no es dura ni pobre, como algunos dicen, sino de cera y abundante para los que la saben tratar»*[16].

En este prólogo a sus *Poesías* se percibe una actitud diferente de quien ha de traducir textos sin duda difíciles. Pero no parece ya preocuparle tanto la fidelidad literal, ni el número y concierto de las palabras, sino el

15 *Ibid*. En el mismo comienzo de la traducción ya encontramos algunas de estas palabras añadidas entre paréntesis. Comienza así: «1. (ESPOSA): *Béseme de besos de su boca; porque buenos (son) tus amores más que el vino. 2. Al olor de tus ungüentos buenos (que es) ungüento derramado tu nombre; por eso las doncellas te amaron*». *Ibid*., cap. I, 1 y 2.

16 Luis de León, «A don Pedro Portocarrero», en Id., *Poesía Completa*, J. M. Blecua (ed.), Madrid: Gredos, 1990, 155.

tono poético de los autores elegidos. Parece decir que sólo un poeta puede traducir de verdad a otro poeta. Y fray Luis fue, sobre todo, el traductor de Horacio[17].

Él fue el modelo de insuperables estrofas líricas y de él imitó también la riqueza temática, que comprende poesía religiosa y heroica, moral, satírica, rústica y campestre, amorosa y filosófica. Y de él toma asimismo la versatilidad de su poesía, que se mueve, a veces, entre la sátira y el pesimismo, sin renunciar, en otras, a la dulzura de la música o los placeres de la buena mesa y de la vida serena.

Su acercamiento a Horacio se produjo gradualmente, iniciándose con la traducción de un número significativo de odas (veinticuatro, y un epodo), traducidas con bastante libertad y adaptándolas a los versos castellanos –incluso, en ocasiones, realiza dos versiones–; de las traducciones más o menos libres pasa a la recreación de alguna de ellas para concluir con la poesía original que está cargada de reminiscencias y alusiones a los poemas del venusino. Ya Menéndez Pelayo, que afirmaba que fray Luis hubo de ser traductor de Horacio[18], descubrió más de doscientos pasajes horacianos en la poesía original del maestro salmantino. El ilustre polígrafo asegura que fray Luis supo trasladar en los versos de inspiración horaciana aquella calma y reposo y sosiego de afectos que los griegos llamaron «sophrosyne», que fue la esencia de su arte. Fue capaz de verter en las antiguas tinajas vino nuevo, es decir, dio vida al humanismo cristiano en las formas poéticas del epicúreo Horacio.

La sobriedad romana de los versos de Horacio, en los que Nietzsche descubrió una elegancia insuperable[19], fue recogida magistralmente en

17 Según el exhaustivo estudio del P. Ángel Custodio Vega, fray Luis Fray Luis a Virgilio y Horacio; del primero las diez *Églogas* y los dos primeros libros de las *Geórgicas* (el segundo no completo), más algunos versos aislados; el metro empleado fue el endecasílabo, en tercetos o en octavas reales; del segundo, buen número de odas y algunos epodos, si bien existen dudas sobre la autenticidad de algunas composiciones; de Tibulo tradujo la elegía *Rura tenent;* del griego, la *Olímpica* primera de Píndaro, fragmentos de la *Andrómaca* de Eurípides y algunos versos de la *Odisea;* de la Sagrada Escritura, finalmente, el *Cantar de los Cantares,* el capítulo último de los *Proverbios,* el *Libro de Job* y algunos *Psalmos.* Cf. Á. C. Vega, «Fray Luis de León», en *Historia general de las literaturas hispánicas,* Barcelona: Bama, 1951, t. II, 543-685.

18 M. Menéndez Pelayo, *Horacio en España,* Madrid: Imprenta de A. Pérez Dubrull, 1885.

19 Así se expresa Nietzsche: «Nunca hasta el día de hoy he tenido un gozo similar con ningún poeta, como el que me ha proporcionado desde siempre una Oda de Horacio. Los logros de estas obras son difíciles de alcanzar en otras lenguas. Este mosaico de palabras, en el que cada una, por su sonoridad, por su posición y por su significado, extiende su influencia a derecha, a izquierda y sobre todo el conjunto; este *minimum* en la extensión y número de símbolos, el *maximum* de eficacia obtenido por los mismos, todo ello es romano, y, en mi opinión, elegante en grado sumo». F. Nietzsche, *Werke,* Leipzig, 1906, t. X, 343.

la lira de fray Luis, en la que Dámaso Alonso percibió esa mesura de emociones y sentimientos, expresados en una composición de versos entrecortados, que permiten transiciones melódicas sublimes[20].

La palabra autorizada del Brocense corrobora esta excelente capacidad del fraile agustino para traducir a Horacio y reconoce una cierta afinidad entre los metros horacianos y los nuevos versos en que fray Luis vierte y recrea la poseía del poeta venusino. En 1574, hallándose fray Luis en las cárceles del Santo Oficio, publicó el Brocense sus *Anotaciones a Garcilaso*, insertando en ellas algunas traducciones de fray Luis, observando lo siguiente: «Trató esto elegantemente Horacio. Y porque un docto de estos reinos la tradujo bien, y hay pocas cosas de éstas en nuestra lengua, la pondré aquí toda, y ansí entiendo hacer en el discurso de estas Anotaciones»[21]. Calló, sin duda, el nombre del intérprete, por no atizar el odio de sus perseguidores. Y añade el siguiente juicio sobre la traducción del horaciano *Beatus ille*: «La cual por estar bien trasladada del autor de las pasadas, y por ser nueva manera de verso y muy conforme con el latino, no pude dejar de ponerla aquí»[22].

Precisamente para comprobar la fidelidad como traductor y la vena poética con que recrea los versos traducidos, podemos tomar el ejemplo de este epodo horaciano tan conocido, que comienza con la célebre estrofa:

«Beatus ille, qui procul negotiis | ut prisca gens mortalium, |
Paterna rura bubus exercet suis, | solutus omni faenore |
Neque excitatur classico miles truci | nequet horret iratum mare, |
Forumque vitat et superba civium | potentiorum limina»[23].

Que fray Luis traduce así:

«Dichoso el que de pleitos alejado, | qual los del tiempo antigo, |
Labra sus heredades no obligado | al logrero enemigo. |
Ni el arma en los reales le despierta, | ni tiembla en la mar brava, |
Huye la plaza y la soberbia | puerta de la ambición esclava»[24].

20 Así se refiere a la lira de fray Luis nuestro ilustre poeta: «La lira es una advertencia continua al refreno, una invitación a la poda de todo lo eliminable. La lira, con sus cinco versos, no permite los largos engarces sintácticos: la frase se hace enjuta, cenceña, y el verso tiende a concentrarse, a nutrirse, apretándose, de materia significativa... Todo el movimiento melódico se entrecorta, como en respiraderos e intervalos, facilitando el juego de las transiciones». D. Alonso, *Poesía española,* Madrid: Gredos, 1952, 132.

21 A. Gallego, *Garcilaso de la Vega y sus comentaristas,* Madrid: Gredos, 1972, 266.

22 A. Blecua, «El entorno poético de fray Luis», en V. García de la Concha, *Fray Luis,* o.c., 286.

23 Horacio, *Epodo* II (Q. Horatii Flacci, *Opera*, Oxonii: Oxford Classical Press, 1967).

24 Luis León, «De los epodos. Oda II», en Luis de León, *Poesía Completa,* o.c., 433.

Es evidente que fray Luis imita la forma del epodo, mediante una estrofa compuesta de dos endecasílabos y dos heptasílabos con rima consonante alterna. Pero no puede decirse que la traducción sea muy literal, aunque mantiene el sentido y el estilo que se percibe en la estrofa original. Esto es una traducción del poeta que constituye su modelo formal, pero cuyo epicureísmo le resulta insuficiente para cantar poéticamente la paz y la armonía de la vida retirada.

¡Qué descansada vida
la del que huye el mundanal ruido
y sigue la escondida
senda, por donde han ido
los pocos sabios que en el mundo han sido![25].

Fray Luis siente la insuficiencia de la traducción y, tomando las estrofas de Horacio como punto de partida, remonta el vuelo y entona con otra voz una melodía diferente. Una voz que le lleva a crear un refugio filosófico y poético al que su alma anhelaba retirarse, huyendo del mundanal ruido que rodeó su vida personal, religiosa y académica. Es un refugio construido con diversos elementos de su formación clásica, pero especialmente con sus amplias y profundas lecturas bíblicas y con la indudable herencia pitagórica y platónica que recogió del agustinismo, que fue su hogar intelectual desde la juventud.

Una concepción armoniosa de la naturaleza compartida por la gran mayoría de poetas renacentistas. Como los pintores de la época idealizan la naturaleza y la revisten de hermosura y «luz no usada», fray Luis la contempla como una obra de arte, llena de luz y de armonía. Una armonía que la poesía trata de expresar al modo de una pintura de la realidad, pues la poesía no es sino «pintura que habla y todo su empeño se dirige a la imitación de la naturaleza»[26].

Por este motivo, lo mismo que los pintores mezclan los colores más adecuados para reproducir la armonía natural, los poetas han de buscar las palabras más apropiadas para producir en el alma del que escucha la más dulce armonía, que no será sino espejo de la naturaleza. A este empeño obedece esa constante búsqueda de los sonidos y las palabras que producen una vibración armoniosa en el alma. Recordemos su propia

25 Seguimos el texto de le edición ya citada de José Manuel Blecua.

26 Así lo dice fray Luis: «Cum poesis nihil aliud sit quam pictura loquens, totumque eius studium in imitanda natura versetur». *Opera Mag. Luysii Legionensis*, P. Cámara (ed.), Salamanca, 1891-1895, t. II, 144.

confesión, en *Los nombres de Cristo*, la obra cumbre sobre el lenguaje del Renacimiento español:

> «*Y de estos son los que dicen que no hablo en romance, porque no hablo desatadamente y sin orden y porque pongo en las palabras concierto y las escojo y les doy su lugar; porque piensan que hablar romance es hablar como se habla en el vulgo y no conocen que el bien hablar no es común sino negocio de particular juicio, así en lo que se dice como en la manera que se dice. Y negocio que de las palabras que todos hablan elige las que convienen, mira el sonido de ellas y aún cuenta, a veces, las letras, y las pesa, y las mide y las compone para que no solamente digan con claridad lo que se pretende decir, sino también con armonía y dulzura*»[27].

Esta teoría lingüística supone, siguiendo la tradición agustiniana, que el fundamento de los nombres se halla en la realidad de las cosas y éstas tienen consistencia sólo por la eternidad de su modelo en la mente divina. O, dicho en otros términos, el lenguaje debe describir y pintar la naturaleza con el mismo orden y armonía con que ha sido creada a imagen y semejanza de las ideas divinas. Por eso, la poesía, suprema expresión estética del lenguaje humano, es como una hermosa y elocuente pintura de las cosas, que son retratadas con toda exactitud mediante las palabras bien concertadas, armoniosas y dulces, que expresan el orden, el número y la medida de la obra artística divina que es el cosmos, según lo leemos en el *Libro de la Sabiduría*: «Todo lo dispusiste con medida, número y peso» (Sab 11,21).

Así pues, esta recreación de la oda a la vida retirada mantiene un eco lejano del *Beatus ille* horaciano, pero poéticamente superado por el genio de fray Luis. Como ha puesto de manifiesto Dámaso Alonso, el poema tiene una lógica implícita, que se basa en el silogismo siguiente: «el mundo vive en desasosiego; yo deseo la armonía; viviré, pues, retirado del mundo»[28]. Retirado no del mundo natural, lleno de belleza y paz, sino del mundo artificial construido por los hombres, que es el contrapunto del primero. Mientras el cosmos es orden y armonía, el mundo de la sociedad humana está lleno de luchas y desorden sin límite.

Todo el poema está construido como una pintura impresionista, en la que se observa una yuxtaposición de cuadros sin unión lógica ni gramatical expresa, pero con una técnica tan depurada que el lector, como el espectador de una película, logra unir los fotogramas de este dinámico

27 Luis de León, «De los nombres de Cristo», en Luis de León, *Obras Completas Castellanas*, F. García (ed.), Madrid: BAC, 1991, t. III, 674.

28 D. Alonso, *o.c.*, 154.

contraste de imágenes que describen el pavoroso desorden mundano y la deliciosa armonía de la naturaleza soñada. Podemos señalar en el texto varias partes. Primero, las cuatro primeras estrofas muestran el anhelo de la vida retirada, la secreta sabiduría de quien escoge la escondida senda para apartarse de la fama, del mundanal ruido, de todo aquello que produce desasosiego en la vida exterior:

> 1. *¡Qué descansada vida*
> *la del que huye el mundanal ruido*
> *y sigue la escondida*
> *senda, por donde han ido*
> *los pocos sabios que en el mundo han sido!*

Ni el mundanal ruido ni la amistad de los poderosos, ni el dorado techo, ni siquiera la dulce voz de la fama pueden procurar el descanso de esa vida retirada, de esa paz que sólo se halla en la vida interior. Todo cuidado por esos bienes externos, no es más que un cuidado mortal y que produce desaliento en el alma, que sólo alcanza a volar ligera gracias al viento de la soledad y del silencio. Frente al ruido ensordecedor del mundo humano, se nos muestra como remanso de paz el silencio de la naturaleza.

Tras esta descripción de una vida social llena de tempestades y borrascas aparece de repente, en una transición brusca, la espléndida vida de la naturaleza. La visión idealizada del puerto seguro contra las tormentas: el refugio secreto y silencioso de la naturaleza, que aparece en la quinta estrofa:

> 5. *¡Oh monte, oh fuente, oh río!*
> *¡Oh secreto seguro deleitoso!,*
> *roto casi el navío,*
> *a vuestro almo reposo*
> *huyo de aqueste mar tempestuoso.*

Fray Luis desea ardientemente refugiarse en la naturaleza, esconderse tras el silencio, que produce un placer íntimo y seguro. Una vida tranquila cuyos pequeños secretos describen las estrofas siguientes, en las que pinta con vivos colores el dulce sabor del canto de las aves que constituye el más placentero medio para despertar cada día del tranquilo sueño. Y, luego, el día transcurre alegre y puro, en la soledad y el silencio sólo roto por el fluir del agua de la fuente y el ruido del aire entre los árboles, un sonido que hace olvidar el mundanal ruido del dinero y del poder:

> 6. *Un no rompido sueño,*

un día puro, alegre, libre quiero;
no quiero ver el ceño
vanamente severo
de a quien la sangre ensalza o el dinero.

7. Despiértenme las aves
con su cantar sabroso no aprendido;
no los cuidados graves,
de que es siempre seguido
el que al ajeno arbitrio está atenido.

8. Vivir quiero conmigo,
gozar quiero del bien que debo al cielo,
a solas sin testigo,
libre de amor, de celo,
de odio, de esperanzas, de recelo.

A partir de aquí describe los detalles del huerto, la fuente y la ladera de aquel delicioso lugar que los agustinos tenían, junto al río Tormes, a unos kilómetros de Salamanca, en el que fray Luis pasó largos ratos escribiendo y meditando. Allí, en un paraje de serenidad y gozo, sitúa fray Luis el diálogo de los interlocutores de *Los nombres de Cristo*[29]. He aquí las cuatro estrofas que evocan ese ambiente idílico de luz primaveral y de sosiego del alma, sólo acompañada por la música del agua y el sonido de las hojas de los árboles, mecidas por el viento:

9. Del monte en la ladera,
por mi mano plantado tengo un huerto,
que con la primavera,
de bella flor cubierto,
ya muestra en esperanza el fruto cierto.

10. Y como codiciosa
por ver y acrecentar su hermosura,
desde la cumbre airosa
una fontana pura
hasta llegar corriendo se apresura.

29 Véase la descripción de este paraje, que siguiendo el modelo renacentista del *locus amoenus*, hace fray Luis en la Introducción de *De los nombres de Cristo*, donde alude al «puerto sabroso» que tiene su monasterio en la ribera del Tormes. Un paraje que Marcelo describe como una huerta grande, poblada de árboles, que produce deleite en la vista, donde los interlocutores del diálogo ciceroniano que fray Luis imita, pasean gozando del frescor y de la sombra de unas parras junto a la corriente de una pequeña fuente. Desde allí contemplan una alta y hermosa alameda. Una escena que produce sosiego y serenidad en el alma y que recuerda el inicio del *Fedro* platónico.

11. Y luego sosegada,
el paso entre los árboles torciendo,
el suelo de pasada,
de verdura vistiendo,
y con diversas flores va esparciendo.

12. El aire el huerto orea
y ofrece mil olores al sentido;
los árboles menea
con un manso ruido,
que del oro y del cetro pone olvido.

Y, de nuevo, un cambio brusco de paisaje. Vuelve la evocación de la tempestad, del navío roto, que nos hace olvidar la imagen luminosa y sosegada del huerto. Como señala Dámaso Alonso, «ningún cambio más violento, ni más expresivo en su violencia, que el que sigue inmediatamente a la descripción del huertecillo. Con profunda intuición estética, fray Luis no ha hecho más que yuxtaponer en fuerte contraste, seguidamente, armónica delicia y pavoroso desorden, que son precisamente los dos polos, lo mismo de su arte que de su vida»[30]. He aquí las dos estrofas que recogen esa violenta tempestad que el poeta quiere mantener siempre lejos de la vida retirada a la que aspira:

13. Ténganse su tesoro
los que de un flaco leño se confían;
no es mío ver el lloro
de los que desconfían,
cuando el cierzo y el ábrego porfían.

14. La combatida antena
cruje, y en ciega noche el claro día
se torna; al cielo suena
confusa vocería,
y la mar enriquecen a porfía.

Hasta aquí el contenido del poema va ascendiendo hasta este momento culminante. Las tres últimas estrofas representan el descenso emotivo y armonioso de este recorrido poético por el deseo y el anhelo de la descansada vida interior. Una vida gozosa y tranquila, retirada y sosegada, que sencillamente consiste en cultivar la música de la naturaleza y la armonía interior. Una vida en la que se produce un perfecto acorde entre el sonido de la naturaleza y la música callada del alma:

30 D. Alonso, *o.c.*, 157.

15. A mí una pobrecilla
mesa, de amable paz bien abastada,
me baste, y la vajilla,
de fino oro labrada,
sea de quien la mar no teme airada.

16. Y mientras miserable-
mente se están los otros abrasando
con sed insaciable
del peligroso mando,
tendido yo a la sombra esté cantando.

17. A la sombra tendido,
de hiedra y lauro eterno coronado,
puesto el atento oído
al son dulce, acordado,
del plectro sabiamente meneado.

La conclusión no puede ser más clara: la vida más placentera consiste en escuchar la música de la naturaleza y cantar en armonía con ella. Una perfecta sintonía entre el orden y la belleza del paisaje exterior y la voz silenciosa del alma.

Esto es mucho más que una traducción y que una sencilla imitación. Aunque el profesor J. F. Alcina ha encontrado veinte textos horacianos como fuente de inspiración de este poema de fray Luis, no cabe duda de que el modelo ha sido ampliamente superado por el traductor, que se ha convertido en creador de formas nuevas y de insuperables metáforas en las que resuena la lírica griega y romana, el pitagorismo y el platonismo y la incitación a la paz interior de san Agustín.

Tal vez sólo un poeta de altos vuelos pueda traducir a otro poeta y los demás traductores prosaicos y escasamente lúcidos, como yo, jamás logremos poner un simple acento en las palabras con que traducimos a los filósofos. Pero fray Luis es como un espejo algo elevado en el que tal vez nunca nos veremos, por su genial forma de moldear nuestra lengua de cera, para grabar en ella una luz no usada y un cantar sabroso no aprendido.

Un amante de la palabra, de su aire y de su son, un poeta, amante de las musas, cuya voz suena en sus versos con la más dulce armonía, que se inclina hacia los textos con la admiración de un niño y el conocimiento de un experto, un amante así no podía ser sólo un excelente traductor, sino también, como lo fue, el creador de la lengua musical y poética que ahora podemos usar como una música extremada por su sabia mano gobernada.

HUMANISMOS EUROPEOS EN MÉXICO

AMALIA XOCHITL LÓPEZ MOLINA
Facultad de Filosofía y Letras, ENP-UNAM

Soy consciente de que hablar sobre el concepto *humanismo* resulta muy complicado debido, en primer lugar, a que nunca ha sido un proceso uniforme, por ello se ha interpretado desde diversas acepciones; en segundo lugar, el periodo de tiempo en el que se circunscribe resulta muy variado y puede centrarse en el primer renacimiento procedente del siglo XIII, o ampliarse hasta la mitad del siglo XVIII, sin olvidar claro, las tendencias humanistas del siglo XX; en tercer lugar surge el problema del espacio, es decir, el lugar donde se ubica dicho humanismo, pues la región geográfico-político-cultural de la que parte parece influir en sus principios básicos, por ejemplo, hay fuertes discusiones por las diferencias entre el humanismo italiano y el de la cultura francoborgoña[1].

Si a lo anterior añadimos el hecho de que hasta la fecha no parece haber una clara división entre los conceptos de humanismo y Renacimiento, con todas las dificultades derivadas de esto, debemos ser conscientes que en este texto tenemos enfrente una de las problemáticas más importantes del mundo moderno. Por ello no pretendo esclarecer cuál debería ser el verdadero uso de los términos humanismo o renacimiento, más bien quiero apuntar algunas pautas que me permitan claridad en la exposición del presente texto.

1 Al respecto resulta muy interesante el estudio de Jorge Velázquez en su *¿Qué es el Renacimiento?*, donde expone la concepción del renacimiento de Johan Huizinga como defensor de la importancia del que surge de la cultura francoborgoña. Cf. J. Velázquez Delgado, *¿Qué es el Renacimiento?*, México: UAM, 1998.

Ahora bien, hemos encontrado la existencia de diferentes humanismos en Europa cuyas posturas en ocasiones se contraponen, pero la importancia de este estudio para nosotros radica en la manera que estos humanismos se han reflejado y se reflejan en México.

Por ahora hablaremos de tres humanismos que son: el humanismo italiano que intentaba forjar hombres excelentes tanto en la vida privada como en la pública y se caracteriza fundamentalmente como paganizante, enfrentado al humanismo salmantino heredero del humanismo, nominalismo y tomismo, que propone una nueva concepción de la justicia donde todos los hombres son iguales por naturaleza, por lo que la dignidad humana debe reconocerse en todos por el único hecho de ser hombres. En tercer lugar, tenemos la *Philosophia Christi* que proviene del humanismo nórdico caracterizado tradicionalmente como cristiano.

Los dos primeros humanismos que ubicamos en América se encuentran enfrentados en la célebre «Polémica de Valladolid», en donde no se da una doble vertiente de una misma política, sino, en el mejor de los casos, encontramos dos posturas contrapuestas que se enfrentaban en sus concepciones de la política, la guerra, la ley natural y el hombre, en fin, dos propuestas humanistas que disentían.

Dentro de estas dos posturas encontramos primero la concepción del hombre que surge de una idea de naturaleza humana no igualitaria, generada desde los *Studia Humanitatis,* un humanismo clásico no igualitario por fundamento, que conocemos como el primer humanismo italiano. Ese que desde Petrarca forja el clasicismo que pretendía erradicar las impurezas en las letras y convertirse en el modelo de toda una nueva época, creado solamente a través de una recta enseñanza del latín, ya que sólo una educación de ese género era capaz de crear hombres excelentes en la vida privada y en la pública. Por lo que el rescate de la dignidad del hombre que, desde la filosofía, realizan autores del segundo humanismo o renacimiento italiano[2] como Ficino, Bartolomé Facio, Manetti y Pico della Mirandola, parece no ser de todo hombre, sino sólo de aquel hombre excelente que genera la categoría de lo humano. Esto se convertirá en la principal influencia de Ginés de Sepúlveda.

Por otro lado tenemos al humanismo igualitario de la Escuela de Salamanca que según Mauricio Beuchot[3] se deriva del humanismo

2 Cf. L. Esteban, *La educación en el renacimiento,* Madrid: Síntesis, 2002, 17-32.

3 Cf. M. Beuchot, *Derechos humanos. Iusnaturalismo y iuspositivismo,* México: UNAM, 1995. En este texto Beuchot señala claramente que en la escuela de Salamanca «se dio la confluencia de tres corrientes filosóficas: el tomismo, el nominalismo y el humanismo» (p. 97), pues «el relieve dado a la dignidad del hombre venía del humanismo renacentista, el

renacentista, el nominalismo y el tomismo y que propone una nueva concepción de la justicia donde todos los hombres son iguales por naturaleza, por lo que la dignidad del hombre debe reconocerse tanto en los europeos como en los indios que también tienen derechos y deben ser respetados. El principal expositor de esta Escuela es Francisco de Vitoria quien rechaza la justicia de una guerra que tenga como único fin ampliar el territorio y la riqueza, pues sólo se justifica la guerra para defenderse de un ataque o una ofensa.

Así, la confluencia de nominalismo y tomismo permite una interpretación de la justicia y los derechos que, cuando son retomados por los novohispanos Bartolomé de las Casas y Alonso de la Veracruz, se torna en una defensa del indio americano, su cultura y su gobierno. La exposición de sus argumentos sobre la injusticia de la guerra contra los indios y la falta de dominio del rey de España sobre ellos, se expondrá más adelante, en donde veremos también cómo se oponen al absolutismo imperial, a la expropiación tanto de las tierras que pertenecen a los indios, como al producto de su trabajo.

En la Nueva España, podemos reconocer también la influencia de la *philosophia Christi* de Erasmo de Rotterdam, que nos llega principalmente a través de su amigo Tomás Moro, en el humanismo en Cervantes de Salazar, Juan de Zumárraga y Vasco de Quiroga. Ya desde 1937, Silvio Zavala había advertido la influencia de la *Utopía* de Tomás Moro en el pensamiento de Vasco de Quiroga, en su texto *La utopía de Tomás Moro*

cual también estuvo presente en Salamanca. Directamente a través del propio Vitoria, que fue amigo de Erasmo, aunque finalmente no lo defendió ante el rey español, como aquel esperaba, e indirectamente a través de Diego de Astudillo, que llevó mucho del erasmismo al célebre Colegio de San Gregorio de Valladolid, muy relacionado con el de San Esteban de Salamanca (pp. 93-94). Carmen Rovira, al contrario, afirma que el humanismo renacentista no tuvo influjo en la Escuela de Salamanca, porque los integrantes de esta Escuela no aceptan de ninguna manera la soberbia del hombre que plantea el humanismo renacentista, en cambio, realizan un reconocimiento de lo humano desde la caridad cristiana, no desde la exaltación del hombre. En mi trabajo pretendo romper con la idea univocista del humanismo europeo que sólo considera como válido y original al italiano aun cuando éste no es idéntico en sí mismo desde el cuatrocientos hasta el renacimiento (siglo XV), y si bien podríamos cuestionar la influencia directa del humanismo italiano en la Escuela de Salamanca, como hace Rovira, debemos rescatar la labor de esta Escuela y su fundador Francisco de Vitoria, como iniciadores en la lucha por el reconocimiento de la humanidad del indio americano frente a posturas como la de Sepúlveda que los considera «monos» (*Sobre las justas causas*… p. 101), lo cual nos permitiría justificar la existencia de un humanismo caracterizado por el interés que suscita el problema del hombre, de su naturaleza, de su origen, de su destino y de su puesto en el mundo e incluir así en el rubro de *humanismo* al salmantino y su influencia en América, específicamente en Alonso de la Veracruz y Bartolomé de las Casas.

en la Nueva España, Zavala señalaba cómo la mayoría de los historiadores habían creído que la propuesta de los Hospitales-Pueblo de Quiroga había sido original, pero él realizaba un análisis minucioso entre la *Utopía* de Moro y *Las Ordenanzas* de Quiroga[4].

1. El Humanismo italiano y Juan Ginés de Sepúlveda

En un intento por aclarar el término «humanismo», algunos autores[5] han preferido llamar a la tendencia de los *Studia Humanitatis* como primer humanismo o simplemente humanismo. Desde esta perspectiva el término humanismo se origina con la voz latina *humanitas* utilizada por Cicerón y algunos otros autores de la época clásica para hablar de valores culturales forjados dentro de una buena educación y cultura general, sin embargo es importante señalar que fue en el siglo XIX cuando el calificativo humanismo comenzó a designar la devoción por la literatura de la antigüedad grecorromana y los valores que de ella se generan. Aun cuando la voz *humanitas* apareció desde el siglo XIV, para designar a quien estudiaba la literatura clásica, su equivalente en español «humanista» apareció a mediados del siglo XVI con parecido significado[6]. Por lo que, en sentido estricto no podríamos hablar de humanismo en el período renacentista porque el término aun no había sido acuñado, pero en aras de un mejor desarrollo del tema designamos primer Humanismo o *Studia Humanitatis*.

> *aquél desvelo por el legado de la antigüedad –el literario en especial pero no exclusivamente– que caracteriza la tarea de los estudiosos desde el siglo IX en adelante. Por encima de todo supone el redescubrimiento y el estudio de las obras de los clásicos grecolatinos, la restitución y reinterpretación de sus textos y la interpretación de las ideas y valores que contienen*[7].

Así este humanismo destacaba el estudio de las lenguas y artes clásicas, donde humanistas eran los profesores de los estudios liberales llamados *Studia Humanitatis* (historia, poesía, retórica, gramática y filosofía moral),

4 Cf. S. Zavala, *Recuerdo de Vasco de Quiroga*, México: Porrua, 1965; Id., *La utopía… o.c.*; Id., *Ideario de Vasco de Quiroga*. México: El Colegio de México, 1995.

5 Como León Esteban, *o.c.*, o el autor del clásico libro, en dos volúmenes, *La cultura del renacimiento en Italia*, J. Burckhardt.

6 Cf. N. Mann, «Orígenes del humanismo», en J. Kraye (ed.), *Introducción al humanismo renacentista*, Madrid: Cambridge University Press, 2003, 19-20.

7 *Ibid.*, 20.

> *... caracterizados por su cultura, su buen latín, su gusto por las antigüedades y sus ansias de reconstrucción filológica e histórica de los textos romanos y canónicos. También se preocuparon por el método, por la brevedad y la sencillez, y por la originalidad, cuestionando la* communis opinio *y el masivo recurso de las citas de autoridad*[8].

En los *Studia Humanitatis* el rescate de las lenguas clásicas pone en juego toda una civilización, una visión del mundo y de la historia, las leyes, las artes, la medicina y en general el provecho y bienestar de la humanidad. Este humanismo intentará alumbrar toda una nueva civilización con la idea de que la lengua y literatura clásicas generarán la claridad y belleza que abrirán las puertas a cualquier doctrina con el objeto de hacer a los hombres dignos de estima, siempre y cuando se utilice la latinidad de los viejos maestros con corrección y elegancia de estilo.

En el segundo tercio del Cuatrocientos, Guarino Veronesse comentaba que sólo una educación como la anterior era capaz de forjar hombres excelentes tanto en la vida privada como en la pública «pues ¿qué objetivo más excelente cabe concebir y alcanzar que las artes, las enseñanzas, las disciplinas que nos permiten poner guía, orden y gobierno en nosotros mismos, en nuestra casa, en la sociedad?»[9].

Como vemos en la cita anterior, el primer Humanismo italiano intentaba forjar hombres excelentes que manejaran la lengua latina también de una manera excelente, un hombre que conjugara el amor por las letras, con la dulzura del habla, la nobleza de costumbres y el refinamiento de modales, por lo que poco a poco el humanismo se fue acercando a las personas más ilustres de la época, la gente con dinero e influencias, prestigiosa y en definitiva envidiable. Así el humanismo italiano se convirtió en el arte de la *elite* dominante; de los que podían pagar una buena educación y buenas ediciones de los libros en lengua griega y latina; la mayoría tendría que conformarse con ediciones más baratas y profesores menos expertos. La clase dominante recurría a los eruditos para elaborar los escritos que utilizaban en el gobierno y la diplomacia.

La clase gobernante de las ciudades de Italia vio con beneplácito la acumulación de escritos en amplias bibliotecas, por lo que comenzó a surgir un afán competitivo de los magnates italianos, civiles o eclesiásticos,

8 S. de Dios de Dios, «Corrientes jurisprudenciales. Siglos XVI y XVII», en L. E. Rodríguez-San Pedro Bezares (coord.), *Historia de la Universidad de Salamanca. III-1. Saberes y Confluencias*: Salamanca: Ediciones Universidad de Salamanca, 2006, 82.

9 F. Rico, *El sueño del humanismo (de Petrarca a Erasmo)*, Madrid: Alianza Universidad, 1993, 35.

con el afán de adquirir los mejores libros para enriquecer sus bibliotecas, pues la adquisición de libros era sinónimo de poder y su encargo de libros humanísticos (originales y traducciones de los mismos) produjo una creciente sofisticación de estos libros[10].

El latín era la lengua de la gente instruida, de los gobernantes, los dirigentes y sus consejeros; no conocerlo era la prueba de no pertenecer a esos grupos sociales, por ello, en la esfera de los asuntos de estado era tan relevante el prestigio que alcanzaba el conocimiento de un buen latín: «el latín humanístico surgió precisamente entre los altos cargos de la administración civil y eclesiástica en la Italia del siglo XIV y principios del XV»[11].

Un claro ejemplo de la función de la lengua latina como instrumento del poder político se expone en la introducción de Lorenzo Valla a sus *Elegantiae linguae latinae* (1441-1449); título que puede traducirse como: *Latín correcto de grado superior*; en el que Valla describe que, a pesar de su extinción, el Imperio romano tiene una fuerza política que perdura en el sentido más profundo y verdadero, porque éste se encuentra donde la lengua latina impone su ley. Valla genera así una radical diferencia entre los italianos (como herederos directos de Roma) y los pueblos germanos y galos considerados comunidades de naturaleza bárbara. Valla lo expresa de la siguiente manera:

> *Grande es, pues, el secreto de la lengua latina, grande ciertamente su genio, ya que durante tantos años se sigue cultivando por los extranjeros, por los bárbaros, por los mismos enemigos, de una forma tan santa y religiosa. Lo cual no ha de ser para nosotros, romanos, tanto motivo de dolor como de alegría y de gloria para todo el mundo. Perdimos Roma, perdimos el Imperio, el dominio... Sin embargo, por este más espléndido dominio de la lengua seguimos reinando en una gran parte del orbe*[12].
>
> *Por consiguiente, además de indicar el escalafón social de un individuo y de jugar un papel en las riñas internas entre los mismos estados italianos, el latín humanístico conlleva el claro mensaje de la supremacía cultural de Italia sobre el resto de Europa, fuera cual fuera la realidad política*[13].

10 Cf. M. Davies, «El libro humanístico en el cuatrocientos», en J. Kraye, *o.c.*, 78-81.

11 K. Jensen, «La reforma humanística de la lengua latina y de su enseñanza», en *Ibid.*, 93.

12 L. Valla, «Las elegancias de la lengua latina», en P. R. Santidrián, *Humanismo y renacimiento*, Madrid, Alianda Editorial, 1986, 39.

13 *Ibid.*, 95.

Para la elaboración de este trabajo es importante mencionar que Juan Ginés de Sepúlveda es considerado, junto con Nebrija, Vives y Pérez de Oliva, uno de los principales exponentes de este tipo de humanismo en España. Sepúlveda supo ser sensible a la preocupación humanista de los renovadores de los estudios aristotélicos; analizó profundamente la obra de Aristóteles y contribuyó al esclarecimiento filológico de algunos pasajes aristotélicos que se consideraban oscuros. Su permanencia en Italia de 1515 a 1536 lo llevó a realizar traducciones latinas de textos filosóficos dentro de los que destacan varias obras de Aristóteles, así como comentarios sobre el mismo autor; tal vez el texto más importante para nuestro estudio es su traducción de la *Política* editada en París en el año de 1548. Así el humanismo de Sepúlveda, es el del «hombre renacentista [que] desea la fama y el buen nombre social. Desea destacar y sobresalir, ser el primero entre todos los demás… A través del verso y de la espada, del estudio y de la erudición, del arte y de la política, los hombres de este tiempo se afanan por conseguir, como dice Juan Ginés de Sepúlveda, la gloria mundana, aquella que ennoblezca a los hombres excelentes en virtud y los adorna del claro nombre, aquello que para unos era la buena fama y para otros la honra»[14].

Debemos señalar que en América no se procuró un estudio específico del latín como modo de vida (salvo algunos años en el colegio de Tlatelolco), razón por la cual, nos interesa rescatar del humanismo italiano (tanto de los *studia humanitatis*, como del rescate de la dignidad humana) sobre todo su concepción del hombre que se tornó unívoca y sostuvo una marcada diferencia entre el pueblo italiano y el resto de los pueblos a quienes, desde Petrarca hasta Maquiavelo, los mismos italianos condenaron como pueblos bárbaros.

Así, hablamos de una Italia donde su humanismo se convirtió en el arte de la *elite* dominante y pronto el latín se tornó la lengua de la gente instruida: los gobernantes, los dirigentes y sus consejeros; el uso bello y correcto de éste indicaba el escalafón social de un individuo, por lo que también se convirtió en un instrumento de poder político. Los italianos utilizaron los *studia humanitatis* para generar una diferencia entre ellos por un lado, como herederos de los griegos y romanos y, por otro, los franceses, españoles e ingleses a quienes consideraban pueblos bárbaros. Así la dignidad del hombre por la que luchaban era su propia dignidad como italianos como humanos pertenecientes a un mundo al que exigieron seguir sus pasos educativa y ontológicamante. El humanismo italiano

14 B. Delgado, *La educación de la reforma y la contrarreforma*, Madrid: Síntesis, 2002, 54.

es pues una postura cerrada ante el hombre y las culturas que busca el poder y la gloria para sí mismo.

El heredero de este estilo humanista que influyó sobremanera en la Nueva España fue Juan Ginés de Sepúlveda quien nació en 1490 en Pozoblanco, Córdoba, España y murió en 1573. En 1510 fue admitido en la Universidad de Alcalá de la que pasó al Colegio de San Antonio de Sigüenza hasta 1515, de donde se trasladó al Colegio de San Clemente en Bolonia. Durante su estancia de ocho años en este Colegio fue protegido por el papa Clemente VII, por Alberto Pío (príncipe de Carpi), por el cardenal Cayetano (general de los dominicos) y por el papa Adriano VI. Durante su estancia en Bolonia realiza la traducción de varios comentarios a la obra de Aristóteles con lo que se prepara para realizar la traducción de la *Política* del Estagirita que se edita en París en 1548. El año de 1534 muere Clemente VII y Sepúlveda pasa a la Corte de Carlos V como cronista Imperial en donde se convierte en el preceptor de Felipe II desde 1542.

En 1550 y 1551 participa en la disputa de Valladolid contra Bartolomé de las Casas donde retoma las ideas que había plasmado en su *Demócratas Alter* desde 1535.

Sepúlveda es reconocido como un filósofo de formación italiana al grado que Marcel Bataillon lo llama «nuestro español italianizado»[15]. Al igual que su protector Alberto Pío, Sepúlveda muestra su antierasmismo, pues no comparte con él su pacifismo extremo, más aun, exhorta a Carlos V a tomar las armas contra los turcos que amenazan a Viena y recrimina la tesis según la cual la «tolerancia cristiana» prohíbe combatir con el hierro a esos «azotes de Dios» pues piensa que cuando Cristo dice que su reino no es de este mundo, reconoce la existencia de este mundo en que la fuerza contesta a la fuerza y el precepto de no resistir al mal no tiene aplicación alguna[16].

Lo que resulta interesante en los planteamientos de Sepúlveda es cómo a pesar de ser reconocido como un experto en la obra de Aristóteles, principalmente de su *Política*, hace una interpretación de ella que se acomoda a sus ideas y que apoya el proyecto imperialista cristiano de Carlos V.

Cuando Sepúlveda cita al Estagirita de una manera casi textual, nos hace creer que la idea central de Aristóteles sobre los esclavos es que existen unos hombres que son libres por naturaleza y otros esclavos. Si bien es cierto que estas son palabras de Aristóteles, la interpretación de Sepúlveda es parcial, porque la diferencia entre el libre y el esclavo radica

15 M. Bataillon, *Erasmo y España*, México: FCE, 1996, 423.
16 Cf. *Ibid.*, 409.

en que el primero actúa tanto en la casa, como en el municipio y la ciudad y el segundo constriñe su actuación al interior de la casa, esto es, el esclavo «agota» su modo de ser o de vida dentro del ámbito doméstico o de la casa.

Para Aristóteles el esclavo es una propiedad del libre y es un instrumento racional para cubrir las necesidades de la casa, pues el esclavo también habla y comprende el lenguaje, por lo que pertenece a la especie humana.

La gran diferencia entre el esclavo y el libre es que este último tiene un gobierno sobre sí mismo que no posee el siervo, por lo que el libre tiene una capacidad deliberativa de la que carecen el siervo, la mujer y el niño. La deliberación es uno de los usos más importantes de la razón y se manifiesta en la capacidad que tiene el hombre para alcanzar la virtud moral.

Para Aristóteles, dentro de las virtudes sólo la justicia parece referirse al bien ajeno y lo propio de un hombre libre es la justicia, por lo que está en la naturaleza del hombre libre ejercer la justicia y la esclavitud para ser justa deberá beneficiar a ambos relatos de la relación, a saber, al amo y al esclavo. Así Aristóteles pone sobre los hombros del hombre libre la justicia en la relación amo-esclavo.

Pero volviendo a la cuestión de que la esclavitud es propia del plano doméstico, es importante señalar que Aristóteles distingue muy bien entre la justicia doméstica y la justicia política, pues mientras la virtud del siervo está en obedecer y participar del *logos* del amo, la del amo está en mantener el mando dentro de la casa y dentro de sí mismo para relacionarse con otros iguales a él. La gran diferencia entre el libre en la casa y el libre en el gobierno político, es que en la casa el libre es el único que posee la razón lograda como deliberación, como pensamiento discursivo, mientras que en el gobierno político el libre desarrolla plenamente sus actividades propias (es decir, la deliberación y el raciocinio), en cuanto que no las usa en relación a otros como medio sino como fin; esto ocurre porque en el ámbito político el libre lo es *entre iguales*, en las propias palabras de Aristóteles:

> *Resulta manifiesto que no es lo mismo el señorío despótico que el político (...) El señorío político se ejerce sobre libres por naturaleza, el despótico sobre los naturalmente esclavos y el régimen familiar es una monarquía pues toda casa está bajo un señor, mientras que el señorío político es el gobierno de hombres libres e iguales*[17].

17 Aristóteles, *Política*, I, II, 1255b, 11.

Es por ello que habiendo concluido que lo propio del libre es tener deliberación y raciocinio en relación con los otros miembros de la casa, es posible afirmar que tales características se han de desarrollar con mayor plenitud entre aquellos que son iguales en cuanto libres, pues parece que para el desarrollo de las actividades propia y directamente libres se requiere de una comunidad diferente de la casa, a saber, «la polis, como lugar de los libres».

Así, aunque para Aristóteles hay esclavos y libres por naturaleza, estos interactúan en una misma comunidad, por lo que en todas las ciudades hay libres y esclavos. Debemos advertir aquí que para el Estagirita no existe realmente la superioridad de una población entera sobre otra, pues el libre no lo es porque pertenezca a una cultura superior, sino porque puede interactuar racional y voluntariamente en una relación diferente a la de la casa, con sus iguales.

Aquí es donde Sepúlveda tiene una interpretación parcial y astuta de la *Política* porque él saca a la esclavitud del nivel doméstico y lo traslada a un nivel político y ontológico donde todos los miembros de una cultura son superiores o inferiores a otra por ley natural. Para aclarar lo anterior analicemos con cuidado la siguiente cita de Sepúlveda:

> *Los que exceden a los demás en prudencia e ingenio, aunque no en fuerzas corporales, estos son, por naturaleza, los señores; por el contrario, los tardíos y perezosos de entendimiento, aunque tengan fuerzas corporales para cumplir todas las obligaciones necesarias, son por naturaleza siervos, y es justo y útil que lo sean, y aun lo vemos sancionado en la misma ley divina. Tales son las gentes bárbaras e inhumanas, ajenas a la vida civil y a las costumbres pacíficas. Y será siempre justo y conforme al derecho natural que tales gentes se sometan al imperio de príncipes y naciones más cultas y humanas, para que merced a sus virtudes y a la prudencia de sus leyes, depongan la barbarie y se reduzcan a la vida más humana y al culto de la virtud. Y si rechazan tal imperio se les puede imponer por medio de las armas, y tal guerra será justa según el derecho natural lo declara*[18].

Aquí vemos cómo Sepúlveda salta casi imperceptiblemente del concepto de servidumbre o esclavitud al de barbarie, pues al creer haber establecido la naturaleza de los siervos siguiendo a Aristóteles, intenta fijar también la naturaleza de la gente «bárbara e inhumana», a quienes no les otorga el mismo grado de humanidad y virtud que poseen aquellos que pertenecen a las naciones más cultas y humanas. Mas aún, recurriendo

18 J. G. de Sepúlveda, *Tratado sobre las justas causas de la guerra contra los indios*, México: FCE, 1996, 85.

a una falacia de equívoco[19] sostiene que la gente bárbara debe someterse al *imperio* de príncipes y naciones más cultas; aquí pretende seguir a Aristóteles quien propone que en toda la naturaleza «se encuentra siempre un elemento *imperante* y uno imperado»[20], por lo que por derecho natural, asegura Sepúlveda, «lo perfecto debe *imperar* y dominar sobre lo imperfecto, lo excelente sobre su contrario»[21].

Vemos claramente cómo la postura desigual por excelencia del humanismo italiano, posibilita que en América Sepúlveda esté más preocupado por dar argumentos favorables al Imperio español en su teorización sobre la justicia de la guerra que en extender hacia todos un humanismo comprometido.

De esta manera podemos sostener que «nuestro español italianizado» es también un gran humanista, sólo que abrazó el humanismo clásico de los *studia humanitatis* y por ello jamás pudo considerar como iguales a aquellos otros que se salían de los rígidos parámetros de excelencia que exigía el buen conocimiento del griego y el latín.

2. La «Escuela de Salamanca» y Alonso de la Veracruz

Hemos señalado (*supra*) que el humanismo de la Escuela de Salamanca es el resultado de la confluencia entre el humanismo italiano, el nominalismo y el tomismo. Y aunque no se comprometen con la visión de superioridad y magnificencia del hombre que asume el humanismo italiano, retoman de él la preocupación por lo humano, la dignidad del hombre y la apropiada interpretación de los clásicos. Del nominalismo aceptan la crítica a los conceptos abstractos, la perspectiva del poder y el dominio que genera una teología positiva que resalta el aspecto jurídico moral y el interés por las ciencias históricas y experimentales. Del tomismo retoman los tratados de la ley y la justicia que se encuentran respectivamente en la I-II y la II-II, en donde se hace una clara distinción entre la ley natural y la ley humana, según el cual esta última necesita del consentimiento de todos los involucrados si se quiere llegar a una ley justa.

Esta integración de las tres vías nos permite entender por qué para fray Francisco de Vitoria, uno de los más claros ejemplos del humanismo salmantino, la teología no puede quedar como conocimientos sobre la fe

19 Como podemos notar en el primer término *imperio* se refiere al concepto de autoridad y gobierno, mientras que el segundo y tercero *imperante, imperar* se refieren al concepto de dominio o sometimiento.

20 Aristóteles, *Política*, I, II, 1254a, 7. La cursiva es mía.

21 J. G. de Sepúlveda, *o.c.*, 83.

que no tengan relación con las problemáticas sociales, pues como para él nada era ajeno a la teología, los teólogos tendrían que discutir, incluso, sobre el derecho de gentes y por tanto sobre el derecho que el gobierno español tuviera o no sobre las gentes y propiedades de las nuevas tierras descubiertas. La primera y segunda parte de su *relección sobre los indios,* plantean una conducta basada en la moral cristiana y en el derecho natural y de gentes, con el que se defienden los derechos de los indios, por lo que encontraremos un «yo acuso» hecho por Vitoria a Carlos V y sus consejeros.

En la Nueva España el mejor representante de la escuela salmantina fue Alonso Gutiérrez, quien al pisar tierras americanas se hace agustino y se cambia el nombre por el de fray Alonso de la Veracruz, como signo distintivo de su nuevo comienzo. Nació en Caspuelas, Toledo en 1504 y murió en nuestra tierra en 1584. Estudió gramática y Retórica en Alcalá y posteriormente, Teología y Filosofía en Salamanca. Tuvo una labor importantísima en el cultivo y difusión de la filosofía novohispana dentro de la cual podemos destacar la fundación de los estudios de filosofía en la Universidad de México.

De entre sus obras la que más nos importa ahora para nuestro estudio es su *De dominio infidelium et iusto bello* (sobre el dominio de los infieles y la guerra justa) en donde trata acerca de la autenticidad del señorío de los indios y la posesión de sus tierra, pues al demostrar que los indios eran auténticos señores y poseedores de sus tierras, no hay justicia en quitárselas y hacerles la guerra, porque eso es tanto como robar. El *De dominio infidelium* es la relección de la cátedra de Prima de Teología que fray Alonso impartió entre junio de 1553 y mayo de 1554.

La obra (en la edición de la UNAM hecha por Roberto Heredia[22]) consta de cinco *dudas* y seis *cuestiones* que hacen un total de 11 capítulos. En los primeros cinco habla del dominio de los infieles y en los restantes trata sobre la guerra justa. En la primera duda se pregunta si el rey de España tiene derecho a imponer tributo sobre los pueblos conquistados, lo que lo lleva al problema de la legitimidad del dominio español sobre los indios, pues el poder para recaudar tributos depende de un justo dominio. En la segunda duda Alonso se pregunta si la conversión al cristianismo y la propagación del Evangelio puede justificar la guerra y el dominio español sobre los indios; fray Alonso argumenta que no puede usarse la violencia para obligar a los indios a convertirse a la fe cristiana, por lo

22 A. de la Vera Cruz, *De dominio infidelium et iusto belloi*, R. Heredia Correa (ed.), México: UNAM, 2007.

que el gobierno colonial debe eliminar la encomienda y sustituirla por un tributo justo parecido al que los pueblos pagaban a los gobiernos autóctonos. En la tercera duda se pregunta si quien tiene el dominio justo del pueblo puede donar tierras que no estén cultivadas, a lo que señala que las tierras no cultivadas pertenecen a la comunidad por lo que una posesión justa será concesión del Virrey bajo la voluntad del pueblo. La duda cuatro habla sobre los tributos que los indios pueden pagar y señala que sólo deberán pagar aquellos que pagaban antes de la llegada de los españoles.

En las dudas cinco, seis y siete se preocupa por la legitimidad del dominio español, rechaza el dominio legítimo de los españoles y pondera la legitimidad del dominio de los indios sobre sus tierras, rechaza el argumento de que los infieles pierden el dominio sobre sus bienes y argumenta que el ámbito de la fe no debe intervenir en el poder político o civil. En la cuestión ocho se pregunta si el emperador español tiene el dominio del mundo y de las posesiones de sus súbditos, a lo que responde que ni siquiera Roma tuvo un imperio verdaderamente universal, por lo que Carlos V no puede llamarse «señor del mundo», además de que su categoría como emperador no le permite arrebatar las tierras a los naturales contra su voluntad y mucho menos donarlas a otros.

Las cuestiones nueve, diez y once están dedicadas a discutir sobre la legitimidad de la guerra de conquista, para lo cual refuta la noción de barbarie que muchos conquistadores imputan a los indios, pues desde su perspectiva los indios (llamados bárbaros por muchos) no son idiotas, sino que tienen a su modo uso de razón. Fray Alonso defiende la racionalidad de los indígenas y los derechos fundamentales que estos tienen sobre sus tierras y posesiones, y sostiene que las únicas causas de guerra legítima a los indios para la protección del Evangelio y los conversos, pero que de ninguna manera los españoles pueden apoderarse de las tierras, los bienes y los tributos de los indios. Y si por el contrario se apoderan injustamente de sus posesiones y su trabajo, tendrán que restituir las tierras y los bienes y a los que hicieron trabajar en su provecho, deberán pagarles un salario.

Podemos notar cómo De la Veracruz, al mas puro estilo salmantino, defiende el derecho de los indios sobre sus bienes, su política y su cultura. Si contrastamos este humanismo de la Escuela de Salamanca con los anteriores humanismos podemos notar una diferencia radical entre las concepciones del hombre que sostienen, pues el humanismo de esta Escuela, lejos de pensar al otro como amente o infante, lo concibe como un humano pleno de derechos al que se debe respetar por el simple hecho de pertenecer al género humano aún cuando sus tradiciones parezcan extrañas y lejanas a las españolas.

3. La *Philosophia Christi* y Vasco de Quiroga

Uno de los personajes más importantes del Humanismo nórdico es el holandés Erasmo de Rotterdam quien propuso un humanismo cristiano, pero un cristianismo crítico de la inmutabilidad medieval, que pugnaba por una renovación que surgiera desde los orígenes de los primeros pasos del cristianismo.

Como buen renacentista, Erasmo era reconocido como una de las mentes más brillantes de su época, poseedor de un lugar privilegiado entre el pequeño número de los humanistas maestros de las dos lenguas y traductor de Luciano y Eurípides. Erasmo aseguraba que había que regresar directa e inmediatamente a las fuentes primarias del conocimiento, por lo que cada individuo debía tener acceso a las mismas en el del cristianismo, sin necesidad de un intérprete o tutor que revelara el significado de sus palabras, por lo que ni Escoto ni Santo Tomás pueden reemplazar a los apóstoles que fueron los depositarios de la palabra de Dios, por ello hay que escucharlos y leer los libros sagrados según las capacidades de cada cual, penetrar en ellos, escrutar sus misterios, pues «no existe reliquia mas preciosa de Jesús, imagen más perfecta del Cristo que vivió»[23]. Con el conocimiento filológico y el cultivo de los *studia humanitatis* los textos sagrados estaban al alcance de todos los creyentes y así el monopolio que ejercía el clero y los jerarcas de la Iglesia carecía absolutamente de sentido y justificación.

Erasmo insistía en la simplicidad de la ley de Cristo y en la libertad cristiana que no requería a una institución eclesiástica que se había olvidado de Cristo y de su modelo de organización moral comunitaria.

En España las ideas de Erasmo se escriben por primera vez en 1516. En 1517 ya era consejero del joven rey Carlos quien aún no heredaba la corona de España. Al hacerlo, nuestro filósofo holandés declina su puesto de consejero con tal de no acompañar al rey a un territorio ignoto y extraño. Sin embargo, para entonces, ya le había escrito un *Manual del príncipe cristiano* en el que señalaba que un rey cristiano debería seguir la *Philosophia Christi* y asegurar una «monarquía temperada por la aristocracia y la democracia, [que] supone un contrato tácito entre el príncipe y sus súbditos. El arte de reinar se resuelve en definitiva en el arte de mantener la justicia en el interior del reino y de conservar la paz con las demás naciones»[24].

23 M. Bataillon, *o.c.*, 76.
24 *Ibid.*, 80.

Así, además de combatir el autoritarismo de la Iglesia a través de la lectura directa de los textos sagrados, Erasmo intentaba volver a los orígenes, a las primitivas comunidades cristianas, solidarias y amorosas en un ambiente de igualdad entre sus miembros que estaban llamados a construir un universo cristiano más humano y menos institucional.

Erasmo tuvo una fuerte relación con el inglés Tomás Moro y el español Luis Vives, incluso se sabe que Erasmo ayudó a Moro a escoger el nombre de su obra más conocida en la que lo influyó profundamente. Con anterioridad a su publicación, Moro y su amigo Erasmo se habían referido al libro de *Utopía* con el nombre «Nusquama», adverbio que en latín clásico significa «en ninguna parte»[25], pero Moro prefirió la terminología griega que estaba de moda en su época; así *Utopía* viene del griego «ou» que expresa una negación y «topos» que significa lugar, por lo cual se define como *sin lugar* o como reza la afortunada traducción de Quevedo: *no existe tal lugar*.

La obra de Moro se divide en dos partes, la primera, ubicada dentro del primer libro, es la parte del análisis crítico de la sociedad establecida en su momento y si utilizamos la imagen médica que propone el propio autor al final de este libro, podríamos decir que es la parte del diagnóstico clínico; mientras que la segunda parte, la de su propuesta de sociedad ideal, se encuentra en el segundo libro y podría ser ubicada como la cura de la enfermedad.

Como el objetivo de Moro es proponer una sociedad más justa e igualitaria, entonces el estado deberá poner freno a la gran acumulación de dinero en manos de unos cuantos que sólo sirve para empobrecer al resto del pueblo. Moro tiene el supuesto de que la propiedad es limitada por lo que expresa que «nada puede añadírsele a una persona como no sea quitándoselo a otra»[26].

Así, igual que Erasmo, Moro concibe al buen gobernante, como aquél que es honesto y justo, «el que tiene más presente el bienestar de su patria que su propia riqueza». Buen príncipe será aquel que «viva honestamente de lo suyo, atempere los gastos a los ingresos, refrene sus malas acciones y prevenga con leyes justas la de sus súbditos»[27].

El príncipe o rey que gobierne por el bien del pueblo gobernará a individuos felices y no a mendigos, esto creará que el rey sea digno de su cargo.

25 Cf. F. P. Manuel – F. E. Manuel. *El pensamiento utópico en el mundo occidental*, t. I., Madrid: Taurus, 1981, 13.

26 T. Moro, «Utopía», en *Utopías del Renacimiento*, México: FCE, 1941, 73.

27 *Ibid.*, 68.

Vemos entonces como para Moro lo honesto es lo que sirve para gobernar y llevará consigo lo justo y por tanto lo útil, pues sólo el rey que gobierne honestamente provocará la felicidad de sus súbditos y tendrá la soberanía como propia y no sólo el título de rey.

El buen rey evitará los conflictos y buscará la paz de sus súbditos, deberá mantenerse en su propia tierra y cuidar del reino que ya posee y le heredaron sus ancestros, sin estar buscando conquistar otros reinos porque para ello hay que mantener a un ejército que regularmente es inútil y sólo cuesta dinero y felicidad al pueblo.

En América las ideas de Moro pueden ser reconocidas claramente en *Las Ordenanzas* escritas por Vasco de Quiroga para ser implantadas en sus Hospitales-pueblo y mejorar la vida en ellos. Mandó que se cumpliera con ellas en su testamento del año 1565.

Sin embargo la idea de crear un mundo mejor, de recrear la edad dorada de la humanidad, rondó en sus pensamientos desde su llegada al Nuevo Mundo en 1531. En una carta dirigida al Consejo de Indias propuso que se redujera a los indígenas a poblaciones donde obtuvieran santas, buenas y católicas ordenanzas.

En 1535 escribe sobre la *Utopía* de Moro refiriéndose a él como «el autor del muy buen estado de la república, de la que como dechado se sacó el de mi parecer, varón ilustre y de ingenio más que humano». Moro se convirtió así en político-pensador que le permitió llevar a cabo su propia utopía, que le permitió incluso diseñar sus Hospitales-Pueblo.

En su carácter de Oidor de la Nueva España, Quiroga comenzó sus experimentos de una mejor humanidad sin esperar siquiera el permiso que había solicitado a España.

> *A dos leguas de México, sacrificando para ello –según la opinión más generalizada– buena parte de sus salarios, compró ciertas tierras y fundó su primer hospital pueblo, llamado de Santa Fe. Poco después, en 1533, va como visitador a Michoacán, y en el sitio llamado Atamataho funda otro hospital análogo, con el mismo nombre. En 1537 fue electo obispo de Michoacán y continuó su actividad organizadora, creando otros centros hospitalarios aunque no de la importancia de los antes señalados*[28].

Así Quiroga fue llevando a cabo poco a poco su utopía sólo que, al contrario de Moro, no fue una utopía puramente ideal, fuera del espacio y el tiempo; sino una praxis ubicada en el Nuevo Mundo con gente que

28 S. Zavala, *La utopía de Tomás Moro en la Nueva España*, México: Porrúa, 1966, 17.

desde su punto de vista se asemejaba a aquella que había vivido en la Edad de Oro.

Pero, ¿qué son los hospitales-pueblo? Para Quiroga no son «aquellas piezas destinadas para hospedar a los peregrinos, o para cuidar de los enfermos»[29], sino los que van a hospedar y cuidar a toda la población, por ello todos los moradores de Santa Fe deberán ser hospitalarios pues deben ser caritativos con los demás.

En cuanto a las semejanzas con Moro podemos señalar cómo Quiroga dispone que las tierras de los Hospitales-Pueblo sean bienes comunales y que todos los productos que de ella emanen sean también comunales. Las familias urbanas vivirán juntas desde 8 a 10 casados del mismo linaje. La familia será presidida por el abuelo más antiguo de la familia que responderá de los excesos y desconciertos de toda ella.

Además será necesario que exista una rotación (de dos años) entre la población urbana y la rústica por lo que los habitantes de los Hospitales-Pueblo aprenderán el oficio de la agricultura, además de cualquier otro que elijan.

Así la vida en los Hospitales-Pueblo exigirá a cada habitante sólo un esfuerzo tolerable y proporcionará a cada uno lo suficiente para su consumo, lo cual generará la felicidad social de la república.

Cuando hace recomendaciones acerca del vestido de los indígenas, señala (al igual que Moro) que serán «blancos, limpios y honestos, sin labores costosas y demasiadamente curiosas» y además la diferencia en él dependerá de si se es casado o soltero.

En el Hospital no pueden existir esclavos y los enfermos serán atendidos por los habitantes del lugar.

En cuanto al gobierno de los Hospitales, Quiroga retoma algunas ideas de Moro, pero las adecua al régimen de los ayuntamientos de la Nueva España en donde tenemos al principal, los regidores, y los oficiales necesarios para el gobierno de la ciudad. Los regidores serán elegidos anualmente por la votación secreta de los jefes de familia. Al igual que en Moro, el cuerpo gobernante (ayuntamiento) no podrá tomar las decisiones inmediatamente, sino que deberán dejar pasar dos o tres días, lo cual permitirá que ninguno defienda su posición sin haberla analizado adecuadamente.

Podemos concluir en este apartado que la influencia de Erasmo y Moro en América permiten el surgimiento de una comunidad indígena

29 V. de Quiroga, «Ordenanzas de los Hospitales de Santa Fe», en J. B. Warren, *Vasco de Quiroga y sus hospitales-pueblo de Santa Fe*, Morelia: Universidad Michoacana, 1990, 202.

que será vista por Quiroga como un retorno al tiempo primordial donde los indígenas, más que hombres, son niños que deben ser educados y guiados por hombres más sabios y prudentes, por lo que su actitud se torna paternalista y de cualquier manera permanece la diferencia entre el indio y el español; donde el indio debe ser educado en el cristianismo, mientras el español asume el papel de educador.

Este tipo de humanismo cristiano no dejó nunca el presupuesto de la superioridad de la cultura europea sobre la americana, por lo que su defensa del indio se centró en salvarlos del latrocinio, la muerte y la esclavitud, pero bajo su idea del indio como perteneciente al tiempo primordial. Estaba también la idea de la imposibilidad de éste para vivir en comunidades políticas por lo que se buscó educar y desarrollar a los indios bajo modelos utópicos específicamente europeos, que no consideraban las relaciones sociopolíticas de los propios pueblos indígenas.

4. Bibliografía

Ainsa, F., *La reconstrucción de la Utopía*, México: Librería Correo de la UNESCO, 1999.

—, *De la Edad de Oro a El Dorado. Génesis del discurso utópico Americano*, México: FCE, 1992.

Aristóteles, *Política*, A. Gómez Robledo (ed.), México: UNAM, 2000. (Biblioteca Scriptorvm Graecorvm et Romanorvm Mexicana).

Barret-Kriegel, B., *Les droits de l'homme et le droit natural*, Paris: Quadrige-Presses Universitaires de France, 1989.

Bataillon, M., *Erasmo y España*, México: FCE, 1996.

Belda Plans, J., *La Escuela de Salamanca y la renovación de la teología en el siglo XVI*, Madrid: BAC, 2000.

Beuchot Puente, M., *Bartolomé de Las Casas (1484-1566)*. Madrid: Ediciones del Orto, 1995.

—, *Filosofía y derechos humanos*. México: Siglo XXI, 2001.

—, *Derechos humanos, iuspositivismo y iusnaturalismo*, México: UNAM, 1995.

Casas, B. de las, «*De unico vocationis modo*», en Id., *Obras Completas*, t. II, Madrid: Alianza editorial, 1988.

—, «*De regia potestate*», en *Ibid*., t. XII, Madrid: Alianza Editorial, 1990.

—, «Tratados», en *Ibid*., t. X, Madrid: Alianza Editorial, 1990.

—, *Brevísima relación de la destrucción de las Indias*, México: Rei, 1994.

—, *Apología. Juan Ginés de Sepúlveda y Fray Bartolomé de las Casas*, Madrid: Editora Nacional, 1975

Chabod, F., *Carlos V y su imperio*, México: FCE, 2003.

Chadraba, R. *et alt.*, *Renacimiento y humanismo*, Buenos Aires: Cartago, 1965.

Delgado, B., *La educación en la reforma y contrarreforma*, Madrid: Síntesis, 2002.

Esteban, L., *La educación en el renacimiento.* Madrid: Síntesis, 2002.

Gallegos Rocafull, J. M., *El pensamiento mexicano en el siglo XVI y XVII*, México: UNAM, 1951.

Gerbi, A., *La disputa del Nuevo Mundo*, México: FCE, 1982.

González Navarro, R., «Alcalá y Salamanca: dos modelos de universidad», en L. E. Rodríguez-San Pedro Bezares (coord.), *Historia de la Universidad de Salamanca. III-2. Saberes y Confluencias*: Salamanca: Ediciones Universidad de Salamanca, 2006,

González Ochoa, J. M., *Quién es quién en la América del descubrimiento*, Madrid: Acento Editorial, 2003.

Horta, R., *El humanismo en el Nuevo Mundo*, México: Miguel Ángel Porrua, 1997.

Kraye, J., *Introducción al humanismo renacentista*, Madrid: Cambridge University Press, 1998.

Manuel, F. P. – Manuel, F. E., *El pensamiento utópico en el mundo occidental*, t. I-II, Madrid: Taurus, 1981.

Maquiavelo, N., *El príncipe*, Buenos Aires: Losada, 1998.

Mirandola Pico della, G., *Discurso sobre la dignidad del hombre*, A. Ruiz Díaz (ed.), México. UNAM, 2003.

Moro, T., «Utopía», en *Utopías del Renacimiento*, México: FCE, 1941, 37-140.

Pena González, M.A., «El concepto "Escuela de Salamanca", siglo XVI-XX», en L. E. Rodríguez-San Pedro Bezares (coord.), *Historia de la Universidad de Salamanca. III-1. Saberes y Confluencias*: Salamanca: Ediciones Universidad de Salamanca, 2006,

Ponce Hernández, C., *Innovación y tradición en Fray Alonso de la Veracruz*, México: FFyL– UNAM, 2007.

Ramírez González, C. I., «Proyección en América: Una perspectiva Americana», en L. E. Rodríguez-San Pedro Bezares (coord.), *Historia de la Universidad de Salamanca. III-2. Saberes y Confluencias*: Salamanca: Ediciones Universidad de Salamanca, 2006,

Ricard, R., *La conquista espiritual de México*, México: FCE, 2001.

Rico, F., *El sueño del humanismo (de Petrarca a Erasmo)*, Madrid: Alianza Universidad, 1993.

Rovira, C., *Francisco de Vitoria. España y América el poder y el hombre*, México: Miguel Ángel Porrúa-Cámara de Diputados, 2004.

— Ponce, C., *Antología. Instituciones Teológicas de Francisco Javier Alegre y Ejercitaciones Arquitectónicas de Pedro Márquez,* México: FFyL-UNAM. 2007.

Santidrián, P. R., *Humanismo y renacimiento,* Madrid: Alianza Editorial, 1986.

Sepúlveda, J. G. de, *Tratado sobre las justas causas de la guerra contra los indios,* México: FCE, 1996.

Velasco Gómez, A., *La persistencia del humanismo republicano en la conformación de la nación y el estado en México,* México: UNAM, 2009.

Velázquez Delgado, J., *¿Qué es el Renacimiento?*, México: UAM, 1998.

Vera Cruz, A. de la, *De dominio infidelium et iusto bello,* R. Heredia Correa (ed.), México: UNAM, 2007.

Warren, J. B., *Vasco de Quiroga y sus hospitales-pueblo de Santa Fe,* Morelia: Universidad Michoacana, 1990.

Zavala, S., *Recuerdo de Vasco de Quiroga,* México: Porrua, 1965.

—, *Ideario de Vasco de Quiroga.* México: El Colegio de México, 1995

—, *La utopía de Tomás Moro en la Nueva España,* México: Porrua, 1966.

FUENTES DE LA COMPAÑÍA DE JESÚS EN ORIENTE (1540-1640): LOS ESCRITOS DE SAN FRANCISCO JAVIER COMO PARADIGMA

EDUARDO JAVIER ALONSO ROMO
Universidad de Salamanca

Es un hecho conocido que la expansión portuguesa a partir de los descubrimientos se realizó sobre todo por tres vías: la dominación político-administrativa, el comercio y la actividad misionera. Y esto que después se confirmaría en Brasil, empezó ya a lo largo del siglo XVI en el Oriente que estaba bajo la influencia lusa, abarcando la línea costera desde el cabo de Buena Esperanza hasta Japón, incluyendo Mozambique, Ormuz, la India, Malaca, las islas de Moluco, Macao, etc.

En esta los documentos escritos por los jesuitas en un periodo que abarca un siglo. Los motivos de elegir esta base documental son su enorme significatividad, su fiabilidad textual y el hecho de que hasta ahora ha sido poco aprovechada.

En primer lugar analizamos las fuentes jesuíticas poniéndolas en referencia con otras colecciones de documentos contemporáneas. En segundo lugar nos asomamos al caso concreto de los escritos del navarro Francisco Javier[1], cofundador de la Compañía de Jesús, enviado en 1540 a las misiones portuguesas de Oriente (el mismo año de la aprobación de la Orden por el papa Paulo III). El punto de llegada, que hemos situado un siglo después, corresponde al final de las misiones de los jesuitas en Japón y Etiopía.

1 La inmensa mayoría de los jesuitas citados tienen su respectiva entrada en C. E. O'Neill – J. M.ª Domínguez (dirs.), *Diccionario histórico de la Compañía de Jesús: biográfico-temático*, Roma-Madrid: Institutum Historicum S.I.-Universidad Pontificia Comillas, 2001, 4 vols. Sobre Francisco Javier: t. III, 2140-2141.

1. Fuentes documentales

1.1. *Monumenta Historica Societatis Iesu*

La publicación del corpus en que se basa nuestro trabajo es fundamentalmente fruto del trabajo desarrollado durante más de un siglo por una larga serie de beneméritos investigadores. Nos referimos a la magna colección *Monumenta Historica Societatis Iesu* (MHSI)[2].

Primero en Madrid, desde 1894, y después en Roma, desde 1932 y hasta el año 2009 (por el Institutum Historicum Societatis Iesu)[3], ha ido editando críticamente los textos que afectan a la historia de la Compañía en todo el mundo. Esta colección, que ha publicado un total de 157 volúmenes, constituye un modelo de investigación científica en lo que respecta a la edición de textos.

MHSI se divide en tres grandes secciones, que reciben respectivamente los nombres de *Monumenta Originum*, *Monumenta Missionum* y *Alia Monumenta*. En concreto, *Monumenta Missionum* consta de 68 volúmenes. Para nuestro estudio nos interesa la parte dedicada a las *Missiones Orientales* que, como sabemos, se extendían a lo largo de la línea costera de África oriental, Asia y parte de Oceanía. Pasamos a describir este imponente acervo documental.

Los primeros textos publicados referidos al Oriente fueron las *Epistolae S. Francisci Xaverii*[4], dos volúmenes editados en 1944-1945 para mejorar con una edición más apurada y estrictamente crítica otra que MHSI había publicado en los primeros años de su existencia: *Monumenta Xaveriana*.

Son fundamentales los dieciocho volúmenes de *Documenta Indica*, que abarcan desde 1540 hasta 1597[5]. Los tres tomos de *Documenta Malucensia* tratan de las islas Molucas y llegan hasta 1682, aunque para este estudio

2 F. Zubillaga – W. Hanisch, *Guía manual de los cien primeros volúmenes*, Roma: IHSI, 1971. Más recientemente: Robert Danieluk, «Monumenta Historica Societatis Iesu come strumento di studio della storia delle missioni gesuitiche: uno sguardo bibliografico», en *Studia Missionalia* 60 (2011) 61-84; Id., «Monumenta Historica Societatis Iesu: uno sguardo di insieme sulla collana», en *Archivum Historicum Societatis Iesu* 81 (2012) 249-289.

3 Siglas IHSI. Aparte están los nueve volúmenes publicados en estos últimos años (2005-2012) por la «Nova series» de MHSI, con diferentes criterios y objetivos.

4 *Epistolae S. Francisci Xaverii aliaque eius scripta. Nova editio*, G. Schurhammer – J. Wicki (eds.), Roma: IHSI, 1944-45; citamos esta edición con las siglas EX. Más accesible es la edición castellana preparada por F. Zubillaga, *Cartas y escritos de San Francisco Javier*, Madrid: BAC, 1996, 4 ed.

5 *Documenta Indica*, J. Wicki (ed.), Roma: IHSI, 1948-1988.

sólo nos fijemos en los dos primeros[6]. A ellos hay que añadir otro sobre la misión de las islas Célebes, también en la actual Indonesia[7].

La serie *Monumenta Historica Japoniae* ha editado tres volúmenes[8]. El primero de éstos es una edición de los catálogos e informaciones sobre los jesuitas que trabajaron en Japón entre 1549 y 1654. Los dos volúmenes siguientes contienen las cartas relativas a Japón, pero con la limitación de que, actualmente, los textos sacados a la luz sólo alcanzan hasta 1562[9]. En cambio, *Monumenta Sinica* apenas ha publicado un volumen[10].

En total contamos, por tanto, con un conjunto de treinta y cuatro gruesos volúmenes sobre las misiones orientales de la Compañía[11], que suman un total de veintiocho mil páginas[12].

Debemos tener presente que aunque la mayoría de los documentos que aparecen dentro de las series mencionadas de MHSI están en portugués, algunos textos fueron escritos en otras lenguas —castellano y latín, fundamentalmente, pero también italiano—. Por otra parte, estamos ante una edición crítica que trata de presentar los documentos en su lengua y en su forma originales[13], pero no siempre es posible reproducir la lengua original, ya que algunos textos (pocos) sólo se conservan traducidos a otro idioma. Asimismo debemos recordar que generalmente la edición se ha hecho a partir de autógrafos, originales o copias contemporáneas, pero a veces las copias son más tardías.

Hemos de referirnos, asimismo, a otros instrumentos útiles para la investigación publicados por el Institutum Historicum Societatis Iesu: la serie *Bibliotheca IHSI* (74 vols.)[14], la serie *Subsidia ad Historiam SI* (15 vols.) y la revista semestral *Archivum Historicum Societatis Iesu*, iniciada en 1932.

6 *Documenta Malucensia*, H. Jacobs (ed.), Roma: IHSI, 1974-1984.

7 *Jesuit Makasar Documents (1615-1682)*, H. Jacobs (ed.), Roma: IHSI, 1988.

8 Se trata por una parte de *Textus Catalogorum aliaeque informationes*, 1549-1654, J. F. Schütte (ed.), Roma: IHSI, 1975, y por otra de dos volúmenes editados por J. Ruiz-de-Medina para el IHSI de Roma: *Documentos del Japón (1547-1557)*, 1990; y *Documentos del Japón (1558-1562)*, 1995.

9 Cf. E. J. Alonso Romo, «Aspectos filológicos de las *Cartas de Japão*», en *Estudios Portugueses. Revista de Filología Portuguesa* 1 (2001) 11-30.

10 *Monumenta Sinica I (1546-1562)*, J. Witek – J. Sebes (eds.), Roma: IHSI, 2002.

11 Forman parte también de la sección de *Missiones Orientales* los 6 vols. de *Monumenta Proximi Orientis*.

12 Por lo que respecta a la sección de *Missiones Occidentales* (31 vols.), ésta se subdivide en: *Monumenta Antiquae Floridae, Monumenta Peruana, Monumenta Mexicana, Monumenta Brasiliae* y *Monumenta Novae Franciae*.

13 Los títulos de MHSI son latinos porque hasta los años 50 las introducciones y las notas iban siempre en latín. Actualmente se han introducido las lenguas modernas.

14 Destacamos la obra de A. Valignano, *Historia del principio y progreso de la Compañía de Jesús en las Indias Orientales (1542-64)*, J. Wicki (ed.), Roma: IHSI, 1944.

1.2. Otras colecciones

Para solventar la limitación de textos en relación a la misión japonesa, tenemos que servirnos de una edición antigua de documentos jesuíticos, que por tanto no forma parte de MHSI. Nos referimos a las *Cartas de Japão*, publicadas en Évora en 1598, y que han sido reeditadas en facsímil[15]. Esta edición es la culminación de otras anteriores y sigue siendo la más completa hasta hoy. Consta de dos volúmenes: el primero contiene cartas desde 1549 hasta 1580, y el segundo, desde 1581 a 1589, sumando un total de 209 textos de distinta extensión y de muy diversos autores[16]. Junto a estas ventajas, también tiene algunas deficiencias significativas: la ausencia de textos importantes; la relativa falta de fidelidad a los originales, cambiando o suprimiendo algunos pasajes –como, por lo demás, ocurría en todas las ediciones impresas–; y la presentación de todos los textos en portugués, incluso los que sabemos positivamente que fueron escritos originalmente en otra lengua[17].

Aunque hoy nos resulte extraño, también Etiopía formaba parte entonces del Oriente[18]. Para la misión abisinia contamos con las editadas en los volúmenes *Rerum Aethiopicarum Scriptores* editados por el jesuita italiano Camillo Beccari[19]. Se trata de textos publicados por Beccari, unos a partir de copias manuscritas conservadas en la colección *Cartas dos padres da Companhia*, de la Biblioteca de la Academia das Ciências de Lisboa y otros, textos que se conservan en el Archivo Romano de la Compañía de Jesús[20].

15 *Cartas que os padres e irmãos da Companhia de Iesus escreuerão dos Reynos de Iapão & China aos da mesma Companhia da India, & Europa*, Évora: Manoel de Lyra, 1598; publicadas por mandato de D. Teotónio de Bragança, arzobispo de Évora. La reedición es presentada por J. M. Garcia, Maia: Castoliva editora, 1997.

16 En la edición de Évora aparecen como autores de las cartas un total de cuarenta y siete, a saber: cuarenta jesuitas, el japonés Anjiro (bautizado como Paulo de Santa Fé), el rey D. Sebastião de Portugal, tres daimios japoneses, y finalmente dos comerciantes portugueses de los que no conocemos su nombre.

17 *V.gr.*, la carta dirigida por Xavier a Ignacio de Loyola el 29 de enero de 1552 aparece en portugués, a pesar de que se ha conservado el autógrafo javeriano en español.

18 Sobre el pionero de esta misión, remitimos a nuestro artículo «Andrés de Oviedo, patriarca de Etiopía», en *Península. Revista de Estudos Ibéricos* 3 (2006) 215-231.

19 *Rerum Aethiopicarum Scriptores Occidentales inediti a saeculis XVI ad XIX*, C. Beccari (ed.), Roma: C. de Luigi, 1903-1917, 15 vols.

20 Una excelente introducción para orientarse en el «maremagnum» de la documentación producida en relación a la misión etiópica es el primer volumen de esta colección documental: C. Beccari, *Rerum Aethiopicarum, I. Notizia e Saggi di opere e documenti inediti riguardanti la Storia di Etiopia durante i secoli XVI, XVII e XVIII*, Roma: Editrice Italiana, 1903.

Tenemos que hacer referencia también a la vasta documentación editada por António da Silva Rego[21] y Artur Basílio de Sá[22]. Los doce volúmenes editados por Silva Rego se refieren sólo a la India y abarcan documentos referidos al periodo entre 1499 y 1582, aunque en ocasiones hayan sido escritos en un tiempo bastante posterior que puede llegar a finales del siglo XVII, como es el caso de algunas crónicas de carácter histórico. Por otro lado, Silva Rego publica muchos textos que de forma casi simultánea estaban siendo publicados por Josef Wicki en la colección jesuítica *Documenta Indica*[23]. Algo semejante podemos señalar respecto a los documentos editados por Artur Basílio de Sá, pero en relación a las islas de Maluco.

1.3. *Origen de este corpus: Historia de las cartas de jesuitas en el Oriente portugués*

El origen de este corpus hay que buscarlo en los comienzos de la Compañía de Jesús, cuando Ignacio de Loyola comprendió que, dada la dispersión de los jesuitas, no podría administrar convenientemente los asuntos de la Orden sin recibir continuamente informaciones pormenorizadas. Por eso dio instrucciones precisas a todos los superiores para que enviaran regularmente a Roma e intercambiaran entre sí, informaciones detalladas sobre los progresos de las respectivas misiones regionales. Estas cartas ayudaban a mantener la cohesión ideológica entre los misioneros y servían de consuelo moral frente a las privaciones y adversidades. Al mismo tiempo, Ignacio solicitaba de los jesuitas el envío de noticias detalladas sobre las regiones nuevamente descubiertas donde se desarrollaba la evangelización[24].

Todo esto dio origen a un ingente número de documentos epistolares que iba aumentando proporcionalmente según se iba extendiendo la Compañía por los nuevos territorios, hasta alcanzar cifras enormes. Por otra parte, hay que subrayar que la Compañía de Jesús cuidó desde el principio, y con bastante diligencia, su archivo romano[25] y otros archivos particulares de las distintas provincias.

21 A. da Silva Rego (ed.), *Documentação para a História das Missões do Padroado Português do Oriente. Índia*, Lisboa: Agência Geral das Colónias, 1947-1958, 12 vols. Reeditado por: Lisboa: Fundação Oriente-CNCDP, 1991-1996.

22 A. Basílio de Sá (ed.), *Documentação para a História das Missões do Padroado Português do Oriente. Insulíndia*, Lisboa: 1954-1988, 6 vols.

23 Cf. las palabras del propio Silva Rego en la introducción a su vol. XII, X.

24 J. Pedro Ferro, «A epistolografia no quotidiano dos missionários jesuítas nos séculos XVI e XVII», en *Lusitania Sacra* 5 (1993) 137-158.

25 G. Schurhammer, «Der Ursprung des romischen Archivs der Gesellchaft Jesu», en *Archivum Historicum Societatis Iesu* 12 (1943) 89-118.

Estamos hablando de cartas, pero hemos de reconocer que no siempre es fácil distinguir entre textos propiamente epistolares y otro tipo de documentos. No obstante, podemos dividir, como hace Léon Bourdon[26], estos documentos en tres categorías: cartas generales, cartas particulares e informes confidenciales a los superiores.

Las cartas generales eran compiladas por un solo redactor, en principio una vez por año, y de ahí que recibieran el nombre de cartas anuas. En estos documentos se recogían informaciones de los jesuitas que trabajaban en una zona, y debían dar una idea del progreso de la fe cristiana en el conjunto de la misión. Son textos llenos de anécdotas curiosas y sobre todo edificantes, con miras a excitar el interés de los lectores, ávidos de aquellas noticias[27]. En las cartas particulares –que muchas veces acompañaban a las generales como *hijuelas*– los autores escribían a diversos destinatarios sobre la misión personal que les había sido confiada. Los informes confidenciales pueden ser considerados un tipo especial de cartas particulares que se enviaban al superior inmediato, al Provincial o al General.

No podemos olvidar tampoco los catálogos, en los que anualmente se enviaban a Roma todas las informaciones sobre las comunidades y las personas que formaban parte de la misión. Estos catálogos son un importantísimo archivo de datos para quien quiera conocer el periodo que estamos estudiando y especialmente los sujetos de la misión.

Debemos recordar que existen otros documentos redactados por los jesuitas pero no propiamente epistolares y que por ello quedan al margen de nuestro estudio. Esos otros documentos generalmente sólo han sido publicados desde mediados del siglo XX: obras sobre distintas lenguas orientales (gramáticas, diccionarios y vocabularios), trabajos de carácter histórico, catecismos, manuales para confesores, y otras obras de carácter edificante, apologético o polémico[28].

Desde las distintas misiones orientales se enviaban cartas que llegaban primero a Goa y después a Lisboa. En Portugal pasaban por las distintas casas antes de ser mandadas a Roma. Cada colegio hacía sus propias copias, que se guardaban para la edificación de sus propios

26 L. Bourdon, *La Compagnie de Jésus et le Japon*, Lisboa-Paris, Calouste Gulbenkian-CNCDP, 1993, 21.

27 Ignacio de Loyola juzgaba necesaria «esta salsa, para el gusto de alguna curiosidad no mala que suele haber en los hombres», en *S. Ignatii Loyola. Epistolae et Instructiones*, Roma: IHSI, 1966, t. VI, 358.

28 Cf. C. R. Boxer, *A Igreja e a Expansão Ibérica*, Lisboa: Edições 70, 1989, 57-62.

miembros, y cualquier cosa que no fuese de edificación era omitida en las cartas copiadas.

La Compañía de Jesús pronto se dio cuenta del valor de estas cartas misioneras como instrumento de propaganda, y comenzó a publicarlas, al principio una por una, y después en grupos o en extensas colecciones. La popularidad de esas ediciones era enorme y, así, fueron reeditadas muchas veces en portugués, castellano, latín, italiano, francés y alemán[29]. Antes de ser publicadas, las cartas eran sometidas a censura e incluso arregladas literariamente, por lo que es difícil encontrar dos ediciones iguales, además de las copias manuscritas pertenecientes a los colegios que utilizaban el mismo proceso.

En la *Bibliografia* de António Anselmo se recogen siete colecciones publicadas en Portugal durante el siglo XVI con el título de «Cartas dos padres e irmãos da Companhia de Iesus»[30]. De ellas, cuatro están publicadas en la lengua portuguesa de los originales y tres están «trasladadas de portugués en castellano». Curiosamente, las ediciones traducidas son anteriores a las ediciones en portugués.

Cuando, en 1759, el Marqués de Pombal suprimió la Compañía de Jesús en los territorios portugueses, los códices y documentos de la orden que se encontraban en estos territorios fueron transferidos a varios archivos estatales: la Biblioteca Nacional de Lisboa, la Torre do Tombo, la Biblioteca da Ajuda y la Biblioteca Pública de Évora. En estos archivos quedaron olvidados los textos jesuíticos durante mucho tiempo. Según el historiador jesuita John Correia-Afonso[31], el largo olvido de esos documentos se debía en gran parte a la falta de buenos catálogos en las bibliotecas y archivos portugueses que dificultaba la labor de los investigadores. Este problema ha sido remediado con la publicación de colecciones como *As Gavetas da Torre do Tombo* y *Manuscritos de Ajuda.*

Una gran cantidad de documentos relacionados con las misiones fue publicada a mediados de este siglo por la «Agência-Geral do Ultramar», y por el «Centro de Estudos Históricos Ultramarinos». Esta importante labor ha continuado en los últimos años con las múltiples publicaciones vinculadas a la «Comissão Nacional para as Comemorações dos

29 Cf. R. Catz, *Cartas de Fernão Mendes Pinto e outros documentos*, Lisboa, Presença--Biblioteca Nacional, 1983, 8.

30 A. Joaquim Anselmo, *Bibliografia das obras impressas em Portugal no século XVI*, Lisboa: Publicações da Biblioteca Nacional, 1926.

31 J. Correia-Afonso, *Jesuit Letters and Indian History (1542-1773)*, Bombay-London-New York, Oxford University Press, 1969, 2 ed., 15.

Descobrimentos Portugueses» (1988-2000) y al «Centro de História de Além-Mar» (Universidade Nova de Lisboa y Universidade dos Açores)[32].

2. Los escritos javerianos

Estudiamos aquí la situación planteada por la escasez de originales javerianos, y más aún, de escritos autógrafos del santo y las causas de ello. Queremos señalar ya desde el principio esta cuestión, que propiamente pertenece a la crítica textual, pues aclara cuáles puedan ser las posibilidades y también los límites del presente estudio. Por otra parte, a veces nos obligará a realizar una selección, para observar y comparar determinados rasgos en los distintos tipos de textos del *corpus* javeriano.

2.1. *Cronología y extensión del epistolario javeriano*

En cuanto a la distribución cronológica de los textos conservados, la diversidad es muy grande. Si consideramos el tiempo comprendido entre el 25 de marzo de 1535 y el 13 de noviembre de 1552[33], tenemos un período de algo más de 17 años y medio entre el primer escrito conservado y el último.

Hay, en primer lugar, un vacío de cuatro años desde el primer escrito conservado hasta el segundo (doc. 2, de 15 de abril de 1539), vacío que podemos aumentar un año más si pensamos que de 1539 sólo tenemos ese escrito, que no es propiamente de Javier, sino de todo el grupo de los primeros jesuitas.

A partir de ese momento, tenemos escritos javerianos de todos los años siguientes, excepto de 1543, 1547 y 1550. Dejando al margen estos tres años «vacíos», en cuanto a los demás hay una gran irregularidad.

Así, de 1551 sólo hay un texto, y sólo tenemos dos de 1541[34]. En el extremo opuesto, llama especialmente la atención el año 1552, último de la vida de Javier, ya que de ese año conservamos cuarenta y dos textos, es decir, casi una tercera parte del total. Esto indica que ese año Javier escribió un número mayor de textos, pues además tenemos noticia de al menos otros quince del mismo año 1552, hoy perdidos[35]. Asimismo,

32 En septiembre de 2013 se ha transformado en una nueva unidad de investigación interuniversitaria denominada «Centro de História d'Aquém e d'Além-Mar» (CHAM), dirigida por João Paulo Oliveira e Costa.

33 Biográficamente, el primero corresponde a los 29 años de Javier, aún sin cumplir, y el último, a sus 46 años y medio, 20 días antes de su muerte.

34 Al año 1551 corresponde el doc. 95, y al año 1541 los doc. 11 y 12.

35 Cf. EX, I, 19*.

contamos con veintiséis escritos del año 1544 y otros veinticinco de 1549. De manera que, si agrupamos estos tres años citados de más abundante producción epistolar por parte de Javier, resulta una suma total de noventa y tres escritos, lo cual representa algo más de dos terceras partes del total, en concreto un 67,3%.

Si a los 138 escritos conservados les sumamos otros 89 hoy perdidos pero de cuya existencia tenemos certeza, resulta un total de 227 textos. Este número no es muy elevado, sobre todo si lo comparamos con los epistolarios de otros grandes hombres contemporáneos de Javier, que ciertamente vivían en circunstancias muy diferentes a las del apóstol de las Indias. Debemos tener presente además que en lo que por simplificar llamamos «epistolario» de Javier incluimos también escritos que no son propiamente cartas.

Los vacíos en la correspondencia pueden explicarse por una serie de factores que limitaban tanto la producción de los escritos como su posterior conservación. En este punto debemos distinguir las cartas escritas por Javier en Europa y las cartas escritas desde Oriente. En el primer caso, se trata de textos escritos en París (doc. 1), Roma (doc. 2-4), Bolonia (doc. 5) y Lisboa (doc. 6-12). En el segundo caso, evidentemente, la relación epistolar se hacía mucho más difícil. En algunos momentos de su correspondencia, Francisco Javier hace referencia a las dificultades para este intercambio epistolar. Aunque sea extensa, nos parece que vale la pena transcribir aquí el lamento de Javier dirigido a los jesuitas de Roma:

> *«No podéis tener respuesta de lo que nos mandáis en menos de tres años y IX meses: y para que sepáis que es así como digo, os doy la razón. Quando de Roma nos escrivís a la India, antes que recibamos vuestras cartas en la India se passan ocho meses; y después que recebimos vuestras cartas, antes que de la India partan los navíos para Maluco, se passan ocho meses esperando tiempo; y la nao que parte de la India para Maluco, en ir y tornar a la India, pone XX y un mes, y esto con muy buenos tiempos; y de la India antes que vaya la respuesta a Roma se passan ocho meses: y esto se entiende quando navegan con muy buenos tiempos, porque, a acontecer algún contraste, alargan el viage muchas vezes más de un año» (doc. 59, 23).*

Uno de los mayores problemas procedía de los largos viajes que tenían que recorrer las cartas hasta llegar a su destino, recorrido que, evidentemente, se doblaba en relación a la posible carta de respuesta[36]. Teniendo esto en cuenta, no nos extrañará que Javier hable de «estas tan

36 Schurhammer estudia con detenimiento los itinerarios que seguían las cartas: entre Lisboa y Roma, entre Lisboa y Goa, entre Cochim y Lisboa y entre los distintos lugares de las Indias Orientales; cf. EX, I, 57-64*.

inciertas cartas» (doc. 48, 1). Y, a pesar de ello, la comunicación era vital, y el único medio para ella eran las cartas, por lo que todos los años las armadas de la India traían a Portugal sacos de correspondencia[37].

Por otra parte, el momento de escribir estaba determinado en gran parte por los barcos en que debía viajar el correo, buscando siempre las condiciones meteorológicas más favorables. Si nos fijamos en qué meses aparecen fechados los escritos de Javier, nos damos cuenta de que la inmensa mayoría de sus cartas enviadas a Europa las escribía entre mediados de enero y los primeros días de febrero. Ello era debido a que los barcos que se dirigían a Portugal zarpaban de Cochim a finales de enero o principios de febrero de cada año.

Además, dadas unas condiciones tan precarias en cuanto a la seguridad de que la correspondencia llegara a su destino, era frecuente que, siempre que era posible, las cartas dirigidas a Europa fueran enviadas por dos o tres conductos diferentes. En estos casos no siempre llegaban a Lisboa todos los ejemplares, ya fuera porque algún barco hubiera naufragado o porque se hubiese visto obligado a regresar a puerto. A estas circunstancias, y a la necesidad de realizar copias, hace referencia Javier cuando escribe:

> *«As cartas que pera mym vierem, se vierem mais que por huma via, mandareis huma das vias a Malaca a Francisco Peres[38]: entendo de todas as cartas, assy d'El-Rey como do Pe. Mestre Simão e de Roma; e se não vierem mais que por huma via, o treslado das cartas todas mandareis a Malaca ao P. Francisco Peres, porque mandará por muitas vias, donde eu estiver, as novas de Portugal e Roma» (doc. 117, 18).*

Parece, no obstante, que Javier envió sus cartas por una única vía, excepto en los años 1544 y 1549. Del doc. 20 del año 1544 sólo se nos ha conservado uno de los ejemplares. En cambio del año 1549 contamos con los doc. 70 y 71, que son en realidad dos formas de un mismo texto enviadas a Ignacio de Loyola por dos vías distintas.

Por otra parte, basta con echar una rápida mirada a los escritos javerianos para inmediatamente darse cuenta de la gran diversidad que existe en cuanto a la extensión. Así, mientras algunos constan de unas pocas líneas, otros en cambio, llenan numerosas páginas.

37 Cf. A. Borges Coelho, «Alguns tópicos sobre a formação do estado português da Índia», en *Las relaciones entre Portugal y Castilla en la época de los descubrimientos y la expansión colonial*, Salamanca: Universidad de Salamanca, 1996, 240.

38 Cf. E. J. Alonso Romo, «Un extremeño en las Indias portuguesas: Francisco Pérez (c.1515-1583) y sus escritos», en *Revista de Estudios Extremeños* 58 (2002) 1047-1069.

Concretando un poco más, vemos que el más breve es el doc. 18[39], que en la edición crítica ocupa tan sólo cinco líneas. Muy breve es, igualmente, la oración latina por la conversión de los gentiles (doc. 67). Y breves son también las veintiséis cartas enviadas a Francisco Mansilhas, especialmente los doc. 27 y 29.

Por el contrario, en el epistolario javeriano tenemos también escritos muy extensos, que contrastan grandemente con los anteriores. Así, el escrito más extenso que se nos ha conservado de Javier es la llamada «Carta grande del Japón»[40] , escrita desde Kagoshima el 5 de noviembre de 1549, y que en la edición crítica ocupa un total de 34 páginas (doc. 90)[41]. Muy amplia es también la carta 96, escrita desde Cochim el 20 de enero de 1552, que en la citada edición consta de 26 páginas[42]. A estos dos siguen otros, también bastante largos, que citamos de mayor a menor extensión: los doc. 59 y 20, ambos destinados a los jesuitas de Roma; los doc. 80 y 117, que son instrucciones dirigidas al P. Barzeo[43]; y el doc. 58, que es un texto de carácter catequético.

2.2. *Los amanuenses de Javier*

San Francisco Javier, siguiendo la costumbre de aquel tiempo, desde el momento en que llegó a la India, solía dictar las cartas, cuando podía y siempre que los asuntos a escribir no fueran íntimos. Es muy significativo el caso de los doc. 93 y 113: en ambos casos Javier utiliza un escribiente al que va dictando, pero al final, a la hora de hablar de un modo más íntimo, coge él mismo la pluma[44].

Javier dictaba preferentemente a sus compañeros jesuitas. El lisboeta Baltasar Gago fue utilizado como amanuense en cuatro cartas (doc. 106, 107, 110 y 112). Algunas de las características gráficas que observamos en ellas son: confusiones entre las vocales *o* y *u: cumunicado, sopirior;* frecuentemente escribe *s* por *c: ausensia, Miser.* El P. Henrique Henriques[45],

39 EX, t. I, 144. Se trata de la concesión de un permiso para rezar según un nuevo breviario.

40 Sobre ella puede verse G. Schurhammer, «Der Grosse Brief des heilegen Franz Xaver», en *Gesammelte Studien*, Roma-Lisboa, IHSI-Centro de Estudos Históricos Ultramarinos, 1963-1965, t. III, 605-629.

41 EX, t. II, 179-212.

42 EX, t. II, 254-279.

43 Sobre este fascinante personaje, puede verse nuestro trabajo: «Gaspar Barzeo: el hombre y sus escritos», en *Archivum Historicum Societatis Iesu* 77 (2008) 63-92.

44 Cf. doc. 93,13 y 113,8.

45 Cf. E. J. Alonso Romo, «Contactos lingüísticos a través de las cartas de Henrique Henriques (1520-1600)», en *Profesor Basilio Losada: ensinar a pensar con liberdade e risco. Homenatges*, Barcelona: Universitat de Barcelona, 2000, 143-148.

natural de Vila Viçosa (Évora) y hombre de esmerada educación, escribe el doc. 100 con una ortografía bastante homogénea y moderna. Juan Fernández escribió el doc. 91, en castellano.

Otras veces Javier recurría a escribanos públicos de los barcos o de las ciudades en que se encontraba en ese momento: así dictó los doc. 56, 57, 62, 82, 96, 99, y tal vez también los doc. 68 y 119[46]. Especialmente relevante es el amanuense del barco Santa Cruz[47] que escribió para Javier seis cartas (doc. 125, 126, 128, 130, 133 y 135)[48]. Su nombre se desconoce y, evidentemente, también su origen, pero por algunos de los rasgos que detallamos a continuación, pensamos que podría proceder del sur de Portugal. Advertimos en las cartas escritas por él ciertas tendencias ortográficas, dentro de su enorme inestabilidad: tendencia a duplicar la grafía de *a* tónica: *estaa, naao;* frecuente cambio de *i* por *e: esperitual;* reducción de *ei* en *e: dares;* total confusión de las sibilantes, con especial tendencia a la sustitución de *s* por *c: nececidad;* cambio de *n* por *m: comciemcia;* cambio de *g* por *gu: Guaguo;* cierto gusto por duplicar la *ff: ffavor;* omisión de grafías vocálicas repetidas: «mouro gentio» (por «mouro ou gentio»); «a Manguche» (por «a Amanguchi»).

La última carta que escribió Javier (doc. 137), cuyo original hoy está perdido, era así descrita en 1710 por Francisco de Souza:

> *«Esta foi a ultima carta [...] e adverti nella tres circunstamcias, que se não achão nas mais. A primera ser de letra muito legivel e por diverso amanuense do que escreveu todas as referidas depois da partida de Malaca. A segunda começar pelo nome de Jesus [...]. A terceira e mais para notar, pôr se a emendar com muita curiosidade todos os erros do amanuense pela sua propria mão, cousa que se não vê em alguma das outras cartas, que se conservão com muita decencia no nosso archivo de Goa [...] escreveu a datada sua mesma letra contra o seu estylo»*[49].

2.3. *Estado actual de los textos javerianos*

Se conservan actualmente un total de 138 textos, entre cartas y documentos de otro tipo, pacientemente recopilados desde finales del siglo XVI hasta el presente siglo[50].

46 Cf. EX, t. I, 33*.

47 En este barco, propiedad de su amigo Diogo Pereira, Javier hizo su último viaje: de la India hasta Sanchoão, isla frente a las costas de China donde murió el santo.

48 Cf. EX, t. I, 36*.

49 F. de Sousa, *Oriente Conquistado a Jesu Christo pelos Padres da Companhia de Jesus*, Porto: Lello & Irmão Editores, 1978, 78.

50 Señalemos, por ejemplo, que en 1696 Nicolás Antonio sólo señala 43 textos javerianos; *Bibliotheca Hispana Nova*, Madrid: Visor, 1996, t. I, 498-499. Hasta el momento, el último texto javeriano lo encontró Schurhammer en 1947. Se trata del llamado doc. 46a o 46bis.

Agrupamos ahora estos textos, según la forma en que hayan llegado a nosotros, en originales, copias y traducciones.

a. Originales

Quedan sólo treinta y tres originales y medio de los escritos de Javier. Estos originales debemos dividirlos en dos grupos: por un lado, autógrafos de san Francisco Javier; y por otro, originales escritos por un amanuense y firmados por Javier, es decir, lo que en crítica textual se llaman arquetipos.

Pues bien, sólo se conservan ocho textos autógrafos de Javier, que corresponden a los documentos siguientes: el 4, 5, 7, 8 y 9, del año 1540; el 11, del año 1541; el 51, único autógrafo de Javier en portugués, del año 1545; y el 97, del año 1552. Poco más nos queda escrito por la propia mano de Javier: el párrafo final de la carta número 113, y las palabras finales con la firma o sólo el título, escrito por la mano de Javier. En las cartas 3 y 56, sólo el título. En los doc. 57, 62, 68, 69, 77 y 81, dos líneas. Y finalmente, se conserva sólo su firma acompañada de algunas palabras finales, en las cartas 96, 99, 100, 110, 118, 119, 125, 126, 130 y 133.

Los veintiséis originales restantes son arquetipos, y de ellos diecinueve conservan todavía alguna o algunas palabras escritas por el mismo Javier, generalmente la firma, mientras que siete tienen cortadas las palabras del santo.

La dispersión actual de los originales es enorme. Los lugares, citados por orden alfabético, donde se conservan los originales javerianos, sean autógrafos o arquetipos, son los siguientes[51]: Bolonia (doc. 5), Castelo Branco (la mayor parte del doc. 77), Chestnut Hill, Massachusetts (doc. 99); Lisboa (los correspondientes a los doc. 56, 68, 69, 81, 82, 91, 100, 104, 106, 112, 113, 118, 119, parte de la 125 , 126, 128, 130, 133 y 135), Londres (doc. 62); Marchena (Sevilla, doc. 57), Pamplona (doc. 8), Parma (doc. 110), Porto (parte del doc. 77), Roma (los correspondientes a los doc. 3, 4, 7, 9, 51, 96, 97 y 107) y, finalmente, Salamanca (doc. 11)[52].

Después de la beatificación (1619) y de la canonización (1622), de todas partes eran solicitadas reliquias javerianas[53], y ya que las reliquias

51 Cf. EX, t. I, 21*.

52 Schurhammer afirma que el autógrafo de la carta 11 se encuentra en la iglesia de la Clerecía de Salamanca (EX, t. I, 73). Suponemos que en la actualidad se conservará en la residencia de los jesuitas del paseo de San Antonio, aunque de momento no hemos podido esclarecer este extremo.

53 Recuérdese la afición a las reliquias, tan característica de la religiosidad popular.

de su cuerpo en Goa y de su brazo en Roma no se podían obtener, se deseaban al menos las cartas de san Francisco Javier, principalmente sus firmas. Por esta razón, en 1624 el P. Mucio Vitelleschi, Prepósito General de la Compañía de Jesús, prohibió «en virtud de santa obediencia», a los jesuitas de la India «que ningem tire firma ou papel algum dos livros das cartas de Sancto Ignacio e S. Francisco Xavier, que estam na Secretaria de Goa»[54]. Pero esta advertencia tan categórica llegó ya tarde o cayó en olvido posteriormente, pues de los dieciocho originales del códice *Pombal 745*, del que se habla, sólo dos permanecen íntegros.

Pero, curiosamente, ni siquiera en el archivo romano de la Compañía de Jesús, las cartas originales de Javier estuvieron seguras. Así, sin contar las cartas cuyo texto se ha perdido, de las veintiocho cartas enviadas a Roma, cuyo texto tenemos todavía, sólo permanecen seis originales en dicho archivo, y, de ellos, sólo dos están intactos. La causa de la conservación de estos dos es que uno es un escrito común de toda la Compañía primitiva (doc. 3) y el otro, porque, aunque fue escrito por Javier, está firmado por su compañero Simão Rodrigues (doc. 9).

Tenemos también noticias de exposiciones al culto de las firmas de Javier, durante todo el siglo XVII y en muy diversos lugares: en Tuticorim en 1616; en Roma en 1632 (el doc. 7); en Madrid en 1658; en Reggio de Calabria en 1664 (doc. 107); y en Alcalá en 1666 (doc. 1).

Un caso especial está constituido por la carta 96, que tiene la firma cortada y después vuelta a pegar. Se ve claramente, por tanto, que las firmas se cortaban como reliquias; así por ejemplo la carta 71, llevada a la ciudad de México 1659. Por eso el P. Cutillas, hablando de las cartas originales de Javier, escribe en 1752:

> *«De estas Reliquias [...] las que han quedado en España, las ha desmenuzado tanto la devoción, solicitando cada uno para sí, quando no podía lograr una Carta entera, un fragmento; y quando esto no, un renglón; o por lo menos, las nueve letras de su Nombre: y assi, son muy pocas las originales, que hemos podido encontrar»*[55].

Hoy, de los treinta y cuatro escritos originales conservados, sólo nueve han permanecido incólumes: los doc. 3 y 9, por las razones antes referidas; los doc. 57, 62, 69 y 99, por haber sido escritas al rey D. João III de Portugal; y otros tres más: los números 5, 125 y 130.

54 Manuscrito inédito, citado por Schurhammer en EX, t. I, 21*.

55 F. Cutillas, *Cartas de S. Francisco Xavier*, 2 vols., Madrid: Viuda de Manuel Fernández, 1752, «Prólogo» s.p.

En cuanto a algunos vestigios de los originales hoy perdidos, tenemos algunos datos:

> *El año 1577 había en la ciudad de Yamaguchi, en poder de un cristiano, parte de una carta de Javier, cuyas dos letras (duas sós letras) fueron dadas como regalo al noble cristiano Georgio Yuki Yaheiji habitante en la ciudad de Okayama (Settsu)*[56].

En 1614, Sebastião Gonçalves escribe desde Goa:

> *«O Pe. Visitador Nicolao Pimenta desejando de ajudar spiritualmente aos catholicos de Ethiopia lhes mandou huma carta escrita pello B. P. Francisco que o Padre Antonio Vaz lhe deu, a qual meteo numa caixa de prata bem lavrada. Receberão as reliquias dos antigos portugueses a carta com grande devação e reverencia e a conservão como reliquia de tão grande Santo»*[57].

El mismo Sebastião Gonçalves nos dice que en el año 1612 había encontrado la carta 18, que un señor de Goa había regalado a algún padre de la Compañía[58]. La carta 117 todavía se guardaba en Goa en 1621, cuando Manuel Barradas la copió[59].

En 1630 el P. Pedro Morejón[60] regaló al Colegio de Manila de la Compañía, una carta autógrafa de Javier, encontrada en Yamaguchi, y hoy perdida[61].

Los originales de las veintiséis cartas escritas por Javier a Francisco Mansilhas fueron cuidadosamente conservados por éste, quien a su muerte los legó a los jesuita de Cochim. Sin embargo, estos originales desaparecieron en 1663 cuando los holandeses sitiaron la ciudad de Cochim y destruyeron el colegio que allí tenían los jesuitas[62].

La carta 79 todavía se conservaba en 1658 en el inventario en el archivo Romano de la Compañía de Jesús, pero ya faltaba en el inventario del año 1680[63].

56 Probablemente se trataba del documento señalado como 94-d en EX, t. II, 234.

57 S. Gonçalves, *Primeira parte da história dos religiosos da Companhia de Jesus* [1614], Coimbra: Atlântida, 1957, t. I, 451.

58 *Ibid.*, t. I, 112.

59 EX, t. II, 411-413.

60 Sobre este interesante jesuita, cf. E. J. Alonso Romo, «Pedro Morejón: vida, obra e itinerario transoceánico de un jesuita castellano», en J. Martínez Millán – H. Pizarro Llorente – E. Jiménez Pablo (coords.), *Los jesuitas. Religión, política y educación (siglos XVI-XVIII)*, Madrid: Universidad Pontificia Comillas-IULCE, 2012, t. III, 1551-1572.

61 EX, t. II, 233-234.

62 J. Brodrick, *San Francisco Javier*, Madrid: Espasa-Calpe, 1960, 156-157.

63 EX, t. I, 22*.

Los originales de los escritos 61, 83 y 87 aún se conservaban en el archivo real de Lisboa (Torre do Tombo) en los años 1660 y 1690, pero ya no se encuentran allí a comienzos del siglo XVIII[64].

El autógrafo de la carta 76 lo tenían en 1660 los padres de la Compañía de Jesús en Portugal, según atestigua Pierre Poussines. En 1664, el P. Filippucci encontró en Goa la carta 123 en el archivo de la casa profesa. En el mismo tiempo Poussines atestigua que en el Colegio de la Compañía en Coimbra se conservaban como reliquias los originales de las cartas 47, 103, 113 y 122. En el Colegio de Pont-à-Mousson estaba en 1666 la carta 12. En el archivo de Goa, en 1697, Souza encontró, además de las cartas del códice *Pombal 745,* los originales de las cartas 84 (una parte), 90, 92, 101 (primera parte), 116, 119 (primera parte), 124, 127, 133 y 137[65].

En 1751, en el colegio de Palma, se conservaba íntegra la carta 73. En 1752 en el Colegio de Salamanca estaba la carta 56. En el Colegio Imperial de Madrid existían dos fragmentos de la carta 61, en la iglesia de la Madre del Buen Consejo. En el santuario del Infantado se veneraba como reliquia una carta de Javier, probablemente la 1, que en 1666 todavía estaba en el Colegio de Alcalá. También entonces, en el oratorio del duque de Béjar, entre muchas otras reliquias, se mostraba una carta de Javier, probablemente el doc 10[66]. Todos estos escritos originales, hoy están perdidos.

b. Copias

Cuando no contamos con los textos originales, tenemos que valernos de copias o apógrafos. En total son 95 copias, que podemos dividir en dos grupos, según la mayor o menor cercanía temporal respecto a los originales de Javier.

- Copias contemporáneas de los escritos, es decir, realizadas en vida de Javier o inmediatamente después, y cuyos copistas unas veces conocemos y otras no, son los siguientes textos: doc. 6, 13-17, 19-20, 48-49, 52, 54-55, 58-59, 63, 73-74, 76, 78, 85, 90, 94, 98, 108 y 111.
- Copias no contemporáneas de las cartas: doc. 1-2, 10, 12, 18, 21-45, 47, 50, 61, 64-67, 70, 75, 80, 83-84, 86-89, 92-93, 95, 100-103, 105, 114-117, primera parte de la carta 119, 120-122, 124, 127, 129, 131-132, 134, 136 y 137.

En cuanto a las copias, vale la pena destacar las del llamado códice *macaense*, realizado en Macao en 1746, porque de él han sido extraídos los

64 EX, t. I, 22-23*.
65 EX, t. I, 23*.
66 EX, t. I, 23*.

textos de los docs. 21-45, 50, 64, 65, 84, 86, 88, 89, 93, 101, 102, 114, 115, 119, 120, 124, 127, 129, 131, 132, 134, 136 y 137. En este amplio grupo de copias no advertimos ninguna modernización de la escritura especialmente perceptible en comparación con el resto de los textos. Ello se puede deber a un especial cuidado del copista por transcribir los textos con la máxima fidelidad posible, desde un respeto casi sagrado por la letra[67].

Uno de los problemas de las copias, es que a veces no es fácil deslindar hasta donde llega el texto escrito por el mismo Javier y dónde empiezan los añadidos y glosas de otras manos. Esto sucede principalmente en dos casos, ambos textos de carácter catequético, y por ello especialmente apropiados para las adiciones y adaptaciones. En el doc. 58 encontramos tres párrafos finales, que al parecer fueron añadidos en 1557 –por tanto, cinco años después de la muerte de Javier– en el momento de pasar a la imprenta[68].

c. Traducciones

En algunos pocos casos, cuando también faltan las copias, tenemos que conformarnos con las traducciones. Estas, en concreto, son las siguientes:

- Una traducción italiana del año 1549: doc. 71.
- Seis traducciones latinas: tres realizadas por Tursellino en 1596: doc. 60, 72 y 79. Y otras tres de Poussines: doc. 46, del año 1661, y otras dos de 1167: doc. 53 y 123.
- Una traducción castellana del siglo XVIII: doc. 119.

La gran diferencia entre los textos presentados en la edición crítica de Schurhammer y Wicki, y los aparecidos en otras ediciones se explica, no sólo por la gran libertad con que estas publicaciones han desarrollado y traducido los textos javerianos, sino también porque han estado sometidos a múltiples traducciones sucesivas, por ejemplo, del original castellano al portugués; de éste, al latín; del latín, de nuevo, al castellano; de éste, por segunda vez, al latín; de éste, al inglés, y de éste, finalmente, al japonés. Parece un laberinto de versiones, pero así es señalado por los autores de la edición crítica[69].

67 Este códice es descrito por Schurhammer en EX, t. I, 184-186*. Según este autor, todo el códice fue realizado por un mismo amanuense, que «textum fideliter reddere conatur».

68 EX, t. I, 348-349.

69 EX, t. I, 23*.

2.4. *Los textos perdidos*

a. Los escritos en lenguas orientales

Actualmente no conservamos ninguno de los textos que san Francisco Javier escribió en varias lenguas orientales, concretamente en tamil, malayo y japonés.

A finales de de Octubre de 1542, Javier llegó a Tuticorim, centro principal de la Pesquería, y estando allí durante cuatro meses, tradujo, con gran trabajo y con la ayuda de intérpretes, su catecismo breve (doc. 14) a la lengua tamil. Cuenta el mismo Javier:

> *«Después de avernos ayuntado muchos días con grande trabajo, sacamos las oraciones, comencando por el modo de santiguar, confesando las tres personas ser un solo Dios; después el Credo y mandamientos, Ave María, Salve Regina y la Confessión general de latín en malavar»* (doc. 20, 2).

Sobre el texto tamil de su propio catecismo escribe Javier a su compañero Mansilhas, haciendo algunas correcciones[70]. En esta carta aparece la imperfección de la versión primera y el cuidado vigilante de Javier por enmendar sus deficiencias lingüísticas. Por otra parte, sabemos que en todos los lugares dejaba copias de las oraciones escritas en tamil[71]. Al mismo tiempo en que hacía la versión tamil del catecismo, Javier compuso un discurso en la misma lengua. Este discurso trataba principalmente sobre el cielo y el infierno, y lo utilizaba sobre todo en el bautismo de los neófitos. Pero también, este mismo sermón, se lo recitó a los brahmanes indios[72]: «Con una amonestación que sé en su lengua, en la qual les declaro qué quiere dezir christiano, y qué cosa es paraíso, y qué cosa infierno, diziéndoles quáles son los que van a una parte y quáles a otra» (doc. 20, 8).

Algo semejante sucede con el catecismo malayo. También este texto, hoy perdido, parece haber seguido básicamente el catecismo breve (doc. 14). Tenemos varios testimonios del mismo Javier sobre su catecismo escrito en lengua malaya. Desde Meliapur escribe su intención de viajar a Macassar, y allí «sacaré en sua lingua o Pater noster e Ave Maria e otras oraçõis como hé a confisson geral» (doc. 51, 1). Ya desde Malaca escribe: «La maior occupación que tengo es de sacar las orationes de latín en lenguage que en los Macaçares se pueda entender. Es cosa mui trabajosa no

70 Se trata del doc. 24, 4.

71 Cf. EX, t. II, 581-583.

72 Doc. 20, 11: «Hízeles una amonestación en su lengua dellos, declarándoles qué cosa es paraíso y qué cosa es infierno, y diziéndoles los que van a una parte y quáles a otra».

saber la lengua» (doc. 52, 1). Y, con mirada retrospectiva, lo confirma y añade: «En esta lengua malaya (el tiempo que yo estuve en Malaca) con mucho trabajo saqué el Credo, con una Declaración sobre los artículos, la confessión general, Pater noster, Ave María, Salve Regina, y los mandamientos de la ley, para que me entiendan quando les hablo en cosas de importancia» (doc. 55, 13)[73].

Tampoco conservamos ninguno de los escritos japoneses de Javier, aunque en ellos el principal papel debe ser atribuido probablemente al japonés Anjirô, bautizado con el nombre de Paulo de Santa Fé. Se trataba de una traducción del catecismo breve al japonés, que ya estaba hecha en Noviembre de 1549, pues el día 5 de dicho mes escribe Javier: «Plazerá a Dios nuestro Señor que la aprendamos en breve, porque ya començamos a gostar della, y declaramos los diez mandamientos en quarenta dias que nos dimos aprenderla» (doc. 90, 20). En carta del 29 de Enero de 1552, dirigida a Ignacio de Loyola, afirma Javier: «Fyzymos em lengua de Japón un lybro que trataba de la creacyón del mundo y de todos los misterios de la vyda de Chysto; y después este mesmo lybro escrybymos en letra de la Chyna, para quando a la Chyna fuere, para darme a entender hasta saber hablar chyna» (doc. 97, 21).

b. Vestigios de otros textos perdidos

Aunque sólo conservamos una carta destinada a un familiar directo (doc. 1), consta que Javier, antes de ese año 1535, escribía con frecuencia a su hermano Juan, del cual recibía el dinero para su mantenimiento mientras estudiaba en París[74]. También por aquel tiempo enviaba cartas con alguna frecuencia a su pariente lejano Martín de Azpilcueta, el célebre Doctor Navarro.

Desde el 20 de Junio de 1539 al 15 de Marzo de 1540 desempeñó el cargo de secretario de la naciente Compañía de Jesús, y como tal, debía escribir casi todas las semanas a los compañeros dispersos por Italia. No se ha conservado ninguno de estos escritos de mano de Javier[75].

Desde la India, cuando tenía ocasión, solía escribir todos los años al rey de Portugal, a Ignacio y a Simão Rodrigues. Nos parece muy probable

73 Cf. doc. 59, 3: «Cantavan sanctos cantares, como el Credo, Pater noster, Ave Maria, mandamientos, obras de misericordia, y la confessión general, y otras muchas oraciones todas en lenguage».

74 El doc. 1 precisamente comienza así: «Por muchas partes los días passados escriví a V. Merced a causa de muchos respetos».

75 *Epistolae Mixtae ex variis Europae locis ab anno 1537 ad 1556 scriptae*, Madrid: MHSI, 1898, 40. Cf. J. Mª Recondo, *San Francisco Javier. Vida y obra*, Madrid: BAC, 1988, 256-267.

que también escribiera alguna vez a su íntimo amigo Pedro Fabro, pues sabemos que éste le envió varias cartas[76].

Por el hecho de encomendar a sus subordinados que escribieran de vez en cuando al obispo de Goa[77], no queda duda de que él mismo haría lo propio, aunque no se nos ha conservado ningún escrito con este destinatario.

La frecuente correspondencia que tenía con sus colaboradores queda probada por las muchas que escribió a Mansilhas en 1544.

Cuando a comienzos de año escribía en Cochim sus cartas anuales al rey o a Simão Rodrigues, solía añadir cartas de recomendación de muchos que se lo pedían como el mismo Javier declara el año 1548 y se comprueba por sus cartas de los años 1548, 1549 y 1552.

Dejando aparte estos escritos, cuyo número preciso no conocemos, sabemos sin duda de ochenta y ocho escritos javerianos desaparecidos, de los cuales trece eran cartas que Javier había mandado escribir en hojas de palma.

Finalmente debemos señalar que aunque sabemos que Javier predicaba frecuentemente, tanto en Europa primero, como después en Oriente, no se nos ha conservado ningún sermón suyo, quedándonos simplemente algunos testimonios sobre su manera de predicar[78], que pronunciaba en distintas lenguas, según el auditorio a que se dirigiera. Probablemente Javier nunca escribía previamente sus predicaciones y es seguro que nunca fue publicado ningún texto suyo de este tipo, que, de haber llegado a nosotros, sería precioso para poder conocer su oratoria y compararla con la de otros predicadores contemporáneos[79]. Lo mismo podemos señalar en cuanto a los textos de sus disputas, tanto con los brahamanes de la India como con los bonzos de Japón, aunque en este caso sí contamos con diversos testimonios directos por parte de testigos presenciales, aparte de otros indirectos[80].

76 Cf. EX, t. II, 536-544.

77 Cf. doc. 64, 20: «escrevereis ao Senhor Bispo com muito acatamento e reverencia», e igualmente doc. 80, 21.

78 Cf. el capítulo primero de la segunda parte de nuestro trabajo.

79 En Portugal descollaban por entonces en la predicación oradores de la talla de Heitor Pinto y Fray Luis de Granada; en España, figuras como Juan de Ávila o Constantino Ponce de la Fuente.

80 H. Feldmann, «As disputas de São Francisco Xavier com bonzos da doutrina Zen relatadas por Luís Fróis e João Rodrigues», en *O Século Cristão de Japão. Actas*, Lisboa: Universidade Nova, 1994, 71-78. Cf. G. Schurhammer, «Der hl. Franz Xaver in Japan (1549-1551)», en *Gesammelte Studien*, t. III, 565-604; Id., «Les controverses du Père Cosme de Torres S.I. avec les Bouddhistes», en *Ibid.*, 631-652.

c. ¿Un diario espiritual?

A diferencia de lo que ocurre con otros santos y figuras significativas de la espiritualidad, del siglo XVI y de todos los tiempos, no conservamos ningún diario espiritual de Francisco Javier. Como se ha repetido tantas veces, fue un hombre volcado intensamente en la acción, que quizá no tenía ni la tranquilidad ni el tiempo suficientes para anotar sus experiencias espirituales más relevantes.

Sin embargo, algún editor moderno del epistolario javeriano ha especulado sobre la posibilidad de que Javier anotara sus experiencias íntimas de relación con Dios en un diario, que posteriormente se habría perdido[81]. Así lo hicieron amigos tan cercanos a Javier como Ignacio de Loyola y Pedro Fabro, así como otros jesuitas de la primera generación[82]. De hecho, Javier recomienda claramente esta práctica a otros. Así al P. Gaspar Barzeo le dice: «O que sobretodo aveis de fazer, meditando nestes pontos assima ditos, hé notar muito grandemente as cousas que Deus Nosso Senhor vos dá a sintir dentro na vossa alma, escrevendo-as nalgum livrinho, emprimindo-as em vossa alma, porque nisto está o fruto» (doc. 116, 8)[83]. Palabras parecidas, pero más matizadas, escribe Javier al P. Antonio de Heredia sobre la conveniencia de anotar las experiencias personales de la vida espiritual:

> *«E sobretudo trabalhai de tudo tirar sentimento interior das couzas assima ditas, notando e escrevendo as couzas que particularmente Deos Nosso Senhor vos dá a sentir, porque nisto se emserra o proveito spiritual; porque muita differença há de certas couzas que escreverão os santos com gosto e sentimento que tinhão quando as escrevião: e os homens, por carecerem deste interior sentimento, vem-se aproveitar pouco do que os santos escreverão. Por isso vos encommendo que os sentimentos spirituaes os escrevereis e tereis em grandissima estima» (doc. 120, 8).*

Pensamos que de haber escrito un diario espiritual, probablemente lo habría hecho en castellano, que era la lengua con la que estaba más

81 Así, Hugues Didier sugiere: «Il n'existe pas, pour nous, de Journal spirituel laissé par Xavier, bier qu'il en ait peut-être tenu un»; en su introducción a *Saint François Xavier, Correspondance: 1535-1552*, Paris: Desclée de Brouwer-Bellarmin, 1987, 29.

82 Destaquemos los casos de Francisco de Borja y Jerónimo Nadal; cf. J.-F. Gilmont, *Les écrits spirituels des premiers jésuites*, Roma: IHSI, 1961, 183-184 y 235-236, respectivamente. Cf. J. W. O´Malley, *Los primeros jesuitas*, Bilbao-Santander: Mensajero-Sal Terrae, 1995, 319.

83 Esta instrucción de Javier a Gaspar Barzeo sobre el cuidado de la vida espiritual, comienza con estas palabras: «em os pontos seguintes me ocuparei cada dia huma ora ou mea, e no tempo mais apto e conveniente».

familiarizado, tanto oralmente como por escrito. En todo caso, dado que no contamos con ningún texto ni siquiera vestigio de un posible diario espiritual de Javier, nos quedamos con la opinión de Jesús Iturrioz, quien tratando sobre esta cuestión, señala:

> *«No tenemos un diario espiritual de Xabier. Pero su epistolario nos vale como tal, dada la íntima profundidad con que Xabier se descubre ante Ignacio, desde luego; pero también ante Rodrigues, o los jesuitas de Europa, o sus compañeros de Misión, como Mansilhas, Barceo [...]. Las cartas de Xabier no se limitan a una referencia cronológica de sus andanzas apostólicas, o a una docencia y transmisión de sus métodos catequéticos: son un verdadero espejo de su alma»*[84].

2.5. *Escritos atribuidos a Javier*

Schurhammer ha recogido un elenco de veintisiete textos que en algún momento han sido atribuidos falsamente a Francisco Javier[85]; después otros autores también se han ocupado del tema[86].

Estos textos son de muy diverso tipo. Algunos podrían ser bastante verosímiles a primera vista: una carta enviada a la Universidad de París, una carta al Concilio de Trento, otra dirigida al cardenal-infante D. Henrique, un memorial dirigido al papa Paulo III sobre las Indias[87], varias oraciones, etc[88].

Otros son totalmente fantásticos e inverosímiles, como unas pretendidas profecías sobre la vuelta del rey D. Sebastião y la instauración del Quinto Imperio o la supuesta carta enviada desde el cielo por Javier al rey D. João V de Portugal, en 1722[89].

Especial atención se ha dedicado siempre a investigar la autoría del famoso soneto español «a Cristo Crucificado» cuyo texto comienza así: «No me mueve, mi Dios, para quererte»[90]. Este soneto fue editado por

84 J. Iturrioz, «Elecciones apostólicas de S. Fco. de Xabier por discreción espiritual», en *Manresa* 54 (1982) 134.

85 G. Schurhammer, «De scriptis spuriis S. Francisci Xaverii», en *Studia Missionalia* 1 (1943) 1-50.

86 F. Mateos, «Dos cartas de san Francisco Javier a la corte de España, una supuesta y otra verdadera», en *Razón y Fe* 146 (1952) 476-482.

87 Cf. R. Gaviña, «San Francisco Javier nunca escribió al Romano Pontífice», en *El Siglo de las Misiones* 41 (1954) 93-96.

88 Cf. EX, t. II, 522-526.

89 G. Schurhammer, «Cartas falsificadas de São Francisco Xavier», en *Gesammelte Studien*, t. III, 159-166.

90 El soneto ha sido transmitido con bastantes variantes, que no suponen diferencias esenciales.

primera vez por Antonio de Rojas en 1628[91]. Desde que se supo que en las cartas de Javier, publicadas en traducción latina por Poussines (Roma, 1667), se transmitían unos versos con pensamientos semejantes a los del soneto, Javier tuvo más partidarios que ninguno en la atribución de esta poesía. El fundamento mayor para ello procede del jesuita Juan Rho, que en 1644 publicó su libro *Degli atti ed effetti delle virtú*, en el cual aparece el soneto castellano y una traducción italiana del mismo. Este autor afirma: «dicesi essere di S. Francesco Saverio»[92].

De hecho, este soneto durante mucho tiempo ha sido adjudicado al santo navarro[93], y especialmente durante los siglos XVII y XVIII fue mayoritaria la atribución de la poesía a san Francisco Javier, e incluso todavía en el siglo XX, algunos han defendido la autoría javeriana del soneto[94]. Sin temor a exagerar, podemos hablar de un verdadero torrente de libros y artículos dedicados a la búsqueda del elusivo autor del famoso soneto, decantándose cada uno por algún candidato de su preferencia, sin llegar en ningún caso a pruebas concluyentes.

Georg Schurhammer, después de dividir los sonetos en cuatro familias textuales y de analizar detenidamente el tema, concluye que Javier no escribió ni el texto castellano, ni el otro portugués, ni la versión latina[95].

Posteriormente este asunto ha sido estudiado por Ignacio Elizalde quien hace un valioso compendio y traza la influencia y el conocimiento del soneto en España. Elizalde parece demostrar que dicho soneto fue escrito a finales del siglo XVI o comienzos del XVII, que no tiene ninguna relación con Javier y que su autor fue un jesuita anónimo[96].

Después, otros autores han seguido ocupándose de su estilo y sus contenidos, pero sin dar nueva luz sobre la paternidad del soneto. En este sentido, destacan los trabajos de Gabriel M.ª Verd Conradi[97].

91 A. de Rojas, *Vida del espíritu, para tener oración y unión con Dios*, Madrid, 1628, 109.

92 G. Rho, *Degli atti ed effeti delle vitù. Centuria Prima dell' Amore*, Roma, 1644, 13.

93 También ha sido atribuido a Ignacio de Loyola o Teresa de Jesús; cfr. EX, t. II, 530-531.

94 Así W. Furlong, «The Sonnet of Saint Francis Xavier», en *The Eclesiastical Review* 48 (1913) 530-540.

95 EX, t. II, 526-535.

96 I. Elizalde, *San Francisco Javier en la literatura Española*, Madrid: CSIC, 1961, 59-104.

97 G. M.ª Verd Conradi, «Soneto «No me mueve, mi Dios, para quererte», en *Diccionario Histórico de la Compañía de Jesús*, t. IV, 3607-3610; Id., «El P. Roque Menchaca, San Ignacio y el soneto *No me mueve, mi Dios, para quererte*», en *Archivo Teológico Granadino* 67 (2004) 111-148; Id., «San Francisco Javier y el soneto *No me mueve, mi Dios, para quererte*», en *Los mundos de Javier*, Pamplona, 2008, 487-508; Id., «El Soneto *No me mueve, mi Dios, para quererte* y su versión latina en los Países Bajos», en *Archivo Teológico Granadino* 69 (2006) 49-70; Id.,

Finalmente, aunque sólo sea a título de curiosidad, señalemos que incluso se le ha asignado a nuestro santo ser autor de obras dramáticas de carácter catequético[98]. En una ocasión Javier hace una referencia a representaciones teatrales en Oriente:

> *«E se em minha carta não fallar nenhuma couza desta raynha D. Izabel, fallareis ao Senhor Governador, pedindo-lhe muito por mercê que olhe se El-Rey lhe manda algum despacho ou cartas a esta raynha D. Izabel, em que lhe faz mercê de alguma comedia para seu sustentamento, e nisto tereis muy especial cuidado vós e Antonio Gomez» (doc. 84, 6).*

Por lo demás, la idea de que Javier halla compuesto alguna obra de teatro parece difícilmente admisible al no conservar de ello ningún testimonio, directo o indirecto, aunque posteriormente los jesuitas sí desarrollaron el teatro entre los cristianos de la India[99].

«San Ignacio de Loyola y el soneto *No me mueve, mi Dios, para quererte*», en *Archivo Teológico Granadino* 75 (2012) 99-166.

98 E. Cotarelo y Mori, *Bibliografía de las controversias sobre la licitud del teatro en España*, Madrid, 1904, 227. El diálogo quinto transcribe un manuscrito del año 1620 y dice: «Pues entre otras trazas que daba (el bienaventurado Francisco Xavier) una era buscar un buen número de japoneses que supiesen la lengua china y en ellos llevar comedias compuestas de la vida de Nuestro Señor y de sus milagros y de las historias de las Sagradas Escrituras».

99 Cf. M. Martins, *Teatro nas Cristandades Quinhentistas da Índia e do Japão*, Lisboa: Edições Brotéria, 1985; J. Correia-Afonso, «Jesuit Drama in Sixteenth Century Malabar», en *Estudos portugueses. Homenagem a Luciana Stegagno Picchio*, Lisboa: Difel, 1991, 225-232.

LA DISCUSIÓN ENTRE ONTOLOGÍA Y TEOLOGÍA EN LAS *DISPUTACIONES METAFÍSICAS* DE FRANCISCO SUÁREZ. *PRINCIPIUM ET CAUSA* EN LA *DISPUTACIÓN XII*

LAURA SOTO RANGEL
Universidad Nacional Autónoma de México

¿Cómo analizar u orientar una obra de la importancia de las *Disputaciones Metafísicas*[1] desde nuestro horizonte actual de la filosofía? La pregunta no hace eco de una noción de la filosofía basada en la novedad de problemas. Todo lo contrario, ¿cómo orientar la pregunta por el pensar en general, como horizonte filosófico, frente a una obra del siglo XVI? La ingenuidad de las preguntas no es un asunto menor. Hablamos no sólo de la hermenéutica desde la cual analizamos una obra filosófica del pasado en la que interviene sin duda un horizonte específico de interpretación. Nuestro vagaje filosófico es ya un medio desde el cual una obra, cualquiera que ésta sea, será analizada. Comprender una obra como las *Disputaciones*, escrita por un teólogo jesuita del siglo XVI, nos plantea una distancia sobre problemas que la filosofía ha pensado históricamente. Pero en el retorno a éstos, en el alumbramiento a estos problemas, no sólo la historia de la filosofía cobra claridad, sino también los propios fundamentos de nuestras filosofías contemporáneas.

1 El título en latín de la obra de 1597 es *Metaphysicorum disputationum in quibus et universa naturalis theologia ordinate traditur, et questiones omnes ad doudecim Aristotelis libros pertinentes accurate disputantur.* Para fines prácticos, usaré la versión bilingüe de las *Disputaciones Metafísicas* a cargo de Sergio Rábade Romeo. F. Suárez, *Disputaciones Metafísicas*, Biblioteca Hispánica de Filosofía, Madrid: Gredos, 1960. En adelante usaré la abreviación *DM* seguida del número de disputación, sección y parágrafo. *DM* I, V, 23.

A lo largo del siglo XX y XXI, la filosofía ha planteado sus estatutos bajo la amplitud de una «laicidad» que impide enfrentarnos y comprender la amplitud de una serie de problemas que han nacido en el seno de una filosofía en relación recíproca con la teología. No pretendemos abordar el problema de la delimitación de los objetos de cada una de estas ciencias, sino mostrar un problema del que es necesario partir al enfrentarnos a las *Disputaciones Metafísicas* de Suárez. Recurrir a las propias obras que cita Suárez en las *Disputaciones* pone en el escenario una dificultad de problemas propios de la época y de nuestra interpretación sobre la historia de la filosofía. Problema que trataremos a continuación.

Ahora bien, no pretendemos usar como instrumento la amplitud de una obra como las *Disputaciones*, sino en todo caso, en la exposición de las *Disputaciones* encontrar la amplitud de una serie de problemas que la filosofía ha pensado históricamente. Pese a que la finalidad trae consigo replanteamientos que exceden a la propia finalidad de un ensayo, desarrollemos por lo pronto el estado de la cuestión desde el cual, las *Disputaciones* se han problematizado. Tomaremos como horizonte la interpretación de François Courtine y Martin Heidegger no porque pretenda debatir o refutar sus respectivas lecturas, sino porque al servirnos de su orientación alumbraremos el eje desde el cual las *Disputaciones* han cobrado importancia en el siglo XX.

El problema de la causalidad, desde las nociones de *principium* y de *causa*, serán la fuente desde la cual realizaremos una serie de anotaciones en la segunda parte de este trabajo. Por su parte, la última sección de la investigación responde al papel de la teología en el entramado de las *Disputaciones*, tomando en cuenta la amplitud del pensar en contra de toda parcelación de la filosofía.

1. La interpretación de las *Disputaciones*. Orientación y problemáticas

Heidegger, en 1927 en *Ser y Tiempo* § 6, manifestó la importancia de las *Disputationes* frente a la transformación de la escolástica a la modernidad, aseverando que ésta influyó en el tránsito de la *Metafísica* aristotélica y la filosofía griega hacia los problemas de la filosofía moderna. En el mismo sentido y en el mismo año, en su curso de verano[2], afronta la importancia de las *Disputaciones* frente a la distinción entre *essentia* y

2 M. Heidegger, *Los problemas fundamentales de la fenomenología*, Madrid: Trotta, 2000, 125.

existentia in ente creato, retoma a Santo Tomás de Aquino y Kant pasando por Escoto y Suárez como vehículos del problema entre la escolástica hasta la culminación de la filosofía moderna. Para 1948, Étienne Gilson publica *L'être et l'essence* y *Being and some philosophers* en donde manifiesta la importancia de las *Disputaciones* como una obra que media entre la escolástica y la inauguración de la filosofía moderna hasta la sistematización de la filosofía en Hegel[3]. En la misma línea, François Courtine en *Suarez et le système de la métaphysique* y en *Inventio analogiae, Métaphysiqye et ontothéologie* ve a Suárez como el vehículo o vínculo[4] que lleva los problemas de la escolástica hasta Descartes, Leibniz, Wolff y Kant[5].

En general, la interpretación de la *Disputaciones* como una obra de vinculación histórica[6] evidencia ya una forma específica de pensar los problemas de la historia de la filosofía en donde estos se transforman de una comprensión de *theologia rationalis* a *metaphysica generalis* u ontología. Así, para Heidegger, en su curso de verano de 1927, la importancia de las *Disputaciones* reside tanto la particularidad de los problemas como en el seguimiento y replanteamiento de la *Metafísica* aristotélica. Frente a la

3 «En cuanto diputaciones, se hallan todavía en la Edad Media [...]. Por otra parte, [...] parecen ya una obra filosófica moderna». É. Gilson, *El ser y los filósofos*, Pamplona: EUNSA, 1196, 3 ed., 134.

4 «En ce sens les Disputationes représentent moins une oeuvre de "transition" –ni tout à fait "scolastique" ni tout à fait "humaniste"– qu'une oeuvre de passage, à proprement parler, c'est-à-dire une oeuvre qui vehicule, et qui déforme nécessairement aussi, en les livrant à ses "neveux", des pensées plus anciennes; en un mot, c'est, dans tous les sens du terme une oeuvre traditionnelle, une oeuvre donc qui trahit assurément ses devanciers, et que sa postérité ne pourra à son tour qu'interpréter ou réanimer selon une certaine violence». J. F. Courtine, «Le project suarézien de la métaphysique», en *Archives de Philosophie* 42 (1979) 235-274, 236.

5 «Transporte et transpose de l'horizon médiéval, et principalement de l'horizon médieval tardif –disons post-thomiste, scotiste et nominaliste–, et délivre ainsi à notre modernité philosophique». *Ibid.*, 236.

6 José Pereira en la misma línea de investigación manifiesta la importancia de las *Diputaciones* como trayecto hacia Descartes. «René Descartes (1596-1650) described as the «disciple of the of the disciples of Suárez» [...]. In 1604 he was sent to the Jesuit school of La Flèche at Anjou, where he studied until 1612. There three years were devoted to philosophy: in the first year to logic, based on the texts of the Jesuits Pedro da Fonseca (1528-1599) and Francisco de Toledo (1532-1596); in the second year, to natural philosophy, with Aristotle as the guide; and in the third year to metaphysics and moral philosophy, as formulated by the Conimbricenses and Suárez». J. Pereira, *Suarez Francisco. Between scholasticism and modernity*, Wisconsin: Marquette University Press, 2006, 179. José Hellín, por su parte, se opone a caracterizar a Suárez como una fuente de la filosofía moderna por el simple hecho de que gran parte de los filósofos modernos beben no sólo de Suárez, sino de toda la filosofía escolástica y específicamente de Santo Tomás de Aquino. J. Hellín, «Existencialismo escolástico suareciano», en *Pensamiento* 12 (1956) 157-178.

Comentarios en torno a cuestiones particulares de la obra de Aristóteles, Suárez afronta la sistematización a partir de un índice que buscaría reestructurar cada uno de los libros de la *Metafísica* con la finalidad de brindar una unidad sistemática a los problemas de la filosofía medieval[7].

Más aún, para Heidegger, la propia sistematización de la filosofía evidenciaría por primera vez problemas específicos de la filosofía comprendiendo ésta como ontología a partir de la distinción entre una *metaphysica generalis* (ontología general), una *metaphysica specialis* (ontología de la naturaleza), *psychologia rationalis* (ontología de la psique) y una *theologia rationalis* (ontología de Dios)[8]. La sistematización de la *Metafísica* de Aristóteles llevaría a delimitar los objetos de cada una de las ciencias, dividiendo el ámbito de la filosofía como *metaphysica generalis* y *specialis* frente a una *theologia rationalis.* El replanteamiento no sólo surgiría frente a la búsqueda de Suárez por encontrar el objeto de estudio de la metafísica[9], en el que concluye que entre sus objetos se encuentra el ente en tanto ente, *de ente ut ens est*. Para Heidegger, la discusión en torno al objeto de la filosofía se plantea frente a la novedad de Suárez de investigar la diferencia entre *essentia* y *existentia* frente a la discusión tomista que pone en cuestión el *ens creatum* o *ens ab alio* frente al *ens a se,* Dios. El problema particular que se desarrolla en torno a la causalidad en Suárez, habría que rastrearlo como renovación de los estatutos tomistas. Según este horizonte de interpretación, la distinción entre esencia y existencia para Santo Tomás de Aquino cobra relevancia como problema del *ens a se* frente al

7 «Fue Suárez quien sistematizó por primera vez la filosofía medieval, sobre todo la ontología. Antes de él, la Edad Media, incluido Tomás y Duns Escoto, trataron el pensamiento antiguo sólo en comentarios que consideraban los textos uno tras otro. El libro fundamental de la antigüedad, la *Metafísica* de Aristóteles no es una obra coherente, carece de estructura sistemática. Suárez lo vio y trató de suplir esta carencia, pues así lo consideró, disponiendo, por primera vez, los problemas ontológicos en una forma sistemática que determinó una división de la metafísica que perduró durante los siglos siguientes hasta Hegel». M. Heidegger, *Los problemas fundamentales..., o.c.*, §. 112.

8 *Ibid*. «Se ha subrayado hace mucho la dualidad de inspiración y de proyecto de la metafísica aristotélica. Suárez oponía ya, en sus *Disputaciones metaphysicae*, las dos definiciones que Aristóteles proponía de la metafísica: unas veces ciencia del ser en cuanto ser, en la generalidad de sus determinaciones y otras, ciencias del principio del ser, o sea, de lo que hay de primero en el ser; por una parte, ciencia universal (...) por otra parte, ciencia particular, antes de que Wolff y Baumgarten la reasuman en la distinción, desde entonces clásica, entre una *metaphysica generalis*, referida al *ens commune*, y una *metaphysica specialis*, referida al *summum ens*, es decir, a Dios». P. Aubenque, *El problema del ser en Aristóteles: ensayo sobre la problemática aristotélica*, V. Peña (trad.), Madrid: Escolar y Mayo, 2008, 236.

9 Por metafísica Suárez entenderá: «*Distinguendae videntur duae partes huius doctrinae: una est, quae de ente ut ens est, eiusque principiis et proprietatibus disserit. Altera est, quae tractat de aliquibus peculiaribus rationibus entium, praesertim de immaterialibus*». *DM* I, V, 23.

ens creatum. En último término, «por razones esenciales, la existencia pertenece a la *res* en Dios. Su esencia es su existencia. Pero en cambio, en la criatura, la causación de su efectividad no se encuentra en ella misma»[10]. Así pues, la pregunta que cobra sentido y que tratará de resolver Suárez, según Heidegger, es la de hacer comprensible la distinción entre esencia y existencia, bajo el ámbito de cómo se piense el paso de la posibilidad a la efectividad, es decir, el paso de la esencia a la actualidad de la existencia bajo una distinción de razón (*distinctio rationis*).

La conclusión a la que llega Heidegger, parte de una doble significación de *ens* (como participio y como nombre) que lleva a cabo Suárez en la *Disputa* II, IV. Ante esta distinción, Heidegger encuentra que para Suárez, la existencia no puede distinguirse plenamente más allá de la esencia. La existencia no es un algo más u otro ente que realmente se distinga. «Pues, entonces, la existencia, la efectividad, sería ella misma una *res*, hablando kantianamente, un predicado real»[11].

La resolución de Suárez frente a dicha escisión es plantear la doble significación de *ens*, como nombre, en tanto que es, y como participio del verbo *sum*, en tanto que está siendo en acto. Retoma la reflexión aristotélica que al expresar «ser» y referirnos a una cosa, no se añade ninguna existencia, sino que en el acto mismo de nombrar ésta se presupone. Así, la existencia nada añade al qué efectivo[12] o a la posibilidad de la esencia. De tal modo, que al pensar en el problema de la causalidad Heidegger explica:

> *Este paso no habrá de comprenderse en el sentido de que lo posible abandona un modo de ser, sino que recibe por primera vez el ser. La* essentia *está ahora* non tantum in illa, *no sólo en aquella potencia, a saber de ser pensada por Dios, sino que sólo ahora es auténticamente efectiva,* ab illa, et in seipsa, *el ente es ahora creado por Dios y en tanto que creado, es a la vez, en sí mismo independiente*[13].

La reestructuración que ve Heidegger en torno al problema del ente en Suárez surgiría entonces a partir de dos vías de análisis. 1. La novedad de replantear la pregunta por *ens*, como nombre y como participio, a partir de lo cual, el problema entre esencia y existencia se resolvería como distinción de razón, *distinctio rationis*. Más aún, 2. lo que propondría Suárez frente al problema de la ontología, sería el de escindir y

10 M. Heidegger, *Los problemas fundamentales..., o.c.*, 125.
11 *Ibid.*
12 *Ibid.*, 130.
13 *Ibid.*, 131.

distinguir entre un problema ontológico y uno teológico. La ontología se desarrollaría en el ámbito de la efectividad y ya no en el problema de la causalidad como problema entre Dios y sus creaturas. La distinción es clara, la ontología cobraría autonomía frente a un problema de teología racional. Para reforzar su sentencia, Heidegger divide en tres partes las cincuenta y cuatro *Disputaciones* de Suarez a partir de un mismo objeto de estudio donde impera la ontología general frente a la teología racional. 1. De la primera disp. a la XXVII Suárez trataría del ente, sus propiedades y sus causas, *communis conceptus entis eiusque propietatibus*. 2. Mientras que, de la *disp.* XXVIII a la LIII de la totalidad del ente, en tanto *ens infinitum* y *ens finitum*. Y 3. la LIV sobre *ens rationis* o el ente de razón[14]. Tanto la clasificación de los temas en las *Disputaciones* como el análisis que realiza Heidegger permite comprender esta obra como vehículo donde el problema de la causalidad se transforma: de la escisión entre ente creado y Dios, hacia un horizonte ontológico donde impera la efectividad como problema entre esencia y existencia. La finalidad del análisis heideggeriano consiste en mostrar la amplitud de la ontología en las *Disputaciones:* del problema de la ontoteología en filosofía escolástica a la autonomía y sistematización de la filosofía moderna. En la misma línea, el problema que en palabras de Courtine ha heredado el Aquinate a Suárez es el de la unidad del concepto de ente es decir, la unidad de diferentes acepciones para referirnos a un único término directriz *respectus ad unum*. Para Courtine, en *Inventio analogiae...*, el problema se originaría, siguiendo la interpretación de Heidegger, en la cuestión de la *divina praedicatio* o los nombres divinos, discusión en la que Suárez dialogaría directamente con Tomás de Vio Cayetano y su obra *De analogia nominum*[15]. Pues bien, según Courtine, mientras que para Aquino, la analogía de proporción sirve para explicar el problema entre causa-efecto y la unidad de los entes creados frente al ente supremo, según un principio de participación; Suárez se

14 *Ibid.*, 114.

15 Los jesuitas admiten de Cayetano la distinción entre analogía de atribución extrínseca e intrínseca pero rechazan de Cayetano la analogía de proporcionalidad propia, llamada por los jesuitas de proporcionalidad intrínseca. Cf., J. M. Gambra, *La analogía en general. Síntesis tomista en Santiago Ramírez*, Pamplona: EUNSA, 2002, 60, 265-270. Por su parte José Hellín menciona: «Los cayetanistas creen que nunca hay semejanza formal entre los seres analogados, sino a lo más semejanza proporcional; y Suárez cree que en alguna analogía hay semejanza formal en la razón significada entre los analogados, aunque mezclada con muchas desemejanzas; así hay semejanza formal en el ser entre Dios y las creaturas, entre la sustancia y el accidente. Por esta causa los tomistas creen que no puede haber nunca un concepto único prescindido imperfectamente de los inferiores y el P. Suárez, por la contraria razón, cree que puede darse ese concepto uno». J. Hellín, *o.c.*, 67.

sirve no ya de la efectividad como analogía de proporción, sino de la pura objetividad del concepto ente, en tanto *ratio entis* y *ratio causae*[16]. Así pues habría en Suárez tres formas de abordar el problema del ente: 1. La que surge de la *Disp. II*: donde afirma la univocidad del concepto común de ente. 2. La *Disp.* XXVIII en donde trata el tema de la analogía entre Dios y las creaturas y 3. La *Disp.* XII donde aborda la analogía de los conceptos de principio y causa[17].

Frente a esta triple tematización, Courtine explica que Suárez enfrenta el problema del *ens*, mediante la unidad, univocidad del concepto de ser, expresado en la fórmula de *ens* = *res*: fórmula que permitiría entender un concepto simple y unitario en el que Dios está referido al concepto y no el concepto a la simplicidad del nombre de Dios. Que Suárez relacione *ens* con *res* permite establecer una univocidad pese a la diversidad de predicamentos. Puesto que la diversidad está contenida en el concepto más simplísimo, *ens*, el giro de Suárez respecto al Aquinante es evidente: todas las cosas están contenidas en la *ratio essendi*, Dios incluso, en tanto cosa, es uno de los tantos objetos contenidos en la razón de ser. Para Courtine, el paso de la preocupación escolástica a la de la modernidad surge al relacionar *ens* con *res* y en tanto que no es *nihil* sino *aliquid*. Pues bien, que el ente sea una cosa, indica en su más simple expresión que ésta es *algo* y no nada. Es decir, siguiendo al propio Suárez, frente al problema de la unidad y analogía del concepto formal, *ser* en su máxima y más simple expresión no sólo es un concepto o quimera de la mente, sino un *algo* real apto para existir fuera de la nada: «*aptam ad existendum extra nihil*»[18]. Así

16 Courtine apunta al problema entre causa y efecto en tanto *ratio causae*. Dios como problema del ser supremo incausado frente a la causalidad de los entes creados. J. F. Courtine, *Inventio analogiae, o.c.*, 293. Lejos de una interpretación logicista, Suárez no entiende por concepto (*ratio*) un término puramente lógico, sino que éste, en todo caso, es parte del estudio de los entes de razón. Contrario a Ockham por ejemplo, el concepto formal de Suárez no surge de los individuales que se constituyen en el entendimiento como universales, como acto del conocimiento intuitivo al abstractivo. El *ens* suareciano es un concepto real que el entendimiento resuelve frente al contenido intrínseco de la realidad. No es pues adecuación, ni formulación, sino resolución de la unidad que hay frente a la pluralidad y diversidad de la realidad. Es pues en palabras de Heidegger *conceptus/concipere*. «En efecto, aunque, por lo que a nosotros respecta, los conceptos se forman muchas veces mediante las palabras, sin embargo, considerado en sí y absolutamente, el concepto es anterior, alumbrando él mismo la palabra con la que se expresa. [Lejos de una pura unidad en el significado] (...) es una especie de imagen simple que representa naturalmente lo que por la palabra se significa arbitrariamente | *talis conceptus est simpliciter et absolute conceptus rei secundum se (...) hic conceptus est per modum cuiusdam simplicis imagnis naturaliter repraesentatis*». *DM* II, I, 13.

17 J. F. Courtine, *Inventio analogiae, o.c.*, 291-292.

18 *DM* II, V, 16.

pues, «la noción central y el punto de partida de la metafísica no será pues un objeto determinado, ni siquiera el objeto supremo, Dios, sino la noción de *aliquid* o de *res* [como lo contradistinto del puro *nihil*] porque bajo ella pueden ser considerados todos los objetos posibles»[19].

El giro del Iñigo marca la continuación o el vehículo entre la escolástica y la modernidad, entre la ontoteología y la ontología. En sus palabras, las *Disputaciones* «es una obra que traiciona a los que le precedieron y que la posteridad sólo podrá interpretar o reanimar con cierta violencia»[20].

Llama la atención que gran parte de los horizontes a través de los cuales se analizan las *Disputaciones*, ya sea desde el horizonte de Heidegger o Courtine, el esencialismo de Gilson o las propuestas existencialistas, parten en general de una autonomía de la metafísica, entendida ésta como ontología. ¿Pero es este en realidad un problema que se origina en las *Disputaciones* o no son acaso estas opiniones el carácter de nuestra pretensión actual sobre la autonomía de la filosofía y sobre la problematización de la propia *Metafísica* aristotélica?[21].

La singularidad de las *Disputaciones Metafísicas* no sólo reside en ser una de las primeras obras que sistematiza las cuestiones fundamentales

19 L. Prieto, *o.c.*, 147. Véase la opinión del mismo Courtine: «*Est* en el sentido magistral del término se entiende como «lo que no es nada», es decir, lo que tiene entidad y que, por consecuencia, es «aliquid» o «res». El privilegio sobre *res*, como nominativo del ser responde a la metafísica general, entendida como ontología». J. F. Courtine, «Le project suarézien de la métaphysique», en *Archives de Philosophie* 42 (1979) 235-274, 243.

20 «Une ceuvre donc qui trahit assurément ses devanciers, et que sa postérité ne pourra à son tour qu'interpréter ou réanimer selon une certaine violence». *Ibid.*, 236.

21 Al respecto, Tomás Calvo Martínez sobre el problema de la interpretación de la *Metafísica* aristotélica menciona: «La unidad de la metafísica fue cuestionada y negada ya a finales del siglo XX (P. Natorp, 1888) sobre la base de la distinción moderna entre *metaphysisca* y *metaphysyca specialis*: la ontología sería una metafísica general y la teología una metafísica especial, resultando imposible cualquier unificación coherente de ambas. Años más tarde, W. Jaeger trató de encontrar una explicación para esta sorprendente presencia de dos proyectos metafísicos en los textos de Aristóteles. [...] Bajo la influencia de W. Jaeger se impuso durante décadas la interpretación "dualista" de la metafísica aristotélica [...]. No obstante, en los inicios de la segunda mitad del siglo XX se produjo una fuerte reacción "unitarista" (J. Owens, 1952; Ph. Merlan, 1953)». T. Calvo Martínez, *Aristóteles y el aristotelismo*, Madrid: Akal, 2008, 37. Cf. con Pierre Aubenque quien plantea que el problema de interpretaciones sobre el objeto de estudio de la filosofía es implícito a la misma *Metafísica* aristotélica, oculta en las pretensiones sistemáticas de los comentaristas escolásticos. «La interpretación sistemática que, según parece, había albergado sus primeras dudas con Suárez iba haciéndose cada vez más insegura». A tal grado que, menciona Aubenque: «Suárez es uno de los primeros que nota la dificultad de definir a la metafísica unívocamente». P. Aubenque, *o.c.*, 14.

de la *Metafísica* aristotélica, lejos de los *Comentarios*[22]. La relevancia de esta obra debe hallarse tanto en las cuestiones de inicio, como en el trayecto que emprende frente a problemas específicos que subyacen a su tradición. Suárez inaugura sus *Disputaciones* poniendo en claro el papel de la metafísica frente a la teología, pero si bien el punto de inicio de la *primera Disputación* es éste, no debemos confundir la pretensión de definir qué es Metafísica con desprender de ella asuntos que competen tanto a ella como a la teología, en tanto problemas del pensar en general. De fondo, la problemática nacería en la escisión entre una *metaphisyca specialis* y una *metaphysica generalis.* Mientras que la *metaphysica generalis* trataría del ente en tanto ente, la *metaphysica specialis* del *ens creatum* frente a Dios en donde el problema de la causalidad estaría en plena concordancia con el tema de la creación. Citando a León Florido, «la creación de la ontología surge doctrinalmente de [ésta distinción] [...], que no se encuentra *expressis verbis* en las *Disputaciones,* pero que se presenta de hecho en la ordenación de la doctrina, al separar la determinación general y común (*rationes omnes communes et quasi trascendentales*) y un examen de las diferentes *species entis*»[23].

Es pues en la ordenación de las *Disputaciones* donde debemos centrar el inicio del horizonte de interpretación. Es desde las propias *Disputaciones* y el orden en sus cuestiones consecutivas desde donde se pueden rastrear los problemas específicos a los cuales Suárez trata de responder. Pese a

22 La característica fundamental de la recuperación de Aristóteles en la *Metafísica* reside en que Suárez rompe con la tradición de Comentarios a la *Metafísica* realizados por Alberto Magno, Tomás de Aquino, Duns Escoto y Pedro de Fonseca, etc.: «He wants to raise questions and considerer things according to the *ordo doctrinae*, that is, the order of a demostrative science, which has to determine its proper subject and examine the propperties that *per se* belong to the subject. It has been suggested that the «absolute singularity» of Suárez´s enterprise consists in his refusal to see Aristotles's *Methaphysics* as the metaphysics, but he had predecessors in the respect». J. Aersten, *Medieval philosophy as trascendental thought, from Philip the Chancellor to Francisco Suárez,* Boston: Brill, 2012, 587. Por su parte Raúl Scorraille menciona «La costumbre tradicional en aquella época era enseñar la Metafísica comentando los doce libros que escribió Aristóteles acerca de esta parte de la Filosofía. Al comentario se agregaban, cuando era menester las Cuestiones o Disertaciones destinadas a discutir problemas filosóficos, que omitía el texto o únicamente sugería y no resolvía. Los profesores preferían las Cuestiones al Comentario porque en ellas podían dar enseñanza más libre y personal (...) de donde nació la regla de la Ratio [se refiere a la regla 12 de la *Ratio studiorum*] que les encarga que no den a las Cuestiones más tiempo o importancia del que conviene, pues la enseñanza ha de ser sustancialmente explicación de Aristóteles». R. Scorraille, *o.c.*, 314.

23 F. León Florido, «Estudio preliminar», en F. Suárez, *Disputaciones Metafísicas,* Madrid: Tecnos, 2011, 39.

lo arbitraria que parezca esta pretensión, no es ésta una búsqueda de un restablecimiento de la unidad de la metafísica con la teología, sino la posibilidad de abarcar un problema que compete a ambos saberes.

2. Estructura del problema principio y causa en la Disputación XII

La Disputa XII introduce la necesidad de esclarecer las causas del ente en general. Suárez explica que esta cuestión compete al metafísico pese a que el problema de la causalidad también sea analizado por la filosofía de la naturaleza. La Sección I responde a qué es causar, tomando en cuenta la diferencia entre la noción de principio y la de causa, explicándola como *distinctio rationis*. El granadino conjuga tanto las definiciones de la *Metafísica* aristotélica como las de la *Summa* del Aquinate, como si fuesen ambos un recorrido a las problemáticas específicas de la filosofía y que el jesuita busca resolver por medio de un concepto lo más amplio que contenga a otros. Hablamos de un concepto tal que en sus orígenes fundamentales arraigó problemas tanto de la teología como de la filosofía de la naturaleza para lo cual, el Iñigo recurre a la conocida distinción aristotélica del Libro V de la *Metafísica* entre *arjé* y *aitía*.

Pese a la pluralidad de sentidos que albergan ambas nociones, llama la atención la caracterización de *arjé* como término que contiene en su amplitud la diversidad de acepciones para responder a qué es una causa. Suárez leerá esta distinción, que a su vez recupera no sólo él sino su tradición, como un asunto fundante tanto de la teología natural como de la sobrenatural. La relación no es menor, Suárez recupera la distinción aristotélica bajo el horizonte de la teología y cita de Santo Tomás la *Summa Theologiae* I, q. 33, art. 1: «Los griegos utilizaron indistintamente los nombres *causa* y *principio* en su aplicación a Dios. Pero los doctores latinos sólo utilizaron el de principio, no el de causa. La razón de esto estriba en que *principio* es más general que *causa*».

Pese a que el objetivo de Suárez consista en definir qué es principio y qué causa, desde el horizonte de la metafísica, la *Disputación* se sirve tanto de Aristóteles como del Aquinate para definir el término *principium* como el más amplio que encierra la pregunta qué es una causa en general. Así pues la primera Sección de la Disputa XII expone diferentes nociones sobre qué es principio, citando el *Libro De las causas*, la *Poética, Analíticos Segundos*, el Libro V de la *Metafísica* de Aristóteles y la I, q. 33 de la *Summa*. Frente a la diversidad de nociones, Suárez pasa a esclarecer la analogía del término principio explicándolo como término de mayor extensión, en relación con los principios del conocimiento y de las cosas, en tanto principios *ad intra* y *ad extra*. Así, en XII, I, 2, Suárez explica que en teología sobre las operaciones del primer principio, hay operaciones *ad intra*, frente al problema de la trinidad, y *ad extra* frente al problema de la creación. El problema que trata de resolver es si estas relaciones son análogas o univocas.

Analiza la noción de *prioridad* en el término principio para incidir en el problema de la Trinidad en las que no se da prioridad en las personas divinas pero sí razón de principio. Frente a la diversidad de problemáticas Suárez manifiesta la comunidad y relación entre el principio y lo principiado[24]. Cita *Sobre la generación de los animales* de Aristóteles el Libro V, c. 7, de Santo Tomás la I. q. 33, art. 1, ad1., Damasceno *Diálogo contra los Maniqueos,* El Concilio de Trento, el *Comentario a las Sentencias,* In I dist. 12, q. 2 y dist. 28, de Gabriel Biel, Escoto, Capréolo y Alberto Magno su *Comentario a las Sentencias,* In I, dist. 29, q. 1, art. 2.

En general, la discusión sobre la noción de *principio* y *causa* pone en evidencia la distinción aristotélica pero con plena referencia a la teología escolástica, Escoto, los nominalistas y la opinión de los Concilios. Mientras tanto, la Secc. II pasará a analizar la ratio *communis causae* en donde al exponer las diferentes sentencias en la que no cita explícitamente a ningún autor, menciona a los «modernos» como partícipes de la noción de causa en tanto dependencia: *aliquid per se pendet.* Para Suárez, la definición de *causa,* en tanto que surge y se fundamenta en la de *principium,* es definida en la *Sección II, 4* de la *Disputa XII* bajo la proposición: «causa es un principio que infunde por sí mismo el ser en otro | *causa est principium per se influens esse in aliud*»[25]. En contra de la definición *aliquid per se pendet,* la noción de causa va unida a la de principio en tanto que ésta última es más común y genérica y por lo tanto, fundamento de la definición. El Granadino unifica los objetos de ambos términos, unifica el objeto de la noción de *principio* con el objeto de la noción de causa, por el que se sustenta toda la explicación de la filosofía de la naturaleza y del resto de los saberes que tiene por objeto a los seres creados, y a Dios en su problema de la trinidad.

Que la noción de causa esté *contenida* en la eminencia del principio repercute en última instancia en una metafísica donde los seres creados se encuentran en *eminente* y real comunión con el increado. En palabras

24 «Por razón de alguna condición *per se* entre él mismo y aquello de que es principio, en tanto que *brota* o *sale* de aquel en sí mismo | *dicitur principium ratione alicuius habitudinis per se inter ipsum et id cuius est principium, ita ut ex illo aliquo modo per se oriatur*». *Disp.* XII, I, 5.

25 *Ibid.*

de Fernández Burillo, «no hay forma mejor de entender qué significa *contener* todo *eminentemente* que en términos de potestad activa»[26]. De tal forma que el mismo Suárez en *Disp.* XXX, I, 10 indique que «contener eminentemente es tener tal perfección superior que contenga en excelencia cuanto hay en la perfección inferior | *est continere eminenter aliam esse habere talem perfectionem superioris rationis quae virtute contineat quidquid est in inferiori perfectione*»[27].

No es de sorprendernos que Suárez fundamente la noción de *causa* bajo la definición de *principio*. Su pretensión, al inicio de la *Disputación* XII será la de alejar toda definición concreta e imperfecta como la que emprende la física al hablar de la mutación, la generación y la corrupción. Más aún, la *Disputa XII* y sus subsecuentes no pueden alejarse de la *Disputación II* y *III* donde aclara qué es el ente y qué sus propiedades. Pues bien, puesto que para Suárez la razón de ente trasciende a todos sus inferiores y está incluida en todo ser, en toda diferencia o modo real[28], demostrar las propiedades de los entes significa definir al ente tomando en cuenta sus predicados, en tanto que éstos «deben seguirse *per se* e intrínsecamente del mismo ente»[29]. Éstos no son simples conceptos o nombres a modo de proposiciones formales[30], la noción de causa es propiedad real y verdadera del ente en tanto que participa de lo ente (*participat entis*)[31]. De ahí también

26 S. Fernández Burillo, «Metafísica de la creación en Francisco Suárez», en *Cuadernos Salmantinos de filosofía* 25 (1998) 5-55, 36.

27 *Disp.* XXX, I, 10. Esta parte de la *Diputación* habla de la relación entre Dios y sus creaturas y de qué modo todas las perfecciones de la creatura están contenidas en Dios y a su vez «se afirma de la esencia divina creadora que es eminentemente todas las cosas en cuanto por sí solas y por su poder eminente puede comunicar esas perfecciones a todas las cosas». *Ibid.*

28 *Disp.* II, IV, 1.

29 *Disp.* XI, 4, 4. Puesto que los trascendentales, como propiedades del ente, son algo real y no meros conceptos, –aunque sean conocidos por medio de estos– y en la medida en que se identifican con el mismo ente en la realidad, por lo mismo pueden predicarse de él, con verdad y realidad. Ello quiere decir, que es absolutamente cierto afirmar a nivel esencial que todo ente es bueno, sin que medie por ello un concepto fabricado por el entendimiento; así por ejemplo, afirma Suárez que «aun cuando la mente no piense nada respecto de las cosas, el oro es verdadero oro, y es una determinada realidad distinta de las demás». Á. Poncela González, *Francisco Suárez, lector de Metafísica Γ y Δ. Posibilidad y límite de la aplicación de la tesis ontoteológica a las Disputaciones Metafísicas*, León: Celarayn, 2010, 529.

30 «De nuevo, observamos otro signo de la lucha de Suárez con el logicismo, pues la Metafísica estudia estas propiedades trascendentales del ente, que existen en la realidad, y no se dedica a investigar meros conceptos mentales». *Ibid.*, 243.

31 *Disp.* XII, II. Las razones que da Suárez para relacionar la causalidad como propiedad de lo ente son: 1. la causalidad participa en alguna medida de lo ente. 2. La causalidad es una propiedad de lo ente. 3. Aún cuando en Dios, como principio incausado no intervenga causalidad alguna, la mente puede concebir su acción como relación causal.

que aleje de la definición de causa, los efectos de la misma y se centre, en tanto explicación de sus propiedades, en definir la cosa que causa (*res quae causat*), la misma causación (*causatio ipsa*) y la relación que se sigue o se conoce (*relatio quae vel consequitur vel cogitatur*)[32].

El problema de fondo, al que atiende el jesuita, es la dificultad de la definición en que se ven involucrados gran parte de los filósofos: si el nombre de causa es equívoco, análogo o unívoco. «Está puesto en controversia si a este nombre le corresponde tal concepto único, porque los modos en que dependen los efectos [lo causado] de las causas en los diversos géneros de causas son tan primordialmente diversos que de ellos no puede abstraerse una razón común de dependencia»[33]. Pues bien, la pretensión de Suárez en XII, I 13 a 25 es la de encontrar un término universal, *principio*, que funcione como referencia directa y por analogía de atribución intrínseca a la propia noción de *causa*. Bajo esta pretensión, se mezclará en esta sección, una diversidad de problemas: desde cómo debe entenderse por relación analógica intrínseca la relación de las divinas personas hasta cómo el *ens creatum* es efecto de una causa última.

Por último, la Sección III tratará sobre la «división de las causas en los cuatro géneros aristotélicos», donde se plantea la primacía de las causas y sus divisiones. Cita a los estoicos, San Agustín en *De Trinitate*, a Séneca y sus *Epístolas Morales*, Libro VIII, 66, y de Platón problematiza la primacía de las causas ejemplares, final y eficiente en *Fedón*, *Timeo* e *Hipias Mayor*. Tomando en cuenta la amplitud de la definición de causa, divide a la causa material y formal por su influjo intrínseco, mientras que la causa final y eficiente por un influjo extrínseco. Mientras que el influjo de la materia es por potencia, el influjo de la forma es en acto. El influjo de la causa eficiente es por acción, en tanto potencia pasiva mientras que el influjo del fin, actúa por sí mismo. El problema de la causa eficiente, en tanto al problema de la relación entre efectos y acciones, se analiza en la Disputa XVIII. En esta breve Disputa Suárez desarrolla el problema de la causalidad eficiente, qué cosa causa, qué efectos produce y sus condiciones para causar, se problematiza el problema de la creación[34] y la generación, el proceso activo o pasivo de los efectos, la causalidad natural y sobrenatural.

Ante este último punto llama la atención la diferencia implícita entre cómo la mente concibe una acción y cómo es realmente. De fondo, se encuentra el problema de la indemostrabilidad por parte de la teología positiva.

32 *DM* XII, III, 13.

33 *DM* XII, III, 14.

34 Al respecto, véase el trabajo de S. Fernández Burillo, «Metafísica de la creación en Francisco Suárez», en *Cuadernos Salmantinos de Filosofía* 25 (1998) 5-55.

3. Anotaciones en torno al problema de la causalidad

A partir de la propia estructura de la *Disputación XII*, localizamos que el planteamiento de Suárez en torno al problema de la causalidad, no responde a un problema meramente ontológico, es decir, el de la pura efectividad como problema entre acto y potencia. Suárez es heredero de la teología tomista[35], heredero de una tradición en que la teología dogmática buscó conciliar problemas propios que nacieron en su seno[36]. Pese a este horizonte, la resolución del problema no se ha ganado. En último término, ¿desde qué horizonte debemos situar las *Disputaciones*? Los estudios de Heidegger y Courtine centran el problema del estudio del ente como problema de la escisión escolástica entre la esencia y la existencia, tomando como fuente a Santo Tomás de Aquino frente a la sistematización de la *Metafísica* aristo-

35 En palabras de Jan Aertsen: «Suárez always tries to find support for his views in texts of Thomas Aquinas. The effect is that he sometimes presents his doctrine in a more Thomistic way than it properly is. (...) Acording to Aquinas, however, ens commune is the subject of the science, but God does not fall under it; God is rather the extrinsic cause of beging in general». J. Aersten, *Medieval philosophy as trascendental thought, from Philip the Chancellor to Francisco Suárez*, Boston: Brill, 2012, 631. Por su parte, respecto a la influencia de Santo Tomás en Suárez, tómese en cuenta que ya en la *Ratio Studiorum* se menciona el modo en que la Compañía debía seguir las doctrinas tomistas, razón por la cual tuvo problemas teóricos y políticos con los dominicos. No sólo eso, el mismo Francisco de Vitoria introduciría algunas cuestiones del *Corpus thomisticum* para sustituir algunas disputas de las Sentencias de Pedro Lombardo. Hasta 1539, el Doctor Angélico era maestro de una Orden. No fue hasta 1561 que la Suma Teológica entró oficialmente en Salamanca en sustitución del Libro de las Sentencias. R. Scorraille, *o.c.*, 71. Más aun, llama la atención el apego que tiene Suárez, pese a las acusaciones por parte de la Orden de Predicadores, de recuperar y ponderar el *corpus thomisticum*. Al respecto, el mismo Scorraille menciona, siguiendo al propio Suárez, que el índice de las *Disputaciones Metafísicas* muestran las coincidencias entre la *Metafísica* de Aristóteles y las cuestiones que trataban los comentadores a la Metafísica. «Otro índice encierra la concordancia entre las mismas *Disputaciones* y la *Suma Teológica*. De este modo presentaba Suárez su obra como guía para ir de Aristóteles a Santo Tomás». *Ibid.*, 315.

36 Hablamos de una hegemonía académica y en especial de la teología, regida por los dogmas producto de los diferentes Concilios. El poder institucional sobre la teología, no será asunto menor en una época que comprende los límites del entendimiento humano a partir de los misterios divinos. El límite de la hegemonía está puesto por la propia teología y en especial, producto de los concilios. Sobre la renovación de la escolástica y su relación con el Concilio de Trento. Cf. Miguel Anxo Pena quien indica: «Trento supuso un fuerte impulso para las escuelas. Con este horizonte, la escolástica volvía a ser cultivada, y por lo mismo, los métodos venían perfeccionados, especialmente por aquellos que más los habían cultivado hasta el momento: los dominicos y franciscanos, a los que se unirían los agustinos, que, para no ser identificados con Lutero y la herejía, se acercan también al método escolástico, del que así mismo eran deudores. Poco más tarde, se unirán a ellos los jesuitas». M. A. Pena González, *La Escuela de Salamanca: de la Monarquía hispánica al Orbe católico*, Madrid: BAC, 2009, 14-15.

télica llevada a cabo por Suárez. Pese a este horizonte, es necesario aclarar dos aspectos fundamentales. Por una parte, rescatar los estudios históricos donde impera la contextualización de los *Comentarios* a la *Metafísica* de Aristóteles. Por otra, clarificar la influencia de la *Summa* tomista en los Íñigos en el ambiente académico, puestos que a partir de estas dos posturas se aclarará el entramado metodológico de las *Disputaciones.*

Por su parte, la novedosa lectura sobre la *Summa* no fue exclusiva del Granadino, antes bien, en su época, la amplitud del problema se desarrolló desde el ámbito académico como un problema particular entre Órdenes religiosas, específicamente entre la lectura de los dominicos en oposición frente a la lectura de los jesuitas[37].

37 «Los estatutos de Salamanca de 1538 establecen leer a Pedro Lombardo aunque realmente el libro de texto sea ya la *Suma* del Doctor Angélico en las Cátedras de Prima y Vísperas declarando en primer término de modo sucinto la sentencia del texto y moviendo después las cuestiones que pareciera a los profesores; el catedrático de Biblia debe leer un año el Antiguo Testamento y otro el Nuevo; el catedrático de las partes de Santo Tomás lee las partes de Santo Tomás y no otra cosa; y así mismo el de Escoto; y la cátedra de Nominal, sólo Doctor Nominal. (...) Los libros de claustros son más vivos y sugerentes en este aspecto, pues señalan el papel de los profesores de teología a través de la Suma Teológica y no de Pedro Lombardo». M. Andrés, «La teología en el siglo XVI (1470-1580)», en Id. (comp.), *Historia de la Teología española,* t. I, Madrid: FUE, 1983, 610. El apego que en sus inicios tuvo la Compañía y en especial los primeros teólogos jesuitas frente a la *Summa* no fue un asunto simple, hablamos de las fuentes del saber desde la cual se nutrirían estos militantes frente al protestantismo. A su vez, de capital importancia resulta la lectura de Pena González al respecto quien menciona a la teología positiva como motor que obligue a deslindarse de una lectura «fiel» hacia el *corpus thomisticum.* Complejidad de la que se revestían los estatutos de la Órden desde la 11° regla de los *Ejercicios Espirituales* de Loyola: «alabar la doctrina positiva y escolástica». Mientras que el apego y distanciamiento de los jesuitas hacia la *Suma Teológica* fue uno de los motivos que promovió disputas singulares frente a la Orden de Predicadores, los militantes de la Silla Apostólica y de la Iglesia se vieron inmiscuidos en la polémica de si seguían fielmente o no las tesis de la *Suma.* Aun en 1917, Raúl Scorraille, en la biografía sobre Francisco Suárez, dedicará un apartado en «defender» el apego y enaltecimiento del tomismo por parte de los jesuitas de la época de Suárez. El problema que fue latente entre escuelas teológicas, cobra importancia dentro y fuera de la Compañía. Para fines de nuestra investigación, podemos hallar dicho problema como eje desde el cual conviene contextualizar a las propias *Disputaciones* de Suárez. Por una parte, Suárez manifiesta su opinión particular sobre el problema de la interpretación del *corpus thomiticum,* desde el cual podemos esclarecer su postura al respecto de la elaboración de sus obras. Por otra, el problema de la interpretación sobre el Aquinate y otras muchas cuestiones tendrá su punto de fuga en las disputas sobre la causalidad eficiente y la libertad (*libre arbitrio*) en las que Suárez participó. Bajo el primer horizonte de investigación, Raúl Scorraille aclara las acusaciones recibidas por parte de Melchor Cano y Domingo Báñez a los jesuitas de la época ante el desapego hacia el tomismo, disputa que llegó a la Silla Apostólica en 1582 frente a la polémica de *auxiliis* y hasta 1628 en que se decide en la Universidad de Salamanca seguir el tomismo en las Cátedras. El problema se afrontó entre

El problema nace dentro del ambiente de las órdenes religiosas pero trasciende su propio ámbito cuando se busca insertar la propuesta ontológica de las *Disputaciones* como propuesta novedosa frente a la *Suma* del Aquinate. No es pues un problema si se quiere exclusivo de la ontología o de la metafísica. El problema adquiere sus fundamentos fuera de la filosofía. Es en la teología y en la academia en donde hay que buscar el germen de dicha discusión.

Por otra parte, y más importante aún, las *Disputaciones* pese a realizar una sistematización de la *Metafísica* aristotélica, no dejan de lado problemas que se originan en la escolástica y en la teología pese a que la filosofía haya abordado a lo largo de los años dichos problemas. Esta cuestión se evidencia ante el hecho de que Suárez, al referirse a definiciones que sustrae de la *Metafísica*, termina resolviéndolas de otro modo y explicándolas desde un horizonte específico de interpretación, tal y como ocurre con la definición de causa y principio tomada de la distinción aristotélica entre *arjé* y *aitía*.

A su vez, la importancia de la teología dogmática y de los cánones que a lo largo de la historia surgieron en el ambiente específico de los Concilios fue panorama también desde el cual Suárez analiza la *Metafísica* en la Disputa XII y la XVIII con vistas a esclarecer problemas que se originan en ese ámbito. Suárez es ante todo un teólogo, motivo que en nuestros días nos lleva a reflexionar sobre el papel de la filosofía como ciencia autónoma frente al saber de la teología. Al respecto, vale la pena el análisis de Luis Martínez Gómez quien menciona sobre el proceso de autonomía de la metafísica en las *Disputaciones*:

> *Cuando tenemos la impresión de en el fin o en fases muy avanzadas del proceso de deslinde de autonomías, filosofía y teología, filosofía y ciencia, nos ha de resultar importante que Suárez represente en esto una forma medieval cien por cien cuando proclama en su Dedicatoria al lector, que «nuestra filosofía ha de ser cristiana», «Ita vero in hoc opere philosophum ago ut semper tamen prae oculis*

seguir fielmente o no al Doctor Angélico, San Agustín y en general a los santos padres de la Iglesia o hasta el mismo Aristóteles. El 20 de junio de 1627, la Universidad de Salamanca decretaba que «nadie podría ser admitido al grado de licenciado, o subir a la cátedra, sin haber hecho juramento de seguir en todo las opiniones de San Agustín y Santo Tomás [...]. El decreto era una máquina de guerra ideada [...] contra la Compañía. [...] El consejo anuló por unanimidad la decisión de Salamanca, a 7 de febrero de 1628. En otro documento hallamos el desenlace definitivo de este asunto: habiéndose negado (la confirmación) en el Consejo, acudieron a Roma los Frailes dominicos, y por medio del Sacro Palacio pidieron a Su Santidad confirmación del dicho juramento. El Pontífice juntó varios doctores y teólogos [...] y mandó poner perpetuo silencio en la materia». R. Scorraille, *o.c.*, 226.

> *habeam nostram Philosophiam debere christianam esse ac divinae Theologiae ministram»*[38].

Si bien no puede juzgarse toda la amplitud que representan las *Disputaciones* con base en la *Dedicatoria al lector,* no debemos dejar de lado el aspecto del que parte el teólogo granadino cuando se analiza el problema del ente en tanto ente. Antes que filósofo, Suárez es un teólogo con espíritu jesuita que desarrolla la amplitud del problema de la metafísica fuera de un horizonte autónomo de la filosofía. Antes bien, en la Disputa XII, el problema de la causalidad eficiente girará en torno a un problema plenamente teológico que brota de la teología dogmática y de las resoluciones en los Concilios de la Iglesia católica: esto es, la relación entre *ens creatum* y Dios.

Bajo este bagaje, la pregunta por la orientación de las *Disputaciones* cobra otro sentido. En último término, ¿desde dónde estamos situando el problema de la metafísica no sólo en una obra de la importancia de las *Disputaciones,* sino desde dónde estamos situando el problema de la metafísica en la historia de la filosofía? ¿Cuál es ese carácter pre-moderno que emprende el jesuita y por el que el siglo XVI ha sido interpretado? La historia de la filosofía en el siglo XX ha presupuesto un aspecto laico y autónomo en la filosofía moderna por el que se intentará enjuiciar a todo proyecto anterior o posterior. El carácter moderno en el que Heidegger y Courtine sitúan a Suárez surge del supuesto seglar del pensar filosófico y autónomo de este saber, logro que se evidenciaría en el tránsito de una reestructuración sistemática de la *Metafísica* aristotélica. De fondo, la sistematización que plantea Suárez en las *Disputaciones* no puede tratarse sólo como problema propio de la ontología o de la filosofía primera[39]. Cuando nos adentramos a los problemas que se desarrollan en la *Disputación XII,* el carácter «novedoso y autónomo» de la filosofía frente a la teología se resquebraja. Hablamos no sólo de la reestructuración de la *Metafísica* aristotélica en la que constantemente Suárez recupera a los

38 L. Martínez Gómez, «Evaluación de Francisco Suárez filósofo», en *Cuadernos Salmantinos de filosofía* [Simposio Francisco Suárez, Universidad Pontificia de Salamanca] 7 (1980) 5-25, 5. La cita es de *DM* 1 *Ratio et Discursus totius operis. Ad lectorem.*

39 Como señala Pierre Aubenque, el problema de interpretaciones sobre el objeto de estudio de la filosofía está planteado ya desde la misma *Metafísica* aristotélica, oculta en las pretensiones sistemáticas de los comentaristas escolásticos. «La interpretación sistemática que, según parece, había albergado sus primeras dudas con Suárez iba haciéndose cada vez más insegura». A tal grado que, menciona Aubenque: Suárez es uno de los primeros que nota la dificultad de definir a la metafísica unívocamente. P. Aubenque, *o.c.*, 14.

Doctores de la Iglesia, sino de la lectura de problemas propios que nacen en una tradición teológica determinante.

En su análisis sobre el humanismo y la escolástica en el siglo XVI, Pena González menciona:

> *La Edad Moderna, con la entrada en escena del humanismo, supone, de manera teórica, la pérdida de vitalidad por parte de la escolástica. [...] Es la parcelación entre mundo pagano y cristiano, y en este sentido, superando los métodos historiográficos, parece necesario recuperar la continuidad existente entre estos dos conceptos, entendiendo que en ciertos sectores, entre filosofía y fe hay un abismo insalvable, que llevará a la idealización del mundo pagano, oscurecido por el triunfo de la religión*[40].

Dicha parcelación, entre mundo pagano, en el que cabría todo pensar filosófico, y mundo cristiano, amparado por el estudio de la teología, más allá de resolver cuestiones de suma importancia en las *Disputaciones*, ha planteado una parcelación de problemas filosóficos que nacen en el ambiente de la teología y los Concilios.

Por su parte, el problema qué es ente, al relacionarlo con las causas en general, pone en duda el carácter autónomo de la ontología en las *Disputaciones* como obra de vinculación. Si bien, Suárez establece en la *Disputa I* el objeto de la metafísica, ésta no hace expresión de una escisión de los estatutos de esta *scientia* entre metafísica especial, general y teología racional. Pese a que el Granadino aclara el papel de la metafísica frente a la teología, la discusión ante el problema de la causalidad se clarifica cuando analizamos la estructura y las fuentes de la *Disputación XII*. Si bien Suárez establece el objeto de la metafísica para distinguirlo de la teología, el problema actual en torno a la autonomía de la ontología y la metafísica no es una discusión intrínseca a la propia obra. Hemos leído un problema del siglo XVI desde la problemática de la parcelación actual de la filosofía que se fundamenta en la especificidad de las ciencias. Sin embargo, cuando analizamos el problema del ente en torno al de la cau-

40 M. A. Pena González, *o.c.*, 12. Cf. también: «Este esfuerzo renovador de la Edad Moderna se produce en dos direcciones fundamentales. *a.* crear una teología nueva *(innovación)*; [...] ésta es la línea del *Humanismo* (Valla, Erasmo); *b.* renovar la Teología Escolástica tradicional (*renovación*), volviendo al verdadero espíritu científico de la Escolástica [teología positiva], adecuándolo a las nuevas exigencias [...] Esta última línea será la que se intente de algún modo desde dentro de la propia Escolástica en diversos lugares y tiempos. Pero sin duda, donde logra sus frutos más maduros y duraderos será en España de la mano de Francisco de Vitoria y la *Escuela de Salamanca*». J. Belda Plans, *La Escuela de Salamanca*, Madrid: BAC, 2000, 6.

salidad, la teología, la academia y la institución de los concilios plantean un horizonte importante desde el cual la filosofía misma ha transformado la orientación de sus problemas. De fondo, la discusión académica e institucional a lo largo de la historia ha marcado implícitamente el eje de los problemas de la filosofía. Pero, si bien ha sido ésta una orientación importante, es necesario replantear la amplitud del pensar en general, que si bien no puede ceñirse a un determinado uso institucional, tampoco a la especificidad como eje de su orientación. Pese a que parezca un camino sin salida, en último término expresar la dificultad desde la cual se ha orientado una obra del siglo XVI del talante de las *Disputaciones* pone en evidencia el propio eje desde el cual la filosofía contemporánea ha dado a luz la historia de sus problemas. Pero esta dificultad no es hermenéutica, sino en último término, una cuestión plenamente metafísica que ha podido germinar frente a la teología.

LA EDICIÓN DEL «TRATADO DE LAS PASIONES» DE FRANCISCO SUÁREZ, DESDE EL PUNTO DE VISTA HISTÓRICO Y BIBLIOGRÁFICO

Ángel Poncela González
Universidad de Salamanca

Las líneas siguientes pretenden servir de orientación a los investigadores pertenecientes al campo de los estudios filosóficos dedicados a la Escolástica tardía[1]. El modo característico de hacer filosofía y de afrontar los problemas de su tiempo, desde la segunda mitad del siglo XVI y la primera del siglo siguiente en la península, ha recibido entre otros, el nombre de «Escuela de Salamanca»[2]. Por razones de tipo histórico, geográfico, lingüístico e ideológico, que no podemos entrar a desarrollar aquí, consideramos que se ajusta mejor a dicho uso el calificativo de «Humanismo Escolástico Ibérico»[3]. Sugerimos, por lo tanto, una concepción amplificada de la filosofía escolástica tardía desplegada en aquellas coordenadas.

1 El presente trabajo ha sido realizado en el marco de los proyectos de investigación siguientes: «Lexicografía y Ciencia: Otras fuentes para el estudio histórico del léxico especializado y análisis de las voces que contienen" (Ministerio de Economía y Competitividad, FFI2011-23200). «Animal Rationale Mortale. A relação corpo-alma e as paixões da alma nos Comentários ao De anima de Aristóteles portuguesas do séc. XVI» (*Fundaçao para a Ciência e a Tecnologia*, EXPL/MHC-FIL/1703/2012).

2 Cf. M. A. Pena, *La Escuela de Salamanca. De la Monarquía hispánica al Orbe católico*, Madrid: BAC, 2009.

3 La coincidencia en los problemas, intereses, métodos, fuentes y autoridades empleadas, más allá de la eventual «Unidad ibérica» de carácter político (Felipe II, proclamado Felipe I de Portugal en el año 1581), conduce necesariamente a ampliar los muros de la Universidad de Salamanca con el propósito de albergar a las universidades portuguesas. La tesis de la unidad intelectual del «Humanismo Escolástico Ibérico» se constata con claridad en el pensamiento filosófico y jurídico producido por los miembros de la Compañía de

Esta intuición fue uno de los resultados principales de la cooperación establecida entre investigadores pertenecientes al *Dpto. de Filosofía, Lógica y Estética* de la *Universidad de Salamanca* y al *Gabinete de Filosofía Medieval* de la *Universidad de Oporto* en el proyecto titulado «La Filosofía de las pasiones en la Escuela de Salamanca»[4].

El propósito fundamental de esta empresa residió en la edición, traducción y análisis filosófico de algunos de los escritos que los humanistas ibéricos de Salamanca dedicaron al estudio de las pasiones. En las páginas siguientes, presentamos un *making off* de algunos aspectos de la investigación que la Dra. Paula Oliveira e Silva del *Gabinete de Filosofía Medieval* junto con el autor del presente artículo desarrollaron en torno al *Tratado de las pasiones* de Francisco Suárez. La traducción del texto, el trabajo documental, el estudio histórico y el análisis filosófico de la teoría de las pasiones de Suárez, ya está concluida y esperamos que, en fechas próximas, esta edición pueda ser publicada.

1. El Contexto de producción del *Tratado de las pasiones*

El *Tratado de las pasiones* es el cuarto de los cinco tratados que Francisco Suárez destinó al comentario de la primera parte de la *Suma Teológica* de Tomás de Aquino (*In Tractatus Quinque ad Primam Secundae D. Thomae*)[5] y, en concreto, a la parte dedicada a los fines que persigue el hombre desplegando diversos tipos de acción. Desde el punto de vista de la doctrina tomista, el Tratado representa una pequeña parte de uno de los tomos de los que consta el comentario suareciano a la *Suma*. Desde esta óptica, teniendo presente la totalidad del corpus de los escritos teológicos de Suárez publicados a lo largo de su vida y aquellos que lo hicieron a título

Jesús en las instituciones de enseñanza superior de España y Portugal. Con este convencimiento, algunos de los investigadores del mencionado proyecto de investigación acordaron en el año 2012 la creación de la *International Society for Study of Iberian Scholastic Humanism* (ISSISH). Cf. J. L. Fuertes Herreros – A. Poncela González *et al.*, *La teoría filosófica de las pasiones y de las virtudes. De la Filosofía Antigua al Humanismo Escolástico Ibérico*, Riberao: Edicoes Húmus, 2013, 7-9.

4 *La Filosofía de las pasiones en la Escuela de Salamanca*. Junta de Castilla y León. Ref. SA378A11-1 (01/01/2011 al 31/12/2013).

5 F. Suárez, «De actibus, qui vocantur passiones, tum etiam de habitus, praesertim studiosis, ac vitiosis», en *Eximii Doctoris P. Francisci Suárez Granatensis, e Societate Iesu in Academia Conimbricensi Primarii atque emeritii oilm Professoris, Ad primam secundae D. Thomae Tractatus quinque Theologici, Quorum I. De ultimo fine hominis, ac Beatitudine. II. De voluntario, & involuntario. III. De humanorum actuum bonitate & malitia. IV. De passionibus & habitus. V. De vitiis, atque peccatis*, Lugduni: Sumptibus Iacobi Cardon, 1628.

póstumo, pudimos reconstruir el orden lógico-doctrinal y ponerlo en relación con la *Suma Teológica*.

Esta dirección conduce al problema de la reducción de las obras de Teología compuestas por Suárez al género de los comentarios tomistas. No obstante, prescindimos de esta cuestión y orientamos nuestro interés hacia el estudio filosófico de las pasiones. Para este empeño es necesario que, en un primer momento, enmarquemos el tratado de Suárez en el marco de la Historia pedagógica de la Compañía de Jesús, y más concretamente, dentro de la empresa editorial promovida por dicha Orden. De este modo, pretendemos sumar al estudio filosófico el punto de vista histórico a través del acercamiento a las circunstancias que envolvieron a la edición del *Tratado de las pasiones*.

El volumen en el que se halla alojado este Tratado fue publicado en Lyon en el año 1628 – Suárez ya había fallecido once años antes. Para comprender el proceso que acompañó a la edición de esta obra, es preciso remontarse al reglamento interno de la Compañía de Jesús.

La cuarta de las *Constituciones* de Ignacio de Loyola, desde el plano del saber, expresaba la aceptación de la Compañía de la doctrina oficial de la Iglesia, señalando la adhesión de los maestros jesuitas a las teorías de Tomás de Aquino y Aristóteles en los campos de la Teología y de la Filosofía, respectivamente[6]. Pero, de igual modo, mostraba el anhelo de la nueva Orden de proveerse de comentarios autónomos tanto de Filosofía como de Teología compuestos por sus principales maestros[7]. La presión ejercida sobre los colegios jesuitas por las instancias de poder, el Imperio y la Iglesia, crearon la ocasión perfecta para materializar aquel deseo del padre fundador.

En relación con la Filosofía, en el año 1561 apareció el primero de los comentarios, compuesto por el maestro del Colegio Romano, Francisco de Toledo[8]. Se trataba de un comentario a la *Dialéctica* de Aristóteles, y fue rá-

6 «Si por un tiempo pareciese que de otro autor se ayudarían más los que estudian, como sería haciéndose alguna suma o libro de Teología escolástica, que parezca más acomodada a estos tiempos nuestros, con mucho consejo y muy miradas las cosas por las personas tenidas por más aptas en toda la Compañía, y con aprobación del Prepósito General de ella, se podrá leer». Ignacio de Loyola, *Const.* IV, 14, b.; A. Poncela González, «Aristóteles y los jesuitas. La génesis corporativa de los cursus philosophicus», en R. Hofmeister – M. Pulido – A. Culleton, *Ideas sin fronteras en los límites de las ideas,* Cáceres: Instituto Teológico «San Pedro de Alcántara», 2012, 95, nota 50.

7 Para ampliar toda esta cuestión, cf. *Ibid.*, 94ss.

8 *Ibid.*, 97-98, nota 57. Los comentarios de Francisco de Toledo son: la *Introductio in Dialecticam Aristotelis* (Roma, 1561), *In universiam Aristotelos logicam* (Roma 1572) e *In octo libri Aristotelis de Physica auscultatione* (Venecia, 1573). A estos comentarios han de añadirse los siguientes de Pedro de Fonseca: *Institutionum Dialecticarum libri octo* (Lisboa, 1564) y la

pidamente incorporado por los profesores de los colegios de la Compañía e incorporado al plan de estudios de *Artes*[9]. Lo mismo aconteció con el comentario a la *Física* de Aristóteles, compuesto por Pedro de Fonseca en las mismas fechas. Este uso informal fue institucionalizado por la Compañía en el año 1592 con la aparición del primero de los tomos del *Cursus Conimbricensis*[10]. Este curso nació con la pretensión de ofrecer una exposición completa del Corpus aristotélico desde el punto de vista de los jesuitas y fue dirigido y editado por los portugueses, Manuel de Gois, Sebastián do Couto y Baltasar Álvares, entre 1592 y 1606[11].

El *Tratado de las pasiones* es una respuesta a aquellas circunstancias y es preciso ubicarlo en el mismo movimiento de autonomía intelectual y pedagógico. No obstante, el Tratado se enmarca en el impulso intelectual teológico de la Compañía, y no en el filosófico, como aconteció con los libros anteriormente mencionados.

Las primeras noticias relacionadas con el Tratado de Suárez proceden del año 1582. En aquellos días, Suárez oficiaba como lector de Teología en el Colegio Romano (1580-1585). Desde el colegio de Salamanca, se remite a Claudio Aquaviva, General de la Compañía, una carta solicitando permiso de publicación de los comentario a la primera parte de la *Suma Teológica*[12]. El material para realizar dicha edición procedía de los apuntes

Isagoge Philosophica (Lisboa, 1591). La documentación interna viene a confirmar cómo en el año 1575 los colegios de la provincia de Aragón ya han incorporado estos comentarios a su curriculum escolar; lo mismo acontece en la provincia de Castilla poco después en el año 1579.

9 El manual fue comprendido como un instrumento para contener la crisis que hacía peligrar la supervivencia de los colegios jesuitas. Los estudiantes y sus padres, los profesores, la Iglesia y los Estados católicos, experimentaban los males derivados de la implantación del *modus parisienses* en las instituciones jesuitas de enseñanza. Como es sabido, este método pedagógico de origen medieval estaba basado en la lectura al dictado que el profesor aplicaba sobre las principales obras en las que se fundaba el currículum. Impartir la lección dictándola dilataba en exceso la consecución del grado de Artes. Y dado el carácter preparatorio de estos estudios para la Teología, se postergaba, consiguientemente, la entrada de los estudiantes en las Facultades de Teología. Para ampliar estas cuestiones, cf. A. Poncela González, *Francisco Suárez, lector de Metafísica Γ y Δ. Posibilidad y límite de la aplicación de la tesis onto-teológica a las Disputaciones Metafísicas,* León, 2010.

10 El primer tomo publicado del *Cursus Conimbricense* fue el siguiente: *Comentaarii Collegiii Conimbricensis Societatis Jesu in octo libros Physicorum Aristotelis Stagiritae*, Coimbra, 1592. Sin cumplir el objetivo inicial –comentar la totalidad del Corpus aristotélico– la Compañía puso fin al *Cursus* en el año 1606 con la publicación de sendos comentarios al *De Anima* y a la *Dialéctica*.

11 A. Poncela González, «Aristóteles y los jesuitas…», en *a.c.*. 87-88, nota 57.

12 «Porque nos han avisado hay algunos que quieren imprimir la primera parte de Santo Tomás, mudando solamente algunas cosas a su traza de los escritos del P. Francisco

de clase, dictados por Suárez en el colegio de Valladolid entre el año 1576 y el 1580. Esta epístola confirma nuestra hipótesis acerca del interés de la Compañía por disponer de un comentario autónomo a la *Suma Teológica*, señalado en las *Constituciones*. El General de la Compañía responde ordenando al Colegio de Salamanca que posponga la publicación. Seis años más tarde, el General remite una orden al Colegio de Alcalá, en que se determina que sea Suárez quien lleve a término el proyecto institucional del comentario a la *Suma*. El mandato es expresado en los términos siguientes:

> *Aviso que el P. Suárez ponga en orden las materias que ha leído, supuesto lo que V. R. me escribe que no será de impedimento para sus lecciones; pero con condición que quite todas las opiniones que no fueren muy bien recibidas dondequiera, etiam de los Padres Dominicos, y que se conforme con la doctrina de Santo Tomás. V. R. se lo diga así, y después de puestos en orden, les envíe acá*[13].

Suárez, en aquel tiempo, era lector de Teología de la Universidad de Alcalá de Henares desde hacía ya tres años. El jesuita español acató la orden del superior, publicando dos volúmenes: *Sobre la encarnación de Cristo* (1590) y *Sobre los misterios de la vida de Cristo* (1592). Estos tomos suponen aproximadamente la mitad del comentario a la tercera parte de la *Suma*. El contenido de estas obras coincide con el contenido de las lecciones, dictadas primero en Roma y más tarde continuadas en Alcalá entre los años 1584 y 1587. El comentario de Suárez a todas las partes de la *Suma Teológica*, como mostramos en otro lugar, pudo completarse, solamente a título póstumo, gracias al impulso editorial de la Compañía[14]. Para el presente objeto bastará con detenernos exclusivamente en la segunda parte del comentario a la *Suma* donde se localiza la materia *De passionibus*.

Suárez, como lector de Teología en el Colegio Romano, dictó, con seguridad, dicha materia en el curso 1581-1582. Quizá pudo adelantar alguna cuestión en las lecciones impartidas en el Colegio de Valladolid; no

Suárez (...) por ser la cosa tan digna de mirarse, no se puede tan presta sacar a la luz; pero que hay animo de hacello, y se vaya disponiendo (...) Y si lo de la primera parte saliere bien, muchos desean que haya un trabajo de la Compañía sobre lo demás». Aquaviva al P. Marcén, Provincial de Castilla, 22 de Enero de 1582, en: *Ep. Gen.* 1582. R. de Scoraille, *El P. Francisco Suárez de la Compañía de Jesús según sus cartas, sus demás documentos inéditos y crecido número de documentos nuevos*, P. Hernández (ed.), t. I: El estudiante-El Profesor; Barcelona: E. Subirana, 1917, 236.

13 Claudio Aquaviva al P. Bartolomé Pérez, 25 de marzo de 1588, en *Ibid*.

14 A. Poncela, «Una aproximación bibliográfica a Francisco Suárez como comentador de la Suma Teológica», en M. Lázaro – J. L. Fuertes – A. Poncela (eds.), *La Filosofía de las pasiones y la Escuela de Salamanca. Edad Media y Moderna*, Cáceres: Instituto Teológico «San Pedro de Alcántara», 2013, 163-171.

obstante, solo sabemos con seguridad que dedicó su periodo docente vallisoletano (1576-1580) a comentar la primera parte de la *Suma*[15]. Teniendo a la vista el programa docente de Suárez, por un lado, y el listado de las obras publicadas que llegó a publicar a lo largo de su vida, por el otro, únicamente es posible concluir la preferencia de Suárez hacia la tercera Parte de la *Suma Teológica*, en detrimento de las otras partes, y en particular, del estudio de las pasiones.

Expresamente en relación con el Tratado de las pasiones, la documentación de la Compañía no aporta información alguna para la ampliación de esta cuestión. Sin embargo, es el propio Suárez quien introduce en sus obras algunas indicaciones que nos permiten conocer alguna de las circunstancias que acompañaron a la edición de su Tratado.

Así, en el prólogo al lector del volumen *De Deo uno et trino* (1606)[16], Suárez excusó la falta de orden que había conferido a la publicación de sus comentarios a la *Suma Teológica*. Confesó que, en respuesta al sentimiento firme del advenimiento del fin de sus días, quiso apresurarse a publicar aquellos escritos que tenía mejor preparados. Estos escritos, como ya indicamos, son los comentarios a la tercera parte de la *Suma*.

Tras dos lustros dedicados a la docencia de la Teología en calidad de Catedrático de Prima de Teología de la Universidad de Coimbra, Suárez recibió el permiso de jubilación en el año 1615 retirándose a la casa que la Compañía tenía en Lisboa. Residiendo aún en Coimbra, el granadino confirma que en aquellos días (junio de 1615) trabajaba en la edición de su comentario a la *I-IIae*. Guiado más bien por la humildad que por el desinterés, declaró en una carta no saber «lo que en esto se innovará» pero que no obstante, acatando las órdenes de la Compañía, intentó llevar la empresa editorial a buen término[17].

15 Hacemos depender esta hipótesis de las siguientes palabras de Baltasar Álvares: «Así pues, publicamos los restantes comentarios que, sobre este asunto, que en España apenas en una ocasión y otra en Roma, había expuesto a sus oyentes». Para un conocimiento no exhaustivo de las materias impartidas por Suárez, cf. Carlsruhe MS, *Unbestimmte Herkunft*, 24, 26, 28, 34, 35. R. de Scorraille, *o.c.*, t. I, 165-166 y XXVII-XXIX.

16 Doctoris Francisci Suarez Granatensis e Societate Iesu, in Regia Conimbricensi academia, primarii Theologiae professoris, *Prima Pars Summae Theologiae De Deo Uno et Trino, in tres praecipuos tractatus distributia cum variis indicibus*, Olyssipone: *apud* Petrum Craesbeeck, 1606.

17 Carta de Suárez a Gonzalo de Albornoz de Alcalá, Coimbra 10 de junio de 1615. R. de Scorraille, *o.c.*, t. II, 213-214. La fidelidad de Suárez a las ordenes editoriales de la Compañía, privó a la posteridad del conocimiento de nuevas obras filosóficas. Seis meses antes de su fallecimiento Suárez se lamentaba de: «no estar (estoy) en edad para acabar lo que tengo comenzado, ni para dejar hecha una Filosofía que venga bien a mi Teología». Suárez al General Vitelleschi, Coimbra, 16 de Enero de 1617, *apud Ibid.*, t. II, 214.

La presión de la muerte no impidió que Suárez trabajara en la preparación de su obras inéditas. Para esta tarea, Suárez declaró lo siguiente: «que con la vida se acaben mis impresiones, y que después no se haga ninguna, sino de lo que yo avisare que queda limpio y muy en orden según posibilidad»[18]. En su retiro lisboeta, Suárez, entre los años 1615 y 1617, y con la asistencia del jesuita portugués Baltasar Álvares –ya citado con motivo del *Cursus Conimbricensis*– pudo dejar preparados para la impresión los tratados siguientes: *De Gratia* (1619), *De Angelis* (1619), *Opere sex dierum* (1621), así como la primera parte del comentario al *De Anima* de Aristóteles (1621).

A pesar de haber manifestado el granadino su voluntad en relación con el destino de sus escritos inéditos, y de los deseos manifestados por sus herederos tras su muerte[19], los escritos fueron publicados por la Compañía como *Opera Omnia Suareciana.* Esta empresa recayó en Baltasar Álvares que editó, entre los años 1619 y 1628, ocho volúmenes. El proyecto original de la Compañía abarcaba diez volúmenes, pero el fallecimiento de Álvares en el año 1630 imposibilitó que la *Opera* fuera completada[20].

2. La edición del *Tratado de las pasiones*

Una vez presentado el contexto y las vicisitudes en las que se enmarca el *Tratado de las pasiones*, nos detendremos a continuación en algunos de sus aspectos formales. Describiremos en primer lugar la estructura de la obra; y, a modo de conclusión, analizaremos algunas de las fuentes directas y generales empleadas por Suárez a la hora de fundamentar su concepción de las pasiones.

18 Carta de Suárez a Gonzalo de Albornoz de Alcalá, Coimbra 10 de junio de 1615. *Ibid.*, t. II, 213-214.

19 El sobrino de Suárez, Gaspar Suárez de Toledo, quiso hacerse cargo de la edición de la obra inédita, pero la tarea ya había sido encomendada a Baltasar Álvares. *Cf. Ibid.*, t. II, 351.

20 Baltasar Alvares, en el primero de los volúmenes publicados, indica el listado de títulos del proyecto editorial, configurado por los títulos siguientes: *De Gratia*, I y III (1619); *De Angelis* (1620), *De Opere sex dierum* (1621), *De Anima* (1621), *De Fide, Spe, Charitate* (1621), *De Religione*, III (1624); *De religione*, IV (1625); *De ultimo fine et al.* (1628). En el plan de Álvares contemplaba además la publicación de los *Varia Consilia et responsa*, y del libro segundo del *De gratia*, pero falleció en el año 1630 sin poder completar el proyecto. Álvares, Baltasar «Ad lectorem», en: *Doctoris Francisci Suarez Granatensis e Societate Iesu, in regia Conimbricensi Academia olim primarii Theologiae Professoris emeriti. Opera Omnia quóruum Cathalogum cf. lector in vita Authoris. I: De Divina Gratia tripartiti Pars Prima, continens Prolegomena sex, duosque priores de necessitate divinae gratiae ad honesta opera libros*, Conimbricae: *apud* Didacum Gomez de Loureyro, 1619.

Como hemos dicho, *De passionibus* es el cuarto de los cinco tratados a los que redujo el granadino el comentario a las cuestiones 1-89 de la *I-IIae* de la *Suma Teológica*[21]. Como se recordará, esta parte de la obra del aquinate es de naturaleza moral y tiene por objeto principal legitimar la beatitud como interpretación cristiana de la felicidad. La beatitud es el estado que el individuo humano alcanza tras la muerte física: la visión de Dios. La moral cristiana cumple una función normativa en relación a la beatitud al sancionar, positiva o negativamente, las acciones ejecutadas por los individuos en función de la distancia al fin trascendente al que está llamado como criatura.

No obstante, solo es posible sancionar aquellas acciones en las que la voluntad interviene en su ejecución. Los actos voluntarios, por lo tanto, permiten analizar tanto el fin perseguido como la intención que ha movido al individuo a obrar. Precisamente es la intención del sujeto del juicio moral el asiento de la predicación de la bondad o de la malicia que comporta la acción. El conjunto de acciones intencionales que encaminan al individuo hacia la beatitud son consideradas virtudes, mientras que las acciones que lo obstaculizan son denominados vicios. Indicada la importancia capital que esta materia presenta para toda criatura –puesto que de la regulación moral de las acciones habituales depende la felicidad sobrenatural– resultará preciso, en primer lugar, distinguir aquellas acciones que son susceptibles de juicio moral de aquellas que por el contrario lo rechazan. Y, en segundo lugar, una vez que sean distinguidas las acciones voluntarias de sus opuestas, serán estudiadas las pasiones y en particular el tipo de intencionalidad que presentan en contraposición con los hábitos.

Suárez dedicó el primer capítulo del tratado cuarto[22] al análisis de las pasiones, y al estudio de los hábitos los tres siguientes, reduciendo así a una docena, las veinte y seis cuestiones que Tomás dedicó a la exposición

21 La correspondencia entre los cinco tratados de Suárez y las cuestiones 1-89 de la *Suma Teológica* es la siguiente: I. El último fin del hombre (q. 1-5); II. Sobre el voluntario y el involuntario en general y sobre los actos voluntarios en especial (q. 6-21); III. Sobre la bondad y malicia de los actos humanos (q. 55-89); IV. Los actos que se llaman pasiones y también de los hábitos, principalmente los que exigen esfuerzo y los viciosos (q. 22-48); V. Los vicios y los pecados (q. 55-89).

22 La estructura del tratado IV, que tiene por título «De los actos que se llaman pasiones y también de los hábitos, especialmente de aquéllos que exigen esfuerzo y de los viciosos» es la siguiente: Disputa I. Sobre las pasiones, dividida en doce secciones; Disputa II. Sobre el concepto común de hábito; Disputa III. Los hábitos que se llaman virtudes, en 10 secciones; Disputa IV. Los hábitos depravados o vicios, en 2 secciones.

de esta materia (q. 22-48)[23]. El análisis filosófico de la teoría suareciana de las pasiones así como su comparación con la teoría del aquinate encontrará su lugar en el estudio introductorio que encabezará nuestra edición[24].

Nuestra traducción del Tratado ha sido realizada tomando como referencia el texto de la segunda edición de 1609 y el de la edición contemporánea de 1851[25]. En lo que se refiere al texto, la última edición no se distancia de la anterior, ya que adopta la misma transcripción latina así como la división del texto en secciones. En el caso presente, nuestra tarea no se vio gravada por una labor de transcripción, al tratarse de un texto impreso y no manuscrito (autógrafo). Por lo tanto, el reto principal se circunscribió a la edición del texto.

Es preciso recordar que la tarea de la traducción exige no solamente la comprensión del texto latino, sino, además, el conocimiento de las fuentes aducidas por el autor. En relación con las fuentes, los datos adicionales aportados por la edición contemporánea son apenas inexistentes no contribuyendo a ampliar el conocimiento bibliográfico. Por este motivo, y con

23 El objeto de nuestra traducción es la primera de las cuatro disputas mencionadas en la nota precedente. La Disputa I, a su vez se divide en las doce secciones siguientes, precedidas de un breve prólogo: «1. Qué es la pasión del alma y cuál es su sujeto. 2. Sobre la bondad y malicia de las pasiones. 3. Sobre la división general y la diferencia de los actos apetitivos o pasiones. 4. Si el amor es un apetito sensitivo y cuáles son sus causas y efectos. 5. Qué es la concupiscencia y cuál es la división del amor en concupiscente y amistoso. 6. Qué es el deleite y de qué modo se distingue de las pasiones. 7. Sobre el odio, la fuga y la tristeza. 8. Qué es la esperanza y cuál es su contrario. 9. Qué es la audacia y de qué modo se compara con las demás pasiones. 10. Qué es el temor. 11. Qué es la ira y cuál es su contrario. 12. Sobre si esta división de las pasiones es suficiente y sobre la comparación entre ellas». *Doctoris P. Francisci Suárez Granatensis, e Societate Iesu in Academia Conimbricensi Primarii atque emeritii oilm Professoris, Ad primam secundae D. Thomae Tractatus quinque Theologici, Quorum I. De ultimo fine hominis, ac Beatitudine. II. De voluntario, & involuntario. III. De humanorum actuum bonitate & malitia. IV. De passionibus & habitus. V. De vitiis, atque peccatis,* Maguntiae: Meresius Birkmanni, 1629, 326.

24 Para un acercamiento filosófico a la teoría de las pasiones de Suárez, cf. P. Oliveira e Silva, «A doctrina suareziana sonde a natureza paixôes: Antecendentes medievais e prenúncios de modernidade», en M. Lázaro – J. L. Fuertes – A. Poncela A. (eds.), *La Filosofía de las pasiones, o.c.*, 173-182.

25 «*De actibus, qui vocantur passiones, tum etiam de habitus, praesertim studiosis, ac vitiosi*», *en Doctoris P. Francisci Suárez Granatensis, e Societate Iesu in Academia Conimbricensi Primarii atque emeritii oilm Professoris, Ad primam secundae D. Thomae Tractatus quinque Theologici, Quorum I. De ultimo fine hominis, ac Beatitudine. II. De voluntario, & involuntario. III. De humanorum actuum bonitate & malitia. IV. De passionibus & habitus. V. De vitiis, atque peccatis,* Maguntiae: Meresius Birkmanni, 1629, 26-343. Como se ha dicho, la obra fue publicada como tomo octavo de la Opera póstuma suareciana dirigida por Álvares. «Tractatus Quinque ad Primam Secundae D. Thomae», en *Opera Omnia. Editio Nova a D. M. André, iuxta editionem venetianam,* t. IV, Ed. Vivès, Paris, 1861, 456-478.

el propósito de remediar esta situación, tuvimos que proceder a localizar las fuentes bibliográficas, tanto directas como indirectas, citadas por Suárez a lo largo del Tratado.

El apartado histórico anterior nos permite, entre otras cosas, explicar la dificultad que entrañó la localización de las fuentes citadas por Suárez. Recordamos, en primer lugar, que hasta finales del siglo XVIII los intelectuales no emplearon un método de citación de fuentes semejante al nuestro que facilitase la reconstrucción del argumento presentado en el cuerpo del texto. En el caso de las obras filosóficas de los escolásticos, esta situación se agrava si tenemos presente que la Filosofía poseía un carácter subsidiario en relación con la Teología. A este uso determinado de la Filosofía, es necesario añadir, además, la dificultad con la que se encontraban los escolásticos para acceder a las fuentes primarias debido a la escasez de libros y al gran coste que suponía la adquisición de ejemplares. El acercamiento instrumental e indirecto a los textos por parte de los escolásticos es una característica que el investigador deberá tener presente a la hora de enfrentarse a la edición de las obras escolásticas, y para la que deberá encontrar medios para subvertir esa dificultad.

En un principio, nos sedujo la idea de recorrer una de las sendas más comunes del proceso de investigación: la tentación de entablar una relación de intimidad con el objeto de estudio. Los estudios de carácter histórico-biográfico, como el que hemos resumido en el apartado anterior, arrojan una serie de pistas que el investigador puede considerar como una vía para propiciar un movimiento simpático. En nuestro caso, la documentación interna de la Compañía que hemos citado a lo largo de este escrito parecía ofrecer una plataforma desde la cual realizar un salto en el tiempo: La reconstrucción de la biblioteca de Suárez. De entrada, podría parecernos que no existiría una forma mejor para localizar las fuentes ni de saber si una referencia fue tomada directa o indirectamente que acercarse a los mismos libros que Suárez consultó cuando redactaba su Tratado. Sin embargo, la pesquisa histórica anterior junto con la experiencia de navegaciones similares aconsejaron no embarcarse en esa travesía. En seguida recordamos que, aun prescindiendo de su fecunda faceta como intelectual al servicio de las agencias de poder de la época, Suárez tuvo una vida docente tan longeva como intensa. Como maestro, primero de Filosofía y después de Teología, dispensó su saber por las aulas de los colegios jesuitas (Segovia, Ávila, Valladolid y Salamanca) y por diversas universidades (Roma, Alcalá, Coimbra). Estrechando el círculo sobre el *Tratado de las pasiones* (1628) sabemos, en primer lugar, que Suárez lo redactó a partir de las notas que, como profesor, había elaborado para las clases dictadas primero en Valladolid (1579-1580) y luego en Roma (1581-1582). Sobre estas notas –como señaló Baltasar Álvares en el prólogo del Tratado– preparó la edición durante los dos últimos años de su vida en Lisboa (1615-1617). Si estuviéramos en posesión de las notas de clase y conociéramos el catálogo de la biblioteca que Suárez pudo manejar en Lisboa, podríamos distinguir las referencias consultadas por el autor de aquellas otras introducidas por el editor, y a pesar de ello, no abandonaríamos el plano de la hipótesis[26]. Estas dificultades nos aconsejaron cancelar la vía empírica y remitirnos directamente al texto.

A modo de ejemplo, nos detendremos, finalmente, en el análisis de algunas referencias directas y de naturaleza enciclopédica consultadas por el jesuita. El Tratado contiene llamadas a fuentes bíblicas, teológicas, filosóficas y científicas. La principal novedad, desde el punto de vista bibliográfico, la encontramos en la citación de la obra médica de Galeno y de Jerónimo Frascator. En la primera sección del Tratado dedicada a la definición de la pasión y su sujeto, con el propósito de apoyar su argumento, Suárez introdujo a dichos autores en los siguientes términos:

> *Por eso Galeno afirma, en el libro 3, Sobre el lugar de los afectos, cap. 8, y en el Libro de las Causas de los Síntomas, cap. último, que el hígado venoso que posee un líquido frío y negro, es mas proclive a la tristeza, y por eso comprime al corazón, como sucede con la tristeza, el miedo y otros estados semejantes [...]*

26 Francisco Suárez invirtió los beneficios obtenidos de la publicación de sus *Disputaciones Metafísicas* en la fundación de una biblioteca en el colegio de los jesuitas de Salamanca que pudo mantenerse hasta después de su muerte. Cf. R. de Scorraille, *o.c.*, t. I, 316-317. Por el Real Decreto promulgado por Carlos III, ordenando la expulsión de los jesuitas de España el 4 de Abril de 1767, los miembros del Colegio Real de Espíritu Santo abandonan Salamanca, dejando atrás sus posesiones. El Fiscal del Estado publicó, el 23 de Abril del mismo año, una Cédula Real en cuyo punto XXIV se ordena que los libros de los colegios de la Compañía sean entregados a las universidades del reino. Cf. Campomanes, «Cédula Real, comprehensiva de la Instrucción de lo que se deberá observar para inventariar los Libros y papeles existentes en las Casas que han sido de los Regulares de la Compañía», en *Colección general de la procf.ncias hasta aquí tomadas por el Gobierno sobre el extrañamiento y ocupación de temporalidades de los Regulares de la Compañía* [...], Madrid: Imprenta Real de la Gazeta, 1767. La Universidad de Salamanca recibió los libros del colegio jesuita en 1767 y, con ellos, la biblioteca de Suárez. La relación de los títulos incorporados a la biblioteca universitaria se encuentra registrada en los Ms. BG 603, 605, 606 y 609. Por estos manuscritos, sabemos que el número total de volúmenes incorporados a la biblioteca de la Universidad, ascendió a 9. 924. Para conocer el relato de la expropiación de la biblioteca del colegio de los jesuitas de Salamanca, cf. M. Becedas – O. Lilao, «Noticias sobre la Biblioteca del Colegio Real de la Compañía de Jesús en Salamanca», en J. A. Bonilla – J. Barrientos. (coords.), *Estudios Históricos Salmantinos: Homenaje al P. Benigno Montes*, Salamanca: Universidad de Salamanca, 1999, 511-538. Para algunas noticias en relación con la biblioteca de Coimbra a la que tuvo acceso Suárez, cf. M. Brandão, «Contribuições para a história da Universidade de Coimbra. A Livraria do Pe. Francisco Suárez», en *Biblos*, 3 (1926) 325-349.

> *También se puede ver […] Jerónimo Frascator, libro 2 Sobre la Simpatía, acerca de la intelección, hacia la mitad aproximadamente.*

Las precisión con la que Suárez citó las obras de Galeno sugiere que fueron consultadas directamente[27]. La referencia a Frascator, por el contrario, nos hace dudar. Como señala el título de la obra de Frascator, *De Sympathia et antipathia rerum liber unus*, la obra solamente contiene un volumen; no obstante, el granadino localiza su argumento en un segundo libro, que en realidad no existe. Ahora bien, este hecho no permite afirmar que el autor no consultara el texto de Frascator, ya que el argumento aducido sobre la intelección, en cambio, sí está correctamente localizado en el capítulo XIII de dicha obra[28].

Algunas de estas paradojas pueden comprenderse mejor teniendo a la vista algunas de las obras que cita Suárez en el prólogo de Tratado. La fuente mas manejada, como era de esperar en el género del comentario, es la *Suma Teológica*, que recibió 73 llamadas. Esto no significa, sin embargo, que Tomás fuera considerado por el granadino como la autoridad principal en la materia de las pasiones. Sirvan como ilustración, desde un punto de vista formal, las primeras líneas del *Tratado*:

> *Qué lugar tienen las pasiones entre los actos humanos y por que motivo se las trata en la disciplina moral. Consultar Bellarmino, De scriptoribus Ecclesiasticis*[29] *[…] Disputan sobre esta materia de las pasiones S. Tomás, en general, I-IIae cuestiones 22 a 24, y en cada una de ellas q. 25 a 48, de modo amplísimo. Y antes de él, Vicente de Beauvais en el Espejo Moral, si que es suyo y distinto de aquella obra. Y también Alberto Magno enseña muchas cosas en la Suma sobre el hombre, al final de la parte primera*[30]*. Otros teólogos dicen pocas cosas y de modo disperso, a los que nos referiremos más adelante*[31]*.*

Parece como si la autoridad de Tomás de Aquino resulta disminuida al ponerla en relación con las otras fuentes. Las amplitud con la que es considerada la materia de las pasiones por parte del Angélico, Suárez la

27 *Galeni de affectorum locorum notitia libri sex*, Venetiis, 1510. *De symptomatum causis liber tres*, Londini, 1524. Catálogo de traduciones latinas de Galeno, Cf. D. Campbell, *Arabian Medecine and its influence on the Midlle Ages*, t. II, Trubner's Oriental: Routledge, 2001, 62 y 77.

28 H. Frascator, *De sympathia et antipathia rerum liber unus*, Lugduni: Apud Ioan. Tornesium et Guil. Gazeium, 1554.

29 R. Bellarmino, *De scriptoribus ecclesiasticis: liber vnus*, Lugduni: Horatij Cardon, 1613.

30 A. Magno, *Suma de creaturis, sive de Quattor coaevis et De homine*, Venetiis: Apud Simon de Luere, 1498.

31 F. Suárez, *Pasiones, Ibid*, 328.

contrarrestó acudiendo al carácter original de la solución propuesta por los maestros dominicos que lo antecedieron. A tenor de los efectos, es decir, a partir de la crítica a la que Suárez sometió la teoría tomista de las pasiones a lo largo del texto, tales líneas parecen contener una especie de aviso al lector. Por otro lado, quizá se pueda explicar la elección de la autoridad de Roberto Bellarmino, a partir de las polémicas, tanto doctrinales como políticas, que se sucedían en aquellos días (*De Auxiliis*). Sin entrar en este problema, importa observar que el *De scriptoribus Ecclesiasticis* de Bellarmino es una obra de referencia que contiene las teorías principales desarrolladas por los pensadores cristianos. Las autoridades siguen la cronología de la historia de la Iglesia desde el antiguo testamento hasta la época moderna. Cada una de las entradas contiene un resumen de las principales teorías, incluyendo una bibliografía, y, en ocasiones, localización de fuentes y referencias cruzadas a otras obras. Por este medio, Suárez pudo acceder al conocimiento de las opiniones principales que en el campo de las pasiones, manifestaron los autores bíblicos, los padres de la Iglesia y los escolásticos medievales y tardíos.

Concluimos con una revisión de la llamada que el granadino, en el fragmento anterior, realizaba al *Espejo moral*. Suárez planteaba una serie de reservas que vienen a ser confirmadas por la investigación documental. El *Espejo moral* es un texto apócrifo añadido al *Espejo mayor* en la edición de Venecia del año 1591[32]. El *Espejo mayor* fue compuesto por el dominico Vicente de Beauvais entre los años 1244 y 1257, y es un compendio de todo el saber alcanzado en el siglo XIII, distribuido en tres volúmenes: El *Espejo natural* (Ciencias, Artes y Oficios), el *Espejo doctrinal* (Teología, Moral y Filosofía) y el *Espejo histórico* (La historia universal desde el Génesis hasta Inocencio IV). El *Espejo moral* aúna los conceptos clave de la Ética cristiana proponiendo una definición que prologa a un comentario y a un listado de autoridades.

El uso de obras de referencia como las mencionadas si bien ofrecieron a los autores escolásticos un medio para acceder a las fuentes, favorecieron también, la entrada de la parcialidad y la inexactitud en sus tratados.

32 *Speculi maioris Vincentii Burgundi ... tomi quatuor: quorum primo tota naturalis historia, altero omnium doctrinarum disciplinarumq[ue] farrago, tertio verò omnis moralis philosophia, quarto denique vniuersa totius orbis omniumq[ue] [tomus primus]*, Venetiis: apud Dominicum Nicolinum, 1591. Las ediciones posteriores, incluyen el *Espejo moral* presentándolo en un sólo volúmen, Cf. *Bibliotheca mundi: Vincentij Burgundi ex Ordine Praedicatorum venerabilis episcopi Bellouacensis Speculum quadruplex, naturale, doctrinale, morale, historiale* [...], Duaci: ex officina typographica Baltazaris Belleri, 1624. Con el transcurso del tiempo, fueron añadidos nuevas materias, *cf. Magnum speculum exemplorum* [...], Duaci: ex officina Baltazaris Belleri, 1614.

2. METODOLOGÍA PARA LA EDICIÓN DE FUENTES MANUSCRITAS E IMPRESAS

DEL DOCUMENTO AL ARCHIVO: ESTRATEGIAS DE EDICIÓN EN LA RECONSTRUCCIÓN DE UNA HISTORIA DEL SIGLO XIV

ARSENIO DACOSTA
UNED. Centro Asociado de Zamora

JOSÉ ÁNGEL LEMA PUEYO
Universidad del País Vasco

1. OBJETO Y ALCANCE

El presente estudio se propone recomponer[1], en su forma original, un tipo especial de documento, nada menos que el texto que recoge la memoria genealógica y la estrategia patrimonial de unos señeros representantes de la alta nobleza castellana bajomedieval. Nos referimos a una rama del linaje de los Ayala, que de ser inicialmente secundaria pasaría a ser la principal de dicha casa durante la segunda mitad del siglo XIV. El texto nos ilustra con especial detalle de sus intereses y bienes en el norte de Álava y en el Señorío de Vizcaya. A tal fin, hemos recurrido a varias versiones tardías, de época moderna, a las que más tarde nos referiremos.

1 Este trabajo forma parte de los resultados del proyecto de investigación *De la Lucha de Bandos a la hidalguía universal: transformaciones sociales, políticas e ideológicas en el País Vasco (siglos XIV y XV)* financiado por el Ministerio de Economía y Competitividad (HAR2013-44093-P), e integrado en las actividades del Grupo de Investigación del Gobierno Vasco *Sociedad, poder y cultura* (IT-600-13). Se enmarca también en el proyecto ARCHIFAM (*Les archives de famille: formes, histoires et sens d'une genèse (Péninsule Ibérique, XIVe-XVIIe siècle)*) que se viene desarrollando desde 2013 en coordinación con la Casa de Velázquez y varios grupos de investigación de las universidades Nova de Lisboa, del País Vasco, de Girona, Pública de Navarra y de Pau et des Pays de l'Adour.

Esta labor nos enfrenta, no solo a la cuestión de la transmisión documental, sino a un reto más importante aún, a la posibilidad de reconstruir –o al menos intuir– el archivo señorial de Fernán Pérez de Ayala (+ 1385) y de su hijo Pero López de Ayala (+ 1407), más conocido por una de las dignidades alcanzadas durante su larga, azarosa y fructífera vida, la de Canciller de la Corte de los primeros Trastámara.

2. Presentación de los manuscritos

Los manuscritos utilizados, cuya transcripción acabamos de finalizar, son el Espagnol 285 de la Bibliothèque Nationale de France (BNF), y los números 18.007 y 18.122 de la Biblioteca Nacional de España (BNE). El primero corresponde a una copia del siglo XVI y los dos otros dos son copias del siglo XVIII, tal vez procedentes del taller de la entonces incipiente Real Academia de la Historia. Omitiremos, de momento, la descripción de estos últimos manuscritos, muy deficientes en sus contenidos de toponimia y onomástica vascas. Nos centraremos primero en el más antiguo, el ya mencionado Espagnol 285.

Dicho manuscrito está compuesto por 79 folios, numerados con cifras arábigas, de 148 x 205 mm., de los cuales 78 son de papel y el último, tal vez utilizado para la encuadernación de un manuscrito anterior, de pergamino. El conjunto se halla encuadernado con tapas de este último material, de 155 x 215 mm. Los folios de papel se distribuyen en cinco cuadernos, el primero de 14 folios y los restantes de 16. Su estado de conservación y su legibilidad pueden considerarse buenos, si se exceptúan una rotura en el borde inferior del folio 24 y algunas manchas y borrones, especialmente en el último folio.

El texto, redactado siempre en tinta negra, con variaciones de intensidad, se dispone hasta el fol. 79r generalmente en una caja de escritura de 100 x 130 mm., con anotaciones marginales, tanto laterales como en los bordes superior e inferior, separadas del cuerpo principal, en el caso de las notas laterales, bien por signos asimilables a la coma actual, bien por líneas. Estas anotaciones son frecuentes en la parte inicial del texto, la que recoge las informaciones genealógicas. Cabe distinguir de manera clara tres manos: una que ejecutó el texto principal, otra, responsable de las notas marginales, y una tercera, que redactó los contenidos del fol. 79. En cuanto al texto principal, es relevante mencionar el cambio de apariencia que se observa entre el fol. 24v –a partir de la 14ª línea– y el fol. 27r –hasta el 11º renglón–. Aunque, en lo substancial, no cambia el tipo de escritura –cuestión a la que luego nos referiremos–, hay algunas diferencias llamativas: tinta más intensa, letras de un módulo algo mayor y algunos detalles arcaizantes en la ejecución de ciertos enlaces. Entre estos últimos destacamos los siguientes: «se», «so», «to» o «tr». A la espera de un análisis paleográfico más detallado, todo ello apunta a la intervención de una cuarta mano.

El tipo de escritura que se observa, en el cuerpo principal del texto, en la gran mayoría de los folios –con la salvedad del fol. 79– corresponde a una modalidad híbrida que mezcla por un lado, características de la llamada escritura *cortesana*, y por otro, rasgos típicos de la modalidad *humanística*. La primera, la *cortesana*, es el resultado de la evolución propia de las escrituras góticas cursivas castellanas y la segunda es una variante relativamente nueva introducida en la Península Ibérica por influencia cultural italiana. Esta escritura híbrida –cortesana con fuerte influencia humanística– es típica del reino de Castilla a lo largo de la primera mitad del siglo XVI y ha dejado numerosos ejemplos de esta cronología que permiten una comparación. Este toque «humanístico» facilita considerablemente la inteligibilidad del texto, al atenuar algunas de las características que dificultaban la lectura de los escritos ejecutados en la variedad cortesana, sobre todo en los enlaces entre letras y en el *ductus*. A pesar de que una nota inicial del manuscrito Espagnol 285 ostenta la fecha de «16 de febrero de 1420», es evidente que, a comienzos del siglo XV, el tipo de escritura observable sencillamente aún no existía. A partir de aquí, cabe una explicación: que el original del texto aquí estudiado se escribiese efectivamente en 1420 y que el ejemplar actual sea una copia ejecutada un siglo después[2].

A pesar de las evidencias y de la datación que ofrecen los propios catálogos de la BNF, Béatrice de Florès, basándose en criterios paleográficos y de contenido, data el manuscrito entre «la fin du XIVe siècle ou au debut du XVe siècle»[3]. También hace referencia al hecho de que en la página de guarda al final del manuscrito, aparezca la fecha: «16 de Febrero de 1420». Hacemos constar aquí su opinión alternativa, sin bien no la compartimos.

El manuscrito permanece inédito, salvo los ocho primeros folios[4], que reproducen una versión resumida de los contenidos del *Libro del linaje de los señores de Ayala* elaborado por Fernán Pérez en 1371 y cuyo texto

2 El catálogo actualizado *on line* de la Bibliothèque Nationale de France comparte nuestra atribución del manuscrito al siglo XVI. Cf. la ficha en el siguiente enlace: http://archivesetmanuscrits.bnf.fr/ead.html?id=FRBNFEAD000034891

3 B. de Florès, «El linaje donde bienen fijos e fijas de don Fray Fernand Periz de Ayala. Généalogie des Ayala», en *Atalaya* 3 (1992) 66.

4 *Ibid.*, 65-74. Este texto varía sensiblemente respecto del original de Fernán Pérez de Ayala, al que se alude en la nota siguiente.

completo fue publicado por el Marqués de Lozoya, por Michel García y más recientemente por nosotros[5].

El manuscrito presenta evidentes problemas. El más importante es el de su presunto original. Además, plantea problemas de estructura, con materiales aparentemente heterogéneos y con un claro carácter inconcluso. Aunque el ámbito de producción del hipotético original es el actual País Vasco, no podemos decir lo mismo de las copias conservadas, ni siquiera de la más antigua. Tampoco podemos precisar con seguridad si se redactó en su forma primigenia por orden de los señores de Ayala o si se elaboró en el convento de madres dominicas de Quejana. Volveremos sobre esta cuestión. Finalmente, el supuesto original medieval que refleja el manuscrito Espagnol 285 tiene problemas de datación. Hemos aludido a una nota marginal que nos remite a febrero de 1420, pero el análisis del contenido nos remite a las tres últimas décadas del siglo XIV.

También debemos plantearnos el problema de la autoría, pero hay que avanzar que el protagonista absoluto de los distintos materiales es Fernán Pérez de Ayala (de quien se extracta ampliamente su *Libro del linaje de los señores de Ayala* y, en menor medida, la continuación de su hijo el Canciller a este texto genealógico). De hecho alguna referencia cronológica a este último lleva como referencia el año de 1394. Por último, son de destacar reiteradas alusiones a Fernán Pérez de Ayala como «frey». Desconocemos la fecha exacta en la que este noble tomó los hábitos, pero fue sin duda entre 1375 (fecha de su primer testamento) y 1378 (fecha de su codicilo, donde ya figura como tal)[6]. Por otro lado, no pocas de las

5 J. de Contreras y López de Ayala (Marqués de Lozoya), *Introducción a la biografía del Canciller Ayala*, Bilbao: Junta de Cultura de Vizcaya, 1972 [1950], 139-165; M. García, *Obra y personalidad del Canciller Ayala*, Madrid: Alhambra, 1982, 325-350; A. Dacosta, *El «Libro del linaje de los señores de Ayala» y otros textos genealógicos. Materiales para un estudio de la conciencia del linaje en la Baja Edad Media*, Bilbao: Universidad del País Vasco, 2007, 135-155. El texto aludido, obra de Fernán Pérez de Ayala, es el primero de los cinco editados por Dacosta.

6 En el testamento de 1375 Fernán Pérez de Ayala no se refiere en ningún momento su ordenación (aunque sí la muerte de su esposa). En cambio el codicilo de 1378 se encabeza así «como yo Fray Fernán Pérez de Ayala Frayle del Orden de Predicadores». Por su parte, el Canciller en su continuación al texto genealógico de su padre, data la fundación de Quejana en 1375: «Y estos don Fernán Pérez e doña Elvira Álvarez compraron la maior parte que habíen los deviseros en el monasterio de Quixana e labraron hi, e posieron mui buenos hornamentos. Y fuera voluntad de amos si Dios diera vida a ella de facer hí un monasterio de dueñas de la Orden de los Frailes Predicadores. E desque esta doña Elvira Álvarez finó, el dicho don Fernán Pérez tomó la Orden de los Frailes Predicadores, e dioles hornamentos, e las heredades que amos habíen acordado de dar en el dicho monesterio de Quixana. E más lo que dirá aquí adelante. E fue fundado el dicho monesterio de las dueñas de Quixana [en el] año del Nascimiento de Nuestro Señor Jesu Christo MCCCLXXV años. Después desto

referencias aluden directa o indirectamente al monasterio de Quejana, fundado formalmente en 1378, pero que parece concebirse algunos años antes. Sin embargo, esto no nos debe confundir, porque algunas de las noticias de compraventas insertas a las que aludiré ahora, podrían ser anteriores, de 1332 en adelante.

Otra cuestión a la que nos enfrentamos es la de categorizar el manuscrito y su posible fuente. ¿Estamos ante un misceláneo puro o ante algo más complejo? Esta es la cuestión sobre las que centraremos nuestras hipótesis.

3. Contenido de un manuscrito aparentemente inconexo

El análisis del contenido del manuscrito Espagnol 285 (y de las dos copias madrileñas) revela, efectivamente, la agregación de materiales como la citada genealogía de los Ayala (fols. 1r-8v), una copia de la dotación fundacional de Quejana por Fernán Pérez de Ayala en 1375 (fols. 8 v-15v), el traslado de una real ejecutoria de 1380 emitida por Juan I en el pleito entre Fernán Pérez de Ayala y el concejo de Orduña por la posesión de las aldeas de Délica, Artómaña, Aloria y Tertanga, en el valle de Arrastaria, contraria a la citada villa (fols. 15v-25r)[7] y una relación de bienes del convento de San Juan de Quejana sin datar (fols. 25v-26r).

A partir de este punto, se sucede una serie de informaciones en las que se entremezcla la relación genealógica de diversos linajes (distintos del de Ayala) y cómo se repartían los derechos de patronazgo («las suertes») de sus descendientes, principalmente en los «monesterios» de San Román de Oquendo, San Román de Orozco, San Vicente de Abando, Santo Tomás de Perea, Quejana y Baracaldo, territorios situados en el noroeste de la actual provincia de Álava y en al oeste del valle del Nervión, en Vizcaya. Lo más interesante es que a estas informaciones se suman, desde el folio 32v extractos de compraventas[8] de parte de estos derechos a distintos

ganó don frei Fernán Pérez de nuestro señor el rey don Juan el derecho que havíe en (...)». A. Dacosta, *El «libro del linaje de los señores de Ayala» y otros textos*, 160.

7 Salvo error, el documento no está publicado en la Colección de Fuentes Documentales Medievales del País Vasco de Eusko Ikaskuntza. No obstante, ya era citado o extractado en: J. E. de Uriarte, *Historia de Nuestra Señora de Orduña, la Antigua*, Bilbao: Viuda de E. Calle, 1883, 157 (notas); e J. Iturrate, «La Colegiata de San Andrés de Armentia y las iglesias del valle de Orduña. Actas del proceso celebrado en Pamplona en 1321 y 1322», en *Boletín de la Institución «Sancho el Sabio»* 21 (1977) 12-13.

8 También se alude a un préstamo por valor de 1.000 maravedís concedido por Fernán Pérez de Ayala a Juan Sánchez de Salazar (fols. 62r-62v). La identificación de este personaje podría corresponder con Juan Sánchez de Salcedo o de Salazar, «el de Nograro», hijo

hidalgos, incluyendo invariablemente la identificación de los vendedores, el precio de compra y, en algunas ocasiones, mencionando al comprador que, cuando figura, siempre es Fernán Pérez de Ayala[9]. Con todo, en pocas de estas referencias a compraventas –varias decenas– consta la fecha. De hecho, las dos únicas que tienen data, ambas de 1394, se refieren a Pero López de Ayala, el Canciller, y ambas se expresan en una sintaxis claramente diferente a la del resto:

> *«Conpró Pero Lopes de Ayala, lunes veynteséys días de otubre, año del Señor de mill e trezientos e nobenta e quoatro años, de doña Marina, fija de Joan Yniguis de Mendaro e de doña María Lopes de Arbolancha, el sesmo de veyntequartao de los monesterios de (...)» (fol. 53r).*

> *«Martes, beynte e siete días de otubre, año del Señor de mill e trezientos e nobenta e quatro años, este día, Furtún abad de las Ribas fijo de Furtún Sanches* fol. 63r | fol. 63v *de las Ribas, e Joan Delgado de San Christóval, fijo de Furtún Sanches de San Christóval, e Martín abad, fijo de de Garçía de los Cotarros, vendieron a Pero Lopes de Ayala, fijo de Fernand Peres de Ayala, toda la parte e quinón e debisa que ellos avían en el monesterio de San Joan de Quexana e en el monesterio de San Román de Oquendo e de San Román de Orosco e de San Viçenti de Abando, por el quinto de San Christóval, (...)» (fol. 63r).*

Este segundo ejemplo es, posiblemente, el más valioso ya que confirma que nos encontramos globalmente ante extractos de compraventas formalizas por escrito.

A partir del folio 78v la coherencia de la redacción se resiente, con una relación incompleta de «suertes» que «don fray Fernand Peres ha en Baracaldo» (78v), seguida de una también incompleta referencia a man-

de Lope García de Salazar, la Cerca y Nograro, prestamero de Vizcaya, fallecido este último hacia 1344. De todos modos, también podría identificarse con el sobrino homónimo del anterior, nacido en 1319 y fallecido en 1399, abuelo del famoso cronista. El primero es representante de la rama principal del linaje, mientras que el segundo lo es de una secundaria que radica en Las Encartaciones. Ambas acabarán fusionándose en la persona de Ochoa de Salazar, nieto del famoso cronista autor del *Libro de las buenas andanças e fortunas*. Sobre este linaje y su patrimonio, cf. S. Aguirre Gandarias, *Lope García de Salazar. El primer historiador de Bizkaia (1399-1476)*, Bilbao: Diputación Foral de Bizkaia, 1994, *passim*; A. Dacosta, «Las fuentes de renta del linaje de Salazar: aportación al estudio de las haciendas nobiliarias en la Corona de Castilla durante la baja Edad Media», en *Lope García de Salazar, banderizo y cronista*. Bilbao: Ayuntamiento de Portugalete, 2002, 43-64.

9 No es difícil esta identificación, pues contamos con referencias expresas en el folio 33r, al final del 62r, dos alusiones en el 65v, otra en el 78v, y sobre todo con la expresiva referencia «E d'estas suertes heredó e conpró don Fernand Peres de Ayala lo que dirá» (fol. 37r).

das de dotación de Quejana por parte del mismo personaje, parte de las cuales están redactadas en primera persona.

El manuscrito, con letra distinta y muy posterior, incluye un colofón en el folio 79r, de inspiración agustiniana, con el lema: «La seguridat es madre de la negligencia»[10].

Si analizamos los contenidos por materias, destaca la presencia de tres tipos distintos de materiales, diferencia que no implica que no estuvieran integrados con una lógica propia en el manuscrito original.

De un lado, es conocida la materia genealógica –gracias a la edición de Florès– que identificamos con un epítome del *Libro del linaje de los Señores de Ayala* redactado por Fernán Pérez de Ayala en 1371. Aparte, como ya hemos aludido, en el manuscrito aparecen otras relaciones genealógicas referidas a linajes del valle de Ayala y circundantes que son inseparables de la distribución de derechos de patronazgo, y que de hecho, acompañan a las relaciones de divisas y compras de estos derechos.

De otro, destacamos las informaciones referidas a la dotación del convento de Quejana que aparecen al principio y al final del manuscrito. En el primer caso, se trata de la copia de la dotación fundacional de 1375, seguida de una relación de bienes del convento sin datar ambas tras el epítome de la genealogía de los Ayala. En el segundo caso, se trata de alusiones a la dotación de Quejana que parecen un fragmento de las mandas testamentarias de fray Fernán Pérez de Ayala y de otras rentas donadas por éste al convento, con alguna referencia datada en 1382. Esto último está al final del manuscrito con letra distinta y en el pergamino de las guardas, también incompleto.

En tercer lugar, encontramos las relaciones de compraventas de derechos de patronazgo, más una alusión a un préstamo que cabe entender como la vía de adquisición de ciertas divisas por el linaje de Ayala. Esta relación de compras se articula ordenada y orgánicamente con a la materia genealógica, es decir, dicha materia –cuando no alude al linaje de Ayala– precede a la relación de compras hecha en tal o cual monasterio. En cuanto al estado de la relación de compraventas, estamos ante extrac-

10 S. Agustín, *Epístola 185. De correctione donatistarum liber*, 7.29. La cita se encuentra en algún tratado barroco: «san Agustín añade, que la seguridad es madre de la negligencia: *Docuit enim hos solicitudo, quos negligentes securitas fecerat*» (Fray Juan Márquez (1612-a. 1625). *El Gobernador Cristiano*, C. Isasi *et alt.* (eds.), Bilbao: Universidad de Deusto, 2004. Incluido en Real Academia Española: Banco de datos (CORDE) [en línea]. *Corpus diacrónico del español*. <http://www.rae.es> [Consultado el 19/06/2007]). Lope García de Salazar en el *prólogo* de sus *Buenas andanças* también habla de negligencia aunque parece que en un sentido distinto: «e otrosí la verdad se conoce por la mentira e el bien se conoce por el mal e el saber por la negligencia».

tos más o menos amplios en los que se omite a menudo al comprador, por ser obvio para el compilador, si bien puede mencionarse en diversos puntos del texto: «E después d'esto don Fernand Peres de Ayala conpró de» (33r), «en vos de don Fernand Peres» (36r), o el muy expresivo «E d'estas suertes heredó e conpró don Fernand Peres de Ayala lo que dirá». En estos casos, sospechamos que las adquisiciones son todas anteriores a 1375. También se añaden, como decíamos, algunas compras hechas directamente por el Canciller: «Otrosí, conpró Pero Lopes de Ayala» (53v). Por el contario, en estos extractos no suele faltar la relación de testigos, la de fiadores y una alusión al precio del *sarondo*, término posiblemente euskérico que no hemos conseguido identificar fehacientemente aún, pero que creemos equivalente a la *robra* castellana o *aliala* aragonesa, esto es, se trata del pago del banquete con el que se sellaba el acto jurídico[11]. Como antes se decía, la datación de estas compraventas es imposible de concretar salvo en muy pocos casos, siendo los dos más completos los dos referidos al Canciller y que remiten al mismo día: el 26 de octubre de 1396.

Una de las primeras impresiones que sugieren estos resúmenes de compraventas es la extremada la fragmentación de los derechos de patronazgo entre las familias del valle de Ayala y vecinos, al menos en lo que se refiere a una serie de monasterios parroquiales clave como los de San Román de Orozco, San Román de Oquendo, Quejana[12] y San Vicente de Abando, por citar los más importantes. Aparte de un sistema de sucesión abierto, que no beneficia a ningún heredero concreto, estamos ante una división asombrosa de tales derechos, con ejemplos como:

> «*Otrosí, compró del dicho monesterio de Quexana, de Joan Sanches Marroquín, fijo de Sancho Ortis Marroquín el Moço, del monasterio de San Joan de Quexana la suerte que heredaba su abuelo en la suerte de Basurto, del treyntao el quoarto, sacando del quinto de San Christóval, que montó çient e veynte maravedís*» (*61r*).

Es decir, estamos hablando de derechos de patronazgo que eran compartidos, en algunos casos, potencialmente, por más de cien individuos. Esta atomización de los derechos de patronazgo favorece, sin duda, las

11 Sobre el concepto de «aliala», O. Nortes Valls, «Estudio del léxico latino medieval en diplomas aragoneses anteriores a 1157 (términos referentes a la composición de la sociedad y a la vida rural)», en *Archivo de filología aragonesa* 24-25 (1979) 15-256.

12 La fundación del convento de dominicas en Quejana se realiza sobre un monasterio parroquial anterior, tal y como destaca el Espagnol 285: «E estos don Fernand Peres e doña Elvira Álvares conpraron la mayor parte en que avían los deviseros en el monasterio de Quexana, e labraron e pusieron y muchos buenos ornamentos» (8v).

compras de los Ayala, quienes se hacen con algunos de estos derechos por apenas unos maravedís:

> *«Otrosí, conpró de Rui Lopes de Ayutra, en bos e en nonbre de su muger, de Per Ynigues de Montoya la parte que abía en Quexana de parte de Basurto, que montó ocho maravedís e dos cornados» (65r).*

Omitiremos referirnos ahora a la extensión del patronato laico en los actuales territorios vascos, bien conocido por otra parte[13].

Exceptuado quizá el caso más antiguo de la Colegiata de Cenarruza, en Vizcaya, donde podemos intuir una situación similar, no conocemos, al menos para la Baja Edad Media, en nuestro ámbito ejemplos tan extremos de atomización de derechos de patronazgo, al menos ya no en el siglo XV. Esto puede deberse o bien a que se ha producido al final de la Edad Media un proceso de concentración de derechos de patronazgo, algo muy evidente en Vizcaya, o bien que el caso ayalés es excepcional. Sin embargo, contra esto último pueden alegarse precedentes contemporáneos bien documentados en el norte de Portugal. Distintos autores como Mattoso y Sotto Mayor Pizarro han documentado para el siglo XIV, 273 patronos «naturais» en São Gens de Monte Longo, cerca de 200 en Tibães, 515 en Rio Tinto –los dos primeros en la diócesis de Braga y el tercero en la de Oporto–. Precisamente en esta época, entre 1363 y 1365, algunos de estos monasterios portugueses reducen el número de patronos, como Pedroso, que pasa de 374 a 185 «naturais», o el más conocido, Grijó, que de 315 reduce su número en 1365 a algo más de 200 (ambos en el concelho de Vila Nova de Gaia)[14]. Se sustenta mejor, en consecuencia, la primera de las hipótesis, esto es, la de la concentración bajomedieval de derechos de patronazgo, sin que ello vaya en detrimento de otras situaciones paralelas. En este sentido, el manuscrito podría revelar una situación arcaizante

13 A. Dacosta, «Patronos y linajes en el Señorío de Bizkaia. Materiales para una cartografía del poder en la baja Edad Media», en *Vasconia* 29 (1999) 21-46; E. García Fernández, «Iglesia, religiosidad y sociedad en el País Vasco durante el siglo XIV», en *Edad Media. Revista de Historia* 8 (2007) 99-144, en especial, pp. 121-127; I. Curiel, *La parroquia en el País Vasco-cantábrico durante la Baja Edad Media (c. 1350-1530)*, Bilbao: Universidad del País Vasco, 2009; E. Catalán Martínez, «La parroquia, ese oscuro objeto de deseo: Patronato, poder y conflicto en el País Vasco (s. XIII-XVII)», en M. J. Pérez Álvarez – A. Martín García (eds.), *Campo y campesinos en la España Moderna. Culturas políticas en el mundo hispano*, León: Fundación Española de Historia Moderna, 2012, 643-652.

14 J. Mattoso, *Le monachisme ibérique et Cluny. Les abbayes du diocèse de Porto de l'an mil à 1200*, Louvain: Publications Universitaires, 1968; y, más recientemente, J. A. de Sotto Mayor Pizarro, *Os Patronos do Mosteiro de Grijó. Evolução e Estrutura da Família Nobre (Séculos XI a XIV)*, Ponte de Lima: Carvalhos de Basto, 1995.

para el último tercio del siglo XIV que ofrece interesantes indicios para comprender cómo se habían fundado estos monasterios en una época incierta[15], y cómo se había producido la transmisión patrimonial de los derechos señoriales sobre ellos durante los siglos centrales de la Edad Media.

4. La transmisión de las copias conservadas

La primera conclusión que podemos avanzar es la imposibilidad de trazar un *stemma* de las copias conservadas y, por descontado, tampoco del presunto original u originales medievales. Las copias conservadas, incluida la del Espagnol 285, son tardías. Nada podemos decir de la transmisión de la copia más antigua, que no figura en el *Catálogo razonado* de Eugenio de Ochoa[16], aunque sí lo está en los catálogos posteriores[17]. El manuscrito es, sin duda, de origen español, pero no sabemos ni a quién perteneció, ni cómo y cuándo llegó a Francia. En cuanto a las copias madrileñas nos queda por investigar más a fondo su transmisión. Antes de integrarse en la Biblioteca Nacional, sabemos que fueron propiedad de don Pascual de Gayangos, lo cual nos remite al entorno de la Real Academia de la Historia. El catálogo de su biblioteca se señala que uno de los manuscritos «Fué del Corregidor de Madrid D. José Antonio de Armona, quien le puso un prologo en i.° de Marzo de 1780, dando noticia de los poseedores del ms.»[18]. Según esta nota, José Antonio Armona y Murga (1726-1792), oriundo de Ayala y apreciable historiador[19], sería

15 La interpretación más explícita del origen de los monasterios y parroquias del ámbito vasco-cantábrico la encontramos en la obra mayor de Lope García de Salazar, el *Libro de las buenas andanças e fortunas*, al final de su libro XXV cuando, beligerante, en defensa de los derechos de los hidalgos, introduce el «Capítulo de cómo fueron fundados e heredados los monesterios de los avadengos e de los señoríos de Vizcaya e de los fijosdalgo del patrimonio e de diviseros que son en Trasmiera fasta la Encartación e Ayala e Mena e en Vizcaya por que aquellos que de su linaje sucedieren sepan dónde son deviseros».

16 E. de Ochoa, *Catálogo razonado de los manuscritos españoles existentes en la Biblioteca Real de París*, Madrid: Imprenta Real, 1844.

17 En el de Alfred Morel-Fatio figura con la referencia 506. Cf. A. Morel-Fatio, *Catalogue des manuscrits espagnols et des manuscrits portugais*, Paris: Imprimerie nationale, 1892.

18 P. Roca, *Catálogo de los manuscritos que pertenecieron a D. Pascual de Gayangos existentes hoy en la Biblioteca Nacional*, Madrid: Tip. de la Revista de Archivos, Bibliotecas y Museos, 1904, núm. 68. Este manuscrito es el que en el catálogo actual de la Biblioteca Nacional de España se identifica con el núm. 18.122.

19 Para el ámbito vasco se le conocen algunas obras: J. A. Armona y Murga, *Índice del Archivo de Ayala, que me envió Villachica* que, además del índice de documentos de Respaldiza incluye un *Proemio histórico* (BN, ms. 18.398), fechado en 1788, y sus más conocidas

el responsable de, al menos, uno de los manuscritos madrileños aunque en ninguno de ellos aparezca expresamente su nombre. Es posible que ambos nacieran de su iniciativa, el núm. 18.122 por incluir una nota sobre la lectura paleográfica de la cedilla (fol. 91r), y el núm. 18.007, que, de hecho, incluye una amplia nota sobre el origen de la copia, como veremos a continuación.

Efectivamente, el ms. 18.007, el de factura más cuidada, incluye un preámbulo que alude a la transmisión de, al menos, dos manuscritos, uno de ellos fuente de esta copia. Lo primero que cabe reseñar es que la fecha de dicho preámbulo del ms. 18.007 coincide exactamente con la que aparece en el misceláneo titulado *Índice del Archivo de Ayala* (BNE, ms. 18.398), que es de responsabilidad expresa de Armona y Murga, con la colaboración de Juan Joseph de Villachica, con lo que parece confirmarse la vinculación de ambos manuscritos. También permite cimentar la identificación entre las copias madrileñas y Armona el hecho de que aquellas fueran realizadas «a virtud de mi orden por el oficial mayor del Archibo de Madrid, don Andrés Criado, mui práctico y de conocida havilidad en el conocimiento de las letras antiguas» (fol. 1v), algo que pudo ordenar en calidad de corregidor de Madrid.

Sin embargo, más interesante es la trayectoria del manuscrito del que procede la copia ordenada por Armona y Murga. Según el corregidor de origen ayalés, la suya era «copia de un manuscrito antiguo escrito en cuarto, forrado en pergamino, que se halla en poder del señor don [*en blanco*] de Mollinedo, marqués de los Llamos, secretario de Su Majestad, del Consejo y Real Cámara de Castilla» (fol. 1r). Este personaje, que cabe identificar con Nicolás de Mollinedo y de la Quadra, Marqués desde 1761, procedía del valle de Mena[20]. La copia de Armona procedía, por tanto, del citado manuscrito que poseía en el último tercio del siglo XVIII el primer Marqués de los Llamos, a quien se lo había regalado, siempre según el mismo texto, Miguel Herrero de Ezpeleta, cronista mayor de Indias desde 1734. Este regalo tuvo que realizarse necesariamente antes de 1750, año de su muerte, y se justifica en el hecho de que «se le dio por tenerle duplicado a su amigo» (fol. 1r). Herrero de Ezpeleta, madrileño de origen vasco-navarro, había obtenido el manuscrito junto con el cargo de cronista mayor a la muerte de Luis de Salazar y Castro (c. 1657-1734), destacadísima figura intelectual y referente aún hoy para cualquier estudio históri-

Id., *Apuntaciones históricas de la Ciudad de Orduña*, J. I. Salazar Arechalde (ed.), Bilbao: Diputación Foral de Bizkaia, 2002 [1789].

20 J. Berni y Catalá, *Creación, antigüedad y privilegios de los títulos de Castilla*, Valencia, 1769, 498.

co de naturaleza genealógica en nuestro país. En esta última referencia se pierde la pista de ese «manuscrito original que no tiene nombre de autor ni fecha fue del chronista don Luis de Salazar y Castro» (fol. 1r). Entre los papeles que se conservan del erudito Salazar y Castro se encuentran no pocos materiales sobre los Ayala, incluido el único manuscrito conservado del texto genealógico de Fernán Pérez de Ayala y de dos de sus continuaciones, el manuscrito B-98 de la Real Academia de la Historia. Armona y Murga en su prólogo afirma que fray Pedro de Murga, monje del monasterio de Irache, «cita al parecer esta Memoria, ó Ms. antiguo» (fol. 1v), pero las fuentes de esta obra aún están sin depurar[21], sin que podamos precisar si dicho benedictino navarro consultó el *Libro del linaje de la Casa de Ayala*, el manuscrito que nos ocupa, o posiblemente ambos.

En cualquier caso, no podemos identificar la fuente de las copias madrileñas. Podríamos sugerir que ese original que poseyó Salazar y Castro, y que de él pasó a Herrero de Ezpeleta y después al Marqués de los Llamos fuera el ms. Espagnol 285, aunque según Armona y Murga ese manuscrito presentaba «caracteres o letra en que está escrito corresponden a el siglo décimo quinto» (fol. 1r), mientras que la copia hoy parisina tiene letra del XVI.

En cuanto al ms. 18.122, que también perteneció a Pascual de Gayangos, carece de la introducción aludida de Armona y Murga, aunque su contenido es prácticamente idéntico al ms. 18.007. Varía, aparte de lo señalado, en ser una copia menos cuidada, en la inclusión de una nota paleográfica al final y en su mayor calidad en la identificación de la difícil antroponimia y toponimia de raíz euskérica, totalmente deficiente en la copia del ms. 18.007. Sin embargo, lo más importante es que el ms. 18.122 parece ser copia directa del Espagnol 285, o de una copia directa de éste, ya que conserva las notas marginales que hallamos en el más antiguo, y parece reproducir también la apariencia del encabezamiento de este manuscrito.

A modo de conjetura, podemos suponer que existieron varias copias antiguas del manuscrito original. Hoy conservamos la del Espagnol 285, copia ya tardía de la que pudo salir la del ms. 18.122, en cuyo caso no podría identificarse con el aludido manuscrito que pasó a los Marqueses de los Llamos, de quien sí saldría la copia del ms. 18.007, muy deficiente a

21 La obra, citada aquí como *Historia manuscrita de la Cassa de Murga* y fechada en 1646, fue editada –con criterios discutibles– como *Árbol y genealógica descendencia de las Casas de Ayala y Murga. Año 1646. Continuado y anotado por Fernando de la Quadra Salcedo, correspondiente de la Real Academia de la Historia*, Bilbao: Junta de Cultura de la Diputación de Vizcaya, 1922.

pesar de la «conocida havilidad en el conocimiento de las letras antiguas» del copista Andrés Criado.

En todo caso, independientemente de la transmisión codicológica, el contenido remite en todo momento al último tercio del siglo XIV. No hay alusiones posteriores, con lo que no es difícil interpretar que existió un original de finales del siglo XIV o bien, como señala la copia más antigua, una reelaboración de materiales dispersos en torno al año 1420.

Si es difícil establecer la transmisión de las copias, más lo es, por lo expuesto, tratar de delimitar la naturaleza del presunto original. Una hipótesis es valorar que estamos ante un manuscrito perdido, redactado en un momento indeterminado a finales del XIV, una o varias veces, incompleto, por alguien vinculado a Fernán Pérez de Ayala y a su hijo el Canciller, y también al convento fundado por el primero. Aún así, no parece un documento de factura conventual por sus contenidos y porque las referencias a las compraventas o a la materia genealógica no tienen que ver directamente con su patrimonio, aunque figuran, no obstante, alusiones expresas a la dotación fundacional.

Más probable es pensar que las copias reflejan un manuscrito que reutilizó materiales anteriores, particularmente la obra genealógica de Fernán Pérez de Ayala, los documentos dotacionales de Quejana, y las cartas de compraventa de Fernán Pérez y Pero López de Ayala. Estos materiales se reelaborarían (extractándolos en el último caso) y se completarían con los insertos genealógicos que encabezan las series de compras de divisas de patronazgo. En este sentido, la fecha del 16 de febrero de 1420 que figura en la guarda de la copia del Espagnol 285 podría indicar la data de esta compilación. En este caso, la autoría apuntaría o bien al hijo primogénito del Canciller, Fernán Pérez (+ 1436), o bien a su nieto, también llamado Pedro López (+ 1463). En relación al primero, es sobradamente conocida la hipótesis de que contribuyó a completar algunas obras históricas de su padre[22], pero, además, en el mismo fondo parisino se conserva una carta titulada *Carta de nuevas de quando mataron en Paris al duque de Orlenes, la qual vino a don Ferrant Peres de Ayala*[23]. En cuanto al segundo, al nieto del Canciller, se le atribuye, aunque no sin problemas,

22 T. R. Tovar Júlvez, «Aspectos caballerescos de las Crónicas de Pero López de Ayala», en *Clío* [en línea] 32 (2006). Consultado el 10/01/2015. Disponible en http://clio.rediris.es/index.html, siguiendo a Michel García (*Obra y personalidad, o.c.*).

23 BNF, Espagnol 216, fols. 88v-89r, editada y analizada *in extenso* por Michel García: «Texto 15. Carta de nueuas de quando mataron en paris al duque de orlenes la qual v|no adon ferrant perez de ayala τ dize assi», en *Atalaya* [en línea] 10 (1999). Consultado el 11/01/2015. Disponible en: http://atalaya.revues.org/131.

el tercero de los textos genealógicos de la familia editados por nosotros en 2007[24]. Aunque sugerentes, estas posibles atribuciones no pasan de meras conjeturas.

En relación a la autoría del posible original no podemos obviar que el protagonismo de Fernán Pérez de Ayala es absoluto en los documentos reflejados en el manuscrito, incluyéndose una oportuna distinción de su estado antes y después a la toma de los hábitos dominicos, y las referencias expresas a la dotación fundacional de Quejana[25]. ¿Estamos, pues, ante un documento señorial? Es la hipótesis más plausible, pero analicémosla en relación a otros problemas.

5. Pistas para la reconstrucción de un original medieval

Llegados a este punto, parece evidente que en algún momento se reunieron materiales diversos para componer una obra que a nuestro juicio no puede considerarse miscelánea. Entre estos materiales destaca el epítome del *Libro del linaje de los Señores de Ayala*, redactado en 1371 por Fernán Pérez de Ayala. Es un texto diferenciado del resto del original, que encabeza el texto en las tres copias conservadas, lo cual es suficientemente significativo de las intenciones del compilador, aunque no lo podamos identificar con seguridad.

En cuanto al resto de la materia genealógica, es evidente que nace de la misma mano posiblemente a partir de textos anteriores. Aquí nos enfrentamos ante el problema de la existencia y circulación de memorias genealógicas escritas en el siglo XIV, aspecto que ya hemos abordado. Aunque el volumen conservado de estas memorias o escritos genealógicos sea relativamente escaso para Castilla (de hecho el escrito de Fernán Pérez de Ayala es el primero documentado), esto no significa que a finales de dicha centuria no existieran y circularan obras de esta naturaleza. No mucho tiempo después, Fernán Pérez de Guzmán aludirá en sus *Generaciones y semblanzas* al escrito genealógico del padre del Canciller y, a mediados del siglo XV, Lope García de Salazar sabemos que manejó escritos de esta naturaleza para elaborar su *Crónica de Vizcaya*, precedente de sus más completas *Buenas andanças e fortunas*. La intención a la hora de introducir la materia genealógica no ayalesa ya ha sido expuesta: sus informaciones encabezan las relaciones de compraventas de divisas de

24 Hay una larga digresión sobre el asunto en A. Dacosta, *El «libro del linaje de los señores de Ayala» y otros textos, o.c.*, 18-21.

25 En los documentos conservados del personaje, éste comienza a figurar como «frey» Fernán Pérez de Ayala desde 1378 hasta su muerte en 1385.

patronazgo, a modo de explicación previa y justificación del origen de los derechos adquiridos a distintas familias hidalgas.

En cuanto a la lista de compraventas, ya hemos aludido a que hay adiciones como las del Canciller, las únicas datadas, con lo que se refuerza la hipótesis de su posible autoría o la de personas cercanas. Las compraventas, no obstante, se refieren principalmente a las efectuadas por Fernán Pérez de Ayala antes de tomar los hábitos. Los resúmenes que han llegado hasta nuestros días conservan los datos básicos de lo que pudo ser texto escrito original y algunos formalismos jurídicos y diplomáticos propios de su tipología. Si, como parece, nuestro original extracta numerosos documentos de compraventa, ¿dónde se custodiaban estos documentos? Las conjeturas más verosímiles apuntan con unanimidad a los titulares del señorío de Ayala, con lo que no parece descabellada la hipótesis de que procedieran de su archivo familiar.

Esta última hipótesis se relaciona con la probable existencia de un *scriptorium* señorial, tal como nos consta, al menos, en el caso del Canciller, quien al final de su vida redactó o hizo redactar documentos en el monasterio jerónimo de San Miguel de la Morcuera. Seguramente, hubo más sedes. También nos ha llegado la noticia de que en esa misma época, en 1405, el Canciller había tomado libros en préstamo de la biblioteca del convento de Quejana[26]. En el caso de su padre, de Fernán Pérez de Ayala, independientemente de que se corrobore la existencia o no de un archivo familiar, sí conocemos que disponía de su propio *scriptorium*. De él conservamos su *Libro del linaje* (1371) y sabemos que ordenó la compilación del *Fuero de Ayala* (1373); asimismo, hay indicios de una producción escrita en relación con la documentación regia y procesal conservada en diversos archivos.

En cuanto a la materia sobre la dotación conventual que aparece dispersa en las copias conservadas, tiene cierto sentido su inclusión desde el punto de vista de la materia general del texto, pero es posible ir más allá. El convento se funda sobre un monasterio anterior, después de la llegada de los Ayala al valle, que tuvo lugar en 1332. El proyecto, lo sabemos bien, fue concebido por Fernán Pérez de Ayala y Elvira Álvarez de Ceballos, padres del Canciller. Agurtzane Paz, la investigadora que ha transcrito y estudiado la documentación medieval de Quejana, ha apuntado recientemente que la dotación fundacional de Quejana se desarrolló entre 1373 y 1378 en tres fases distintas, que se deducen de lo conservado en el archivo

26 Archivo del Monasterio de Quejana, apart. A, 11.

monástico y, también, en la posible existencia de un archivo señorial bajo Fernán Pérez de Ayala[27].

A nuestro juicio, los contenidos de este manuscrito están en relación con la dotación fundacional, pero sobre todo con el patrimonio señorial. Una pieza clave es el documento de retrocesión de algunos bienes del mayorazgo que hizo el futuro Canciller a favor de su padre en 1374, precisamente para mejorar la dotación de Quejana, aún no formalizada. Este último documento nos habla, en suma, de la existencia de dos patrimonios vinculados, el de la casa señorial y el del convento de Quejana. En este sentido, la inclusión de las referencias a la dotación de Quejana podría indicar que el manuscrito original trata, no sólo de agrupar las compras ya citadas de derechos diviseros, sino también establecer un deslinde entre el patrimonio señorial y el conventual.

6. Algunas hipótesis de trabajo sobre la producción escrita vinculada a la Casa de Ayala

Por ahora no nos extenderemos más sobre los textos conservados. Es necesario afinar el cotejo de los manuscritos y seguir con las pesquisas iniciadas en relación a manuscrito fuente, que fue propiedad de Luis de Salazar y Castro y pasó a manos del Marqués de los Llamos.

Una de las hipótesis aquí expuesta, la existencia de un archivo señorial, merece la pena intentar verificarla, toda vez que se ha escrito mucho sobre cómo y para qué se formaron las bibliotecas señoriales bajomedievales castellanas, pero muy poco sobre los archivos de tales nobles[28]. En relación con la reconstrucción de los archivos nobiliarios de la Península

27 A. Paz Moro, «Vestigios de un archivo familiar en un archivo monástico: la vinculación de la Casa de Ayala con el monasterio de Quejana (Ayala, Álava)». Ponencia presentada en el Coloquio Internacional *Archivos de familia. Grupos sociales, dominación y construcción de la memoria (siglos XII-XVI)*. Vitoria, 4-5 de abril de 2014. Agradecemos a la autora que nos facilitara el original de su exposición antes de su publicación, aunque ya está disponible en línea (como documento de trabajo previo a su publicación definitiva) en la web de la Casa de Velázquez: https://www.casadevelazquez.org/es/investigacion/proyectos/.

28 Según Mariel Pérez, los archivos nobiliarios no empezarían a formarse hasta inicios de la Edad Moderna. Sin embargo, esta misma autora, siguiendo los pasos de Miguel Calleja, entre otros, explora la existencia de archivos nobiliarios en fecha muy anterior (Id., «Nobleza laica, archivos ¿eclesiásticos? Fuentes documentales para el estudio de la aristocracia leonesa en la alta edad media», en A. V. Neyra – G. Rodríguez (dirs.), *¿Qué implica ser medievalista? Prácticas y reflexiones en torno al oficio del historiador*, t. II, Mar del Plata: Universidad de Mar del Plata-Sociedad Argentina de Estudios Medievales, 2012, 45-57). En este trabajo podrán hallarse algunas referencias a este tipo de investigaciones en el ámbito español.

Ibérica para el periodo medieval se está avanzando mucho: aparte de algunos trabajos para la baja Edad Media y las aportaciones que van enriqueciendo el proyecto ARCHIFAM, son de destacar los aportes de Miguel Calleja Puerta para este tipo de archivos, en una esforzada labor para el caso de la aristocracia del Reino de León[29].

Para nuestro caso, la existencia de este tipo de archivo la creemos confirmada en tiempos de Fernán Pérez de Ayala pero nuestra hipótesis va más allá: creemos posible sostener, también, la existencia de un verdadero *scriptorium* señorial. Así lo avala la intensa actividad señorial de este personaje entre 1332 y 1375 –que en buena parte reflejan los manuscritos que estudiamos–, y no podemos olvidar su faceta de escritor (*Libro del linaje*, 1371) y de legislador (*Fuero de Ayala*, 1373, cuyo prólogo es obra segura de Fernán Pérez). Poco más podemos aportar de momento a la caracterización de este *scriptorium* ni quién lo componía. Es factible que Fernán Pérez dispusiera de algún especialista a su servicio, y es seguro que también recurrió a notarios y escribanos ajenos a su señorío. A este respecto, hallamos un indicio en el archivo del convento de Quejana donde se ha conservado un original en pergamino de Fernán Pérez de Ayala, datado en Sevilla el 23 de agosto de 1339, por el que reconoce la deuda de 30.000 maravedís que tiene pendiente con Fortún Sánchez Calderón por la compra de ciertas heredades en Urcabustaiz[30]. Más allá de la cuestión del *scriptorium*, el documento prueba la existencia de una política de compras de Fernán Pérez (también la forma de financiarla) que vemos reflejada *in extenso* en el Espagnol 285 y, por otro, también nos indica la relación física entre el archivo conventual de Quejana y el posible archivo de Fernán Pérez de Ayala, aunque es evidente que su finalidad era distinta y su formación se desarrolló autónomamente. Lo mismo podemos considerar en relación al posible archivo señorial del Canciller.

Volviendo al contenido del manuscrito, de la relación de compraventas que incluye se deduce la más que posible existencia de dos archivos señoriales contemporáneos entre 1375 y 1385: el del padre y el del hijo. Tras la muerte del primero en 1385 ambos archivos seguramente se fundieron en un solo, pero no olvidemos que el Canciller sufriría un largo

29 M. Calleja Puerta, «Archivos dispersos, fuentes reencontradas: notas metodológicas al estudio de las élites del Reino de León en los siglos centrales de la Edad Media», en *Medievalismo: Boletín de la Sociedad Española de Estudios Medievales* 12 (2002) 9-36; Id., «Les sources documentaires et l'histoire des familles aristocratiques du royaume de León (X^{e}-XIIe siècle): production, usage et conservation», en M. Aurell (ed.), *Le médiéviste et la monographie familiale: sources, méthodes et problématiques*, Turnhout: Brepols, 2004, 105-116.

30 Archivo del Monasterio de Quejana, apart. A, 2.

cautiverio en Portugal en estas mismas fechas (1385-1388). Aunque la relación e identidad señorial entre ambos archivos es clara, debemos valorar su existencia autónoma antes de 1385 por la conocida actividad de ambos personajes, en el caso de Fernán Pérez incluso después de tomar los hábitos. Una prueba evidente de ello es el documento de retrocesión del mayorazgo de 1374 al que alude Agurtzane Paz en su trabajo.

En suma, es evidente la existencia de archivos vinculados, esto es, el señorial y el conventual. Son autónomos, como decíamos, pero están estrechamente ligados, y de una forma intensa –según sabemos– a finales del siglo XIV y a principios del XV. De ello nos hablan las donaciones señoriales o los privilegios regios obtenidos por las dominicas gracias a la intermediación de los Ayala. También lo avala el hecho de que se conserven algunos documentos estrictamente familiares en el convento de Quejana, alguno original como la aludida carta de reconocimiento de deuda dada por Fernán Pérez de Ayala en 1339 al linaje de Calderón, o copias y traslados de época medieval referidos a derechos señoriales ajenos al convento como la exención de derechos regios sobre las ferrerías[31]. En este último caso, podemos confirmar la vinculación institucional, que no identificación física, entre el archivo conventual y el señorial. La aludida merced regia sobre las ferrerías, que data de 1377[32], se guardó en el archivo conventual junto a una carta de merced de Enrique III fechada en 1396, por la que se transfieren al convento de Quejana las citadas rentas, convertidas ya en juro de heredad, a petición de Pero López de Ayala[33]. La explicación es obvia por dos motivos: uno concreto, como es el destino final de estas rentas; y otro de carácter más general, esto es, el hecho de que el patrocinio señorial al convento se ejerció de manera más intensa en los años inmediatamente posteriores a su fundación. Es significativo señalar que, después del 1400, la presencia de los señores en Quejana se hace más ocasional y la promoción del monasterio más débil que en tiempos del fundador (no olvidemos la preferencia del Canciller por los jerónimos). En suma, las relaciones entre ambas instituciones, convento y señorío, se debilitan con el paso del tiempo. Sólo a finales del siglo XVI, tras una azarosa sucesión en el señorío de los Ayala, parece que reverdece momentáneamente el buen entendimiento entre señores y dueñas[34].

31 PAZ, «Vestigios...», *o.c.*, 9.

32 Archivo del Monasterio de Quejana, apart. A, 6.

33 *Ibid.*, apart. A, 19.

34 Esto lo deducimos del posible encargo de un nuevo texto genealógico –el quinto de los editados por Dacosta– por parte del nuevo señor, Atanasio de Ayala, a las dueñas de Quejana, depositado en el archivo de estas (Archivo del Monasterio de Quejana, apartado B, legajo 1, núm. 10).

7. Algunas hipótesis sobre la significación histórica de los contenidos del MS. Espagnol 285 y las copias de la BNE

Aparte de lo que acabamos de señalar, los contenidos de los manuscritos que nos ocupan –y la propia forma de organizar los mismos– son sumamente interesantes desde la perspectiva de la historia social. No hace mucho, Miguel Calleja, en alusión a la genealogía elaborada por Fernán Pérez de Ayala, afirmaba que «no nos consta el contexto archivístico en que fue conservada»[35]. Ahora tenemos indicios más firmes al respecto gracias a lo señalado en relación a un entorno de producción y un contexto archivístico señorial de la Casa de Ayala –incluso dos–, distinto del conventual.

En relación a estos problemas, ya hemos apuntado la preocupación del fundador, Fernán Pérez, por hacer respetar su proyecto conventual, lo cual se refleja en sus mandas testamentarias y las de su esposa, en su codicilo, y, asimismo, en la retrocesión de bienes del mayorazgo formalizada en 1374. Por su parte, el Canciller será respetuoso con esas intenciones, e incluso favorecerá a las dueñas, pero no las tendrá como destinatarias predilectas de su patrocinio religioso. Además de lo ya dicho, esto refleja una diversidad de intereses y preferencias, y una distinta política de promoción de instituciones religiosas entre los titulares del señorío ayalés.

Por último, es sumamente sugerente el contenido que nos ocupa y la manera de compilar los materiales aludidos, toda vez que reflejan la existencia de una política de compras de derechos de patronazgo por parte de Fernán Pérez de Ayala, al menos entre 1332 y 1370. A nuestro juicio, y esto es objeto de nuestra investigación en curso, dicha política de compras, claramente calculada, se revela como un eficaz mecanismo de reconstrucción del poder señorial a través de la red parroquial del valle de Ayala y aledaños. Recuérdese que en 1332, Fernán Pérez adquiere un señorío desarticulado patrimonialmente hasta el extremo de tener que construir el conjunto señorial en Quejana para sustituir la sede perdida de Respaldiza.

En resumen, el proceso y estrategias de edición de los manuscritos que hemos expuesto, nos enfrenta a aspectos más profundos desde el punto de vista de las prácticas sociales, ambos muy ligados entre sí: la posible existencia de un archivo señorial del siglo XIV y el desvelamiento de algunas estrategias de poder en la reconstrucción de un señorío nobiliario.

35 M. Calleja Puerta, «El factor genealógico: posibilidades y límites de la documentación de archivo para la elaboración de historias familiares», en *Emblemata* 16 (2010) 148.

LA INFLACIÓN BIBLIOGRÁFICA: EL EJEMPLO DE LAS OBRAS DE FR. PEDRO DE CÍJAR, O. DE M.

José Anido Rodríguez
Universidad Pontificia de Salamanca

1. La aproximación al estudio de las obras de Fr. Pedro de Cíjar

1.1. Breve esbozo del problema histórico-bibliográfico

La Orden de la Merced, nacida en el s. XIII para redimir cautivos cristianos, tarda en reflexionar por escrito acerca de su obra carismática. Será dos siglos más tarde, en el s. XV, cuando aparezcan los primeros dos tratados: en 1445, el Maestro General Fr. Nadal Gaver escribe el llamado *Speculum fratrum*[1] con una finalidad *ad intra*. En esta se incluyen las Constituciones de la Orden, la regla de San Agustín y su comentario, un relato de la fundación de la Orden, un bulario, el listado de los Priores de Barcelona, y un recorrido por las diferentes divisiones históricas de la Orden. Su objetivo era no sólo establecer el funcionamiento interno, sino también formar un imaginario normativo de la Orden, es decir, configurar su identidad institucional. Al año siguiente es Fr. Pedro de Cíjar quien escribe una obra *ad extra* en respuesta a la impugnación de uno de los privilegios de la Orden, la posibilidad de poder conmutar los votos privados en favor de la redención de cautivos.

El marco general de esta colaboración es la edición y estudio de esta última obra, el *Opusculum tantum quinque editum per fratrem Petrum Ciiarii super commutatione uotorum in redemptionem captiuorum*. Para poder

1 Barcelona, *ACA*, Colecciones, Manuscritos, Varia, 2: N. Gaver, *Speculum fratrum Ordinis Beatissime Dei genitricis Marie de Mercede Redempcionis Captivorum*, s. XV.

culminar esta tarea es imprescindible el conocimiento profundo de Pedro de Cíjar y de su modo de escribir, en la medida de lo posible, para poder comprender los escritos de un autor desde el autor mismo. Esto es fundamental para poder entender sus expresiones o su pensamiento. El gran problema es que, como afirma el historiador americano Bruce Taylor, «a pesar de la amplia documentación conservada... la Orden del s. XV ha atraído muy poco la atención de los historiadores»[2]. Esta omisión historiográfica hace que tengamos importantes dificultades para acercarnos a la realidad del autor y su obra. Dificultad a la que se añaden las exageraciones, ampliaciones, falsificaciones que se van a ir adhiriendo a la historia de la Orden de la Merced con el paso de los siglos. Un auténtico laberinto al que sucesivas generaciones han añadido sus propios tabiques.

Por todos estos problemas es preciso localizar todas las obras del autor para tener una base comparativa en el estudio del *Opusculum*. En esta búsqueda se encontrará un desajuste importante entre los ejemplares conservados y los títulos mencionados en la bibliografía. Desajuste que nos corresponde a los historiadores explicar.

1.2. *Los elementos para abordar el trabajo: la búsqueda heurística*

a. Los ejemplares conservados

El primer paso es localizar los ejemplares conservados de las obras atribuidas a Fr. Pedro de Cíjar en archivos y bibliotecas. Esta primera búsqueda arroja los siguientes resultados:

- Una copia manuscrita del *Opusculum tantum quinque* que reproduce el colofón original (Zaragoza, 1446), conservada en el Archivo de la Corona de Aragón[3].
- Pedro de Cíjar, *Opusculum tantum quinque*, Barcelona 1491. Edición incunable del *Opusculum* realizada por Fr. Juan de Urgel, prior del convento de Barcelona, impresa en la casa de Pedro Posa. De esta edición se conservan tres ejemplares en la Biblioteca Nacional de España, la Universidad Complutense de Madrid y en la Biblioteca Pública de Mallorca. Esta edición concuerda con la literalidad del texto de la copia manuscrita, con el añadido de un colofón propio.

2 B. Taylor, *Structures of Reform. The Mercedarian Order in the Spanish Golden Age*, Leiden-Boston-Köln 2000, 52 *en nota*. Traducción propia.

3 Barcelona, *ACA*, Colecciones, Manuscritos, Varia, 5: Pedro de Cíjar, *Opusculum tantum quinque editum per fratrem Petrum Ciiarii super commutatione uotorum in redemptionem captiuorum*, Zaragoza 1446.

- Pedro de Cíjar, *De potestate Pape tractatus et votorum commutatione in redemptionem captivorum... a Petro Ciiar... noviter compositus et impressus*, París 1506. Se trata de una reedición parisina del *Opusculum* a cargo de Fr. Pedro Aymerich, impresa en la casa de Jean Gourmont, y dedicada al, en ese momento ya Maestro General, Fr. Juan de Urgel. De esta edición, de la que se pueden documentar dos estados, sólo se han localizado cinco ejemplares[4]. La labor de Aymerich consiste en una revisión del texto, de su latín, la eliminación de determinados pasajes y el añadido de otros propios. Además dota a la obra de un nuevo prólogo y un colofón que elimina tanto el original, como el de la edición de Barcelona[5].

En resumen, en archivos y bibliotecas sólo encontramos tres variantes de una única obra de Fr. Pedro de Cíjar, el *Opusculum tantum quinque*: una copia manuscrita y sus ediciones de Barcelona en 1491 y París en 1506.

b. Los testimonios indirectos

Para poder documentar el elenco de obras de Fr. Pedro de Cíjar contamos con un instrumento inestimable, el trabajo que, a mediados del s. XX, escribió el P. Gumersindo Placer, su *Bibliografía mercedaria*[6]. En sus tres tomos se recoge –o se intenta recoger– todos los escritos atribuidos en algún momento a algún autor mercedario. Su carácter científico es más que discutible, pero al indicar sus fuentes y comentarlas nos ofrece una vía para comenzar el estudio de la bibliografía de nuestro autor. Una primera mirada al repertorio atribuido a Cíjar arroja ocho ítems, número sorprendente si tenemos en cuenta que en fecha tan temprana como 1619, Bernardo de Vargas afirma que

> *«por la injuria del tiempo, ninguna otra obra de tan grande hombre, que yo sepa, se encuentra a no ser precisamente aquel opúsculo famoso, por el que adquirió perpetua fama para su nombre, cuyo título es Opusculum tantum quinque a causa de las conclusiones acerca de la perfección de nuestro instituto, y algún otro que narran nuestros escritores y el maestro Zumel»*[7].

4 En Paris, Bibliothèque Sainte Geneviève; Lisboa, Biblioteca Nacional de Portugal; Firenze, Biblioteca Nazionale Centrale; Cambridge, Library of University of Cambridge; y Wien, Österreichische Nationabibliothek.

5 Pedro de Cíjar, *De potestate Pape tractatus et votorum commutatione in redemptionem captivorum... a Petro Ciiar... noviter compositus et impressus*, Paris 1506, f. 48r.

6 G. Placer, *Bibliografía mercedaria*, 3 vols., Madrid 1968-1983.

7 B. de Vargas, *Chronica sacri et militaris ordinis beatae Mariae de Mercede redemptionis captivorum*, t. I, Panormi 1619, 310. Traducción propia.

Esta aseveración se ve confirmada por la búsqueda en archivos y bibliotecas: las obras mencionadas por Francisco de Zumel coinciden con el *Opusculum*, como se explicará más adelante. Ante este desajuste es preciso reconstruir el proceso por el que se ha llegado a establecer una bibliografía cijariana de, al menos, seis ítems[8]. Para poder reconstruir este proceso inflacionario debemos recurrir a las fuentes antiguas, bibliografías y tipobibliografías, así documentamos la aparición de nuevos elementos y la transmisión de los testimonios hasta la configuración final que encontramos a mediados del s. XX. Tras una amplia búsqueda, podemos realizar la siguiente clasificación:

1. *Referencias explícitas*. Son aquellas fuentes que nos presentan la vida o la bibliografía de nuestro autor de modo intencional. Dentro de estas podemos encontrar los siguientes grupos:

   1.1. *Narrativas*: pertenecen a aquellos autores que, en el decurso de su exposición, escriben de modo explícito sobre Fr. Pedro de Cíjar. Estas reseñas biográficas suelen incluir una enumeración de sus obras. Su valor depende del valor general de su obra historiográfica o canónica. La decisión de insertarla puede estar en función de un generalato, reinado o pontificado durante el que se afirma que Cíjar ha vivido y trabajado; también puede darle la importancia suficiente como para dedicarle un capítulo propio (Francisco de Zumel, 1588[9]; Bernardo de Vargas, 1619[10]; Esteban de Corbera, 1619[11]; Alonso Remón, ca. 1630[12]; Gabriel Téllez, 1639[13]; Vicente Mut, 1650[14]; Ioseph Linas, 1696[15]).

8 Aparecen enumerados de modo diferenciado por Gumersindo Placer una edición parcial de la copia manuscrita del *Opusculum*. P. de Cíjar, «*Fragmenta historica ex opusculo theologico-canonico, Magistri Fratris Petri Cijar, anno 1446 scripto et Barchinone asservato sub n. 252 ex codicibus mercedariorum*, G. Vázquez (ed.)», en N. Gaver, *Cathalogus Magistrorum Generalium et priorum conventus Barchinonae*, G. Vázquez (ed.), Toleti 1928, 51-60, la edición de Barcelona y la de París.

9 F. de Zumel, *De vitis patrum*, en *Regula et constitutiones fratrum sacri ordinis beatae Mariae de Mercede redemptionis captivorum*, Salmantica 1588.

10 B. de Vargas, *o.c.*, t. I.

11 E. de Corbera, *Vida i echos maravillosos de doña María de Cervellón*, Barcelona 1629, f. 100v.

12 A. Remón, *Crónica General*, t. I, Madrid ca. 1630.

13 G. Téllez, *Historia General de la orden de nuestra Señora de las Mercedes*, M. Penedo Rey (ed.), t. I, Madrid 1973.

14 V. Mut, *Historia del Reyno de Mallorca*, t. II, Mallorca 1650.

15 I. Linas, *Bullarium coelestis, ac realis ordinis B. Mariae virginis de Mercede redemptionis captivorum*, Barcelona 1696.

1.2. *Tipobibliográficas*: son las recogidas en aquellos trabajos en los que «se trata... de reunir, analizar y describir las obras que han sido impresas en un determinado lugar, ya sea una localidad, provincia, región, o nación»[16]; o relativas a un determinado tema o institución.

a) Sectoriales.

〈 Pontificias: Ludovicus Iacobus a Sancto Carolo, 1643[17].

〈 Mercedarias[18]: Pedro de San Cecilio, 1618[19]; Antonio de Hardá, ca. 1730[20]; Agustín de Arqués, 1785[21]; José Antonio Garí y Siumell, 1875[22]; y Gumersindo Placer, 1968-1983[23].

b) Nacionales. Nicolás Antonio, 1696[24], Raimundo Diosdado Caballero, 1793[25], Francisco Méndez, 1796[26], Bartolomé José Gallardo, 1862[27].

c) Regionales. Félix de Latassa, 1796[28], Félix Torres Amat, 1836[29], José María Bover, 1868[30].

16 Y. Clemente San Román, *Las tipobibliografías como repertorios útiles para la investigación*, en *Teoría, historia y metodología de las Ciencias de la Documentación (1975-2000). Actas del I Congreso Universitario de Ciencias de la Documentación (Madrid, 14-17 de noviembre de 2000)*, J. López Yepes (ed.), Madrid 2000, 319-328. 319.

17 L. I. a Sancto Carolo, *Bibliotheca Pontificia in duobus libris distincta*, Lugdunum 1643.

18 El autor mercedario Diego Serrano que realiza una recopilación de los hombres y mujeres ilustres de la Orden de la Merced en el s. XVII no recoge noticia acerca de Fr. Pedro de Cíjar.

19 Este autor, miembro de la rama de los descalzos de la Orden de la Merced, recoge autores de ambas ramas. Madrid, *BNE*, Mss 12394: P. de San Cecilio, *De scriptoribus ecclesiasticis nonnullisque aliis viris illustribus sacri Ordinis Redemptorum Diuae Mariae de Mercede*, Granada 1618.

20 Madrid, *RAH*, Ms 9-5854, 5855, 5856: A. de Hardá, *Bibliotheca Scriptorum Ordinis B. Mariae de Mercede*, s.l.

21 El P. Agustín de Arqués realiza una copia del manuscrito de Antonio de Hardá realizando adiciones con la intención de completar su obra. Madrid, *Archivo Provincial de Castilla*, Ms 1: A. de Hardá, *Bibliotheca Scriptorum Ordinis B. Mariae de Mercede*, A. de Arqués y Jover (ed.), Madrid 1785.

22 J. A. Garí y Siumell, *Biblioteca mercedaria o sea Escritores de la Celeste, Real y Militar Orden de la Merced, Redención de cautivos*, Barcelona 1875.

23 G. Placer, *o.c.*

24 N. Antonio, *Bibliotheca hispana vetus*, t. II, Roma 1696.

25 R. Diosdado Caballero, *De prima typographiae hispanicae aetate specimen*, Romae 1793.

26 F. Méndez, *Typographia española o historia de la introducción, propagación y progresos del arte de la imprenta en España*, Madrid 1796.

27 B. J. Gallardo, *Ensayo de una biblioteca española de libros raros y curiosos*, t. II, Madrid 1866.

28 F. de Latassa, *Bibliotheca antigua de los escritores aragoneses*, t. II, Zaragoza 1796.

29 F. Torres Amat, *Memorias para ayudar a formar un diccionario crítico de los escritores catalanes*, Barcelona 1836.

30 J. Mª Bover, *Biblioteca de Escritores Baleares*, t. II, Palma 1868.

2. *Ocasionales*: son las menciones en las que un autor utiliza como fuente a Fr. Pedro de Cíjar y lo cita. Se puede tratar de una mera mención de Pedro de Cíjar, puede incluir también el título de una obra y, en ocasiones, una cita textual del trabajo referido. El problema de estos testimonios es que sólo sirven para probar el conocimiento y utilización de una obra determinada, no el desconocimiento del resto: la ausencia de pruebas no es prueba de ausencia. Por ejemplo, Antonio Verderius, en 1585[31], al escribir su *Supplementum*, indica una sola obra de Cíjar, pero dado que es un inventario, sólo indica que dicha obra se incluye en la biblioteca reseñada, no nos dice nada sobre el resto de sus supuestos trabajos. Otros autores de este tenor son Felipe Guimerán, 1591[32]; Diego Murillo, 1616[33]; Jean Latomy, 1618[34]; Francisco Boil, 1631[35]; Marcos Salmerón, 1646[36]; Pedro de San Cecilio, 1669[37]; Gabriel Gómez de Losada, 1670[38]; Francisco de Neyla Martínez, 1698[39]; José Nicolás Cavero, 1731[40].

Recopilando los datos ofrecidos en estas obras podemos dibujar el siguiente cuadro:

31 A. Verderius, *Supplementum epitomes bibliothecae gesnerianae*, Lugdunum 1585.

32 F. Guimerán, *Breve historia de la orden de nuestra Señora de la Merced*, Valencia 1591.

33 D. Murillo, *Fundación milagrosa de la capilla angélica y apostólica de la Madre de Dios del Pilar, y excellencias de la imperial ciudad de Çaragoça*, t. II, Barcelona 1616.

34 J. Latomy, *Histoire de l'Ordre de Nostre Dame de la Mercy*, Paris 1618.

35 F. Boil, *Nuestra Señora del Puche, cámara angelical de María Santísima*, Valencia, 1631.

36 M. Salmerón, *Recuerdos históricos y políticos de los servicios que los generales y varones ilustres de la religión de Nuestra Señora de la Merced, Redención de cautivos han hecho a los Reyes de España*, Valencia 1646.

37 P. de San Cecilio, *Annales del orden de descalzos de Nuestra Señora de la Merced*, Barcelona 1669.

38 G. Gómez de Losada, *Escuela de trabajos*, Madrid 1670.

39 F. de Neyla, *Gloriosa Fecundidad de María en el Campo de la Católica Iglesia. Descripción de las excelencias e ilustres hijos del Real Convento de San Lázaro de Zaragoza... sácala a la luz resumidad el P. Pdo. Fr. Antonio Bernal del Corral*, Barcelona 1698.

40 J. N. Cavero, *Informe de la Verdad por el Real y Militar Orden de Nuestra Señora de la Merced*, s.l. 1731.

Data	Autores	Obras							
		Ms.	*Opusculum*	*De Potestate*	*Privilegios*	*Historia*	*Sermones*	*Mirabilia*	*Epitome*
1585	Verderius			/					
1588	Zumel			/	x				
1591	Guimerán		i						
1616	Murillo							x	
ca. 1618	a Sancto Cecilio		x	/	x				
1618	Latomy		i						
1619	Vargas	i		/	x				
1629	Corbera			/					
1631	Boyl		i						
ca. 1630	Remón		x						
1639	Téllez		x						
1643	a Sancto Carolo			/					
1646	Salmerón		x						
1650	Mut								x
1669	a Sancto Cecilio	i							
1670	Losada		i						
1696	Linas	i							
1696	Antonio		x	/	x	x	x		
1698	Neyla	i						x	
1731	Cavero	x	x	x					
ca. 1730	Hardá		x	/	x	x	x	x	
1785	Arqués		x	/	x	x	x	x	
1793	Diosdado		x						
1796	Méndez		x						
1796	Latassa		x	x	x	x	x		
1836	Torres Amat		x	x	x	x	x	x	
1862	Gallardo		x						
1868	Bover	x	x	x	x	x	x	x	x
1875	Garí		x	/	x	x	x	x	x
1968	Placer	x	x	x	x	x	x	x	x

x el autor cita esa obra.
i el autor cita el *Opusculum* sin poder especificar a partir de cuál de los testimonios conservados.
/ el autor cita el *De Potestate Papae,* pero no lo identifica con el *Opusculum.*

2. Las obras atribuidas a Fr. Pedro de Cíjar

2.1. *Opusculum tantum quinque editum per fratrem Petrum Ciiarii super commutatione uotorum in redemptionem captiuorum*

Esta obra es la única de la que poseemos ejemplares como ya comentamos con anterioridad: una copia manuscrita conservada en el Archivo de la Corona de Aragón, tres ejemplares de la edición que realiza Juan de Urgel en Barcelona en 1491, y otros cinco de la edición que, quince años más tarde, realiza Pedro Aymeric en París. El primer testimonio que tenemos de la existencia de un original de 1446 es el colofón de la edición de Barcelona: en ella además del colofón del editor, se conserva el del autor[41]. Antes de pasar a analizar las noticias de los tres testimonios por separado, debemos señalar que existen distintos problemas para su estudio. En primer lugar, la datación de la vida y obra de Pedro de Cíjar:

1. Algunos sitúan con corrección el *Opusculum* a mediados del s. XV, como Felipe Guimerán[42] o Pedro de San Cecilio en sus *Annales*[43].
2. Otros lo hacen alrededor del año 1460 en relación con su procuraduría en Roma, así Bernardo de Vargas[44] o Ioseph Linas[45].
3. En tercer lugar, hay autores que lo sitúan durante el generalato de Lorenzo Company (1474 – 1479), y lo explican como un arbitraje de Pedro de Cíjar a los Reyes Católicos: así Pedro de San Cecilio, de modo distinto a sus *Annales*, en su *De scriptoribus*[46]. También lo hace Alonso Remón[47]. También se ubica en este grupo Gabriel Téllez, quien se remite a Remón[48]; asimismo Marcos Salmerón (si bien él se remite a una edición barcelonesa del *Opusculum* de 1481)[49]

41 «Consumatum fuit hoc opusculum ad laudem Dei genitricis ordinis mercedis redemptionis captiuorum in ciuitate Cesarauguste, regni Aragonie, prima mensis maii, anno domini millesimo quadingentesimo quadragesimo sexto». P. de Cíjar, *Opusculum… o.c.*, f. 40r. Cito este como primer testimonio y no la copia manuscrita, porque la copia, al limitarse a reproducir el colofón del autor, no nos ofrece datación explícita de su realización.

42 F. Guimerán, *o.c.*, 229.

43 P. de San Cecilio, *Annales… o.c.*, 124 (*in marg.*).

44 B. de Vargas, *o.c.*, t. I, 310.

45 I. Linas, *o.c.*, 86.

46 Madrid, *BNE*, Mss 12394: P. de San Cecilio, *De scriptoribus… o.c.*, 75.

47 A. Remón, *o.c.*, t. I, ff. 72va-73ra. Remón escribe con posterioridad a las Cortes de Monzón de 1626 en las que se discute la posibilidad de destinar las limosnas de la redención tradicional a la redención preventiva, por esto es preciso defender los derechos de la Orden, y se recurre a los antecedentes notables, llegando a ampliar su historia y currículum.

48 G. Téllez, *o.c.*, 371.

49 M. Salmerón, *o.c.*, 239.

o Vicente Mut[50]. La ligazón de Pedro de Cíjar con Lorenzo Company viene del contenido concreto del *Opusculum*, que trata en un momento dado de una redención realizada por Company[51], y el uso de esta referencia en las biografías de este general.

4. Por último, Francisco de Zumel sitúa la vida del autor durante el generalato de Juan de Urgell (1492-1513)[52], opción que mantiene Ludovicus de Sancto Carolo[53]. Esta datación depende del conocimiento único de la edición de París.

Esta variación en la datación de nuestro autor puede hacer incierta la identificación del ejemplar conocido por un escritor determinado.

En segundo lugar, muchos autores en sus obras citan el *Opusculum* sin aclarar cuál de los distintos testimonios están utilizando. En algunos casos, por el título, por el texto citado o por la comparación con las otras obras enumeradas, podemos diferenciar entre el texto común del manuscrito y la edición de Barcelona, y el texto modificado de la edición de París; pero no más allá. En otros casos, sí se podrá afinar más la determinación exacta del ejemplar citado. Ejemplos de esta indeterminación son Felipe Guimerán quien indica que Cíjar escribió un libro sobre la excelencia del cuarto voto[54] y es capaz de situarlo cronológicamente de modo correcto durante el cautiverio de Fr. Lorenzo Company[55]. Jean Latomy se refiere de un modo similar a la obra de Cíjar, que utiliza como fuente[56]. Bernardo de Vargas cita el título de la obra, *Opusculum tantum quinque*, pero sólo con esto no es posible indicar si conoce el manuscrito, la edición de Barcelona o ambos[57]. Francisco Boil cita textualmente a Pedro de Cíjar sin especificar la obra y designa al autor como historiador antiguo[58]. Pedro de San Cecilio en los *Annales del orden de los descalzos*, señala que el *Opusculum* se terminó de escribir en 1446, y lo cita de modo textual[59]. Gabriel Gómez de Losada realiza un uso de Cíjar similar al de

50 V. Mut, *o.c.*, t. II, 530.

51 P. de Cíjar, *Opusculum... o.c.*, ff. 16v-17r.

52 F. de Zumel, *o.c.*, 122.

53 L. I. a Sancto Carolo, *o.c.*, 417.

54 F. Guimerán, *o.c.*, f. 16v.

55 *Ibid.*, 229.

56 J. Latomy, *o.c.*, f. 9v, 83.

57 B. de Vargas, *o.c.*, t. I, 294, 309.

58 F. Boil, *o.c.*, f. 121r: «et propter istud impietatis opus, principaliter rex Aragonum Alphonsus, filius regis Ferdinandi, praedictam ciuitatem inuasit, ignis incendio combusit». P. de Cíjar, *Opusculum... o.c.*, f. 16v.

59 P. de San Cecilio, *Annales... o.c.*, 124 *en nota*, la cita es «Etiam quandoque contingit quod uigente tempestate nauigia scinduntur et in litore maris inimicorum fidei ducuntur et

Francisco Boil[60]. Ioseph Linas menciona al autor y a la obra, sin especificar el testimonio que conoce[61]. Por último, Francisco de Neyla lo cita al hablar de la redención de Fr. Domingo Navarro[62]. Todo esto complica el análisis de la información acerca de los distintos testimonios en los diferentes autores.

a. Copia manuscrita

Además de la conservación de la copia manuscrita en el Archivo de la Corona de Aragón, existen diferentes menciones a una copia manuscrita de esta obra: en el inventario de libros que se incluye en la visita canónica al convento de Zaragoza en 1494 se indica la presencia de la obra «De quinque de Mestre Sitiart»[63]. Hacen mención de la copia manuscrita José Nicolás Cavero en su *Informe de la verdad*: «un antiguo manuscrito que aún lo conserva nuestro Archivo de Barcelona». Este autor reconoce como ediciones de esta obra las dos de Barcelona y París[64]. José María Bover afirma que también existe una copia manuscrita en el convento de Zaragoza[65]. Por último, Gumersindo Placer[66] hace referencia a la copia manuscrita al citar la edición parcial que sobre ella realiza Guillermo Vázquez en 1927[67].

rumpuntur, et qui ad officium redemptionis sunt deputati efficiuntur captiui, ut sunt duo de presenti, scilicet, frater Laurentius Company, commendator sancte Marie Podii, Valentie, et frater Petrus Boteti, commendator Maleuille, qui capti fuerunt anno domini MCDXLII, circa principium mensis decembris, et adhuc manent sub dominio regis Tunis in captiuitate et pro eorum redemptione queruntur quinque milia duple auri ad quod pretium soluendum non sufficit ordinis facultas istud ducunt fratres propter finem propositum prosequendum». P. de Cíjar, *Opusculum… o.c.*, f. 16v.

60 G. Gómez de Losada, *o.c.*, 472-473.

61 I. Linas, *o.c.*, 86.

62 F. de Neyla, *o.c.*, 111.

63 Citado en C. Rodríguez Parada, *La Biblioteca del convento de Barcelona de la orden de la Merced: una herramienta para la formación de los frailes*, Barcelona 2009, 249 <http://hdl.handle.net/2445/35861> [consulta: 3/2/2014]; B. Taylor, *Structures of Reform. The Mercedarian Order in the Spanish Golden Age*, Leiden-Boston-Köln 2000, 65 en nota.

64 J. N. Cavero, *o.c.*, 135. La cita textual de Cíjar es «Et hec in eorum professione profitentur in posse superioris ex uoto uoti obedientie». P. de Cíjar, *Opusculum… o.c.*, f. 17v.

65 Es probable que se trate de la misma mencionada en la visita de 1494, J. Mª Bover, *o.c.*, t. II, 399.

66 G. Placer, *o.c.*, t. I, 347.

67 P. de Cíjar, «Fragmenta historica… *o.c.*, 51-60. Esta edición es de los ff. 1. 32-36 y 88.

b. Edición de Barcelona, 1491

El primero que menciona una edición del *Opusculum* en Barcelona es Marcos Salmerón quien la fecha en 1481[68]; por la información que ofrece al menos había leído el inicio de la obra. De esta supuesta edición incunable de 1481 no existe registro alguno, suponiendo más bien un error de Salmerón. La datación en 1481 será origen de futuras erratas: Nicolás Antonio mantiene esta datación al tener a Salmerón como fuente[69]. José Nicolás Cavero data correctamente la edición de Barcelona en 1491, al igual que lo hace Antonio de Hardá[70]. Agustín de Arqués en la adición a Hardá recupera el error de Salmerón a través de Raimundo Diosdado, quien cita a Nicolás Antonio[71]. Francisco Méndez sigue a Nicolás Antonio en el error de datación[72], al igual que harán Latassa[73] y Torres Amat[74]. A pesar de estos autores, Bartolomé José Gallardo realiza una correcta descripción de la edición de Barcelona, con mención al colofón del editor y al del autor[75]. José María Bover conoce que la edición es de 1491, señala que algunos hablan de una edición en 1481, no parece seguro en la identificación entre una edición de 1506 del *Opusculum* y el *De Potestate*, e indica la existencia de un manuscrito. Además, Bover describe el ejemplar concreto que utiliza, el que se conserva en la Universidad Complutense de Madrid[76]. Garí y Siumell hace una reseña plagada de errores: sitúa en 1406 el *Opusculum* (al mismo tiempo que afirma que es un dictamen dado a los Reyes Católicos), habla de una impresión en Barcelona en 1481 y no identifica la edición de 1506 con el *De potestate*[77]. Más allá de las erratas de los distintos bibliógrafos, en especial los pertenecientes a la Orden, esta edición está bien documentada en los modernos catálogos de incunables[78].

68 M. Salmerón, *o.c.*, 239.

69 N. Antonio, *o.c.*, t. II, §. 653.

70 Madrid, *RAH*, Ms 9-5854: A. de Hardá, o.c., f. 194v.

71 Madrid, *Archivo Provincial de Castilla*, Ms 1: A. de Hardá, *o.c.*, f. 126r; R. Diosdado Caballero, *o.c.*, 13.

72 F. Méndez, *o.c.*, t. I, 98.

73 F. de Latassa, *o.c.*, t. II, 245.

74 F. Torres Amat, *o.c.*, 179.

75 B. J. Gallardo, *o.c.*, t. II, cols. 455-456.

76 J. Mª Bover, *o.c.*, t. II, 399.

77 J. A. Garí y Siumell, *o.c.*, 74.

78 Cf. *Incunabula Short Title Catalogue, s. v. Opusculum tantum quinque* <http://istc.bl.uk/search/search.html?operation=record&rsid=79183&q=0> [consulta: 5/2/2014].

c. *De potestate pape et commutatione uotorum in redemptionem captiuorum a perspicatissimo fratre Petro Ciiar, iuris canonici bacallario ordinis sancte Marie de Mercede de redemptionis captiuorum nouiter editum*, Paris 1506

La gran cuestión de esta edición es si el biógrafo o el bibliógrafo la identifica con el *Opusculum*. La primera mención que encontramos de la edición de París se encuentra en Anonius Verderius, en su descripción de la biblioteca gesneriana; la referencia incluye el lugar, la fecha y el impresor[79]. Francisco de Zumel, tres años más tarde, desde Salamanca, cuando describe a nuestro autor, lo sitúa durante el generalato de Juan de Urgell (1492-1513). Esto unido a la descripción que ofrece («*libellum de authoritate et potestate summi pontificis et de perfectione finis ordinis nostri et redemptionis captiuorum*»[80]) hace que postulemos que el ejemplar del que Zumel tiene conocimiento sea de la edición de París. Pedro de San Cecilio sigue al maestro Zumel en la descripción de este testimonio, y no lo identifica con el *Opusculum* que sí conoce[81]. Esteban de Corbera la menciona como la única obra de nuestro autor[82]. Ludovicus Iacobus de Sancto Carolo también cita esta edición y basándose en ella ubica a nuestro autor bajo el pontificado de Julio II (1503-1513)[83]. Nicolás Antonio sigue a Verderius, Zumel y San Cecilio, y no la identifica con el *Opusculum*[84]. En el año 1731, José Nicolás Cavero cita esta edición de forma correcta y la relaciona con la de Barcelona y la copia manuscrita[85]. Antonio de Hardá y Agustín de Arqués no identifican entre sí las ediciones de París y Barcelona[86], y con ellos coincide José Antonio Garí quien no está acertado en la descripción de las obras de Cíjar[87]. Por el contrario, Félix de Latassa, Félix Torres Amat y José María Bover reconocen la edición de 1506 como una edición del *Opusculum*[88].

79 A. Verderius, *o.c.*, 43.
80 F. de Zumel, *o.c.*, 122.
81 Madrid, *BNE*, Mss 12394: P. de San Cecilio, *De scriptoribus... o.c.*, 75.
82 E. de Corbera, *o.c.*, f. 100v.
83 L. I. a Sancto Carolo, *o.c.*, 417.
84 N. Antonio, *o.c.*, t. II, §. 654.
85 J. N. Cavero, *o.c.*, 135.
86 Madrid, *RAH*, Ms 9-5854: A. de Hardá, *o.c.*, f. 194v; Madrid, *Archivo Provincial de Castilla*, Ms 1: A. de Hardá, *o.c.*, f. 125v.
87 J. A. Garí y Siumell, *o.c.*, 74.
88 F. de Latassa, *o.c.*, t. II, 246; F. Torres Amat, *o.c.*, 179; J. Mª Bover, *o.c.*, t. II, 399.

2.2. *Volumen bullarum quae SS. Pontitifices ordini mercedario concessere a Gregorio IX usque ad IV Sixtum*

Este bulario, del que no hay ejemplar atestiguado, aparece citado por vez primera en Francisco de Zumel quien no indica sus límites cronológicos[89]. Pedro de San Cecilio cita a Zumel[90]. Nicolás Antonio menciona esta obra al recoger a estos dos autores[91]. Antonio de Hardá también la menciona y es el primero en asignarle una cronología, desde Gregorio IX (otorgador de la bula de confirmación de la Orden en 1235) hasta Sixto IV[92]. Ninguna de sus fuentes realiza esta atribución de contenido: el origen de la misma está en los que sitúan la actividad de Pedro de Cíjar en la época de Sixto IV, como son el propio Pedro de San Cecilio o Alonso Remón[93]. Desde Félix de Latassa[94], los distintos autores se remiten a Bernardo de Vargas a la hora de citar esta obra. Esta remisión es, sin embargo, incorrecta: Bernardo de Vargas sólo se lamenta de la desaparición de distintas obras del autor y recoge la confirmación de los privilegios pontificios realizada por Pío II gracias a la labor de Cíjar en Roma[95]. La fijación de una cronología y la remisión a Vargas provienen de una mala lectura sobre Nicolás Antonio, quien, a continuación de citar esta obra, señala que Cíjar brilló en la época de Sixto IV y señala la necesidad de consultar a Vargas. En resumidas cuentas, todas las menciones son reducibles a la de Francisco de Zumel. De haber existido, la obra está actualmente perdida. Sin embargo, podemos considerar que es una referencia a la obra conocida de Cíjar, el *Opusculum tantum quinque*: en la séptima parte de la quinta cuestión se incluye el elenco de bulas y privilegios otorgados por los Sumos Pontífices a la Orden de la Merced desde el privilegio de Alejandro IV del que trata dicha obra hasta la confirmación de los privilegios de la Orden por Eugenio IV (1435)[96].

89 F. de Zumel, *o.c.*, 122.

90 Madrid, *BNE*, Mss 12394: P. de San Cecilio, *De scriptoribus... o.c.*, 75.

91 N. Antonio, *o.c.*, t. II, §. 654.

92 Madrid, *RAH*, Ms 9-5854: A. de Hardá, *o.c.*, f. 194v.

93 A. Remón, *o.c.*, t. I, f. 72vb.

94 F. de Latassa, *o.c.*, t. II, 246.

95 B. de Vargas, *o.c.*, t. I, 310.

96 P. de Cíjar, *Opusculum... o.c.*, ff. 38v-39v.

2.3. *Historia latina Ordinis Mercedariorum*

La referencia a esta obra la proporciona Fr. Gabriel Adarzo de Santander, O. de M., obispo de Otranto, a Nicolás Antonio[97]. Según él, el manuscrito original se conservaría en el archivo del convento de Barcelona, con copias en los conventos de Burgos, Valladolid y Madrid. A partir de aquí, Hardá[98] y Garí[99] recogen el título y la noticia sobre su conservación en Barcelona, sin citar la fuente; Latassa[100] y Torres Amat[101] se van a remitir a Nicolás Antonio, José María Bover[102], sin embargo, yerra la referencia y remite la obra a Bernardo de Vargas, quien no la cita. De esta obra no se conserva ningún ejemplar.

2.4. *Sermones de dominicis et sanctis*

La aparición de esta obra en la bibliografía de Cíjar es similar a la obra anterior. Nicolás Antonio la describe como una obra publicada en Barcelona en caracteres góticos[103]. Antonio de Hardá lo menciona indicando que se conoce sólo por referencias[104]. Latassa, que traduce a Nicolás Antonio, añade que es un volumen *in 4º*[105]. Con posterioridad, el resto de los autores se refieren a Nicolás Antonio, omiten la referencia a la letra, e incluyen la precisión que hace Félix de Latassa (Torres Amat, Bover y Garí)[106]. Gumersindo Placer adelanta la hipótesis de que pueda tratarse de un incunable, sin embargo, no está recogida en ningún catálogo[107]. De esta obra, tampoco se conserva ningún ejemplar.

2.5. *De rebus mirabilibus Ordinis*

Esta obra entra en la bibliografía de mano de una corrección al manuscrito de Antonio de Hardá. Antonio Ambrosio de Hardá muere en el año 1734 y Agustín de Arques realiza una copia de la *Bibliotheca* de

97 N. Antonio, *o.c.*, t. II, §. 655.
98 Madrid, *RAH*, Ms 9-5854: A. de Hardá, *o.c.*, f. 194v.
99 J. A. Garí y Siumell, *o.c.*, 74.
100 F. de Latassa, *o.c.*, t. II, 246.
101 F. Torres Amat, *o.c.*, 179.
102 J. Mª Bover, *o.c.*, t. II, 399.
103 N. Antonio, *o.c.*, t. II, §. 656.
104 Madrid, *RAH*, Ms 9-5854: A. de Hardá, *o.c.*, f. 194v.
105 F. de Latassa, *o.c.*, t. II, 246.
106 F. Torres Amat, *o.c.*, 179; J. Mª Bover, *o.c.*, t. II, 399; J. A. Garí y Siumell, *o.c.*, 74.
107 G. Placer, *o.c.*, t. I, 347.

Hardá en el año 1785. Entre esas dos fechas una mano distinta a la de Hardá realiza dos adiciones en la entrada referida a Pedro de Cíjar: incluye el *De rebus* en el elenco de los trabajos de Cíjar; y realiza un añadido en la bibliografía de la entrada, la *Historia Caesaraugustana* de Fr. Diego Murillo[108]. Estos dos añadidos están íntimamente relacionados: es en el escrito de Murillo el único lugar en donde se cita esta obra, indicando incluso el folio del que se toma la referencia[109]. Francisco de Neyla al citar a Murillo recoge la mención a esta obra[110]. Agustín de Arqués y Jover en la copia que realiza de la obra de Hardá no realiza ninguna observación al respecto[111]. Desde Torres Amat se incluye en la bibliografía cijariana la aclaración de que se trata de un manuscrito conservado en el convento de Barcelona[112]. A pesar de contar con una cita referida a su contenido, no se conserva ningún ejemplar de esta obra.

2.6. *Epítome de redimendis captivis*

Gumersindo Placer[113] recoge la obra, pero pone en duda su existencia. Se remite a dos autores: Antonio Garí y Vicente Mut. Por un lado, Vicente Mut recoge el *Epitome* y afirma que su fuente sobre Cíjar es Marcos Salmerón[114]. Por otro lado, Garí y Siumell lo describe como un manuscrito *in 4º*, sin mayores precisiones, e indica como fuentes a Marcos Salmerón y la *Biblioteca de Escritores Baleares*[115]. En esta última obra, J. Mª. Bover usa como fuentes a Vicente Mut y al cronista del convento mercedario de Mallorca quien afirma que el *Epítome* existe en dicho convento y lo describe como un volumen manuscrito *in* 4º[116]. Salvo esta afirmación

108 Madrid, *RAH*, Ms 9-5854: A. de Hardá, *o.c.*, ff. 194v-195r.

109 «*O fortunati fideles, quibus incerti obitus, idem Dominus, qui stat ad ostium et pulsar triplici ictu supernum permisit reserare arcanum, iam scientes diem atque horam qua sponso obuiam iretis, ne eadem fur veniret*», P. de Cíjar, *De rebus mirabilibus ordinis*, f. 39. Citado en D. Murillo, *o.c.*, t. II, 318.

110 F. Neyla, *o.c.*, 37.

111 Madrid, *Archivo Provincial de Castilla*, Ms 1: A. de Hardá, *o.c.*, ff. 125v-126r.

112 F. Torres Amat, *o.c.*, 179; J. Mª Bover, *o.c.*, t. II, 399; J. A. Garí y Siumell, *o.c.*, 74. En el caso de Bover se remite al P. Villanueva: en la obra de J. Villanueva, *Viage literario a las iglesias de España*, t. XVIII, Madrid 1851, 163, al hablar de la biblioteca del convento mercedario de Barcelona, sólo se señala la existencia de unos pocos manuscritos referentes a la historia de la Orden, sin entrar en su enumeración. No ha sido posible encontrar otra referencia.

113 G. Placer, *o.c.*, t. I, 347.

114 V. Mut, *o.c.*, t. II, 532.

115 J. A. Garí y Siumell, *o.c.*, 74.

116 J. Mª Bover, *o.c.*, t. II, 399.

del cronista del convento de Mallorca, todas las menciones se reducen a Marcos Salmerón quien afirma que Pedro de Cíjar

> *«dio principio al libro que le ocasionó la injuria: que aunque no contiene sino cinco cuestiones, y por eso tiene por título, Opusculum tantum quinque, es un epítome adonde doctamente está recopilado todo lo grande, y más digno de la alabanza del instituto de redimir cautivos»*[117].

La atribución de un *Epítome* a Pedro de Cíjar es el resultado de una mala lectura de la obra de Marcos Salmerón. La referencia al archivero conventual de Mallorca puede referirse al ejemplar de la edición de 1491 del *Opusculum* que se conservaba en dicho convento.

3. Conclusiones

Tras el análisis demorado de las distintas obras atribuidas a Pedro de Cíjar por las diferentes biografías o bibliografías, podemos extraer las siguientes conclusiones:

1. El *Opusculum tantum quinque* es la única obra de Cíjar que conservamos. De ella, poseemos tres testigos diferentes: una copia manuscrita, y varios ejemplares de la edición de Barcelona y de la de París. A esta obra podemos remitir con cierta seguridad el *Bullarium*, puesto que en la misma obra se contiene una recopilación de las bulas concedidas a la Orden. Además, como hemos visto, el *Epitome* también se identifica con el *Opusculum*: su inclusión en los repertorios depende de una mala lectura de la obra de Marcos Salmerón.
2. La *Historia* y los *Sermones* se remiten en último término al testimonio del obispo Adarzo de Santander, O. de M., a través de Nicolás Antonio. No poseemos ningún ejemplar de estas dos obras, ni otras referencias independientes. Se puede llegar a dudar de su existencia.
3. La cita del *De rebus mirabilibus* por Diego Murillo es el único testimonio literal al margen del *Opusculum* que poseemos de Pedro de Cíjar; es también fuente única de todas las otras menciones a esta obra, de la que tampoco existen ejemplares en la actualidad. Es legítimo preguntarse qué texto tenía delante Diego Murillo cuando escribió su obra.

117 M. Salmerón, *o.c.*, 240.

Tras este recorrido, afirmamos que sólo se conoce con seguridad una obra de Pedro de Cíjar, el *Opusculum*. Del resto de las atribuidas tenemos noticias a través de referencias indirectas, errores de lectura o desdoblamientos de la obra original. Una ampliación de la bibliografía que tiene lugar, sobre todo, en el s. XVII, un siglo que ve cómo la literatura sobre la Orden de la Merced florece con el objetivo de engrandecer el instituto y ponerlo al nivel de las otras familias religiosas. En esta línea, se observa un interés por magnificar la figura de Pedro de Cíjar, presentándolo como un intelectual de primer nivel. Con la ampliación de su bibliografía Cíjar se presenta como un jurista capaz de defender los intereses de la Orden tanto en Roma como ante los Reyes Católicos. Así, el estudio de la bibliografía cijariana nos ha permitido, por una parte, redimensionar su figura y establecer unos límites más acertados para el conocimiento de su obra; por otra parte, nos ha mostrado cómo el tratamiento de su persona se inserta de forma armónica en el desarrollo de la historiografía mercedaria que va a tender hacia la exageración de hechos y personajes.

En definitiva, este trabajo arroja luz sobre un autor mercedario del s. XV, un autor más modesto de lo que nos presentan las crónicas y reseñas, pero que tiene el mérito de haber realizado el primer tratado mercedario dedicado a la defensa legal y espiritual de la redención de cautivos, el *Opusculum tantum quinque*.

MANUSCRITOS EPÍGONOS. LIBROS DE CORO ARTESANALES EN LA EDAD MODERNA

María José Carrera Boente
Universidad de Santiago de Compostela

En este artículo nos acercaremos de forma sucinta al proceso de elaboración de los cantorales modernos, a las posibilidades que nos ofrece su estudio y a la descripción de las fuentes que nos permiten conocerlos, tomando como ejemplo los producidos en la catedral de Santiago de Compostela y en la de Lugo, que todavía se conservan en los archivos de estas instituciones.

A pesar de su importancia para la historia del libro, en la actualidad, el número de investigaciones dedicadas a los cantorales modernos es bastante reducido. Esta situación se evidencia en la escasa producción bibliográfica sobre el tema. Encontramos algunos estudios relacionados con los cantorales, pero la mayoría se centran en determinados aspectos como la música o la iluminación[1].

1 En estas publicaciones se abordan los cantorales desde distintas perspectivas y centrándose en determinados aspectos de los mismos: P. Extremiana Navarro, *Monodia litúrgica en la Rioja: Catedral de Calahorra, Santo Domingo de la Calzada y Seminario diocesano de Logroño. Siglos XII-XIX*, Logroño 2004; S. Rubio, *Las melodías gregorianas de los libros corales del monasterio de El Escorial. Estudio crítico*, San Lorenzo de El Escorial 1982; A. M. E. Taranilla, *El misal rico de la catedral de León (Códices 43-49)*, León 2004; M. C. Álvarez Márquez, *El mundo del libro en la Iglesia Catedral de Sevilla*, Sevilla 1992; M. Bordonau, «La librería y los libros de coro del Real Monasterio de El Escorial», en *Revista de Archivos, Bibliotecas y Museos* 71 (1963) 243-273; M. Moreno González, «La librería coral del Monasterio de El Escorial», en *Monjes y monasterios españoles*, t. 3, San Lorenzo de El Escorial 1995, 601-632; A. Suárez González, *Los libros de coro de Valdediós I. Historia; Los libros de coro de Valdediós II. Catálogo*, Valdediós 2001.

1. Las librerías corales de Santiago de Compostela y Lugo

La librería coral de Santiago de Compostela y la de Lugo reflejan el panorama general; pues no existe ningún estudio sobre ellas. En Santiago, el único que se ha acercado a estos libros es James Boyce, pero no ha publicado su investigación, sólo contamos con el catálogo que realizó y que está a disposición de los investigadores en el archivo catedralicio. López Calo[2] publicó una extensa obra sobre la música de la catedral, compuesta por once volúmenes y que abarca desde la Edad Media hasta el siglo XVIII, aunque no aborda el tema de los cantorales. Estamos ante un campo prácticamente inédito que, sin embargo, presenta posibilidades muy interesantes para el investigador. Además, cabe destacar el propio interés y riqueza del fondo bibliográfico coral como parte de la historia del libro. Todas estas circunstancias motivan el interés para el estudio y el desarrollo de investigaciones sobre el tema.

La documentación utilizada pertenece al siglo XVII para la catedral de Santiago y al XVIII para la de Lugo. Esta acotación temporal coincide con sendos períodos en los hubo un considerable volumen de producción de cantorales. En instituciones más modestas, a través de los libros podemos atisbar la situación económica y la importancia que les concede. Normalmente, cuando se acomete la confección de una serie de cantorales es que se goza de un momento de cierta estabilidad económica y puede coincidir en el tiempo con mejoras en las instalaciones, aunque en algunas circunstancias es posible destinar un presupuesto más amplio que en otras a esta empresa y eso influye en el resultado. Un ejemplo es el aprovechamiento excesivo del material, debido a su elevado coste, lo que repercute en que haya demasiado texto en cada página y se dificulte bastante la lectura. En el caso de estas catedrales el gasto de los libros no les supone un esfuerzo económico importante en relación al volumen de sus ingresos.

Los promotores de los cantorales en ambos casos son las fábricas de las catedrales. Se encargaban de la financiación y su mayordomo fabriquero realizaba los pagos necesarios. Esto puede comprobarse en las cuentas, dónde figuran todos los gastos relacionados con los libros, aparece el salario de los distintos artesanos que intervenían en esta tarea y el coste de determinados materiales como el pergamino.

2 J. López Calo, *La música en la catedral de Santiago*, t. 11, A Coruña 1992-1997.

Libros. A Don Juan Gonzalez trezientos y ochenta y quatro reales de setenta días de trabajo en los libros[3].

Misal. En dicho dia 12 entregué a Joaquín por quenta de su trauajo en la composición de los Libros de el Coro, Misales y Brebiarios quarenta reales[4].

En el dia 6 entregue a Joaquín, además de las partidas que van asentadas, y a quenta de los días que lleua de trauajo en los libros y otras cosas desde 25 de maio de este año, sesenta reales[5].

Librero. Más tresçientos y veinte y çinco reales que pagó a *Christó*bal López librero por las enquadernaçiones de los brebiarios de quarto y de cámara y missales ordinarios y de folio que enquadernó para la yglessia, y libros que enquadernó desde el mes de nobiembre del año pass*ado* (*sic*) de seisçientos y treinta y dos missales de los pequeños que le compraron assi mismo para la yglessia como constó de su memoria y quenta[6].

Pergamino. Más duçientos y treinta y çinco reales que por çinco rollos de pergaminos que reçivió del Señor arcediano Alonso López de Lizeras y se gastaron en dichos libros [...][7].

En Santiago la Fábrica tenía menos recursos económicos que otras contabilidades de la catedral como el cabildo, el arzobispo e incluso el depósito de música y dependía, en parte, de sus aportaciones y de la generosidad de otros benefactores ajenos a la catedral. A pesar de esas circunstancias, la Fábrica se encargó de la financiación de los libros de coro durante todo el siglo XVII, dado que, como ya hemos dicho, no suponía un gasto importante para una institución como la catedral de Santiago, que contaba con un poder económico incuestionable debido a los diversos ingresos que recibía, especialmente el Voto de Santiago[8].

3 Archivo de la catedral de Lugo, *Libro de Fábrica. Fabriqueros (1737-1780)*, f. 66v. En adelante: ACL.

4 *Ibid.*, f. 116r.

5 *Ibid.*, f. 117v.

6 Archivo de la catedral de Santiago, *Libro de Fábrica 1º, 1631*, f. 75r. En adelante: ACS.

7 *Ibid.*, 1631, f. 75r.

8 Para valorar la importancia de esta renta en el conjunto de los ingresos de la catedral remitimos a O. Rey Castelao, «La renta del Voto de Santiago y las instituciones jacobeas», en *Compostellanum* 30 (1985) 459-488. Y para conocer los numerosos conflictos que generó, Id., *El Voto de Santiago. Claves de un conflicto*, Santiago de Compostela 1993, 57-173, de la misma autora.

2. La elaboración de las obras

Una de las posibilidades más interesantes que nos ofrece el estudio de los cantorales modernos es conocer cómo se elaboraban los manuscritos en una época en la que ya está plenamente asentada la imprenta. El proceso de confección de los libros en la Edad Moderna es muy distinto al medieval; esto se refleja en los artífices que se encargaban de las tareas y en cómo se distribuyen las distintas fases de la elaboración.

Los artesanos de los libros de coro modernos son profesionales que reciben un salario por realizar estas tareas. En muchos casos se encargan a laicos, como en Lugo o Santiago, donde algunos artesanos tienen esta condición y son ajenos a la catedral, se les contrata para una determinada labor que aparece especificada en las cuentas. En los libros de Fábrica encontramos numerosas alusiones a esos contratos y al salario que se establece. Los artesanos especializados en la confección de libros, tanto laicos como eclesiásticos, en ocasiones dejan constancia de su nombre en las obras, normalmente de forma discreta. Es habitual que esté inserto en la decoración del códice, es una forma de publicitar su trabajo y así poder recibir más encargos. La contratación de estos profesionales la efectúan los promotores, que establecen de antemano la retribución, fijada por folios o por días de trabajo; esta última forma de pago, que va en función del tiempo dedicado a la tarea, era especialmente frecuente si se hacían varios libros y el profesional tenía que trabajar para la catedral durante un periodo más largo.

En la documentación encontramos ejemplos de todo esto, había profesionales laicos como el músico Joseph Murziano o el librero Juan González, que realizaron numerosos libros para el coro lucense; en cuanto a los eclesiásticos, aparece en las cuentas el religioso dominico Fray Pedro Rodríguez. El que tuvo una relación más prolongada en el tiempo con la sede lucense fue Joseph Murziano, al que le llegaron a asignar un salario que le entregaban mensualmente, en lugar de pagarle por las hojas escritas o por días concretos de trabajo. Cobró de la fábrica de la catedral cada mes desde 1750 a 1752.

> Libros. Mas pague a Dom Juan Gonzalez trezientos y catorze reales para sesenta y dos dias de trabajo[9].
>
> Libros. Mas entregue a Don Juan Gonzalez trezientos nouenta y cinco reales por setenta y seis dias de trabajo en escriuir el canto llano: con mas nouenta y siete reales de los bronzeados para el libro de Coro; hazen quatrozientos nouenta y dos reales[10].

9 ACL, *Libro de Fábrica. Fabriqueros (1737-1780)*, f. 67v.
10 *Ibid.*, f. 69v.

> Himnos y echura de Libro. En 30 de Henero entregué a Fray Pedro Rodriguez Religioso de Santo Domingo por un Libro que hizo en donde están todos los Himnos, y tiene 134 ojas de Pergamino, 776 reales[11].
>
> Murziano. Mas dy a Murziano por el mes de Henero de 1750 treinta y vn reales.
>
> Murziano. Mas dy a Murziano treinta reales por el mes de febrero[12].
>
> Murziano. A Murziano di treinta y un reales por el trabajo del mes de Marzo de 1750[13].
>
> Murziano. Mas pague a Murciano treinta reales para el mes de Abril[14].
>
> Murziano. Con mas a Murziano treinta y vn reales por su trabajo del mes de mayo de 1750[15].

En Santiago el salario se fijaba por folios para el pago a los escritores y por cuadernos o volúmenes para los encuadernadores, según nos muestran estos apuntes.

> [...] por enquadernar quatro libros del sanctoral, que quedaron scriptos del tiempo del S*eñor* arc*ediano* Alonsso López de Lizeras y por el reparo de un missal a rraçón de çinco ducados cada libro como constó de su assiento[16].

> [...] Que tubieron quatroçientos y settenta ojas a dos reales cada oja que montan los d*ichos* mill çiento y settenta y çinco reales como pareçio de su quenta[17].

3. Los artesanos y sus tareas

El artesano de Santiago del que más información tenemos es Fray Plácido de Herrera, monje de San Martín Pinario. En la catedral lo encontramos en el tercer libro de Fábrica en el año 1674, como escritor de dos psalterios. La documentación indica que la institución le proporcionó el pergamino, y que él puso la tinta y otros materiales y resaltan su puntualidad en la realización del trabajo.

11 *Ibid.*, f. 124r.
12 *Ibid.*, f. 83r.
13 *Ibid.*, f. 83v.
14 *Ibid.*, f. 84r.
15 *Ibid.*, f. 84v.
16 ACS, *Libro de Fábrica 1°, 1624*, f. 47r.
17 *Ibid.*, 1624, f. 46v.

> Escrivir los psalterios vesperal y de prima– Más da en datta duçientos ducados, los mismos que pagó al p*rior* f*ray* Plácido de Herrera, predicador del R*eal* conbento de S*an* M*artí*n, por aver escripto los dos psalterios nuebos para el choro de prima y besperal para q*ue* se le dieron los pergaminos n*ecesarios* y de su par*te* puso tinta y demás materiales, y así mismo escribió otro libro de las festividades del Nombre de María y sus Dolores en donde travajó y escribió más de 2350 ojas y en agasajo de la puntualidad con que hiço esta obra se le dieron d*ichos* duçientos ducados[18].

Lo encontramos también en la documentación del monasterio; esto nos permitió conocer mejor su figura. Es poco frecuente que podamos descubrir más aspectos de los artesanos de los cantorales, porque los apuntes en los que aparecen son siempre reducidos y se limitan a consignar su nombre y su salario. Fray Plácido figura en el libro de gradas titulado *Catálogo de los monges que rresciven nuestro santo ábito en esta cassa de San Martín el Rreal de Santiago*, que se conserva en la Biblioteca Xeral (Ms. 324); comprende los años 1503-1721. Podemos saber el año en el que ingresó en el monasterio, 1651, según recoge el libro.

> Plácido de Herrera, natural de Ribadavia (Orense), y Antonio Abelló, [...] tomaron el hábito el 26 de enero de 1651. El primero fue procurador, archivero y predicador de Santiago y doce años prior de Mezonzo [...][19].

En el libro de *Actas de Consejo* podemos ver que lo eligieron para ser procurador de pleitos el 27 de Junio de 1661, y que fue nombrado miembro del consejo del monasterio el 25 de junio de 1665.

> Propuso su p*aternida*d q*ue* se admitiese para el consejo al p*adre* procurador fr*ay* Plázido de Herrera, uotose y salió aprovado y hizo la jura q*ue* manda la ley[20].

Se recogen también diversas actuaciones suyas como prior de Mezonzo y además firma numerosas actas como secretario del consejo.

Fray Plácido es un ejemplo de cómo la mayoría de los artesanos que participaban en la elaboración de los cantorales no realizaban esta actividad de forma exclusiva. Para los trabajadores no especializados en la confección de libros que realizaban tareas secundarias, como los carpinteros, que hacían las tablas destinadas a la encuadernación y los herreros

18 ACS, *Libro de Fábrica 3º*, 1674, f. 56v.

19 Universidade de Santiago de Compostela, *Bibloteca Xeral*, Ms. 324, f. 126.

20 Archivo Histórico Diocesano de Santiago de Compostela, *Libro de Actas de Consejo*, San Martín 16 (1657-1668) 128.

que se encargaban de los elementos metálicos, evidentemente esta no era su única actividad. Pero aquellos que se ocupaban de las fases más complejas y determinantes en la calidad del libro, como los calígrafos o los iluminadores, tampoco se dedicaban solo a esto.

En función de las distintas tareas existían también varios tipos de profesionales: los calígrafos encargados de la escritura, los iluminadores ocupados en la decoración y los encuadernadores. Estos profesionales no entraban en contacto y cada uno desarrollaba su labor de forma independiente.

En algunos cantorales un mismo artesano se encargaba de varias tareas. Los nombres que figuran en las fuentes son a veces ambiguos, se mencionan entre otros *libreros, scriptores, enquadernadores*[21], pintores, etc. Algunos de estos términos se refieren a una tarea determinada pero en otros no está tan claro. *Librero* y *scriptor* a veces hacen alusión a un artesano que tiene un cometido amplio en relación al libro, no sólo una labor concreta, y en otras se diferencia *scriptor* como el que desempeña la tarea exclusiva de calígrafo. En las cuentas de la catedral de Santiago encontramos a Juan García, primero como *scriptor* y en una noticia posterior como *librero*, indicando también su otra dedicación.

> Scritor– Más dos mil y treynta y siete reales y medio q*ue* pagó a Ju*an* García escritor de los libros de la igl*esia* q*ue* montaron las ojas q*ue* escribió hasta ocho de Março de 1624[22].
>
> Ju*an* Garçía librero– Más mill çiento y settenta y çinco reales que pagó a Ju*an* Garçía librero y scriptor de libros de choro y montaran los quatro libros de primera, segunda, terçera y quarta parte del sanctoral de las missas y otro pequeño con las botivas en que sale el cavildo fuera Que tubieron quatroçientos y settenta ojas a dos reales cada oja que montan los d*ichos* mill çiento y settenta y çinco reales como pareçio de su quenta [23].

Otro caso es el de Cristóbal López, aparece citado como librero y en otras noticias se destaca su tarea de encuadernador o ambas.

> Libros– Más diez ducados que pagó a Christobo López librero por la enquadernación y hechura de dos libros grandes de canto[24].

21 Todos estos términos aparecen en los libros de fábrica catedral de Santiago y en el de otras instituciones promotoras como en el libro de obras del monasterio cisterciense de Santa María de Valdediós. Cf. A. Suárez González, *Los libros de coro de Valdediós I: Historia, o.c.*

22 ACS, *Libro de Fábrica 1°*, 1623, f. 20v.

23 *Ibid.*, 1624, f. 46v.

24 *Ibid.*, 1623, f. 20r.

> Enquadernador– Más ochenta reales que pagó a *Christó*bal López librero por la enquadernaçion de dos libros grandes del choro que se deshiçieron y bolvieron a adereçar, y adereço de algunos missales y libros de canto como pareçe de su memoria del mes de agosto del d*icho* año[25].

También hay casos en los que un artesano se encarga del proceso completo, desde la copia a la encuadernación y ensamblado de elementos metálicos. Es el caso, en Lugo, de Joseph Murciano, ya mencionado, y también del que llaman Joachin el Acólito.

> Libro. En 5 de septiembre de 1766 entregué a Joachin, el Acólito, ciento y quarenta reales: los 60 por el forro, herraje y en enquadernación de un Libro choral, 20 por 4 ojas que escribió y 60 por 68 ojas que compuso y letras que hizo[26].
>
> Nota, libro de choro. En 6 de Noviembre de 1766 entregué contra el Mayordomo Don Antonio Bueno, una Libranza de 1658 reales a favor de Don Joseph Murciano, músico, por el Libro nuebo que hizo para las vísperas de Facistol, compuesto de 109 ojas escritas en pergamino, ajustadas por el Maestro de Capilla, cada una, por su travajo, ynicio de las negras a excepción de las letras doradas, a 15 reales de vellón que importaron 1650; de 46 letras maiores doradas, a 3 reales cada una, 138 reales; de tablas y Moscovia 45 reales; de encuadernación y sus materiales necesarios, 40 reales; de modo que todo importo 1873 reales y revajados 200 reales que le entregué a quenta en 17 de Julio de este año y constan de el folio 139 de este libro, debía de haber 1673 pero le revaje 15 reales y por eso la Libranza fue de 1658, y para que se sepa que dicho libro, sin los pergaminos, tubo de coste 1873 reales y 88 reales más de las cantoneras y clavazón de bronze, que entregue en 10 de octubre de este año y se allan al folio 132 buelta de este libro, lo anoto y puede servir en obras de semejantes, de canto de órgano[27].

En las fuentes también puede verse cómo otros trabajadores, no especializados en la confección de libros, participaban en determinadas fases de su elaboración como carpinteros o herreros que se encargaban de los broches, las cantoneras y los bullones. En la catedral de Santiago encontramos a un latonero que realizaba los herrajes y un pintor para iluminar las hojas de los cantorales.

25 *Ibid.*, 1628, f. 61v.
26 ACL. *Libro de Fábrica. Fabriqueros (1737-1780)*, f. 131v.
27 *Ibid.*, f. 133v.

Herraje de libros– Más seis ducados *que* pagó a Pedro de Xaraço latonero por dos herrajes *que* hico para dos libros de canto del coro[28].

Iluminador– Más quarenta reales que pagó a Phelipe López pintor por yluminar las ojas que faltaban en d*ichos* libros[29].

Otro artesano llamado Pedro Pérez, que hizo el herraje de cuatro libros, probablemente también fuese herrero o latonero aunque no se especifica su profesión[30]. En Lugo contaban con un herrero encargado de limpiar y mejorar los hierros de los libros y un cordonero al que se le pagaba por las muletillas, una especie de botones que se usan en el cierre de los libros, y por las trenzas, que son las tiras en las que se enganchaban esos botones.

[...] En 27 de octubre de 1766 [...] seis reales al cordonero por las Muletillas y trenzas de dos Libros Chorales[31].

Mas pague al Herrero ciento y veinte y cinco reales de limpiar los hierros de los libros, y estañarlos, y de otras piezas que hizo para la Yglesia[32].

Otra tarea destacada es la iluminación, de la que a veces se ocupa el mismo calígrafo. Cuando una sola persona se encarga de todas estas fases no las realiza de forma simultánea, sino que las va distribuyendo en función de la tinta o pintura que debe emplear. Conocemos a uno de los artesanos que se encargó de la iluminación de los cantorales de la catedral de Santiago, Phelipe López, quien en las cuentas de la Fábrica figura con el oficio de pintor. Iluminó algunas hojas que faltaban en unos libros; es posible que del resto se encargase el propio escritor u otro iluminador que no aparece[33].

Por último, se procede propiamente a la encuadernación[34], esta tarea se encomienda a libreros y encuadernadores, a los que se les proporciona el material necesario que, en muchos casos, acondicionan otros artesanos, tales como carpinteros para las tapas y herreros o latoneros para las piezas metálicas. En el libro de Fábrica de Santiago encontramos numerosas noticias sobre los gastos que genera esta actividad y los artesanos que se contratan para realizarla. Chistóbal López figura como librero y encua-

28 ACS, *Libro de Fábrica 1°*, 1620, f. 13v.

29 *Ibid.*, 1624, f. 47r.

30 *Ibid.*

31 ACL, *Libro de Fábrica. Fabriqueros (1737-1780)*, f. 132v.

32 *Ibid.*, f. 79r.

33 ACS, *Libro de Fábrica 1°*, 1624, f. 47r.

34 La explicación de los términos relacionados con la encuadernación aparece en J. B. Bermejo Martín (coord.), *Enciclopedia de la encuadernación*, Madrid 1998.

dernador de los cantorales y de otros libros litúrgicos como misales y breviarios.

Enquadernacion– Más seiscientos sesenta y dos reales que pagó a Christobal López librero, por la enquadernación de diez libros grandes de canto llano para el coro y un brebiario, constó de carta de pago[35].

Librero– Más tresçientos y veinte y çinco reales que pagó a Christóbal López librero por las enquadernaçiones de los brebiarios de quarto y de cámara y missales ordinarios y de folio que enquadernó para la yglessia, y libros que enquadernó desde el mes de nobiembre del año passdo (*sic*) de seisçientos y treinta y dos missales de los pequeños que le compraron assi mismo para la yglessia como constó de su memoria y quenta[36].

4. La elaboración y los materiales

Otro aspecto en el que se diferencia la producción de libros en la Edad Moderna es en la provisión de los materiales. Según las fuentes, parecía habitual que la institución proporcionase el pergamino que compraba a los artesanos pergamineros, estableciendo un acuerdo sobre el precio en función de la calidad del material.

En la Edad Media el pergamino se fabricaba en los *scriptoria,* pero en esta etapa se compra ya preparado. A veces se adquiere en lugares bastante alejados del de creación del volumen, buscando un producto de mejor calidad a pesar del encarecimiento que supone. Para los libros de coro lucenses los pergaminos se compraban en Zaragoza y para los de Santiago en Valladolid; en algunas cuentas se indica por separado el precio de las piezas y el del porte. Las catedrales no dudaban en proveerse de un soporte adecuado para los cantorales, que luego se utilizarían en los oficios y ceremonias. Se elige el pergamino, a pesar de su considerable coste, por ser más resistente que el papel. Teniendo en cuenta la inversión que suponen estos libros y el tiempo que se dedica a su elaboración, es importante que sean duraderos. A ello se suma el uso diario y constante al que son sometidos, que hace necesario que el soporte sea resistente, condición que sin duda cumple este material. Las piezas de pergamino llegaban en rollos y envueltas en arpilleras. Sobre la compra de este material encontramos bastante información en los libros de Fábrica.

35 ACS, *Libro de Fábrica 1º*, 1620, f. 13v.

36 *Ibid.*, 1631, f. 75r.

> Libros. Más trezientos y ochenta reales de pergaminos de Zaragoza para los libros del Coro[37].
>
> Pergaminos. En 16 de Julio de 1766 me entregó el señor Deán 67 pergaminos de gracia para la Iglesia y de ellos entregue a Fray Pedro Rodríguez 50 para el Libro choral que ha de hazer [...][38].
>
> [...] Pergaminos. En 27 de octubre de 1766 entregue por el porte de pergaminos [...][39].
>
> Pergamino y porte– Más quinientos y cinquenta y quatro reales, los quatrocientos y setenta y quatro que costaron veynte y seis dozenas de pergaminos y los ochenta reales restantes del porte desde Valladolid a esta ciudad[40].
>
> Pergamino– Más quinientos y sesenta y seis reales que costaron diez rollos de pergamino con el porte desde Valladolid a esta ciudad[41].

Debido a las dimensiones que suelen tener los cantorales, es frecuente que una hoja de pergamino se corresponda con un solo folio, así en los bordes a veces puede apreciarse el final de la piel. El pergamino tiene tendencia a ondularse, esa es una de las razones que justifica que los libros estuviesen cerrados, además de para protegerlos.

Un elemento fundamental para plasmar la escritura es la tinta. En la documentación de Lugo encontramos varias anotaciones sobre la compra de tinta; en algunas ocasiones la fábrica se la proporcionaba al escribano y en otras eran los artesanos contratados los que se encargaban de proveerse de esta sustancia; en las cuentas se consigna por separado el pago de los materiales. En la documentación lucense se mencionan varios ingredientes que forman parte de las recetas para hacer tintas, como el vino blanco, la cola o el vinagre, que se añadía para retrasar la aparición de hongos.

> A Don Juan González entregué trezientos y cinquenta reales por setenta días de trabajo en escriuir los libros del Coro y para varios ingredientes para la tinta[42].
>
> [...] diez y seis reales de vino blanco para la tinta de escriuir los libros de coro[43].
>
> Mas pagué a Murciano doce reales por componer el Brebiario del Coro y por cola y vinagre para componer el Psalterio[44].

37 ACL, *Libro de Fábrica. Fabriqueros (1737-1780)*, f. 70r.
38 *Ibid.*, f. 130r.
39 *Ibid.*, f. 132v.
40 ACS, *Libro de Fábrica 1°*, 1619, f. 11v.
41 *Ibid.*, 1623, f. 20v.
42 ACL, *Libro de Fábrica. Fabriqueros (1737-1780)*, f. 66r.
43 *Ibid.*, f. 70r.
44 *Ibid.*, f. 97r.

Otros componentes básicos de la tinta, al igual que para las pinturas empleadas en la iluminación, eran: la nuez de agalla de la que se extraía el tanino que funcionaba como mordiente para fijar la tinta; un componente metálico, sulfato de cobre o de hierro, goma y vidrio para darle brillo[45]. En la catedral de Santiago también encontramos una anotación sobre la compra de tinta; el hecho de que sólo se mencione una vez hace suponer que en otras ocasiones eran los artesanos contratados los que se encargaban de proveerse de esta sustancia.

> Tinta– Más seis reales y medio q*ue* costó un azumbre de tinta y una libra de goma q*ue* compró para los libros q*ue* se escribieron[46].

El azumbre es una medida para líquidos que corresponde a 2`016 litros, esa es la cantidad que se compró para la elaboración de los libros. El ingrediente mencionado es la goma arábiga que servía como aglutinante y fijador.

En cuanto a los elementos metálicos, tienen una doble finalidad: proteger el libro y decorarlo; los bullones impedían que la piel o la tela de la encuadernación se apoyase directamente en las superficies y las cantoneras protegían la parte más débil del libro; los cierres también podían ser metálicos.

> [...] mas de las cantoneras y clavazón de bronze, que entregue en 10 de octubre de este año y se allan (sic) al folio 132 buelta de este libro, lo anoto y puede servir en obras de semejantes, de canto de organo[47].
>
> Libro. En 5 de septiembre de 1766 entregué a Joachin, el Acólito, ciento y quarenta reales: los 60 por el forro, herraje y en enquadernación de un Libro choral [...][48].
>
> [...] con mas nouenta y siete reales de los bronzeados para el libro de Coro; hazen quatrozientos nouenta y dos reales[49].

Bajo la denominación de *herraje* y *clavaçon* se alude a estos elementos metálicos. Estas piezas las realizan herreros y latoneros cuyos nombres, en algunos casos, no figuran en las cuentas de la catedral dándose simplemente noticia de su compra. Queda claro que es una actividad diferenciada y de la que no se hace cargo el encuadernador.

45 E. Ruíz García, *Introducción a la codicología, o.c.*, 96-100; A. Suárez González, *Los libros de coro de Valdediós I, o.c.*, 133-138.

46 ACS, *Libro de Fábrica 1°*, 1620, f. 13v.

47 ACL, *Libro de Fábrica. Fabriqueros (1737-1780)*, f. 133v.

48 *Ibid.*, f. 131v.

49 *Ibid.*, f. 79v.

Herraje de libros– Más çiento y quarenta y dos reales que costaron cuatro herrajes y clabaçon que compró para quatro libros del canto del coro[50].

Herraje de libros– Más çiento y quarenta y quatro reales que pagó por la (*sic*) herraje de quatro libros de canto del choro[51].

Herraje de libros– Más çiento y sessenta y quatro reales que pagó a Pedro Pérez por quatro herrajes para quatro libros, que acabó de scrivir Juan García en septiembre del dicho año de seisçientos y veinte y quatro como constó de su assiento[52].

Para la encuadernación podían usarse diversos materiales: las cubiertas solían ser tablas para evitar que el pergamino se ondulase, podían estar forradas de tela o de piel. En las fuentes de la catedral de Lugo encontramos noticias que mencionan materiales como el cordobán, un cuero de cabra de alta calidad, muy ligero y suave que se usaba para recubrir las tapas. Otro material mencionado es el bramante, un hilo de cáñamo con el que se cosían las hojas entre sí y estas a las tapas.

Murciano. A Murciano treinta reales de la mesada de Julio y seis más para quatro tablas de dos Misales[53].

Libros. En el propio día del Almidón, Bramante y dos Cordobanes para componer libros diez y siete reales[54].

Misal. En 12 de Henero de 1766 entregué al Acolito Joachim de la conposición de un Misal, Forro de Cabrerilla y Zintas 35 reales vellón[55].

Enquadernacion– Más seiscientos sesenta y dos reales que pagó a Christobal López librero, por la enquadernación de diez libros grandes de canto llano para el coro y un brebiario, constó de carta de pago[56].

Librero– Más tresçientos y veinte y çinco reales que pagó a Christóbal López librero por las enquadernaçiones de los brebiarios de quarto y de cámara y missales ordinarios y de folio que enquadernó para la yglessia, y libros que enquadernó desde el mes de nobiembre del año passdo (*sic*) de seisçientos y treinta y dos missales de los pequeños que le compraron assi mismo para la yglessia como constó de su memoria y quenta[57].

50 ACS, *Libro de Fábrica 1°*, 1623, f. 20r.
51 *Ibid.*, 1623, f. 20v.
52 *Ibid.*, 1624, f. 47r.
53 ACL, *Libro de Fábrica. Fabriqueros (1737-1780)*, f. 92r.
54 *Ibid.*, f. 117v.
55 *Ibid.*, f. 123v.
56 ACS, *Libro de Fábrica 1°*, 1620, f. 13v.
57 *Ibid.*, 1631, f. 75r.

Estos libros tenían un papel destacado en las ceremonias litúrgicas y se consideraba que debían tener el mejor aspecto posible, por eso se encargaba a los artesanos que realizasen frecuentes arreglos y reencuadernaciones. Otro motivo para estas medidas de mejora es que se empleaban durante largos periodos de tiempo y tenían que readaptarse a los cambios y novedades de la liturgia y para conseguirlo les añadían los oficios nuevos.

> Composición de Misales. Más cinquenta y cinco reales que entregué a Polin por la composición de Misales y adicción de todas las misas nuebas[58].
>
> Enquadernación y añadiciones (sic) a los libros del oficio de Nuestra Señora y común de Santos de Canto llano [...][59].
>
> Enquadernador– Más ochenta reales que pagó a Christóbal López librero por la enquadernaçion de dos libros grandes del choro que se deshiçieron y bolvieron a adereçar, y adereço de algunos missales y libros de canto como pareçe de su memoria del mes de agosto del dicho año[60].

5. Fuentes para el estudio de los cantorales

En cuanto a las fuentes que nos permiten conocer los cantorales, los libros de fábrica son los que más información nos han proporcionado. La Fábrica estaba gestionada por un canónigo fabriquero que controlaba los ingresos y gastos de mantenimiento del edificio; es una dependencia presente en cualquier catedral y una de las más importantes. La documentación que se conserva es fundamentalmente de carácter económico, resultado de la gestión de los bienes que hacían posible el mantenimiento del edificio. Incluye todo lo relacionado con el culto y personal de plantilla o de aquel otro que, de forma eventual, era requerido por el cabildo para realizar cualquier clase de trabajo. Es muy interesante para los estudios sobre aspectos relacionados con las obras de la catedral, sus dependencias, bienes muebles y ajuar litúrgico.

Estos libros de carácter contable son de suma importancia para comprobar la evolución de los ingresos y gastos de la Fábrica catedralicia. Los asientos que figuran en ellos están más desarrollados en otra documentación pero en muchos casos no se conserva o está sin catalogar. Es frecuente encontrar esos documentos atados, con el tejuelo que informaba sobre su inutilidad, ya que tras la desamortización perdieron importancia y su

58 ACL, *Libro de Fábrica. Fabriqueros (1737-1780)*, f. 141v.
59 *Ibid.*, f. 103v.
60 ACS, *Libro de Fábrica 1º*, 1628, f. 61v.

conservación ha sido casual. Así sucedió en Santiago, según nos informó uno de los archiveros.

La consigna de las cuentas sigue un esquema determinado: a la izquierda aparece un pequeño resumen del asiento, que se va a desarrollar en el centro y a la derecha se indica la cantidad en cifras. Estos libros se elaboraban cuando un fabriquero cesaba en su cargo y debía aclarar las cuentas correspondientes al periodo en el que ejerció.

Otra fuente útil para el estudio de los libros de coro son los inventarios. Nos sirven para reconstruir las posesiones de la Fábrica en el momento en que se realizan y nos han permitido conocer los libros que tenían para el servicio del coro y de la liturgia. Tienen la finalidad de hacer recuento de los bienes de la Fábrica cuando el administrador de los mismos, el tesorero, cesa en su cargo. En el inicio del inventario suele aparecer una copia del auto capitular en el que se ordena su realización e indica las personas que van a intervenir. El tesorero era responsable de su elaboración y debía hacerse cargo de lo que faltase en el recuento.

En definitiva, las fuentes conservadas en la catedrales de Santiago y Lugo nos proporcionan una información muy interesante sobre diversas fases del proceso de elaboración de los cantorales, los actores y su tipología. El presente trabajo constituye tan sólo una aproximación: para obtener una visión completa de estos conjuntos bibliográficos sería necesario estudiar los ejemplares conservados, consultar más fuentes ajenas a los archivos catedralicios, especialmente los protocolos notariales, y comparar estas librerías corales con otras colecciones análogas próximas geográficamente y coetáneas en el tiempo.

TRADICIÓN CLÁSICA, PATRÍSTICA Y EXÉGESIS BÍBLICA: LA COLECCIÓN DE HUMANISTAS ESPAÑOLES

JESÚS-M[a] NIETO
Universidad de León

1. EL PROYECTO HUMANISTAS ESPAÑOLES

Con la edición del *Pendón de los sermones* de Cipriano de la Huerga en 1990 el Profesor Gaspar Morocho iniciaba en la Universidad de León la colección «Humanistas españoles» e iniciaba su andadura el Proyecto de investigación interuniversitario e interdisciplinar, «Humanistas españoles. Estudios y ediciones críticas»[1]. Desde entonces numerosas han sido las líneas que se han ido abriendo en él, sin dejar aquel objetivo primordial de la edición crítica de las diversas obras de nuestras *Humanae litterae*, acompañadas de los correspondientes estudios y traducciones, como Cipriano de la Huerga[2], Pedro de Valencia, Arias Montano[3], Antonio Ruiz

1 En la actualidad «Tradición clásica y patrística y exégesis bíblica en el Humanismo (Pedro de Valencia y Lorenzo de Zamora)» (FFI2012-37448-C04-03).

2 C. de la Huerga, *Obras completas. I. Prolegómenos y testimonios literarios: El sermón de los perdones*, G. Morocho Gayo (coord.), León: Universidad, 1990; Id., *Obras completas. II. Comentarios al Libro de Job (1ª parte)*, G. Morocho Gayo (coord.), León: Universidad, 1992; Id., *Obras completas. III. Comentarios al libro de Job (2ª parte)*, G. Morocho Gayo (coord.), León: Universidad, 1994; Id., *Obras completas. IV. Comentario al Salmo XXXVIII*, G. Morocho Gayo (coord.), León: Universidad, 1993; Id., *Obras completas. V. Comentario al Cantar de los Cantares (1ª parte)*, G. Morocho Gayo (coord.), León: Universidad, 1992; Id., *Obras completas. VI. Comentario al Cantar de los Cantares (2ª parte)*, G. Morocho Gayo (coord.), León: Universidad, 1992; Id., *Obras completas. VII. Comentario al Profeta Nahum*, G. Morocho Gayo (coord.), León: Universidad, 1994; Id., *Obras completas. VIII. Competencia de la hormiga con el hombre. Cartas*, G. Morocho Gayo (coord.), León: Universidad, 1994; Id., *Obras completas. IX. Estudio monográfico colectivo*, G. Morocho Gayo (coord.), León: Universidad, 1996; Id., *Obras completas. X. Nuevos escritos y testimonios. Índices*, J. F. Domínguez Domínguez (ed.), León: Universidad, 2005.

3 B. Arias Montano, *Comentario a los treinta y un primeros salmos de David*, M. A. Sánchez Manzano (ed.), 2 vols., León: Universidad de León, 1999.

de Morales[4], Cristóbal Méndez[5], Juan de Jerez y Lope de Deza[6], Gaspar de Grajar[7], González Dávila[8], Tribaldos de Toledo[9], Hernando de Herrera[10], Terrones del Caño[11], etc. Conocidas son los treinta y seis volúmenes de la colección «Humanistas españoles», los nueve de «Tradición clásica en España y América» y las seis monografías que recogen las contribuciones a las Reuniones Científicas que se han celebrado, *Humanismo y Císter*[12], *Humanismo y Tradición clásica en España y América*, I y II[13], *El Humanismo español entre el viejo mundo y el nuevo*[14], *Otros tiempos, otros mundos, un continuum. Tradición clásica y humanística. Siglos XVI-XVIII*[15] y *La imprenta humanística (siglos XV-XVIII): saberes, visiones e interpretaciones*[16].

A partir del 2002 se ha incorporado al Proyecto el estudio de la tradición patrística y se ha insistido en la pervivencia de la tradición clásica

4 A. Ruiz de Morales, *La Regla y Establecimientos de la Orden de Caballería de Santiago del Espada, con la hystoria del origen y principio della*, A. Ruiz de Morales y Molina – G. Morocho Gayo – M. I. Viforcos Marinas – J. Paniagua Pérez – J. F. Domínguez Domínguez (eds.), León: Universidad de León, 1998.

5 C. Méndez, *Libro del ejercicio corporal y de sus provechos*, E. Álvarez de Palacio (ed.), León: Universidad de León, 1996.

6 J. de Jerez – L. de Deza, *Razón de Corte*, A. T. Reguera Rodríguez (ed.), León: Universidad de León, 2001.

7 G. de Grajar, *Obras completas*, G. Morocho Gayo (ed.), 2 vols., León: Universidad de León, 2002-2004.

8 G. González Dávila, *Teatro eclesiástico de la primitiva Iglesia de las Indias Occidentales*, J. Paniagua Pérez – M.ª I. Viforcos Marinas – J. F. Domínguez Domínguez (eds.), 2 vols., León: Universidad de León, 2001-2004.

9 L. Tribaldos de Toledo, *Historia general de las continuadas guerras i difícil conquista del gran reino i provincias de Chile, desde su primer descubrimiento por la nación española, en el orbe antártico, hasta la era presente*, M. I. Viforcos Marinas, León: Universidad de León, 2009.

10 H. Alonso de Herrera, *La disputa contra Aristóteles y sus seguidores*, M. A. Sánchez Manzano (ed.), León-Valladolid: Universidad de León-Conserjería de Educación y Cultura, 2004.

11 F. Terrones del Caño, *Obras completas*, F. J. Fuente Fernández (ed.), León-Valladolid: Universidad de León-Conserjería de Educación y Cultura, 2001.

12 F. Rafael de Pascual – J. Paniagua Pérez – G. Morocho Gayo – J. F. Domínguez Domínguez (coords.), *Humanismo y Cister. Actas de I Congreso Nacional sobre Humanistas Españoles*, León: Universidad de León, 1996.

13 J. M. Nieto Ibáñez (ed.), *Humanismo y tradición clásica en España y América*, León: Universidad, 2002; *Ibid.*, 2004.

14 J. M. Nieto Ibáñez – R. Manchón Gómez (eds.), León-Jaén: Universidad de León-Universidad de Jaén, 2008.

15 M. I. Viforcos Marinas – M. D. Campos Sánchez-Bordona (coords.), *Otras épocas, otros mundos, un «continuum». Tradición clásica y humanística (ss. XVI-XVIII)*, Madrid: Tecnos, 2010.

16 J. García Nistal – A. Castro Santamaría (eds.), *La impronta humanística (siglos XV-XVIII): saberes, visiones e interpretaciones*, Palermo: Officina di Studi Medievali, 2013.

en la exégesis bíblica de los autores humanistas de los siglos XVI y XVII[17]. Así, para no extenderme, expondré las líneas maestras del trabajo realizado y en proceso de dos autores que muestran estas tres líneas claves en su obra, la tradición clásica, la patrística y la bíblica, como son Pedro de Valencia y Lorenzo de Zamora. Al final de esta exposición me centraré, como ejemplo, en uno de los textos del primero de los autores donde se hace el comentario de un pasaje bíblico aplicando en su exégesis el saber clásico y el patrístico, además del escriturístico.

En la segunda mitad del siglo XVI una Europa y una España cristianas estaban inmersas en los ideales y métodos de los *studia humanitatis*, con unas formas de investigación y lectura de los autores antiguos en parte perfiladas ya desde los tiempos de los Padres griegos, donde es difícil valorar y distinguir entre *auctoritates* científicas, *auctores* literarios (griegas las primeras y latinos los segundos) y Padres de la Iglesia[18].

En su Introducción a una lectura de Pedro de Valencia el profesor Gaspar Morocho daba las claves para el estudio de la trayectoria vital del humanista y, sobre todo, para la catalogación de su ingente obra[19]. Tanto en Pedro de Valencia, como en Lorenzo de Zamora, autores a los que vamos a dedicar estas páginas, emergen las tensiones intelectuales del momento, la vena clásica y la cristiana. La argumentación tomada de los santos Padres se combina en algunos pasajes con los ejemplos sacados de la historia, la literatura antiguas y de la mitología. El mundo grecorromano ocupa gran parte de sus citas y ejemplos llevado por un interés estético y de erudición renacentista. El cauce por donde más frecuentemente asoman estas reminiscencias paganas es el del símil y *exemplum*, muy seguidos por la oratoria sagrada y profana. En efecto, debajo de todo ello estaba la propia espiritualidad cristiana, dado que la Patrística ya ha-

17 Proyectos de Investigación «Humanistas de los siglos XVI y XVII. Tradición clásica y exégesis bíblica» (HUM 2006-09045-C3-02), del Ministerio de Educación y Ciencia, y «Humanismo y Tradición clásica y humanística. Ediciones y estudios. Autores de los siglos XVI y XVII», de la Junta de Castilla y León, (LE 029A07).

18 V. Bécares, «Pedro de Valencia, traductor de textos griegos», en *Pedro de Valencia. Obras Completas. X. Traducciones*, León: Universidad de León, 2008, 21-22.

19 «Introducción a una lectura de Pedro de Valencia. Primera parte (1555-1587)», en Pedro de Valencia, *Obras completas. V/1*, León: Universidad de León, 1993, 15-60, e «Introducción a una lectura de Pedro de Valencia. Segunda parte (1588-1620)», en P. de Valencia, *Obras completas. V/2*, León: Universidad de León, 1995, 15-64; cf. en especial la Tabla cronológica de la vida y obra de Pedro de Valencia, pp. 19-64. Fundamental es la monografía de L. Gómez Canseco, *El Humanismo después de 1660: Pedro de Valencia*, Sevilla 1993, donde se recoge un amplio listado de fuentes manuscritas atribuidas a Pedro de Valencia, pp. 279-282.

bía adaptado a su propia argumentación religiosa numerosos ejemplos bíblicos e incluso la literatura pagana, que luego la oratoria sagrada había hecho suyos.

2. La obra completa de Pedro de Valencia

Con mi maestro adquirí el compromiso de divulgar los trabajos y la edición de las obras completas de Pedro de Valencia, que un equipo de cualificados investigadores está llevando a cabo bajo mi dirección, heredada de Gaspar Morocho. A los diez volúmenes ya publicados de la obra de Pedro de Valencia se sumarán en el próximo trienio del actual Proyecto de Investigación dos más.

Volúmenes publicados:

- Obras completas. III. Academica, 2006.
- Obras completas. IV/1. Escritos sociales. Escritos económicos, 1994.
- Obras completas. IV/2. Escritos sociales. Escritos políticos, 1999.
- Obras completas. V/1. Relaciones de Indias. Nueva Granada y Virreinato de Perú, 1993.
- Obras completas. V/2. Relaciones de Indias. México, 1995.
- Obras completas. VI. Escritos varios, 2012.
- Obras completas. VII. Discurso acerca de los cuentos de las brujas, 1997.
- Obras completas. IX/1. Escritos espirituales. San Macario, 2001.
- Obras completas. IX/2. Escritos espirituales. La «Lección cristiana» de Arias Montano, 2002.
- Obras completas. X. Traducciones, 2008.

Sin duda donde mejor se perciben la tradición clásica que sustentaba las obras del humanista es su labor traductora. Pedro de Valencia fue un excelente helenista, tal vez el mejor de su tiempo, como muy acertadamente lo calificó Gaspar Morocho Gayo. Cuando el humanista regresa a su villa natal de Zafra en 1576 se dedica al estudio de los clásicos griegos y latinos y a los trabajos de exégesis bíblica, y es en ese momento cuando se producen un importante número de versiones al latín y al castellano de obras de autores griegos. Desde la cátedra de latinidad y retórica de la escuela de Zafra es posible que Pedro de Valencia se entregara a la docencia de la lengua y de la filosofía griega.

Conocidas son en parte ya las versiones de autores griegos que están dispersas por sus obras, como es el caso de Plutarco en *Academica*, de Eurípides, Flavio Josefo o Diodoro Sículo, en la Carta a Góngora también hay algunas fragmentos de este tipo, textos de menos extensión de Homero y de Esquilo, o los textos vertidos de Platón (de *República,* y del *Protágoras),* Diógenes Laercio, Simónides, Sexto Empírico, Ateneo, Píndaro, Calímaco incluidos en el tratado *Humanae rationis Paralogismata illustriora exempla.* Conservamos en forma versificada, según la moda de la época, traducciones de pasajes de Homero, Píndaro, Teócrito y de trágicos, como Esquilo y Eurípides. En el volumen X de las *Obras completas* se ha ofrecido por primera vez una cuidada edición crítica y un estudio serio de los autores y textos griegos vertidos por el humanista zafrense. En Zafra traduce por una finalidad escolar el libro I de las *Historias* de Tucídides, el tratado *De igne* de Teofrasto, el comienzo del discurso de Lisias *Sobre la muerte de Eratóstenes* y una antología de Demóstenes, en estos dos últimos casos en lengua castellana y en los primeros en la latina, siguiendo una de las prácticas habituales entre los estudiantes avanzados. Sin embargo, hay otras versiones que no buscan tanto la literalidad, sino la elegancia del buen decir, pues han sido elaboradas con una finalidad literaria. Tal es el caso del discurso *Del retiramiento* de Dión de Prusa, *Sobre la quietud* de Epicteto, el *De lapidibus* de San Epifanio o los escritos espirituales de San Macario de Egipto[20].

Este testimonio de Pedro de Valencia no es en absoluto marginal ni secundario en su labor filológica, sino que constituye una importante aportación para la teoría y práctica de la traducción y para la pervivencia de los autores griegos en el Humanismo español y europeo. Los autores que han elaborado cada uno de los estudios de que se compone la mencionada monografía han intentado localizar el texto de la época que tuvo a su alcance Pedro de Valencia y, lo que es más complejo, precisar si nuestro humanista leyó y tradujo a los autores griegos en ediciones originales o si se sirvió de traducciones latinas. Asimismo, se ha pretendido analizar estas versiones dentro de las concepciones filológicas e ideológicas que parecen haber regido en la época y obra de Pedro de Valencia. En el siglo XVI el Humanismo impulsa a muchos eruditos a sacar del olvido textos de los grandes autores griegos que hasta entonces sólo eran conocidos y manejados en el texto original y en antologías y florilegios. Nuestro maestro zafrense participa de esta tendencia. La elección personal por un autor u otro y por una obra u otra depende de la formación de un canon privilegiado y de un fondo común de referencias clásicas en un momento determinado. El humanista Pedro de Valencia poseyó una de las mejores

20 En el volumen IX.1 de esta colección se han editado y estudiado con detalle las versiones latina y castellana de los *Opúsculos* y las *Homilías espirituales* de San Macario.

bibliotecas de libros griegos de la España de su tiempo y es de ella de la que toma los textos objeto de su traducción para ser integrados en la tradición humanista de Occidente.

En 2012 se ha publicado el último volumen, que da prueba del carácter poligráfico de la obra del humanista zafrense, y de esta tradición clásica, patrística y de exégesis bíblica. No olvidemos que Pedro de Valencia fue consejero de reyes, nobles y príncipes, cardenales, arzobispos, obispos y hasta el Pontífice de Roma tuvo en cuenta un escrito suyo. El volumen, *Pedro de Valencia. Obras completas, VI. Escritos varios,* recoge diferentes escritos que por su variada naturaleza, extensión, dudas, etc. no han podido tener cabida en los números anteriores. Algunos tienen un contenido filosófico, como «Ejemplos de príncipes, prelados y otros varones ilustres que dejaron oficios y dignidades y se retiraron», otros como la «Relación de la traza de las virtudes por Pedro de Valencia y Juan Bautista Lavaña» y «Relación de la pintura de las virtudes»[21], son un tratado de iconografía de crítica artística, a los que hay que añadir la «Descripción de la justicia en ocasión de querer Arias Montano comentar las leyes del reino» y la «Dedicatoria a la reina doña Margarita del libro escrito por Pedro de Valencia titulado De las enfermedades de los niños». También se conserva un breve tratado sobre la educación de los príncipes, «Advertencias para la crianza de los príncipes, cuando pequeños. Contra el abuso de procurarlos callar con espantos», unos escritos de crítica literaria, es decir, las cartas en las que censura a Góngora[22], un tratado de medicina en latín plagado de ecos hipocráticos y galénicos, *De tuenda valetudine,* algún informe, como aquel de la conveniencia de publicar una Historia de China, e incluso se ha editado en este volumen alguna de las obras de autoría dudosa, como *Humanae rationis paralogismaton exempla illustriora*[23].

Junto a la tradición clásica está la Biblia. El Humanismo español es principalmente un Humanismo bíblico. Como en Arias Montano la Sagrada Escritura constituye la más importante de las claves para interpretar el conjunto de la obra de Valencia, ya que no sólo esta temática es el centro

21 En éstos y en otros escritos de carácter bíblico hemos contado con la aportación de A. Moreno García, *Tras las huella de humanistas extremeños,* Badajoz 1996, «Las virtudes de un humanista extremeño: Iconografía de Pedro de Valencia (1555-1620)», en *Pax et Emerita* 4 (2008) 211-227, y «Un manuscrito inédito de Pedro de Valencia: Ejemplos de Príncipes, Prelados i otros varones ilustres que dejaron oficios i dignidades i se retiraron (BNM 5585, 12)», en *Helmantica* 40 (2009) 139-165.

22 Para estos textos se ha contado con la contribución de M. M. Pérez López, *Pedro de Valencia, primer crítico gongorino,* Salamanca 1988.

23 Gaspar Morocho ya se la atribuía a Pedro de Valencia, Id., «Avance de datos para un inventario de las obras y escritos de Arias Montano», en *La Ciudad de Dios* 211 (1998) 264.

monográfico de diversos escritos, sino que impregna también el resto de sus obras[24]. Montano puso a la Biblia en la pirámide del saber, como lo hicieron Erasmo y otros humanistas en la idea de que la Biblia es el libro central de la cultura humana, en el cual pueden encontrarse los hombres de todas las naciones[25]. Así, los tratados teológicos y de exégesis bíblica de Pedro de Valencia serán objeto del volumen II de las *Obras completas*, que actualmente está en su fase final: «De los autores y tiempos de los libros sagrados», «De los libros del Nuevo Testamento», «Comentario a un versículo de San Lucas (Sermón en loor de san Juan Bautista)», «Comentario a Mateo 10, 16 (De differentia inter verba graeca σοφία et φρόνησις)», «Sobre un versículo de San Pablo. De la tristeza», «Exposición sobre el Capítulo I del Génesis», «*Ad orationem Dominicam illam, Pater noster qui est in coelis*», «Para declaración de una gran parte de la Estoria Apostólica en los Actos y en la Epístola Ad Gálatas», «Censura de la obra de Prado y Villalpando sobre Ezequiel», «Carta a Paulo V», «Carta sobre algunos pasajes de la Biblia», «Discurso sobre que no se pongan cruces en lugares inmundos», y los epigramas de contenido bíblico y teológico del manuscrito 464 de la Biblioteca Nacional. De momento hemos dejado para otro momento los escritos de la defensa de la *Biblia regia* de Arias Montano, que requerirán de no poco tiempo y dedicación exclusiva.

Los estudios bíblicos son un componente importante para entender el Humanismo español del siglo XVI. La exégesis bíblica reúne en sí gran parte del saber humanista: la crítica textual y la recuperación de los textos antiguos, la teología, la erudición bíblica, la literatura de los Padres, en forma de citas de autoridad, y los textos de autores profanos que sirven para ilustrar la doctrina expuesta. La exégesis bíblica era para fray Luis la cumbre del saber, el objetivo de toda su obra profesional y literaria[26]: «para entero entendimiento de la Escritura era menester sabello todo, y principalmente tres cosas: la Theologia escolástica, lo que escribieron los sanctos, las lenguas griegas y hebrea...»[27].

Uno de los principios hermenéuticos de fray Luis era el racionalismo filológico y lingüístico para buscar la *veritas hebraica et graeca* del texto ori-

24 Id., «El humanismo español en Pedro de Valencia: tres claves de interpretación», en *El Humanismo extremeño. I Jornadas*, Trujillo 1997, 115-142.

25 Id., «Transmisión histórica y actual del Biblismo de Arias», en *Cuadernos de Pensamiento* 122 (1998) 214.

26 Sobre la exégesis luisiana véase el trabajo de C. Thompson, *The Strife of Tongues. Fray Luis de León and the Golden Age of Spain*, Cambridge 1988.

27 Doc. nº 22, J. Barrientos, *Fray Luis de León. Escritos desde la cárcel. Autógrafos del primer proceso inquisitorial*, Madrid 1991, Doc. nº 22, p. 138.

ginal[28]. Las enseñanzas de fray Cipriano de la Huerga en Alcalá los años 1556 y 1557, así como figuras de este círculo, como Benito Arias Montano y Martín Martínez de Cantalapiedra[29], son prueba de la imperiosa necesidad del conocimiento profundo del hebreo, del griego y del latín[30]. Cipriano de la Huerga participa y hace partícipes a sus discípulos de las tendencias generales de la filología erasmista, que pone en la pirámide del saber a la Sagrada Escritura, en segundo lugar a los autores clásicos y, por último, a los Padres de la Iglesia, que suponen el conocimiento de la Biblia y de los clásicos[31]. Los Padres de la Iglesia adoptaron dos formas de exégesis bíblica: los alejandrinos, con Clemente y Orígenes, que destacaron por su alegorismo, frente al literalismo de las escuelas de Edesa, Antioquía y Cesarea, con Efrén, Teodoreto, Juan Crisóstomo y Basilio, como autores más conocidos. El debate sobre éstos y otros métodos de exégesis bíblica se prolongó hasta las dos primeras décadas del siglo XVII.

3. Lorenzo de Zamora: la *Monarquía mística*

La otra figura, objeto de estudio en nuestro Proyecto en esta línea de tradición clásica, patrística y bíblica, es Lorenzo de Zamora, representante

28 Cf., en general, J. Caminero, *La razón filológica en la obra de Fray Luis de León*, Bilbao 1990, pp. 2, 29, 39 y 46; R. Cao, «Retórica y exégesis en la Exposición del libro de Job de Fray Luis de Léon», en *Letras de Deusto* 21 (1991) 151-176, y C. Thompson, *Strife of tongues: Fray Luis de León and the golden age of Spain*, Cambridge 1988.

29 F. Cantera, «Arias Montano y Fray Luis de León», en *Boletín de la Biblioteca de Menéndez Pelayo* 22 (1946) 299-338; J. López del Toro, «Fray Luis de León y Benito Arias Montano», en *Archivo Agustiniano* 50 (1956) 5-27, y N. Fernández Marcos, «De los nombres de Cristo de fray Luis de León y *De arcano sermone* de Arias Montano», en *Sefarad* 48 (1988) 245-270.

30 E. F. Fernández de Castro, «Fr. Cipriano de la Huerga, maestro de Fray Luis de León. Notas bibliográficas», en *Revista Española de Estudios Bíblicos* 3 (1928) 267-278; E. Asensio, «Cipriano de la Huerga, maestro de Fray Luis de León», en *Homenaje a Pedro Sáinz Rodríguez, III. Estudios históricos*, Madrid 1986, 57-72; y G. Morocho, «Cipriano de la Huerga, maestro de humanistas», en V. García de la Concha – J. San José Lera (eds.), *Fray Luis de León. Historia, Humanismo y Letras*, Salamanca 1996, 173-193.

31 G. Morocho Gayo, «Humanismo y Filología Poligráfica en Cipriano de la Huerga. Su encuentro con fray Luis de León», en *La Ciudad de Dios* 204 (1988) 863-914; Id., «Prolegómenos y Testimonios Literarios», en *Cipriano de la Huerga. Obras Completas*, vol. I, León 1990, 109; véase también la presencia de los Padres en el «Comentario al Salmo 38» y al «Salmo 130», en J. F. Domínguez, «Tradición Clásica y ciceronianismo en Cipriano de la Huerga (1509/10-1560). Primer acercamiento», en Cipriano de la Huerga, *Obras Completas. IX. Estudio monográfico colectivo* o.c., 136-139. Para la presencia de los Padres en fray Luis, véase J. M. Nieto Ibáñez, *Espiritualidad y patrística en De los nombres de Cristo de fray Luis de León (La traducción e interpretación de las fuentes griegas)*, El Escorial-León 2001.

del Humanismo eclesiástico de pensamiento abierto, en el ocaso del erasmismo en el Humanismo cristiano español. Escasos son los datos que se conocen de la vida de este insigne monje cisterciense, que nace en Ocaña en la primera mitad del siglo XVI y muere en Alcalá en 1614[32]. Este autor tuvo una actividad intelectual importante en su época, como lo demuestran el número de ediciones de sus obras, las traducciones a lenguas extranjeras, el encargo de Felipe III de visitar para reformar los monasterios catalanes de Poblet y Santes Creus[33] y el hecho de que se le ofreció la cátedra de Sagrada Escritura en la Universidad de Alcalá. Su actividad está localizada en el monasterio de Santa María de Huerta, donde fue elegido dos veces abad[34].

Lorenzo de Zamora y su actividad literaria hay que estudiarla en el contexto del Císter, orientado en una línea más renacentista y moderna que el tono escolástico habitual en la formación eclesiástica. Lorenzo de Zamora, como, especialmente, Cipriano de la Huerga y Luis de Estrada, Andrés de Acítores, Fermín Ibero, Castillejos y otros cistercienses son difíciles de catalogar según la forma tradicional y escolástica de entender las ciencias sagradas y la espiritualidad monástica. Dentro de la corriente de la filología poligráfica del siglo XVI en la segunda mitad de siglo predomina en España un humanismo orientado a la interpretación del texto bíblico según los nuevos métodos filológicos. Se aplica a la exégesis de la Sagrada Escritura la crítica textual y hermenéutica de la Antigüedad y del Humanismo[35]. Los *Studia humanitatis* se incorporan a la práctica de la exégesis bíblica. Esta *eruditio cum pietate* erasmiana se plasma en el Císter, en el caso concreto del Maestro Cipriano de la Huerga, que en sus clases y en sus escritos incorpora esta práctica en Alcalá hacia 1550[36]. Brillantes discípulos suyos, como Benito Arias Montano o Fray Luis de León, o miembros de su orden como Lorenzo de Zamora seguirán esta corriente.

El monasterio de Santa María la Real de Huerta es un faro no sólo de tipo ascético y espiritual dentro de la estricta observancia del Císter, sino que también destaca por su despliegue intelectual y pedagógico dentro de los ideales humanistas. En este Maestro del Císter se observa un in-

32 R. López López, «Lorenzo de Zamora. Documentos para una biografía», en J. M. Nieto – R. Manchón (eds.), *El Humanismo español entre el viejo mundo y el nuevo*, León-Jaén 2008, 161-173.

33 L. Ferrando, «Actuación de Lorenzo de Zamora en los monasterios del Císter de Cataluña», en *Cistercium* 14 (1962) 317-321.

34 M. L. Esteban, «Los escritores hortenses», en *Cistercium* 83 (1963) 264-302.

35 J. F. Domínguez, *Tradición clásica y ciceronianismo en Cipriano de la Huerga* o.c., 18ss.

36 Decía Cipriano que hay muchas cosas en las Arcanas Letras que requieren en gran manera un conocimiento preciso de todas las disciplinas; *In psalm*. 38, f. 56v.

tento de reformar la síntesis de la sabiduría eclesial y profana[37], como demuestra el amplio conocimiento de fuentes clásicas mostrado en su obra, en especial en el poema épico *La Saguntina* y en su *Apología contra los que reprehenden el uso de las humanas letras, en los sermones y comentarios de la Santa Escritura.*

Resultará de un gran interés sistematizar la presencia de los autores clásicos en este autor, lo que será una información complementaria en el aparato de fuentes y en las notas que deberían acompañar la futura edición de algunas de las obras de este autor que aún están por hacer. La admiración por la cultura grecolatina, que trata de conciliar con el cristianismo, se percibe en una larga serie de citas concretas, aunque en no pocas ocasiones son fruto de fuentes de segunda o tercera mano.

Nuestro autor es conocido por su aportación a la poesía épica del Siglo de Oro por el largo poema titulado *Primera parte de la historia de Sagunto, Numancia y Cartago*, que publica en 1589. En sus 11.176 endecasílabos combina la historia y la ficción, siguiendo el modelo de la *Jerusalem libertada* de Torcuato Tasso, con un uso abundante de fuentes y personajes del mundo grecolatino. Además de su obra de juventud, sus escritos son fundamentalmente teológicos y se le conoce principalmente por su *Monarquía mística*, auténtico compendio y enciclopedia, en ocho tomos, de la vida cristiana, de la teología, de la historia de la Iglesia, de la ascesis, etc., cuyo título completo es *Monarquía mística de la Iglesia cristiana, hecha de jeroglíficos, sacados de las humanas y divinas letras*[38]. En 1598 se publica la primera parte de este ambicioso proyecto editorial lleno de erudición, que constaba de siete partes.

En las reediciones de 1604 se introduce una novedad: a los preliminares sucede un largo excurso, independiente temáticamente del resto de la obra y compuesto por 89 páginas, cuyo título completo es *Apología contra los que reprehenden el uso de las humanas letras en los sermones y comentarios de la Santa Escritura*. Está claro, por tanto, que el autor cisterciense se ve obligado a justificar el porqué de la aplicación de su saber humanístico a

37 *La Saguntina o Primera parte de la historia de Sagunto, Numancia y Cartago*, E. Rodríguez – J. Martín (eds.), Sagunto 1988, XLVIII.

38 Sobre el sentido de los numerosos jeroglíficos de la obra según la hermenéutica bíblica tradicional, vid. el trabajo de L. Torres, «Humanismo, predicación y jeroglíficos «a lo divino» en la *Monarquía mýstica de la Iglesia* de Fray Lorenzo de Zamora», en S. López Poza (ed.), *Florilegio de estudios de emblemática. A Florilegium of Studies on Emblematics. Actas del VI Congreso Internacional de Emblemática de The Society for Emblem Studies. Procedings of the 6th Internacional Conference of Society fo Emblem Studies*, A Coruña-Ferrol 2004, 643-651.

la explicación del mundo cristiano, hecho que seguramente habría suscitado la crítica y el rechazo en sectores del clero[39].

Otras obras del autor[40], que han sido o serán objeto de estudio, son las siguientes: *Discursos sobre los misterios que en la quaresma se celebran* (Alcalá de Henares, 1603), obra de oratoria sacra característica del Barroco. Glosa sermones sobre el ciclo litúrgico de la Cuaresma, Pasión y Resurrección, con la intención de que el feligrés comprenda su significado[41]. Importante es la *Huida a Egipto de nuestra señora* (Madrid 1609)[42]. Está escrita en lengua vulgar, lo que la diferencia de las anteriores obras que utilizaban el latín como vehículo de conocimiento[43]. Pero, a pesar de que en cierto sentido la forma de desarrollar el tema de la huida a Egipto es propiamente barroco, centrado en la función cristianizadora, obsesionado con la sombra del pecado y de la culpa, la forma de afrontarlo se enraíza en la corriente humanística. Son múltiples las alusiones a los autores grecolatinos como fuentes de conocimiento y comprensión de temas cristianos. Podríamos enmarcarla dentro de los numerosos y populares sermonarios de la época[44], pero contando con un grado inusual de erudición clásica. A lo largo de la obra Lorenzo de Zamora demuestra un amplio conocimiento tanto de la literatura clásica como de los Padres de la Iglesia. Entre otros santos padres, cita en numerosas ocasiones a Crisóstomo, Atanasio, Bernardo, Filón de Alejandría, Teodoreto de Ciro, Ambrosio, Eusebio, Epifanio, Anselmo, Agustín, Dionisio Areopagita, Flavio Josefo, Jerónimo, Gregorio, Columela, Tomás de Aquino, Eutimio, Teofilacto, Buenaventura, Beda, Baronio y Basilio. Tanto para éstos como para los autores clásicos utiliza siempre versiones latinas. Para autores como Platón utilizaba a Estobeo. Y

39 El texto corresponde a las primeras páginas de la Primera parte de la *Monarquía Mística*. Podemos leer un comentario a esta parte de la obra de Zamora en F. J. Fuente Fernández, «Apología por las letras humanas (1604), de Lorenzo de Zamora», en *Humanismo y Císter. Actas del I Congreso sobre humanistas españoles*, León: Universidad de León, 1996, 263-276.

40 R. López, «Lorenzo de Zamora: nuevos datos para el primer inventario completo de sus obras y escritos», en M. Martín – G. Santana (eds.), *El Humanismo español, su proyección en América y Canarias en la época del Humanismo*, Las Palmas de Gran Canaria 2006, 69-93.

41 A. Martí, *La perceptiva retórica española en el Siglo de Oro*, Madrid 1972, 303.

42 R. López, *Libro de La huida a Egipto de la Virgen de Lorenzo de Zamora. Estudio y edición crítica*, León 2007 [Memoria de Licenciatura inédita].

43 L. Gil Fernández, *Panorama Social del Humanismo Español (1500-1800)*, Madrid 1997, 59ss.

44 F. Herrero Salgado, *La oratoria Sagrada en los siglos XVI y XVII. II. Predicadores dominicos y franciscanos*, Madrid 1998; J. L. Bouza Álvarez, *Religiosidad contrarreformista y cultura simbólica del Barroco*, Madrid 1990.

para otros como Plutarco, Horacio, Solón y Diógenes Laercio, entre otros, es muy probable que consultase las recopilaciones de aforismos que circulaban en la época[45].

No se han localizado los manuscritos originales del *Sermón practicado en las honras del P. Lorca*, texto dedicado a su amigo y General Reformador de la Orden. Manrique cuenta que mereció los aplausos y las felicitaciones del público «*Eminebat super omnem populum ab humero et sursum*», y de los *Commentaria in Psalmis 47 et 86* ni de *In Cantica Canticorum Comentaribus*[46]. Sí conservamos una carta, fechada en Huerta el 23 de octubre de 1605, en la que Fray Lorenzo de Zamora escribía al Rvdo. P. Claudio Aquaviva a propósito del envío de la carta de Luis de Estrada a los padres de Simancas sobre San Ignacio de Loyola[47].

La presencia de de Zamora de los autores de la Antigüedad griega es menos importante que la de los escritores latinos, hecho que se entiende si se tiene en cuenta el conocimiento limitado de la lengua griega en la España del siglo XVI[48]. En Cipriano de la Huerga, autor que hay que traer necesariamente a colación por sus similitudes, destacaban los autores del pensamiento neoplatónico (Platón, Proclo, Jámblico, Filón, Pseudo Dionisio Areopagita) y Aristóteles. Como se ha demostrado en el caso de este autor cisterciense, se citaban los autores griegos utilizando generalmente la *Antología* elaborada por Juan Estobeo en el siglo V d. C.[49]. La lista de autores citados es prolija en lo que él llama la *prophana philosophia*. Supera el elenco de fray Luis y Arias Montano en sus comentarios y sólo es comparable con el índice de autores aducidos por Martínez de Cantalapiedra en sus diez libros de las *Hypotyposeis*[50]. Puede afirmarse que tanto en la obra de Lorenzo de Zamora como en la de Cipriano de la

45 J. M. Nieto Ibáñez, «Plutarco en *La Monarquía Mística* de Lorenzo de Zamora: el amor a las humanas y divinas letras», en Id. – R. López López, *El Amor en Plutarco*, León: Universidad de León, 2007, 639-671.

46 Según Nicolás Antonio, el manuscrito quedó inacabado debido a su muerte, «*obitu auctoris ineditus mansit, absolutus hic quidem, gravis ac luce dignissimus, uti Angelus Manrique, Pacensis praesul, alicubi testatus est*».

47 L. Esteban (ed.), *Fray Luis de Estrada (IV Centenario 1581-1981)*, Monasterio de Sta. María de Huerta, Soria 1983, 327-329.

48 L. Gil, «El humanismo español del siglo XVI», *Actas del III Congreso Español de Estudios Clásicos*, vol. I, Madrid 1968, 246ss.; Id., *Estudios de humanismo y tradición clásica*, Madrid, 1984, 37 y 58. Cf., en general, J. López de Rueda, *Helenistas españoles del siglo XVI*, Madrid 1973.

49 J. F. Domínguez, o.c., 117-166.

50 N. Fernández Marcos, «La exégesis bíblica de Cipriano de la Huerga», en *Cipriano de la Huerga. Obras completas. IX*, León 1996, 23-24.

Huerga se cita la mayor parte de los autores griegos de la Antigüedad, los Padres de la Iglesia oriental y occidental, los judíos más eminentes de la tradición rabínica española, escritores eclesiásticos de la Edad Media, así como otros autores del Humanismo y del Renacimiento. La presencia de estos autores en sus escritos es una prueba de la asimilación de las tendencias humanistas y renacentistas en su obra. En el monje cisterciense el conocimiento del hombre, de la vida y de la virtud, volviendo a las fuentes patrísticas, bíblicas y clásicas, ocupa un lugar preferente. En concreto en *Monarquía mística* hace acopio de una monumental erudición, describiendo los atributos divinos por medio de una exégesis cargada de simbología, tanto bíblica como clásica, siguiendo una pedagogía posthumanista, en la que el ejercicio retórico de la imitación de los clásicos fue una propuesta esencial.

La nómina de autores clásicos citados por Lorenzo de Zamora es extensísima. Hay un gran manejo de fuentes, aunque muchas referencias no son ni mucho menos exactas ni, por supuesto, directas[51]. Esta lista responde al tópico humanista de redescubrir las fuentes clásicas griegas y latinas, sin que importe mucho que la fuente de alguna de sus citas fuera alguna antología o florilegio, género en el que muchos escritores y moralistas habían encontrado numerosas sentencias, dichos y hechos ejemplares[52]. Los clásicos no son meros testimonios del pasado, sino modelos vivos, voces sabias que ayudan a interpretar de modo creativo las páginas de las Sagradas Escrituras. Los autores clásicos son fuente de autoridad y son citados en apoyo de verdades de revelación, como una *praeparatio euangelica*. Hay que integrar este quehacer en el panorama de la filología erasmista, para la que lo primero es el estudio de la Sagrada Escritura, luego de los autores clásicos de Grecia y Roma y, por último, de los Padres de la Iglesia, que requiere el conocimiento de la Biblia y de la literatura pagana.

51 Hay que tener en cuenta las colecciones paremiológicas, como las obras de Pedro Mexía, Juan de Timoneda o Juan de Mal Lara, en las que donde destaca la presencia de Plutarco, Diógenes Laercio, Valerio Máximo, Aulo Gelio y Macrobio, así como la de los propios humanistas, en especial los *Adagia* y *Apophthegmata* de Erasmo, que sirve de transmisora de los tres autores clásicos citados en primer lugar; cf. M. P. Cuartero, *Fuentes clásicas de la literatura paremiológica española del siglo XVI*, Zaragoza 1981.

52 Cf. V. Infantes, «De *oficinas* y *Polianteas*: Los diccionarios secretos del Siglo de Oro», en *Homenaje a Eugenio Asensio*, Madrid 1988, 243-257.

4. Un caso práctico: el comentario de un pasaje de san Pablo por Pedro de Valencia

Vamos a ilustrar estas ideas con un texto concreto de Pedro de Valencia, que formará parte del volumen II dedicado a la Escritos teológicos y de exégesis bíblica. Se trata del texto exegético, con numerosas tachaduras, enmiendas y anotaciones marginales, *De la tristeza según Dios y según el mundo, consideración sobre un lugar de San Pablo*[53]. Como buen humanista, la exégesis del pasaje paulino se realiza echando mano no sólo de los textos bíblicos, sino también de los autores clásicos, como veremos en el comentario de alguno de los aspectos contenidos en este escrito.

Como bien indica el título, el objeto del escrito es distinguir entre dos tipos de tristeza, una según Dios y otra según el mundo, para instar a huir de esta última que conduce a la muerte y al infierno. Se trata en realidad de un comentario al pasaje paulino 2 Corintios 7,3-11, que el propio autor confiesa que «no es mía, oíla años ha a un buen amigo y he la hallado muy eficaz». Tras un resumen del texto bíblico, que inicia en latín con la frase clave, *Quae enim secundum Deum tristia est, penitentiam in salutem stabilem operatur: seculi autem tristia mortem operatur*[54], reproduce todo el pasaje. «Así lo escribe en este lugar, que vamos considerando, que traduciré a la letra tomándolo desde un poco más arriba».

El escrito está plagado de citas, fundamentalmente bíblicas, aunque también hay cuatro patrísticas y dos de autores clásicos. La mayor parte de las referencias aparecen recogidas en los márgenes, si bien en el caso de la Escritura hay un número importante que no aparece anotado. Las citas bíblicas se insertan en latín, en latín y su versión, total o parcial, en castellano o en castellano solamente. El texto latino está tomado de la Vulgata y no hay ningún momento, salvo una anotación marginal, en el que se cite un término griego y, además, transcrito.

Suele indicarse en los márgenes la referencia de la fuente, aunque hay casos en los que no aparece. La mayoría de las anotaciones marginales se refieren a cartas paulinas (Corintios, Gálatas, Efesios, Romanos y Filipenses), a los cuatro Evangelios, aunque hay cuatro referencias a la Epístola I de Juan, dos a Isaías, una al Génesis, una a los Salmos y otra a Sabiduría.

53 A. Moreno García, «De la tristeza según Dios y según el mundo, consideración sobre un lugar de San Pablo. Un manuscrito inédito de Pedro de Valencia acerca de 2 Cor 7,3-11», en *Helmantica* 47 (1996) 453-477. Citaremos los textos por el manuscrito de la Biblioteca Nacional Ms. 5585, ff. 119-123. Existe también copia de Mayans en la Biblioteca del Patriarca de Valencia, BAHM 356.

54 2 Cor 7,10.

Las fuentes patrísticas de este escrito son Sinesio de Cirene, Juan Crisóstomo y un autor muy querido por Pedro de Valencia, san Macario de Egipto. «Dice Sinesio el obispo de Cirene que la mezcla de agro y amargo que los deleites tienen». La idea del padre griego es clara, como parafrasea el humanista: Dios ha puesto algún tipo de pega, de amargor a los bienes del siglo para que hagan al hombre evitarlos. Si el hombre tuviera en cuenta el gusto y el disgusto que producen, vería si realmente la compensa este tipo de bienes y optaría mejor por «la equidad y la virtud como más suave y útil a la vida presente». Las tan queridas por Pedro de Valencia *Homilías* de San Macario son traídas a colación en dos ocasiones, la Homilía XI y la XVIII. El estado de las almas en la otra vida, tomando a San Macario (*Hom.* XI 159) como guía. Pedro de Valencia ilustra la idea de que los santos prefieren la salvación del prójimo a la suya propia con un pasaje de san Macario (XVIII 107): «De todos los santos en general testifica san Macario este sentimiento. Dice que unas veces se hallan en grandíssimo gozo del spíritu absortos en misterios spirituales, *Interdum sunt velut in luctu et lamentatione propter genus humanus* etc. Otras veces están como en llanto y gemido por el linaje humano y intercediendo por todo el Adam».

Los tres autores clásicos citados son Pitágoras, Epicuro y los estoicos, aunque las fuentes, según se señala en los márgenes, son Estobeo, Diógenes Laercio y Epicteto respectivamente. La Antología de Estobeo (III 34) está detrás de la máxima de Pitágoras «Procura estar despierto en el entendimiento, porque el sueño en aquella parte es pariente de la muerte verdadera». Esta recomendación de estar atentos y no dormidos es para Pedro de Valencia igual a la contenida en Lucas 11,35 y Mateo 6,23, *vide ergo ne lumen quod in te est tenebrae sint, si lumen quod in te est tenebrae sunt, ipsae tenebrae quanta erunt.*

De la *Vida de Epicuro* de Diógenes Laercio, X 7, toma Pedro de Valencia la sentencia de este autor: «No puede vivirse con gusto, sino es viviendo justa y sanctamente». De Epicteto procede la referencia a la filosofía estoica, «Así lo aconsejaba la filosofía de los estoicos, diciendo, el hombre sabio no ha de ser desdichado», lo que nos pone en relación con el tema de la sabiduría y la felicidad. Según los estoicos, nada hay bueno sino la virtud, nada malo sino el vicio. La virtud es la felicidad, el vicio, la desdicha. La virtud es sabiduría, el vicio, insensatez. El sabio o virtuoso, que para ellos significa lo mismo, es feliz.

En el fondo Pedro de Valencia quiere enseñar al hombre el camino virtuoso para logar la felicidad, es decir, la auténtica sabiduría que le aparte de la infelicidad. El interés de Pedro de Valencia por el tema de la sabiduría es notable en sus reflexiones y citas clásicas. La actitud del sabio cristiano, virtuoso, frente al pecador ignorante será la única forma de optar por la tristeza según Dios.

Siguiendo la máxima de Epicuro citada el razonamiento de Pedro de Valencia es claro: el que actúa injustamente es objeto de odio y mala fama, de modo que vive con disgusto y temor. «*Vagus… profuges eris super terram*, Inquieto y vagabundo andarás sobre la tierra sin poder descansar ni hallar sosiego ni paz en ninguna parte», apostilla de Valencia con esta cita del Génesis (4,12) a Epicuro. Al injusto le caerá el mayor castigo que fija la Escritura para Caín, la condena a ser prófugo y errante sobre la tierra. Pedro de Valencia compara este sufrimiento con el mal físico de estómago o del corazón por el mal humor, «vapores corrompidos que se mueven y humean dentro, que ni levantados ni acostados se hallan bien, descontentos culpan al aposento, la cama, las comidas, los médicos».

El anhelo por la tranquilidad del alma, que sigue ese elogio de la vida retirada en busca de la auténtica felicidad, es también un elemento en conexión con el sabio, aunque será más bien algo propio del sabio estoico. En efecto, la cita epicúrea hay que completarla con la de los estoicos para llegar al «hombre cristiano»: «Así lo aconsejaba la filosofía de los estoicos, diciendo, el hombre sabio no ha de ser desdichado», lo que nos pone en relación con el tema de la sabiduría y la felicidad. Según los estoicos, nada hay bueno sino la virtud, nada malo sino el vicio. La virtud es la felicidad, el vicio, la desdicha. La virtud es sabiduría, el vicio, insensatez. El sabio o virtuoso, que para ellos significa lo mismo, es feliz.

El humanista cristiano busca guías de conducta acordes con el cristianismo. Hay que poner de acuerdo la ley natural y la divina para dar sentido religioso a la máxima estoica «vivir de acuerdo con la naturaleza». El ascetismo y la penitencia llevan al alma al reducto espiritual donde encuentra el sosiego de la virtud y la confirmación de su fe, según se anota en el texto *De la tristeza…*

En este desengaño les conviene mucho a los hombres caer, cuando no sea por amor y temor de Dios a lo menos por el amor y gusto propio, y ya que no se induzcan luego a emprender el camino de la penitencia que es el derecho real que predicaba y preparaba el Baptista. Así lo aconsejaba la filosofía de los estoicos.

El correspondiente cristiano del sabio estoico lo encontró Pedro de Valencia en el concepto paulino del hombre interior de la Epístola a los Romanos 7 y 8, el camino de los que eligen el espíritu y la ley de Dios, frente a los que se dejan llevar por las pasiones materiales. El que acepta consciente y voluntariamente la ley divina es el hombre interior[55].

El objeto del sabio es llegar a la felicidad, sean cuales sean sus principios éticos, escépticos, cínicos, epicúreos, estoicos y cristianos. Pero esta felicidad sólo se consigue cuando el hombre ha muerto, pues para el creyente la única felicidad es la contemplación del rostro de Dios. Así se justifica esa «tristeza del mundo» por no alcanzar lo que se desea en este mundo.

Con éste y otros textos Pedro de Valencia pretende adecuar la teología y la moral con la intención última de racionalizar la fe a través del ideal o modelo de sabio, que es uno de los tópicos de la tradición clásica seguido por el Humanismo[56].

Creo que este breve ejemplo permite afirmar que los estudios bíblicos son un componente importante para entender el Humanismo español del siglo XVI. La exégesis bíblica reúne en sí gran parte del saber humanista: la crítica textual y la recuperación de los textos antiguos, la teología, la erudición bíblica, la literatura de los Padres, en forma de citas de autoridad, y los textos de autores profanos que sirven para ilustrar la doctrina expuesta[57].

55 Cf. la *Lección cristiana* de Arias Montano traducida por Pedro de Valencia, caps. 54 y 66 (edición de A. M. Martín Rodríguez, *Pedro de Valencia. Obras completas IX/2. Escritos espirituales. La Lección cristiana de Arias Montano*, León 2002, 265 y 289.

56 Sobre la conjunción entre fe y razón en la obra de Pedro de Valencia, cf. J. L. Suárez Sánchez de León, *El pensamiento de Pedro de Valencia. Escepticismo y modernidad en el Humanismo español*, Badajoz 1997, 195ss.

57 Recordemos que la exégesis bíblica era para fray Luis la cumbre del saber, el objetivo de toda su obra profesional y literaria: «para entero entendimiento de la Escritura era menester sabello todo, y principalmente tres cosas: la Theologia escolástica, lo que escribieron los sanctos, las lenguas griegas y hebrea...». J. Barrientos, *Fray Luis de León. Escritos desde la cárcel. Autógrafos del primer proceso inquisitorial*, Madrid 1991, 138, doc. n. 22.

APUNTES DE TEORÍA DE LA TRADUCCIÓN. EL MS 85/03 DEL ARCHIVO HISTÓRICO DE LA UNIVERSIDAD PONTIFICIA DE SALAMANCA

Rosa María Herrera
Universidad Pontificia de Salamanca

1. En torno a una teoría de la traducción

Cada generación debe traducir los textos fundamentales para su cultura, religión, espiritualidad; por ello resulta aconsejable la práctica de la traducción de textos que permite profundizar de modo directo y personal en unas obras sobre las que se sustenta nuestra tradición cultural y religiosa.

El ejercicio de la traducción es una actividad antigua que desde el comienzo, representado principalmente por la labor traductora que los latinos hicieron de los textos griegos[1], ha contribuido al enriquecimiento de la literatura y el pensamiento de las lenguas; esto es especialmente

1 Se considera a Cicerón como el primer teórico de la traducción; se puede traducir como orador, es decir, adecuando el contenido a expresiones adecuadas a la lengua latina, opción que él prefiere, o con una actitud distinta hacia el texto original: la del intérprete que simplemente reproduce en su lengua las palabras. Cf. C. T. Cicerón, *De optimo genere oratorum* 14: «Converti enim ex Atticis duorum eloquentissimorum nobilissimas orationes inter se que contrarias, Aeschini et Demostheni; nec converti ut interpres, sed ut orator, sententiis isdem et earum formis tamquam figuris, verbis ad nostram consuetudinem aptis».

Esta es también la actitud de san Jerónimo: el interés reside en el sentido del texto, no en las palabras. Un buen traductor es el que es capaz de entender en su propia lengua el sentido del texto del que se traduce: «ego enim non solum fateor, sed libera voce profiteor me in interpretatione graecorum absque scripturis sanctis, ubi et verborum ordo mysterium est, non verbum e verbo, sed sensum exprimere de sensu». Cf. S. Jerónimo, *Epistolae* 57, 5.

notable en el desarrollo de las lenguas vernáculas durante la Edad Media[2]. Las lenguas romances, por proceder del latín, eran consideradas inferiores, al considerarse el latín una lengua perfecta. Al expresar conceptos latinos necesitaban grandes explicaciones puesto que no tenían conceptos equivalentes a los latinos[3].

Las teorías sobre la traducción y el arte de traducir alcanzaron en la Alemania del siglo XVIII su punto culminante. La preocupación por la técnica y sobre todo por los presupuestos teóricos de la traducción venía ya preparada por la versión alemana de la Biblia realizada por Lutero y especialmente por las consideraciones expuestas en su *Misiva sobre el arte de traducir* (1530). Aunque casi todo el escrito está dedicado a reivindicar la exactitud de la traducción realizada sobre Rm 3,28, Lutero deja entrever la idea que tiene sobre las cualidades que deben adornar a las traducciones y a los traductores[4].

En el siglo XVIII[5] en el ámbito de los estudios del mundo clásico y la posibilidad de la transmisión de este legado a la lengua alemana, aparece la reflexión de Herder[6] sobre la traducción de los autores antiguos y la dificultad que plantea la versión del metro griego en versos alemanes. Con ello anunciaba Herder una cuestión fundamental que a partir de este momento se plantearía la mayor parte de los autores alemanes de fines del siglo XVIII y que tiene como consecuencia la fundación y el desarrollo de la filología clásica y el comienzo de la elaboración de una teoría de la traducción. La novedad de su aportación radica precisamente en que

2 Un ejemplo claro lo encontramos en M. Lutero, *Misiva sobre el arte de traducir*, en D. López García (ed.), *Teorías de la traducción: Antología de textos*, Murcia: Servicio de Publicaciones de la Universidad de Castilla la Mancha, 1996, 51-52: «Se percibe con mucha claridad que es a partir de mi traducción y de mi alemán como están aprendiendo a hablar y escribir en alemán; me están robando este idioma mío, del que ignoraban casi todo antes. Sin embargo, no me lo agradecen, sino que lo usan como arma contra mí. Se lo tolero, ya que me halaga haber enseñado a hablar a mis discípulos ingratos y además enemigos».

3 Cf. J. C. Santoyo, *Teoría y crítica de la traducción: Antología*, Bellaterra: Universitát Autonoma de Barcelona, 1987, 23-44.

4 Cf. M. Lutero, o.c., 52: «Lo he traducido lo mejor que me ha sido posible y que mi conciencia me lo ha permitido. No obstante, a nadie he obligado a leerlo; he dejado libertad absoluta, y si lo he traducido, ha sido con la única intención de prestar un servicio a quienes no pueden hacerlo mejor que yo. A nadie le está vedado realizar una traducción más perfecta. No la lea el que no quiera hacerlo; ni le voy a pedir que la lea ni le alabaré si lo hace».

5 En 1755 aparecen los escritos de Winckelmann. Cf. J. Winckelmann, *Reflexiones sobre la imitación de las obras griegas en la pintura y en la escultura*, S. Mas (ed.), México: Fondo de Cultura Económica, 2008.

6 1767 en *Von der griechischen Literatur in Deutschland*. Cf. A. Berman, *L'épreuve de l'étranger. Culture et traduction dans l'Allemagne romantique: Herder, Goethe, Schlegel, Novalis, Humboldt, Schleiermacher, Hölderlin*, París: Gallimard, 1984.

entendieron la traducción no como una simple transposición de palabras de un idioma a otro, sino como un problema estilístico y fueron capaces de pasar de la casuística práctica al plano más elevado de la filosofía de la lengua. A ello se añade que sus reflexiones coincidieron con una época de elevado nivel artístico y literario. Todas las teorías sobre la traducción –bastante numerosas– que han surgido a continuación tienen en este período su referencia.

En la traducción intervienen muchos factores y no sólo el contenido, aunque es el elemento primordial. Además del valor propio del mensaje transmitido hay otros elementos: fónicos, morfológicos y sintácticos e incluso la entonación, que son fundamentales para la mejor comprensión del mensaje y del pensamiento del autor original; son difíciles de transmitir, y constituyen precisamente el mayor desafío –e interrogante– que se plantea a los traductores: prueba de ello es que una gran cantidad de textos ya han sido muchas veces traducidos y, sin embargo, se revela como imprescindible una nueva traducción que sintonice con la cultura actual, sin traicionar la de la época tratada.

Una traducción necesita una base teórica, incluso si el traductor no es consciente de ello; de lo contrario puede convertirse fácilmente en una transposición mecánica de palabras extranjeras a otra lengua. Es un trabajo que debe basarse en una serie de principios directivos mantenidos hasta el final. De ahí que la traducción no sea ningún producto literario autónomo, sino interpretación y comunicación del modelo original. Debemos tener siempre presente la interacción entre el autor, el traductor y el lector que se manifestará en comentarios, críticas, discusión, puesto que no se trata sólo de un asunto que se pueda solucionar mediante el empleo de técnicas lingüísticas y no hay *recetas* que puedan aplicarse para lograr la traducción *perfecta*.

Vamos a hacer una brevísima exposición de uno de los posibles itinerarios de un traductor desde que lee por primera vez la obra original, hasta que llega a su traducción definitiva. Este proceso abarca al menos los siguientes elementos básicos e imprescindibles: comprensión, interpretación y traducción del original[7].

El primer contacto con el original que nos permite penetrar en el sentido del texto, aunque no sea sucesiva ni conscientemente, es la *comprensión filológica*. En este primer nivel tenemos que tener en cuenta que los traductores no trabajamos con palabras aisladas sino con textos que tienen diferentes niveles lingüísticos. Va más allá de la mera identificación de

7 Cf. J. Tur, «Sobre la teoría de la traducción», en *Thesaurus* 39, n. 2 (1974) 299.

casos, declinaciones, conjugaciones, funciones de los términos dentro de la oración, etc., que puede adquirirse mediante el ejercicio y que puede generar errores de diversa procedencia. Citamos los más frecuentes ocasionados por una comprensión errónea ya sea de palabras sueltas o bien del contexto: 1. errores debidos a la confusión entre palabras que fonética y gráficamente son iguales o muy parecidas, lo que conduce a una elección incorrecta; 2. errores debidos a una mala comprensión del contexto, cuando cambiamos la función de algún término dentro de la frase o introducimos en la traducción palabras que no cuadran con el sistema ideológico del autor, o con el ambiente de la época. Y esta primera interpretación errónea del original puede llevar a una asociación de ideas incorrecta y por lo tanto a una traducción no fiel[8].

En el segundo nivel se encuentra la *comprensión del estilo*. Éste es un aspecto menos evidente que tiene que basarse necesariamente en la comprensión filológica, pero muy importante porque de él va a depender en buena parte la elección de los materiales lingüísticos para lograr conservar el acento, el tono, etc. Es necesario que el traductor se dé cuenta del tono irónico, de la sensación de agilidad o lentitud que se quiere transmitir con el uso de frases breves o de períodos largos, y de otros elementos que van más allá del significado concreto de los términos, tales como hipérbaton, paréntesis, etc.

Y finalmente la *comprensión del conjunto*, es decir, del carácter de los personajes, de sus relaciones entre sí, de la ideología del autor, etc. Ello ayudará al traductor a someterse al rigor metódico necesario para reconstruir la obra original en su propio idioma. Es necesario, en efecto, comunicar al lector una serie de acontecimientos, los motivos que los determinan, las relaciones entre los personajes, el ambiente en el que viven.

A continuación, una vez entendido el texto, nos enfrentamos con el proceso de *interpretación* de la obra original, un trabajo mucho más delicado, ya que el traductor deberá preguntarse por la intención del autor, intentando a la vez revivir el mismo ambiente en el que surgió la obra, con la dificultad añadida de que para ello el traductor sólo puede partir de los valores objetivos contenidos en el original para transmitirlos a su lengua, evitando la tentación de proyectar sus problemas personales en la obra,

8 Sucede con relativa frecuencia en una clase que algún alumno pregunta si una traducción concreta, que difiere de la que nosotros acabamos de hacer, es correcta. Conviene señalar que no hay una única traducción posible, porque siempre que traducimos interpretamos; y hay que subrayar que debemos estar atentos para que no aparezcan faltas, fáciles de reprochar, debidas a una comprensión errónea de palabras sueltas o del contexto.

de cambiar los valores estilísticos de la misma, o introducir otros factores extraños al original.

Aquí siguen siendo valiosos los consejos que nos daba Humboldt: «Una traducción no puede ni debe ser un comentario, no debe contener ambigüedades provocadas por la comprensión insuficiente del idioma ni por formulaciones abstrusas; sin embargo, donde el original sólo alude sin expresar claramente, donde se permite metáforas cuya correlación es difícil de captar, donde omite pasajes intermedios, el traductor comete una injusticia si introduce arbitrariamente una claridad que deforma el carácter del texto»[9]. Son claros y cualquier traductor estará dispuesto a aceptarlos. No obstante, si bien nadie ha decidido previamente modificar las ambigüedades del texto original, el resultado en la práctica es con frecuencia ése. No es fácil para un traductor, condicionado por su ambiente y por su formación, comprender, interpretar y finalmente reproducir fielmente el texto original. En el proceso de interpretación y comunicación que es a la vez el hecho de traducir, el traductor es el eslabón central de una cadena que empezó con el autor, que posiblemente haya continuado, si se trata de un texto antiguo, en otros traductores y que termina en el lector, destinatario pero también intérprete último de la obra.

Un factor fundamental que influye y condiciona la interpretación de la realidad objetiva del autor por parte del traductor es el momento histórico en el que se escribió, puesto que éste, en mayor o menor grado, comprende la obra original desde su propia perspectiva temporal. Y resulta difícil ser fiel al origen cuando han pasado veinte siglos o más, o casi cinco como será nuestro caso.

La elección del método depende de la situación histórica del momento y ésta cambia; también de la riqueza o pobreza literaria de la lengua que en ocasiones limita las posibilidades de traducción. Por esto el criterio es distinto para cada traducción y en él interviene, jugando un papel importante, como venimos diciendo, el lector: una traducción perfecta no exige sólo un traductor ideal sino además un lector también ideal[10].

En resumen, para valorar una traducción se tienen que tener en cuenta tanto las normas por las que se rige el traductor en la interpretación de la obra, como la situación histórica y cultural en que ésta se escribió y no sólo la mayor o menor exactitud con la que se reproduce el

9 En su prefacio a la traducción del *Agamenón* (*Einleitung zur Agamemnon –Übersetzung*, 1816). Cf. A. Guzmán, «Traducciones españolas», en F. R. Adrados – J. A. Berenguer – E. R. Luján – J. Rodríguez Somolinos (eds.), *Veinte años de Filología Griega (1984-2004). Manuales y Anejos de «Emerita» XLIX*, Madrid: CSIC, 2008, 175-200.

10 Cf. J. Tur, *o.c.*, 315.

texto original. Pensamos que como muestra podría valer la definición de traducción –hay muchas– que encontramos en unas jornadas sobre la traducción de textos latinos celebradas en Córdoba: «La mejor traducción es la que, recogiendo el sentido del original, se expresa en un español rítmico y expresivo, tan altivo y enérgico como la lengua a la que traduce, tan apacible y serena como ella, tan brusco y entrecortado como la misma, si éste es el caso»[11].

Con frecuencia, ante un texto concreto, el traductor debe optar entre una serie de posibles soluciones. Para ello tiene que considerar atentamente el contexto para tratar de descubrir en él algo que le permita seleccionar una y descartar otras. Para poner un ejemplo: en el caso de que se trate de un término de difícil traducción, porque no encontramos la equivalencia en nuestra lengua, podemos: 1. mantener el término e insertar información complementaria para explicarlo; 2. traducirlo literalmente; 3. traducirlo teniendo en cuenta la cultura de la lengua y del momento histórico del autor; 4. traducirlo teniendo en cuenta la cultura de la lengua y del momento histórico del traductor; 5. eliminar el término problemático, ya que, aunque no es la más recomendable, la omisión es también una estrategia traductora[12].

Formular las opciones, generando posibles traducciones y elegir entre ellas, para seleccionar una definitiva es una operación difícil y compleja. En el hecho de elegir unas opciones y descartar otras, el traductor elabora una serie de ideas sobre qué es la traducción y cómo se debe traducir.

El proceso traductor no termina con la versión del texto original a la nueva lengua. En efecto, la traducción no es sólo interpretación sino también comunicación, que se realiza en la recepción por parte del lector. Éste parte de nuevo de la realidad objetiva –el texto traducido–, que se concreta subjetivamente, según su formación, estado de ánimo, etc. Ello significa que el traductor, para comunicar con la mayor objetividad posible el texto original, debe pensar en el lector para el que escribe. Tiene que contar con la formación e información del lector al que se dirige la traducción, que no siempre será idéntica a la del lector de la obra original. Este es el motivo por el que son necesarias nuevas traducciones de obras ya traducidas. El fin inmediato de todo buen traductor consiste en reducir lo más posible la distancia entre el autor y el lector, mediante una interpretación del texto

11 Cf. B. Segura Ramos, «El ser de la traducción», en M. Rodríguez-Pantoja (ed.), *La traducción de textos latinos*, Córdoba: Ediciones Universidad de Córdoba, 1997, 13-18.

12 Cf. A. Pym, *Teorías contemporáneas de la traducción*, Tarragona: Intercultural Studies Group, 2012, 13.

original[13]. Aquí el peligro radica en el posible empobrecimiento del léxico y otros medios lingüísticos y estilísticos en la obra traducida con relación a su original. La razón se halla en un fenómeno puramente psicológico: el traductor, al hacer una selección entre los medios lingüísticos de su idioma para reproducir los del original, emplea de ordinario palabras con un contenido semántico más amplio que en la lengua de partida[14]. Lo mismo puede suceder con las metáforas, en las que es evidente la dificultad de traducirlas a otra lengua, más aún cuando el traductor sabe que el lector no posee las mismas claves interpretativas que tenía el autor y se ve obligado a buscar fórmulas que produzcan en él los sentimientos, sensaciones que la obra original produciría en sus lectores.

Entre los posibles destinatarios de la traducción tenemos: 1. el lector que desconoce completamente la lengua original extranjera y necesita obtener la información contenida en la obra; 2. el lector que busca una traducción bella, fácil de leer, hecha con elegancia; en ésta será necesario conservar los elementos que acompañan al texto: su cadencia, ritmo, estilo, las asociaciones que despierta, etc., procurando que quede la impresión de que se está leyendo una obra de arte; 3. el lector que exige una versión lo más fiel posible al sentido original, al que se ofrecerá una traducción literal realizada con fines pedagógicos, pero no artísticos.

2. La traducción del Ms 85/03 de la Universidad Pontificia de Salamanca

Veamos brevemente cómo aplicamos estas breves notas a nuestro trabajo. Nuestro grupo es multidisciplinar y como tal enriquece y perfecciona un trabajo que es una labor de equipo y que si bien en un primer momento tiene una temporalización clara: transcripción, traducción, interpretación, en la realidad, las tres fases están activas en todo momento.

13 El exponente más radical de esta línea tal vez sea Ulrich von Wilamowitz-Moellendorf: «Hay que despreciar la letra y seguir el espíritu; no se trata de traducir palabras ni frases, sino de recibir y comunicar ideas y sentimientos. El vestido debe ser nuevo; su contenido, el mismo. Toda traducción correcta es "travestí", o, hablando con mayor claridad, el alma permanece, pero cambia el cuerpo. La traducción verdadera es "metempsicosis"». Cf. U. von Wilamowitz-Moellendorf, «El arte de la traducción», en D. López García (ed.), *Teorías de la traducción: Antología de textos*, Murcia: Servicio de Publicaciones de la Universidad de Castilla la Mancha, 1996, 348-351.

14 El traductor puede, por su falta de conocimiento de la lengua o por la falta de equivalencia de expresiones de una lengua a otra, generalizar conceptos, eliminando parte de su contenido semántico y emocional, al utilizar pájaro en lugar de jilguero, ruiseñor, canario, o árbol en lugar de álamo, roble, pino, etc.

En primer lugar quiero señalar la estrecha interrelación y la interdependencia mutua que existe en el trabajo que estamos realizando dentro de nuestro proyecto. Nos encontramos ante un manuscrito que tenemos que transcribir, traducir y estudiar. La actividad de transcripción tiene que ser, al menos en nuestro caso, necesariamente completada en la traducción; en no pocas ocasiones, al intentar la traducción una frase, nos hemos visto obligados a acudir al original y comprobar si la lectura era la apropiada porque no conseguíamos encajarla en la traducción; nos encontrábamos con una falta de concordancia evidente que originaba que en ocasiones tuviéramos que corregir la transcripción; también en otras, la lectura era tan clara que no nos quedaba más remedio que aceptar el texto e intentar dar una solución coherente en nuestra traducción.

Asimismo es también imprescindible para nosotros el apoyo de la filosofía, y los conocimientos sobre el tema objeto de traducción –el pensamiento filosófico de Tomás de Aquino y los comentarios que nos ha transmitido Barrionuevo de la lectura que hace Francisco de Vitoria de éste–. Numerosas expresiones, citas, incluso párrafos completos –a los que haré alusión más adelante– adquirían sentido a la luz de un conocimiento más profundo del tema.

La actividad del traductor no es afortunadamente una ciencia exacta o una técnica sometida a reglas estrictas y automáticas. Es ciertamente, como venimos diciendo, un ejercicio de disciplina, de sometimiento a normas y convenciones más o menos estrictas, pero también es una actividad creativa que permite variedad de opciones, con frecuencia igualmente válidas, hasta el punto de que no es raro encontrar discrepancias entre los investigadores de modo que uno considere aceptable e incluso aconsejable lo que es rechazado por otro.

En el caso que nos ocupa, del Ms 85/03 de la Biblioteca de la Universidad Pontificia de Salamanca en el que Juan de Barrionuevo nos transmite las clases de Francisco de Vitoria a las que él asistió, que estamos traduciendo ahora, sólo se han editado las dos primeras cuestiones y no se ha traducido ninguna[15]. La razón parece clara: el estudio tanto de la teología como de la filosofía han estado siempre estrechamente vinculados a la lengua latina. Quienes se dedicaban a ellos estaban en condiciones de leer y comprender directamente los textos. Por tanto, no se percibía la necesidad de traducir unos textos al alcance de todos en su lengua original.

15 Cf. C. Pozo, *De sacra doctrina, in I. p., q. I. de Francisco de Vitoria*, Granada: Facultad de Teología, 1959, y M. Mantovani, *An Deus sit (Summa Theologiae I, q. 2): los comentarios de la «primera Escuela» de Salamanca*, Salamanca: Editorial San Esteban, 2007.

Esto, lamentablemente, no está tan generalizado ahora y los posibles lectores-estudiosos de Vitoria necesitan disponer de una traducción que les ponga en contacto con su pensamiento. La distancia de prácticamente cinco siglos no representa, evidentemente, sólo un espacio de tiempo, sino, lo que es más significativo, de pensamiento, de comportamiento, de formas de comprender y expresar la realidad, lo que constituye una dificultad añadida al tratar de ponerlo en nuestra lengua, que debemos tener presente en todo momento.

Hemos abordado el trabajo guiados por la actitud del propio Francisco de Vitoria expresada en el prólogo, que pone de relieve su interés y su inquietud por los destinatarios de sus lecciones, por transmitirles su entusiasmo renovado, aun cuando se trata de temas que ha explicado muchas veces y contando con el ánimo y la colaboración, mediante el estudio de sus alumnos, que hasta ese momento le ha parecido que ha sido siempre óptimo, lo que le agrada y le estimula.

> *«Lo he dicho para que no penséis que vengo siempre con la misma cantinela que se ha de repetir. Y lo que ya dije, quizá mil veces, de nuevo lo repetiré. Y esto no es fruto de mi ingenio, sino que como con un nuevo fervor, una nueva diligencia, lo explicaré todo palabra por palabra, como si lo hubiera empezado a leer por primera vez en este día. Sin embargo lo voy a hacer de tal manera que también vosotros me animéis según vuestra fuerza y me ayudéis con vuestro diligente estudio; que ciertamente he sentido hasta ahora que es óptimo y me agrada mucho»*[16].

Toda traducción es a la vez interpretación y comunicación. Tenemos que contar con la formación e información del lector al que se dirige la traducción que no siempre será idéntica a la del destinatario de la obra original. No debemos perder de vista que somos el eslabón de una cadena que empezó con el autor y termina en el lector, que en nuestro caso puede ser: 1. un lector que desconoce la lengua original pero es conocedor de la filosofía; 2. un lector que conoce el latín pero no la filosofía y 3. un lector que desconoce tanto el latín como la filosofía.

Nuestro objetivo es ofrecerles a todos ellos una traducción fácil de leer, hecha con elegancia, conservando los elementos que acompañan al texto: cadencia, ritmo, estilo, asociaciones que despierta. Procurando po-

16 «Quod ideo dixi ne putetis me eandem quam retinendum cantillenam recantavisse. Et ea quae millies forte dixi iterum repetiturum non in hoc est ingenii mei neque instituti sicut novo fervore, nova diligentia omnia per verba explicabo ac si hodierna die primo legere inciperem. Ita tamen ut et vos pro vestra me virili animetis et vestro diligenti studio adiuvetis; quod quidem hucusque optimum et mihi bene placitum sensi». Ms 85/03, f. 1v.

ner de manifiesto su pensamiento sin traicionarlo; esto es, sin eludir las dificultades que plantea, sin corregir lo que a veces nos parece prácticamente ininteligible, sin caer en la tentación de "mejorar" el latín: enriqueciendo, por ejemplo, un léxico que nos parece pobre.

Desde el inicio hemos tenido presente la necesidad de una *base teórica* y de unos principios directivos, muchos de los cuales los hemos ido elaborando y seguimos haciéndolo a medida que avanzamos en nuestro trabajo y tenemos que hacer frente a nuevas y diversas dificultades, lo que nos exige un esfuerzo de sistematización, una relectura permanente y una actitud atenta que tenemos que procurar mantener durante el tiempo que dure nuestra tarea, en aras a la coherencia externa e interna de la transmisión del pensamiento de Vitoria.

Hemos optado por una traducción bastante literal, comprensiva, sin introducir de modo arbitrario claridades que modificarían el carácter del texto; allí donde el autor alude sin expresar claramente, donde omite pasajes intermedios, donde cita sin precisión, hemos procurado respetar, siempre que ha sido posible, el estilo del texto original. No podemos olvidar que se trata de lecciones. En los pasajes que nos parecen más oscuros hemos decidido, por el momento, intentar la explicación en las notas a pie de página.

Vamos e presentar algunos ejemplos concretos que pueden dar una idea del trabajo que estamos haciendo:

1. Cuando hemos optado por una forma de traducción concreta de una expresión, ¿debemos procurarla mantenerla a lo largo de toda la obra? En principio sí. Es el caso de *littera.* Al llegar a la conclusión de que Vitoria se refiere a obras que los alumnos pueden consultar, traduciremos habitualmente *littera* por «texto»: *Ut in littera potestis videre*: «Como podéis ver en el texto» (f. 1v); o *Videte litteram sancti Thomae* (f. 7v): «Ved el texto de santo Tomás». No obstante, podemos encontrar algún caso en el que parece que habla de la obra: *Et videtur sanctus Thomas ita sentire qui dicit in littera neccesarium est* (f. 3v): «y parece pensar así santo Tomás quien dice: en la obra es necesario…».

2. Un caso más complejo es el de *ergo*: nos parecía que no podemos mantener siempre la misma traducción porque el uso de esta conjunción podemos asociarlo a distintos valores, con versiones distintas en nuestra lengua.

a) Cuando se trata de la consecuencia de un razonamiento formal nos ha parecido más conveniente traducirlo, «por lo tanto»: *Primo quia conclusio sequitur debiliorem partem syllogismi sed in probatione et sillogismo theologico altera praemisarum est de fide et non evidens ergo conclusio sequetur illam praemissam et non erit evidens* (f. 8v). «Primero porque la conclusión sigue la parte más débil del silogismo; pero en la demostración y en el silogismo teológico la segunda de las premisas es sobre la fe y no evidente; por lo tanto la conclusión seguirá aquella premisa y no será evidente».

b) Lo hemos traducido con un término familiar para todos, «luego», cuando se trata de una consecuencia abreviada que remite a lo anteriormente dicho: *Tertio arguit quia potest aliquis errare circa decimam conclusionem et scire prima, ergo intentum* (f. 12r). «En tercer lugar argumenta que alguien puede errar acerca de la décima conclusión y saber la primera, luego lo pretendido».

c) También hemos optado por dejar el término latino *ergo*... cuando aparece dando por supuesto lo que seguiría a continuación: *Et praeterea sanctus Thomas 1-2 quaestio 1. art. 5. dicit omnium hominum naturaliter esse unum ultimum finem ergo. Ad hoc Scotus in prima quaestio prologi admittit quidem quod deus est finis naturalis omnium. Et probat quia homo naturaliter appetit videre deum ergo* (f. 4v). «Y además santo Tomás I-II 1, 5 dice que naturalmente existe un único fin último de todos los hombres, ergo... Con relación a esto admite ciertamente Escoto en la primera cuestión del prólogo que Dios es el fin natural de todo y lo prueba porque el hombre desea naturalmente ver a Dios, ergo...».

3. Hay alguna ocasión en que nos ha parecido que no conseguíamos reflejar en español de modo apropiado la idea contenida en la palabra latina, dado que no nos satisfacía ninguna de las opciones aparentemente posibles; hemos decidido, por el momento, dejarla en latín, en cursiva. Es el caso de *simpliciter*: *Secundo dico quod eadem ratione qua necessitas naturalis est simpliciter necessitas eadem (inquam) illa quae constituta sunt per legem divinam sunt simpliciter necessaria sicut ista est necessaria simpliciter ad salutem humanam est necessarius baptismus et aliae similes sicut istae damnati numquam liberabuntur ab inferno* (f. 2v): «Segundo digo que por la misma razón por la que la necesidad natural es necesidad *simpliciter*, aquellas mismas (digo) que han sido constituidas mediante la ley divina son necesarias *simpliciter*, como es necesaria *simpliciter* ésta: "para la salvación humana es necesario el bautismo", y otras similares como éstas "los condenados nunca serán liberados del infierno"».

4. A veces, para entender el texto, hemos tenido que recurrir a otros manuscritos que tratan la misma cuestión y que nos han ayudado a aclarar el significado de algún pasaje. Veamos un ejemplo: *Tertio arguit quia habitus principiorum quod perfectior quam habitus conclusionum cum sit causa illarum sed habitus eorum qui sunt in sacra scriptura non sunt scientia sed fides* (f. 8v). «Tercero, argumenta porque el hábito de los principios es más

perfecto que el hábito de las conclusiones, puesto que es la causa de éstas; pero los hábitos de los que están en la Sagrada Escritura no son ciencia sino fe».

El problema que se nos planteaba en *eorum qui sunt* es que no podía referirse a *principia* porque es neutro, ni a *conclusionum* que es femenino y *qui* es un masculino claro. Pensamos que quizá podía tratarse de un error de transcripción, pero pudimos ver que *qui* aparecía muy claro. Tras recurrir a manuscritos de otros alumnos que habían asistido a la misma clase y seguido las mismas lecciones, leyendo el pasaje correspondiente del Ms 18 de la Biblioteca de Menéndez Pelayo de Santander, vimos que se refería a *articulus* y así quedaba aclarado el *eorum qui.*

En el texto del manuscrito de Santander encontramos: *Tertio probat quia perfectior est habitus principiorum quam habitus conclusionum, quia causa est perfectior effectu; sed habitus principiorum, id est, articulorum fidei, non est scientia, sed minor quia est fides igitur habitus conclusionum non est scientia* (f. 12v). «En tercer lugar prueba porque es más perfecto el hábito de los principios que el hábito de las conclusiones, porque la causa es más perfecta que el efecto; pero el hábito de los principios, esto es, de los artículos de fe, no es ciencia, sino menor porque es fe, por tanto el hábito de las conclusiones no es ciencia».

5. Un peligro constante a la hora de traducir es la utilización de palabras inconvenientes en el sistema ideológico del autor. En esta línea podríamos colocar el término *virtualiter*; después de meditarlo y consultar cómo lo habían solucionado otros autores, llegamos a la conclusión de que no podíamos traducirlo *virtualmente* porque ese término tiene otro significado para un lector actual. Veamos el ejemplo: *Cicero illos reprehendens virtualiter dicit quod studia doctorum*, «Cicerón, reprendiéndolos enérgicamente, dice que los estudios de los jurisconsultos».

A modo de ejemplo señalamos una traducción reciente –publicada en 2012– de Augusto Sarmiento del *De Beatitudine de Francisco de Vitoria,* que es también un comentario a la *Suma* de Tomás de Aquino[17]. En ella se opta precisamente por la traducción literal que nosotros descartamos. El texto latino es: *Intelligendo proprie illam conclusionem non esset dubium de illa. Sed quia est utilis, potest ese dubium. Et si, sicut tenent reliqui doctores, obiectum voluntatis esset ens, conclusio non esset vera virtualiter. Sed quia nos in quaestione sequenti tractaturi sumus utrum obiectum voluntatis sit tantum*

17 Cf. F. de Vitoria, *De Beatitudine. Sobre la felicidad: («In Primam Secundae Summae Theologiae», de Tomás de Aquino, qq. 1-5)*, A. Sarmiento (ed.), Pamplona: EUNSA, 2012, 68.

bonum, et hoc nunc praesupponimus, hinc neccesario sequitur quod omnis actio humana est propter finem.

Y la traducción propuesta: «Entendiendo en sentido particular la conclusión no habría duda alguna sobre ella. Pero, porque es útil, puede plantearse la duda. Porque, si el objeto de la voluntad fuese el ente, como sostienen los demás doctores, la conclusión no sería verdadera virtualmente. Pero dado que en la cuestión siguiente trataremos sobre si el bien es el objeto de la voluntad, lo que ahora damos por supuesto, se concluye necesariamente que toda acción humana es por un fin».

Pensamos que quedaría mejor reflejada la idea, si este virtualmente se tradujera: *necesariamente, por fuerza.*

6. Otro elemento básico para la comprensión y por tanto para la traducción en una obra como la que nos ocupa son los autores citados y la identificación de las obras y lugares que citan. Nos encontramos con distintas posibilidades:

a) Aparece citado el autor sin más, para apoyar su argumentación. En ese caso tenemos que localizar el pasaje. Por ejemplo: *Cato dixit oportere eas discere non perdiscere* (f. 1v). «dijo Catón que es necesario aprenderlas, no saberlas perfectamente»[18].
b) Otras veces la cita no es correcta. Es el caso del segundo ejemplo que proponemos: *Et beatus Augustinus 14, De civitate dei capitulo primo dicit super istum locum* (f. 6r). «Y san Agustín en el libro 14 de La ciudad de Dios, capítulo primero, dice sobre este pasaje». Se trata, en realidad, del escrito Sobre la Trinidad[19]. En estos casos la localización se hace un poco más difícil.
El error también puede estar en el texto como sucede en esta cita de Cicerón: *Ad idem etiam facit quod dicit Cicero in libro de natura deorum cum dicit: dubitavit Pithagoras,* (f. 7v). «Para lo mismo, también vale lo que dice Cicerón en el libro Sobre la naturaleza de los dioses, cuando dice: dudó Pitágoras». Se trata de Protágoras[20].

18 M. Porcius Cato, *Libri ad Marcum filium* (fragmenta in aliis scriptis servata) fragm. 1: «Dicam de istis Graecis suo loco, Marce fili, quid Athenis exquisitum habeam, et quod bonum sit illorum litteras *inspicere, non perdiscere*».

19 Cf. S. Agustín, *De Trinitate* 14, 1: «aliud est enim scire tantummodo quid homo credere debeat propter adipiscendam vitam beatam quae non nisi aeterna est, aliud autem scire quemadmodum hoc ipsum et piis opituletur et contra impios defendatur, quam proprio appellare vocabulo scientiam videtur apostolus». Ya lo había advertido C. Pozo, *o.c.*, 317, nota 71.

20 Cf. Protágoras, *De natura deorum* 1,2: «Dubitare se Protagoras, nullos esse omnino Diagoras Melius et Theodorus Cyrenaicus putaverunt. Qui vero deos esse dixerunt tanta sunt in varietate et dissensione, ut eorum infinitum sit enumerare sententias».

c) En otras aparece la cita completa y correcta y entonces, además de localizar el pasaje, hemos de recurrir al autor donde encontramos esa cita desarrollada y que nos ayuda a comprender e interpretar mejor su argumento. Es el caso de este pasaje de Lactancio: *adhuc confirmatur ex dictis Lactantii in prima praefatione suorum operum dicentis magno et excellenti ingenio viri cum sese doctrinae penitus dedissent quidquid laboris, et cetera. Videte illum, loco supra citato* (f. 7r). «se confirma de los dichos de Lactancio que en el primer prefacio de su obra dice: Ha habido hombres de enorme y extraordinario talento que al entregarse totalmente a la ciencia, todo el esfuerzo, etc. Vedlo, en lugar citado». Siguiendo las indicaciones de Vitoria, en el lugar citado encontramos el texto completo[21].

Hay que añadir la gran cantidad de referencias de todo tipo que jalonan el texto y de las que señalamos sólo algunos ejemplos que pueden ayudarnos a formarnos una idea del carácter del mismo: citas bíblicas, tanto del Antiguo[22] como del Nuevo Testamento[23] con el debido trabajo de comprobación del texto, si es literal, para reproducirlo en cursiva o no; las citas constantes de santo Tomás de Aquino[24], de Aristóteles[25] y de otros autores que en ese momento eran objeto de estudio en la Universidad: Escoto[26], Durando[27], Gregorio de Rimini[28], Aliaco[29], Ockam[30], Capreolo[31], etc., conocidos

21 Lactancio, *Divinae Institutiones*, 1,1: «Magno et excellenti ingenio viri cum se doctrinae penitus dedidissent quicquid laboris poterat impendi contemptis omnibus et privatis et publicis actionibus ad inquirendae veritatis studium contulerunt».

22 Cf. f. 10r: «Et Sapientia 10: dedit illis scientiam sanctorum. Et Proverbia 30 novi scientiam sanctorum».

23 Cf. f. 13r: «Probatur ex illo Pauli ad romanos 5: invisibilia Dei a creatura mundi per ea quae facta sunt intellecta conspicuntur».

24 Cf. f. 10v: «Et hoc videtur sensisse sanctus Thomas de veritate q. 14, art. 9 ad tertium ubi dicit quod theologia non est ita perfecta scientia sicut aliae».

25 Cf. f. 8r: «Probat auctoritate Aristoteles primo Posteriorum analyticorum libro dicente».

26 Cf. f. 4v: «Ad hoc Scotus in prima quaestio prologi admittit quidem quod deus est finis naturalis omnium».

27 Cf. f. 8r: «Et quidem Durandus in prima quaestione prologi ponit conclusionem quod theologia non est proprie neque univoce scientia, sed improprie valde et aequivoce».

28 Cf. f. 10r: «Et quidem Gregorius Ariminensis dicit quod theologia debet vocari fides».

29 Cf. f. 16v: «Eadem est opinio de Alliaco 1 quaestione primi sententiarum propter easdem rationes».

30 Cf. f. 23v: «Contrarium dicit Ockam d.3 primi».

31 Cf. f. 16v: «Capreolus q. 4 prologi conclusione 2 quod aliqua differentia est inter obiectum scientiae et subiectum scientiae».

por todos, pero que nos obligan a un ejercicio permanente de localización y comprobación que contribuyen en gran medida a la comprensión del texto.

7. Finalmente, añadiremos un último ejemplo, éste relacionado con la importancia del conocimiento y de la comprensión de la materia que se traduce. La afirmaciones: *Quod consequentia in baroco non potest esse mala* (f. 8v). «La consecuencia en "Baroco" no puede ser mala», y *Consecuentia in barbara a multis negatur* (f. 27r), «muchos niegan la consecuencia en "barbara"». Para los acostumbrados al lenguaje de la filosofía y de la lógica el significado de estas expresiones les aparecerá claro y evidente. No obstante, pueden ser completamente opacas para quienes no saben que *Baroco* y *Barbara* son términos mnemotécnicos utilizados para recordar los silogismos, siendo «A» una proposición Universal afirmativa, y «O» Particular negativa. La traducción sigue siendo la misma, pero no así la comprensión del significado del pasaje que está explicando Vitoria.

En definitiva en el proceso de traducción nos movemos entre dos conceptos tradicionales y siempre en conflicto que aparecen invariablemente en cualquier discusión sobre la traducción: los de fidelidad y libertad. Debemos tener en cuenta que la fidelidad no consiste en intentar salvar a toda costa la literalidad. Con frecuencia la fidelidad estricta a la morfología y la sintaxis puede conducir a la incomprensión. De ahí que sea necesaria una lectura y una relectura permanentes del texto original a la luz de todos los elementos que hemos apuntado, para conseguir una traducción *natural*. Ésta solo puede serlo si el traductor consigue olvidarse del texto de origen y escucha el sentido[32], que puede ser expresado en cualquier idioma.

32 Cf. D. Seleskovitch, *L'interprète dans les conférences internationales, problèmes de langage et de communication*, Paris: Minard Lettres Modernes, 1983, 2ª ed. Cf. también Cicerón y san Jerónimo en los lugares citados.

El presente trabajo ha sido realizado en el marco del Proyecto de Investigación de la Junta de Castilla y León: «Manuscritos de la Escuela de Salamanca: Francisco de Vitoria. El ms. 85/03 y el ms. 548: Scholia in Sacra Theologia super primam partem sancti Thomae de Aquino. Transcripción, traducción y estudio», con la referencia PON165A11-1.

UNA EXPERIENCIA EN TORNO A LA VISIBILIDAD DE LA INVESTIGACIÓN EN HUMANIDADES

Álvaro Baraibar
GRISO-Universidad de Navarra

1. Hacia una nueva realidad investigadora

La perspectiva que voy presentar a continuación en el marco de este volumen camina por senderos un tanto distintos de los acostumbrados a la hora de hablar sobre la edición de textos. Y ello se debe a dos razones fundamentalmente[1]: en primer lugar, porque voy a tratar de mostrar algunas de las líneas de trabajo que se están abriendo en los últimos tiempos en torno a la aplicación de las nuevas tecnologías a la investigación en Humanidades; y en segundo, porque no me voy a referir a la manera en que las nuevas tecnologías pueden ayudarnos en el proceso mismo de la investigación o en el tratamiento de la información antes de iniciar un estudio. Mi acercamiento tiene que ver con lo que ocurre en el momento en que el investigador ha concluido su trabajo y lo ha dado a conocer por medio de su publicación. Porque, ¿en qué manera está cambiando el mundo universitario en lo relativo a la visibilidad de los resultados

1 Esta publicación se inscribe dentro del proyecto «Patrimonio teatral clásico español. Textos e instrumentos de investigación (TC/12)», en el marco del Programa Consolider-Ingenio (CSD2009-00033), del Plan Nacional de Investigación Científica, Desarrollo e Innovación Tecnológica. Una primera versión de este trabajo en inglés puede consultarse en Romero Frías, Esteban y María Sánchez González (eds.), *Ciencias Sociales y Humanidades Digitales: técnicas, herramientas y experiencias de e-Research e investigación en colaboración*, La Laguna, Sociedad Latina de Comunicación Social, 2014 (Cuadernos Artesanos de Comunicación, 61).

de investigación y a la transferencia del conocimiento? Y, ¿qué pueden aportarnos las nuevas tecnologías y, concretamente, Internet, a la hora de dar a conocer nuestro trabajo y de aumentar el impacto de nuestras publicaciones? Se trata de cuestiones centrales en el debate académico hoy en día y que tienen un especial impacto sobre las nuevas generaciones de investigadores y profesores universitarios.

Hasta hace apenas unos años, la investigación se entendía como un proceso cerrado que concluía en sí mismo. Un investigador focalizaba su trabajo sobre un aspecto concreto, le daba forma, bien fuera como libro, capítulo de libro o artículo de revista, y una vez que dicho texto hubiera visto la luz, parecía como si el producto se tornara independiente, en el sentido de que el investigador podía dejar de preocuparse por él, de su lectura, repercusión o posible impacto en las investigaciones de otros colegas. Las cuestiones relacionadas con la visibilidad del trabajo no eran en general ninguna prioridad y, por otro lado, no se contemplaba que la transferencia del conocimiento pudiera ser una labor propia del investigador más allá de la asistencia a seminarios y congresos de distinta índole.

Esta situación era especialmente clara en el ámbito de las Humanidades y de las Ciencias Sociales, donde la vigencia de los trabajos de investigación es mucho mayor que en las Ciencias Experimentales. Mientras que la vida útil de un artículo en el campo de las Ciencias Experimentales es muy breve, en las Humanidades y las Ciencias Sociales un resultado de investigación se debe entender desde una perspectiva más a largo plazo. En este sentido, los humanistas trabajaban no para conseguir un impacto inmediato sobre la comunidad científica a la que pertenecían, sino que su labor era más una aportación al saber, al conocimiento sobre un determinado tema, que bien podía dejarse reposar hasta que fuera nuevamente visitado, desde otra perspectiva, desde otro enfoque metodológico o incluso ideológico, por otro colega. Y esta idea, tan alejada de otras disciplinas que en ocasiones resulta difícil de comprender en su totalidad para sus científicos, es así porque en las Humanidades priman la originalidad y el valor de la interpretación individual de los actos humanos, mientras que las Ciencias Experimentales contrastan la validez de sus conclusiones por el hecho de que puedan ser reproducidas, repetidas[2]. Esta realidad,

2 Tal y como ha señalado Alison Byerly: «The humanities are, after all, grounded not only in the study of humanity but in a methodology that typically focuses on the encounter between one human mind, that of the writer or artist, and another human mind, that of the critic. Unlike the sciences, where research is authenticated by its replicability, the humanities privilege the unique, individual act of interpretation», <http://www.educause.edu/ero/article/digital-humanities-digitizing-humanity> [27/5/2014].

de alguna manera, hacía que, como consecuencia, las publicaciones en Humanidades quedaran limitadas o relegadas a la comunidad científica, sin mayores requerimientos en lo que a visibilidad, sobre todo entendida como un recepción inmediata, se refiere.

Desde esta misma perspectiva, tomando el caso de las Ciencias Experimentales es fácil encontrar vías a través de las cuales los resultados de la investigación se transfieren de un modo eficaz a la sociedad en su conjunto. Por ejemplo, una patente o un descubrimiento científico concreto poseen una aplicación medible, cuantificable incluso económicamente en un proceso productivo o en la fabricación de un nuevo medicamento. Este tipo de transferencia es más difícil de medir, imposible en muchos casos desde un punto de vista económico, en el ámbito de las Humanidades. Requiere, además, de procesos y esfuerzos en muchas ocasiones individuales en el momento de poner un determinado conocimiento a disposición de quien esté interesado. Por el contrario, en las Ciencias Experimentales no es el conocimiento el que se transfiere a la sociedad para que esta lo consuma o acceda a él, sino que existe una mediación técnica cualificada que convierte en un bien tangible ese conocimiento. En el ámbito de las Humanidades, al no haber en la mayor parte de los casos un beneficio económico suficiente derivado de la comercialización de ese conocimiento, no existe esa mediación entre el investigador y el consumidor de cultura (o es difícilmente viable), por lo que es el propio investigador quien tiene que reelaborar los materiales para hacerlos accesibles e interesantes a un público más amplio.

Uno de los cambios más relevantes que se están produciendo en el ámbito de la investigación en Humanidades, y que es posible gracias precisamente a las condiciones generadas por la implantación y extensión de las nuevas tecnologías, es que ahora la labor del investigador no concluye con la entrega a la imprenta de los resultados de su trabajo. Tras la publicación comienzan dos procesos que se han convertido también, de alguna manera, en parte de nuestra labor y que los investigadores, no solo los humanistas –pero también y de un modo tal vez especialmente interesante los humanistas– debemos acometer. En primer lugar, dar a conocer el trabajo a nuestros propios colegas logrando tanta visibilidad como nos sea posible; y, en segundo lugar, difundirlo y divulgarlo entre un público más amplio, tratando de extraer elementos susceptibles de lograr una transferencia de conocimiento útil, en el sentido más amplio del término, e interesante para la sociedad en su conjunto. Podremos discutir sobre si en realidad estos procesos son o no parte de la labor de un investigador o se trata de cuestiones que nos han sido impuestas o que nos son sobrevenidas y que responden a preocupaciones o inquietudes de otras disciplinas –o a decisiones de carácter más político–. Habrá quien se resista y se niegue a aceptar estos cambios, pero habrá, y de hecho hay ya, quien contemple la nueva realidad como una oportunidad para las Humanidades en el siglo XXI. En cualquier caso, no cabe duda de que en la Universidad actual aspectos como la visibilidad y la transferencia han ido ganando un espacio y una centralidad que antes no tenían y este es un aspecto que no podemos pasar por alto.

Volviendo a los dos procesos que se abren tras la publicación de un trabajo, hay que decir en primer lugar que la evaluación de la calidad de la producción científica con formulaciones que tienen en cuenta el número de citas de un trabajo (ya sea el índice de impacto de la revista, el índice H, etc.) en la práctica nos fuerza a buscar la mayor visibilidad posible para nuestros libros y artículos, en una labor que se podría catalogar como de «marketing académico». Somos nosotros, los propios investigadores, quienes debemos preocuparnos de hacer visible y accesible nuestro trabajo, por llevarlo a aquellos lugares donde pueda ser leído y citado, por ponerlo en valor, en definitiva, y garantizar, o intentarlo al menos, que sea consultado por otros colegas. Somos nosotros, los propios investigadores, quienes mejor podemos identificar a los especialistas a los que nos interesa hacer partícipes y conocedores de nuestro trabajo. Y si bien es cierto que los sistemas de evaluación de la calidad responden a parámetros más propios de las Ciencias Experimentales y que habría que introducir cambios importantes para que resultaran realmente apropiados para las Humanidades, parece razonable pensar que la visibilidad de nuestro trabajo resultará, en todo caso, sea cual sea el modelo aplicado, un elemento a tener en cuenta en el futuro, como ya lo es en el presente.

En segundo lugar, en cuanto a la transferencia de los resultados de investigación a la sociedad en su conjunto (lo que en inglés se ha dado en llamar «Public Humanities»), en mi opinión, nos encontramos frente a uno de los retos más interesantes que la sociedad de la información ha lanzado a los humanistas. Porque precisamente en la difusión de los resultados de nuestras investigaciones, en la divulgación del conocimiento, se encuentra uno de los principales puntos fuertes de las Humanidades en el siglo XXI si son capaces de aprovechar las posibilidades que Internet nos brinda. Los efectos de lo digital sobre el mundo de la comunicación (periodística, política, etc.) están siendo más que evidentes. Internet, en constante cambio y mutación, exige también adaptarse a nuevas herramientas, nuevas prácticas y nuevos hábitos. El trabajo académico en el ámbito de las Humanidades no es ajeno a esta realidad, por lo que es preciso concebir la labor de difusión como un proceso que comienza tras la publicación y que busca una efectiva visibilidad para propiciar que nuestros resultados sean conocidos, utilizados y, en última instancia, reviertan sobre la sociedad en que vivimos.

Es indudable el aumento de la visibilidad que la Web permite, tanto en el espacio como en el tiempo. Pero no lo es menos que estos beneficios necesitan ser trabajados, ya que la visibilidad no es inmediata, constante ni homogénea para todos. Internet no es un medio inocuo y transparente, de modo que no es suficiente con estar presente, sino que hay que conocer bien cuáles son las reglas que rigen la red para lograr un buen posicionamiento y que, como consecuencia de ello, ganemos en visibilidad. Hace ya unos años –pocos en parámetros analógicos, pero muchos desde una medida digital– se extendió la idea de que «Quien no está en Internet no existe»[3]. En la actualidad, con el crecimiento exponencial de Internet, es posible ampliar y matizar dicha afirmación, añadiendo que no vale con estar en la red, sino que hay que ser visible en ella, ya que de otro modo no conseguiremos darnos a conocer.

En este contexto de la visibilidad de la investigación en la red, el elemento que resulta central no es otro que el movimiento *Open Access* o acceso abierto a la Ciencia[4]. Al margen de las implicaciones de carácter más social o político que pueda tener el movimiento (y que nos alejarían del tema del presente trabajo), el acceso abierto es la base a partir de la cual es posible impulsar la difusión y divulgación de nuestro trabajo tanto dentro del ámbito universitario y académico, como más allá del mismo.

En definitiva, como ya he dicho en alguna otra ocasión, lejos de ser una moda o una imposición frente a la que resistirse, esta revolución digital de las Humanidades representa más bien una gran oportunidad, sobre todo, si somos capaces de trabajar y avanzar en colaboración con disciplinas cercanas como son la Comunicación, la Biblioteconomía y la Documentación, entre otras. La interdisciplinariedad es cada vez más importante y está más presente en la labor investigadora universitaria. Esa misma interdisciplinariedad o transdisciplinariedad brilla con especial fuerza y reclama una atención mayor si cabe en el campo de las Humanidades Digitales[5]. Como universitarios y como humanistas estamos obligados a estar atentos y a conocer algo que está dando ya

3 La frase tiene ya un largo recorrido y ha sido utilizada por diferentes personas y en distintos contextos (en España) ya desde la segunda mitad de los años 90. Véase, por ejemplo, un artículo de Miguel García Posada titulado «Los poetas no quieren a Internet» y publicado en *El País* el 30 de mayo de 1996, <http://elpais.com/diario/1996/05/30/cultura/833407213_850215.html> [27/5/2014].

4 Un estado de la cuestión sobre el *Open Access* puede verse en Abadal, 2012, y sobre el acceso abierto en Humanidades, Abadal, 2014.

5 A ello me he referido en otro lugar, Baraibar, 2014.

resultados más que interesantes, y que al fin y al cabo es el camino por el que transitaremos en el futuro cada vez más.

2. El Grupo de Investigación Siglo de Oro (GRISO) y su labor de investigación

El Grupo de Investigación Siglo de Oro es un equipo interdisciplinar fundado en 1990 por el profesor Ignacio Arellano, catedrático de Literatura Española. El GRISO desarrolla la «Línea de Investigación Prioritaria Siglo de Oro» en la Universidad de Navarra, que incluye un conglomerado de proyectos de investigación orientados a la edición y estudio de las obras de los grandes autores de la literatura aurisecular española –Pedro Calderón de la Barca, Tirso de Molina, Francisco de Quevedo, etc. ...–, de las comedias burlescas del Siglo de Oro y de las crónicas de Indias, entre otros temas. El GRISO reúne a un total de 15 profesores e investigadores de la Universidad de Navarra. Estos profesionales constituyen el núcleo fundamental del equipo, pero hay, además, dos grupos de personas que colaboran con el GRISO. Existe la figura del investigador asociado, un profesor o investigador de otra universidad que desarrolla una parte de su trabajo en el marco de las líneas impulsadas por el GRISO, y en segundo lugar, hay un grupo de investigadores compuesto por los actuales doctorandos, cuyas tesis doctorales se inscriben dentro de uno de los proyectos del GRISO mencionados con anterioridad.

Precisamente, la estructura del grupo y la organización del trabajo en varios proyectos que se desarrollan de forma paralela –con la participación en cada caso de algunos de sus integrantes, no todos, y a niveles diferentes y con intensidades variables– nos sitúa en un escenario en el que el trabajo colaborativo es ya una realidad. Cada investigador desarrolla su labor dentro de las líneas del grupo, en el marco de proyectos que abordan la edición de las obras completas de los grandes autores de la literatura española del Siglo de Oro (Pedro Calderón de la Barca, de Tirso de Molina, etc. ...), por medio de colecciones de libros que se coordinan desde el equipo. Es esta misma realidad la que, a su vez, permite el tratamiento de los resultados de investigación del GRISO como un conjunto, como un todo, de cara a promover su visibilidad en la red, dentro de cada uno de los proyectos correspondientes, pero sin perder tampoco la individualidad de las distintas aportaciones.

Y precisamente por ello ha sido posible también que pusiéramos en marcha y avanzáramos en algunas iniciativas como GRISONET, la estructura de comunicación digital del GRISO con sus diferentes servicios, y GRISOSFERA, la blogosfera del equipo. Se trata, en realidad, de un intento por llevar el *blogging* y las redes sociales a un ámbito de trabajo académico (tarea en la que todavía hay mucho camino por recorrer, en parte debido a que sigue habiendo ciertas reticencias en algunos profesores e investigadores) y, al mismo tiempo, lograr una mayor visibilidad de los resultados de investigación entre la propia comunidad científica y abordar una necesaria labor de transferencia de materiales de calidad sobre el Siglo de Oro a la sociedad en su conjunto[6].

3. Visibilidad de la investigación en un mundo digital: la experiencia del GRISO

En el Grupo de Investigación Siglo de Oro (GRISO) de la Universidad de Navarra llevamos ya tiempo trabajando en proyectos que se inscriben claramente en el ámbito de las Humanidades Digitales[7]. El último de los proyectos que hemos impulsado tiene que ver con la aplicación de las TIC a la visibilidad y la difusión de los resultados de investigación, en relación con el acceso abierto a la información científica de forma libre y gratuita.

Antes de avanzar en lo que es el proyecto en sí mismo, creo que es necesario resaltar que Internet pone a nuestra disposición un lugar propicio para la conversación. La información fluye de forma bidireccional y no se limita, o no debe limitarse, a una serie de monólogos en los que cada cual publica su trabajo, a veces sin una verdadera conversación con otros colegas. Suelo insistir en que la Universidad es (o debería ser) sobre todo y ante todo conversación e intercambio de conocimientos y que una página web o un blog o, por supuesto, las redes sociales, facilitan una conversación constante, algo que no es fácil que se dé en la realidad universitaria del día a día. La red es, además –o puede serlo–, un espacio abierto a la participación de terceras personas y receptiva para con las aportaciones que nos lleguen desde la comunidad[8]. Y por último, la red

6 Sobre el *blogging* académico y el proyecto «Hypotheses» ver Azofra-Sierra, 2013 y Tejada, 2014.

7 Hay también otras etiquetas que han tenido éxito en el pasado y que siguen siendo utilizadas (Humanidades computacionales, por ejemplo, o ya en algunas disciplinas en concreto, Filología Digital, Historia y Computación, etc.), pero en los últimos tiempos 'Humanidades Digitales' es el término que se ha fijado para referirse a un amplio campo emergente en ese espacio de contacto entre las Humanidades y las nuevas tecnologías.

8 Sobre la idea de comunidad en relación con los blogs, ver Rettberg, 2008, pp. 57-83; y para el caso concreto de los «nanobloggings», ver Cortés, 2009, pp. 20-21. Para un mayor desarrollo del contexto de la comunidad y la conversación aplicado al proyecto del GRISO, ver Baraibar y Cohen, 2012.

se encuentra también abierta a un público más general, no limitado exclusivamente a la esfera, necesariamente reducida, de lo académico[9].

El acceso abierto a la información científica cobra una especial relevancia a la hora de abordar la situación actual de las Humanidades y, concretamente, su puesta en valor ante la comunidad científica en particular y ante la sociedad en general. Es evidente, en cualquier caso, que, como ya he dicho, la comunidad científica tiene serias prevenciones, en general, contra la aplicación de blogs y redes sociales a la labor académica. Como Elena Azofra ha señalado, muchos investigadores y profesores universitarios desconfían de un medio que podríamos definir como poco convencional: «el novedoso formato editorial de los blogs, el desarrollo fuera del mundo académico (o en su frontera), la brevedad, el tono conversacional y la ausencia de filtros para la publicación son algunas de las características que generan la desconfianza en el seno de la propia comunidad científica, muchos de cuyos miembros desconfían de la calidad de estas publicaciones poco convencionales»[10].

Sin embargo, y a pesar de ello, las redes sociales y el *blogging*, abordados desde la Universidad, representan para las Humanidades una oportunidad de reivindicar el valor añadido de un humanista en la nueva era digital. La transferencia a la sociedad, por medio de las herramientas digitales de los contenidos de calidad producidos gracias al trabajo de profesores e investigadores universitarios, es una labor que no podemos olvidar y que reclama nuestra atención[11]. Una de las posibilidades de futuro de las Humanidades pasa precisamente por llevar la Universidad y los contenidos que esta genera a los espacios en los que ya se está dando la conversación de carácter más social y mediático. Se trata de un reto, pero también de una oportunidad.

Estas son algunas de las ideas a partir de las cuales en el curso académico 2011-2012 pusimos en marcha en el Grupo de Investigación Siglo de Oro (GRISO) los proyectos a los que ya me he referido como GRISONET y GRISOSFERA.

9 Para el caso concreto de Twitter aplicado a la comunicación universitaria ver algunas ideas en Orihuela, 2011, pp. 95-97.

10 Azofra, 2012, p. 42.

11 También es importante tener en cuenta la otra cara de la moneda, ya que para que esta transferencia desde la Universidad sea efectiva, es necesaria también una sociedad interesada por la cultura con mayúsculas, aunque este aspecto nos alejaría del objetivo del presente trabajo. Sobre la cuestión de los públicos de las Humanidades Digitales, ver Spence, 2014.

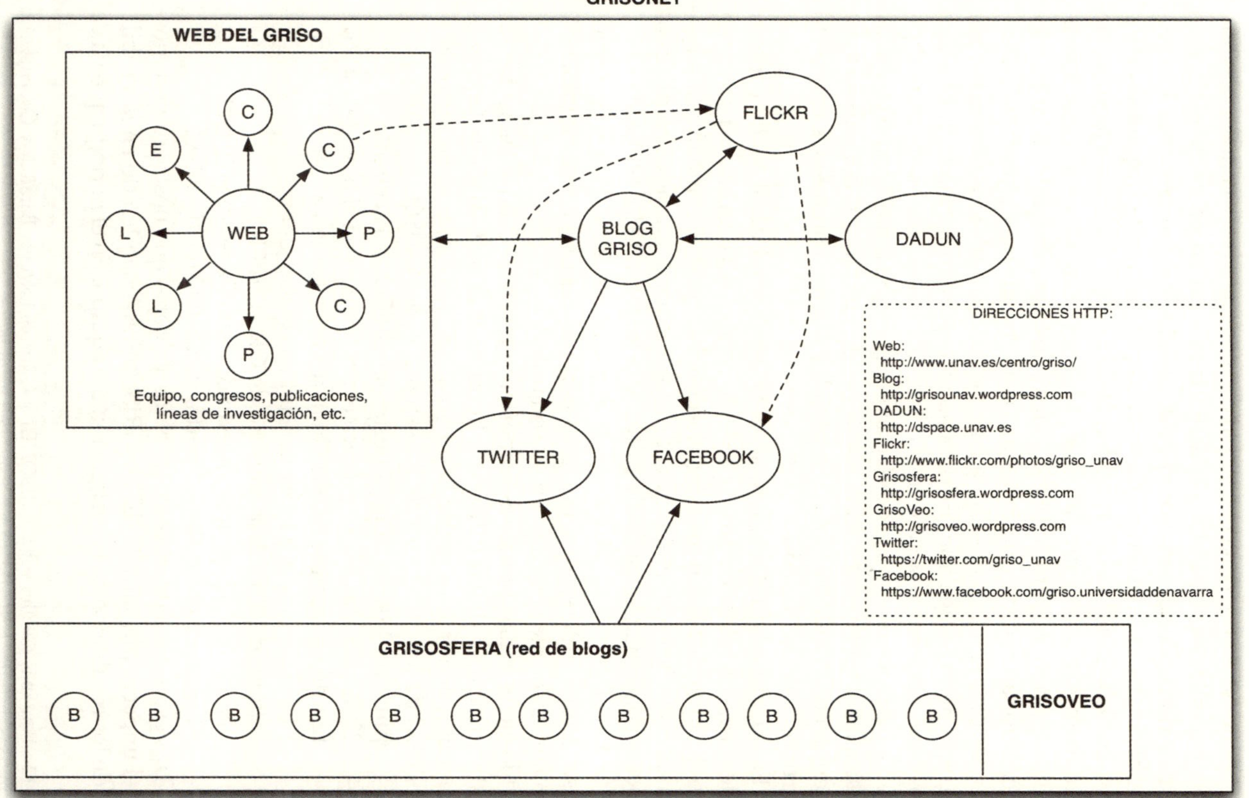

Imagen 1. Esquema del flujo de información en GRISONET.

GRISONET nace de la necesidad de publicar y dar a conocer los diferentes materiales que produce la actividad de un grupo de investigación interdisciplinar donde colaboran profesionales del mundo de la literatura, la historia y la lingüística interesados por el mundo hispánico de los Siglos de Oro. Cada uno de los diferentes tipos de materiales requiere un tratamiento exclusivo, propio, y en Internet podemos encontrar herramientas específicas para publicar todos ellos. Este conjunto de aplicaciones conforma una red que presenta de un modo más global, más completo, las diferentes facetas de la labor y de los resultados obtenidos por un grupo de investigación. El sistema incorpora un *website*, un blog, un repositorio académico donde se publican los materiales en formato digital, un agregador de contenidos (concretamente Netvibes) como portal de acceso a los diferentes servicios, catálogos de imágenes y, por supuesto, la presencia en las redes sociales (Facebook y Twitter como redes con perfil de grupo, y Academia.edu a título particular).

En cuanto a GRISOSFERA, se trata de una red de blogs de carácter académico, entendida como un proyecto colaborativo en el que participan tanto doctorandos como investigadores del grupo, así como investigadores asociados. Más de una docena de blogs en total centrados en distintos aspectos relacionados con la literatura y la historia de los Siglos de Oro y que tienen el propósito de ofrecer contenidos de calidad no solo a otros investigadores interesados por este periodo histórico, sino también, y especialmente, a la sociedad en su conjunto[12].

Llegados a este punto, es importante tener en cuenta las fechas de puesta en marcha de las diferentes herramientas de GRISONET que nos ayudarán a determinar mejor la repercusión que han podido tener en la visibilidad de los resultados de investigación del GRISO:

- Junio de 2011, se abre el perfil del GRISO en Facebook.
- 22 de julio de 2011 se publica el primer post en el blog del GRISO.
- El 1 de septiembre de 2011 inauguramos la nueva web del GRISO.
- 19 de enero de 2012: primer tuit en @griso_unav.
- Febrero de 2012: lanzamiento de GRISOSFERA.
- Marzo de 2012: primer Boletín de Novedades del GRISO.
- Abril de 2012: se abre el portal de GRISO en Netvibes.

Tras estos años de trabajo, tenemos ya datos que nos permiten mostrar el impacto que GRISONET y GRISOSFERA han tenido en la visibilidad de los resultados de investigación del equipo. En el periodo que va de

12 Para más detalles sobre GRISONET y GRISOSFERA ver Baraibar y Cohen, 2012, así como las distintas URLs de los servicios web habilitados.

mayo de 2013 a abril de 2014 (ambos inclusive)[13] el número de visitas que ha recibido la web del GRISO y de los proyectos, publicaciones y congresos que hemos desarrollado (dentro de los servidores de la Universidad) ascendió a un total de más de 100.000 visitas. Habría que tener en cuenta, además, los accesos al blog del GRISO (23.965 correspondientes a ese mismo período)[14] y a GRISOSFERA, la blogosfera de los investigadores y doctorandos del GRISO, que había alcanzado casi las 370.000 visitas el 30 de abril de 2014 (en poco más de dos años de vida)[15].

A estos datos habría que sumar aspectos como la visibilidad vía Facebook (con 861 amigos) y Twitter (con 496 seguidores)[16]. Un análisis de las interacciones que se producen en Facebook y de la repercusión de las publicaciones del GRISO en esta red social nos avisa claramente de la importancia que está teniendo en dar a conocer el trabajo del grupo. Las redes sociales en su conjunto, y Facebook en particular, han llevado el nombre del GRISO a espacios geográficos con los que no teníamos relación previamente y nos ha puesto en contacto con investigadores jóvenes a los que anteriormente no teníamos acceso, permitiendo nuevas vías de colaboración que están siendo muy interesantes.

Twitter es precisamente uno de los ámbitos donde con mayor claridad hemos crecido: en mayo de 2012 el número de seguidores no llegaba a los 100, pasando a ser de unos 325 un año después y de casi 500 en el mismo mes de 2014. En mayo de 2012, en Valencia, en el Congreso Internacional «Lope de Vega y el teatro clásico español. Nuevas estrategias de conocimiento en Humanidades» nos referíamos a la necesidad que veíamos de llevar la generación de buenos contenidos, materiales de calidad, también a los lugares donde todavía no se estaba dando y poníamos como ejemplo el caso de esta red social (especialmente en lo relativo al mundo académico de habla hispana)[17]. Dos años después –y es cierto que se trata de mucho tiempo cuando hablamos de redes sociales– este proceso ya se está dando y el cambio que se ha producido ha sido muy importante. Si bien es cierto que todavía queda mucho camino por

13 Para que las series de datos sean comparables las hemos agrupado en periodos que van del 1 mayo al 30 de abril del año siguiente. Las fechas responden a una cuestión puramente administrativa de cierre de ejercicio de investigación en mayo de cada año.

14 Una cifra muy similar a los 23.154 de la anualidad anterior.

15 De los 368.438 visitas totales, 204.780 han sido en el lapso de tiempo que va del 1 de mayo de 2013 al 30 de abril de 2014.

16 Se trata de datos a fecha de 29 de mayo de 2014.

17 <http://artelope2012.uv.es/> [27/05/2014].

recorrer, el aumento de la generación de contenidos de nivel académico en Twitter es muy llamativo.

Pero además del número de visitas a las páginas web y blogs del GRISO o de la cantidad de seguidores en las redes sociales, lo más significativo, sin duda, es mostrar la evolución de las consultas y descargas de los artículos, libros y capítulos de libro que el equipo ha colgado en *Open Access* por medio de DADUN, el Depósito Académico Digital de la Universidad de Navarra[18].

Desde el año 2009 –aunque no sería hasta el 2011 cuando esta labor se impulsaría con verdadera fuerza– el GRISO ha ido publicando en DADUN diversos materiales fruto de su investigación. El objetivo es volcar en este repositorio académico toda la producción del equipo de investigación en la medida en que la cuestión del *copyright* lo permita. El número de documentos que el GRISO ha colgado en DADUN es de 1.070 (216 de ellos entre mayo de 2013 y finales de abril de 2014)[19].

Visitas y descargas de las colecciones del GRISO en DADUN

	Visitas			**Descargas**		
	2011/12	**2012/13**	**2013/14**	**2011/12**	**2012/13**	**2013/14**
Pliegos volanderos	1.451	1.639	1.461	2.077	4.959	5.984
Anuario Calderoniano	1.524	5.333	11.957	688	3.621	10.064
La *Perinola*	31.838	44.824	45.532	34.185	64.446	77.248
Publicaciones digitales del GRISO	22.344	46.605	59.654	29.420	108.924	245.936
TOTAL	57.157	98.401	118.604	66.370	181.950	339.232

Si hacemos un repaso por los números recogidos en la tabla precedente podremos comprobar la evolución de las visitas y descargas de los documentos subidos por el GRISO a DADUN agrupados por colección. La evolución producida entre el periodo que va de mayo de 2011 a abril de 2012 y el de mayo de 2013 a abril de 2014 es muy significativa. En su conjunto, el número de visitas en el curso 2013-2014 ha sido de más

18 Sobre DADUN ver Cózar, Serrano y Toro, 2014; Eslava e Itúrbide-Tellechea, 2014.

19 Se trata de datos correspondientes a 30 de abril de 2014, ya que para los datos que voy a mostrar la anualidad iría, tal y como he mencionado antes, del 1 de mayo de un año al 30 de abril del año siguiente.

del doble con respecto a los números de 2011-2012, mientras que los datos de descargas se han multiplicado por cinco en el mismo periodo de tiempo.

Si nos fijamos en la evolución en el tiempo de las visitas y descargas de la colección de «Publicaciones digitales», la más importante en números de las que el GRISO tiene en DADUN, vemos que la tendencia es claramente alcista, con algunos picos en momentos en los que el blog ha dado cuenta de una nueva publicación digital y con valles en los períodos vacacionales, un aspecto este último sobre el que volveré más adelante porque nos da algunas pistas sobre el público que accede a esta información.

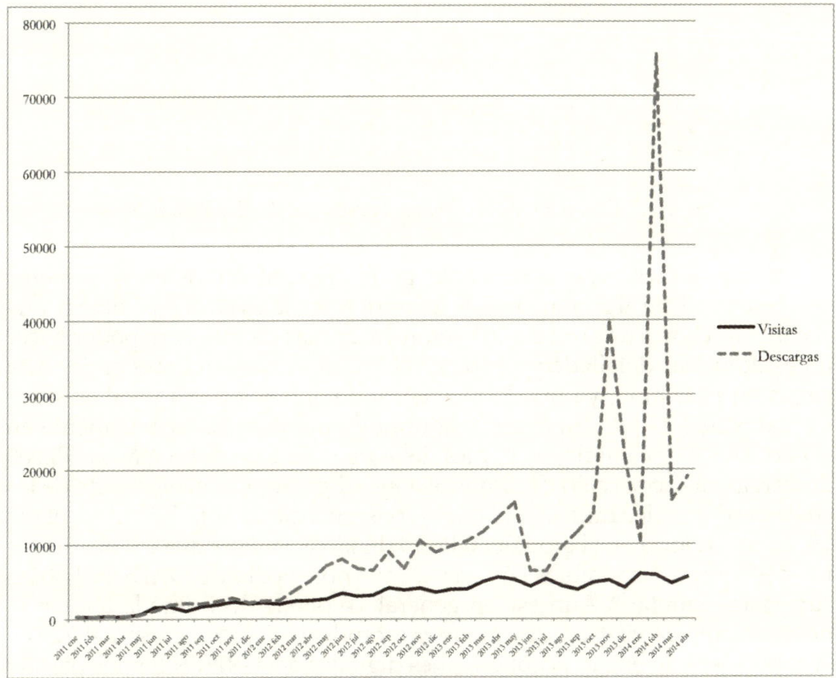

Imagen 2. Evolución de las visitas y descargas de la colección de «Publicaciones digitales del GRISO».

Otro ejemplo es el de «La *Perinola*», donde podemos observar una evolución similar, aunque con sus propias peculiaridades:

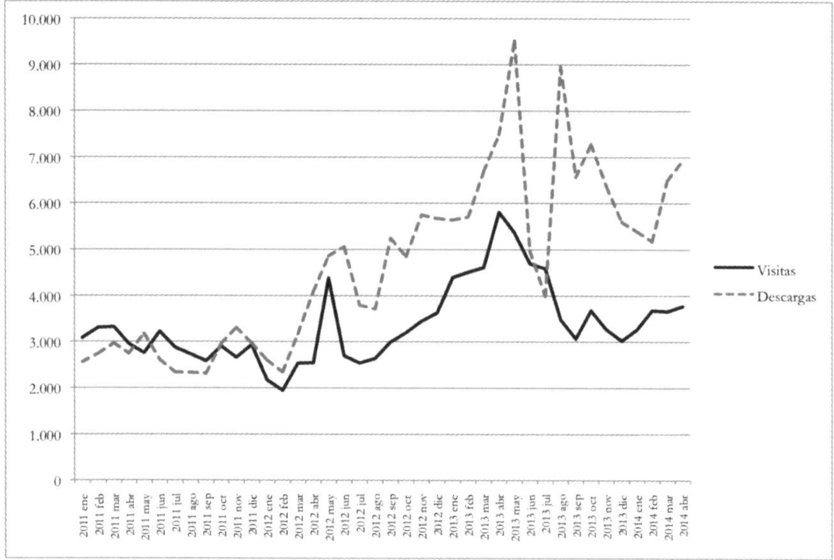

Imagen 3. Evolución de las visitas y descargas de «La Perinola».

Como es fácilmente imaginable, parte del aumento de estos números absolutos se debe al incremento de ítems descargables en el repositorio, que al concluir el mes de abril de 2014 eran ya de más de mil. Para poder hacer un estudio más detallado y serio de estos datos necesitaríamos series más largas en el tiempo, ya que la incidencia de algunos picos y valles sobre los datos de los que disponemos son muy importantes, especialmente en el año 2014. Por ejemplo, en el mes de febrero de 2014 hubo más de 75.000 descargas en la colección de «Publicaciones digitales», la mayor parte de las cuales se dieron los días 13 y 14 como consecuencia de la publicación, el día 13, de una noticia en el blog del GRISO dando a conocer que los documentos del equipo disponibles en *Open Access* por medio de DADUN habían superado el millar[20]. Aun así, en general, se puede decir que la tendencia del promedio de visitas y descargas es ascendente desde el curso 2011-2012. Así, por ejemplo en las «Publicaciones digitales del GRISO» hemos pasado de 5,57 visitas y 7,27 descargas en el curso 2011-2012 a 9,94 visitas y 39,31 descargas por documento y mes a lo largo del curso 2013-2014. En cuanto a «La *Perinola*», en el mismo intervalo se ha subido de 8,70 visitas y 9,27 descargas por documento y mes a 10,42 visitas y 17,68 descargas.

20 Ver <https://grisounav.wordpress.com/2014/02/13/mas-de-1000-documentos-de-la-produccion-de-investigacion-del-grupo-de-investigacion-siglo-de-oro-griso-en-open-access/> [27/05/2014].

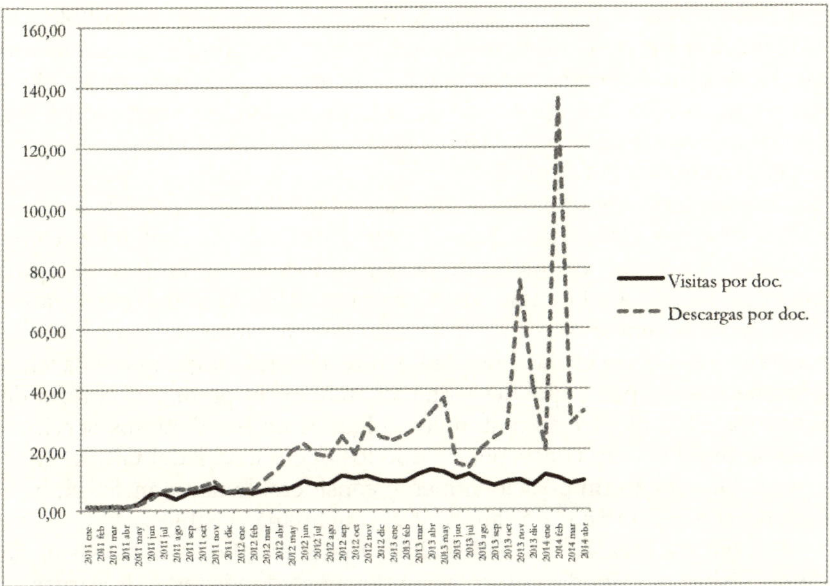

Imagen 4. Evolución de las visitas y descargas por documento de las «Publicaciones digitales del GRISO».

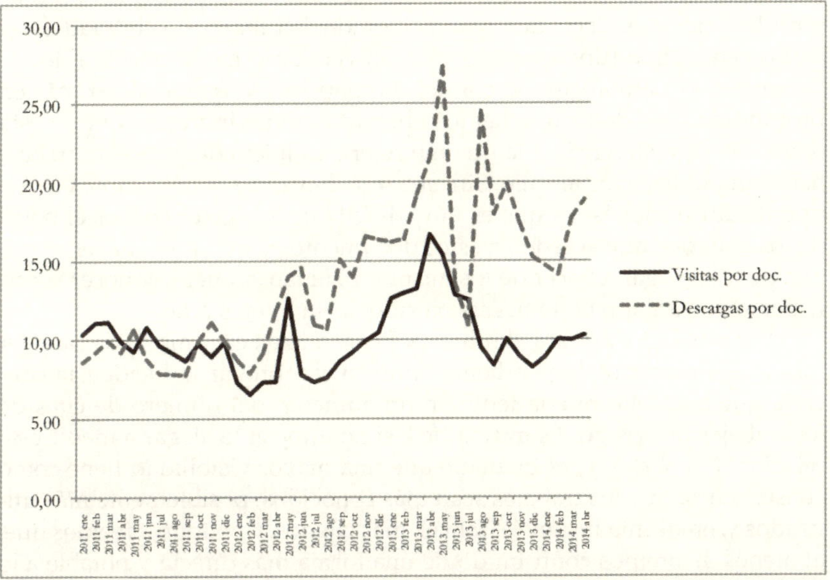

Imagen 5. Evolución de las visitas y descargas por documento de «La Perinola».

Finalmente, y para no extenderme más de lo imprescindible, de la evolución de estos números destaca, en primer lugar, el incremento que se está produciendo desde que los documentos se pusieran en *Open Access* por medio del repositorio de la Universidad. Se puede constatar, por tanto, un aumento progresivo y constante en la visibilidad de la producción científica del equipo.

En segundo lugar, llama la atención el notable aumento de las descargas sobre las visitas. Hay que explicar que el sistema contabiliza como descarga el acceso por medio de la red al documento en formato .pdf, mientras que se anota como visita la consulta de la ficha catalográfica del ítem en el repositorio. La explicación de esta circunstancia probablemente se encuentre en las búsquedas directas en Google que enlazan a documentos en .pdf y que descargan el archivo sin pasar por la ficha de DADUN. El conjunto de materiales colgados en los distintos servicios web ha tenido como consecuencia que los documentos del GRISO en el repositorio tengan un posicionamiento considerablemente mejor en buscadores como Google y, por tanto, sean mucho más visibles.

La tercera idea que considero importante resaltar es la consonancia de las visitas al calendario escolar. El descenso de visitas y descargas es claro en períodos vacacionales (verano, Navidad y Semana Santa). Este dato nos habla de un perfil de usuario fundamentalmente académico, bien sean colegas o alumnos los que accedan al repositorio. En este sentido, podemos decir que hemos logrado esa mayor visibilidad en el ámbito educativo (universitario y no universitario me atrevería a decir). De ser así –y para afirmarlo con rotundidad habría que analizar más en profundidad los datos que hemos obtenido– se podría decir que se está dando esa transferencia a la que me refería al inicio del presente trabajo hacia un público más amplio. Sin embargo, hay que ser muy cauto en este tipo de afirmaciones, ya que es muy difícil llegar a saber cuál es el perfil de los usuarios que acceden a estos documentos y más aún cuál es el uso que pueden llegar a hacer de los mismos o, ni tan siquiera, conocer si tras haberse descargado el ítem, este ha sido de su interés o no.

Por otro lado, de cara al futuro, y pensando en ese ámbito de carácter más académico, queda pendiente también comprobar la incidencia concreta que todo ello pueda tener en un aumento del número de citas de los trabajos del grupo. Es muy difícil, si no imposible, llegar a medir esta relación. No obstante, es evidente que una mayor visibilidad tiene como consecuencia que los trabajos sean más conocidos, posiblemente más utilizados y, en última instancia, tal vez más citados. Con todo, creemos que, al menos, habremos contribuido de una forma más directa y notable a lo que debe ser uno de los cometidos de un grupo como el GRISO: investigar y dar a conocer los resultados de su investigación.

4. Conclusiones

El escenario que se abre a partir de la revolución digital de las Humanidades genera, como todo cambio, dudas, incertidumbres y miedos a lo desconocido. Pero los cambios que se intuyen en cuanto a lo que representa la labor del investigador humanista y al papel que las Humanidades pueden desempeñar en la sociedad de la información, gracias precisamente a las herramientas digitales, aportan también nuevas posibilidades y oportunidades. Ese espacio de confluencia entre Humanidades, Comunicación, Biblioteconomía y Documentación, en la curación de contenidos en un mundo digital, resulta, a mi modo de ver, especialmente interesante y prometedor para los humanistas. Los retos y las dificultades son innegables, pero lo son también las oportunidades que abre la nueva realidad digital acercando el *blogging* y las redes sociales a la Universidad para poder llevar la Universidad a la sociedad.

En el año 2011, en el GRISO pusimos en marcha una red de comunicación digital a partir de una reflexión en torno a conceptos y realidades como las Humanidades Digitales, el *Open Access*, el *blogging*, el trabajo colaborativo o la visibilidad de los resultados de investigación. Creo que los datos analizados nos permiten afirmar que la visibilidad del GRISO ha aumentado notablemente como consecuencia de la implementación de la blogosfera y de la presencia del equipo en las redes sociales.

Es cierto que algunos de los aspectos a los que nos enfrentamos los humanistas en la Universidad actual no tienen que ver con necesidades propias de la investigación, en general, ni de las Humanidades en particular. Los índices de impacto, la evaluación de la calidad de las publicaciones, la importancia de la comunicación y de la percepción de nuestro trabajo y el de nuestros colegas, la visibilidad y la transferencia de conocimiento son aspectos que repercuten en la investigación en sí misma. En primer lugar, porque cambian de alguna manera las condiciones tradicionales en las que desempeñábamos nuestro trabajo al exigirnos dedicar tiempo y atención a otras tareas que no son las de la investigación pura; y en segundo lugar, porque incluso pueden modificar las dinámicas propias de la publicación en Humanidades, que tienen al libro como vehículo fundamental a la hora de dar a conocer y transmitir los resultados de la investigación. Se trata de un formato que está quedando relegado a un segundo plano en algunas evaluaciones de la productividad de los profesores e investigadores universitarios.

Soy de la opinión de que en todos estos nuevos impulsos puede y debe haber cambios que hagan que el sistema se ajuste mejor a la realidad concreta de las Humanidades. Pero, no es menos cierto que no solo las autoridades académicas sino la propia sociedad en su conjunto ha cambiado y demanda un nuevo rol para la Universidad y también para sí misma en el proceso de generación del conocimiento. Conviene, al menos, conocer esta realidad.

En cualquier caso, lograr una mayor y mejor visibilidad del trabajo que se desarrolla seguirá siendo importante y deseable. Pero, además, será también necesario e imprescindible no solo a nivel interno, sino también y especialmente a la hora de explicar y de demostrar el valor de las Humanidades en nuestra sociedad.

5. Bibliografía

Abadal, Ernest, *Acceso abierto a la ciencia*, Barcelona, Editorial UOC, 2012.

—, «El acceso abierto en Humanidades», en Á. Baraibar (ed.), *Humanidades Digitales: una aproximación transdisciplinar*, *Janus*, Anexo 2 (2014) 17-32.

Azofra-Sierra, M. E., «El blogging especializado, en los límites de la ciencia», en *Cuadernos hispanoamericanos* n. 761 (2013) 35-52, <https://www.academia.edu/5639036/El_blogging_academico_en_los_limites_de_la_ciencia> [20/05/2014].

Baraibar, Á., «Las Humanidades Digitales desde sus centros y periferias», en Baraibar, Álvaro (ed.), *Humanidades Digitales: una aproximación transdisciplinar*, *Janus*, Anexo 2, 2014, pp. 8-15.

Baraibar, Á. y Shai Cohen, «Nuevas tecnologías y redes sociales en la investigación en Humanidades», en *La Perinola. Revista anual de investigación quevediana* 16 (2012) 155-164, <http://dspace.unav.es/dspace/handle/10171/23720> [20/05/2014].

Byerly, Alison, «Digital Humanities, Digitizing Humanity», 19 de mayo de 2014, <http://www.educause.edu/ero/article/digital-humanities-digitizing-humanity> [27/5/2014].

Cortés, Marc, *Nanoblogging. Los usos de las nuevas plataformas de comunicación en la red*, Barcelona, Editorial UOC, 2009.

Cózar Santiago, Amparo, Rocío Serrano Vicente y Eva María Toro Periñán, «Revistas en abierto: un camino para dar más visibilidad a la investigación en Humanidades», en Baraibar, Álvaro (ed.),

Humanidades Digitales: una aproximación transdisciplinar, *Janus*, Anexo 2, 2014, pp. 33-47.

Eslava, Salomé y Arantxa Itúrbide-Tellechea, «Acceso abierto y visibilidad de la investigación. El caso de DADUN, Depósito Digital de la Universidad de Navarra», en *Visibilidad y divulgación de la investigación desde las Humanidades digitales. Experiencias y proyectos*, Pamplona, Servicio de Publicaciones de la Universidad de Navarra, 2014, pp. 273-288, <http://dspace.unav.es/dspace/handle/10171/35707> [27/05/2014].

Orihuela, José Luis, *Mundo Twitter*, Barcelona, Alienta Editorial, 2011.

Rettberg, Jill Walker, *Blogging*, Cambridge, Polity Press, 2008.

Spence, Paul, «La investigación humanística en la era digital: mundo académico y nuevos públicos», en Baraibar, Álvaro (ed.), *Humanidades Digitales: una aproximación transdisciplinar*, *Janus*, Anexo 2, 2014, pp. 117-131.

Tejada, Beatriz, «Hypotheses: una plataforma para el blogging académico», en Baraibar, Álvaro (ed.), *Visibilidad y divulgación de la investigación desde las Humanidades digitales. Experiencias y proyectos*, Pamplona, Servicio de Publicaciones de la Universidad de Navarra, 2014, pp. 43-48, <http://dspace.unav.es/dspace/handle/10171/35707> [27/05/2014].

LA ELABORACIÓN DE ÍNDICES. ALGUNAS SUGERENCIAS A PARTIR DEL «SYNODICON HISPANUM»

Francisco Cantelar
Synodicon Hispanum

Un índice es un indicador de algo. Según lo que se quiera indicar y cómo se quiera indicar, así será el índice. Por lo cual, hay índices o indicadores de las cosas más diversas: índice de precios al consumo, índice de audiencia, de alcoholemia, índice cefálico, índice de refracción, catálogo de enfermedades contagiosas, etc., etc. Aquí me voy a referir únicamente a índices de libros o de asuntos librescos. Un buen índice pone a disposición del lector todo el contenido de un voluminoso libro o de una extensa publicación, de suerte que con facilidad y en muy poco tiempo el usuario puede encontrar el dato que busca o saber que no existe. De esta forma, un buen índice hace más útil y accesible una obra, que si carece de índices resulta muy difícil poder utilizarla.

1. Índices y catálogos

Prescindiendo de semejanzas y desemejanzas entre un catálogo y un índice y del uso habitual de estas dos palabras, es indudable que un catálogo es un índice y que un índice es un catálogo. Dentro de lo libresco, hay catálogos de manuscritos y de impresos, y cada uno de ellos tiene sus peculiaridades a la hora de redactarlos. Los manuscritos pueden ser piezas sueltas, cada una de las cuales es una individualidad, como bulas, cartas, contratos, testamentos, que generalmente son material de archivo. O pueden ser obras extensas, llamémoslas material de biblioteca, supongamos las obras de Santo Tomás, de Bártolo de Saxoferrato o de San Agustín. Un manuscrito es siempre una pieza única, del que pueden existir muchas copias, cada una de las cuales sigue siendo una pieza única, que tendrá sus peculiaridades especiales, entre las cuales figurarán sus propias erratas. Hacer un índice o un catálogo medianamente bien hecho de manuscritos es totalmente distinto de catalogar impresos. Y nadie que carezca de conocimientos especiales debe tener la osadía de ponerse a catalogar manuscritos, tanto si se trata de piezas sueltas de un archivo como, menos todavía, si se trata de una serie de libros de una biblioteca.

Así como un manuscrito es siempre una pieza única, un impreso es siempre idéntico a otro impreso de la misma edición y tirada. Esto, que parece una obviedad, no lo es tanto porque no siempre a es fácil distinguir una tirada de otra. Conozco algunos casos verdaderamente curiosos. De la obra *Consilia* del canonista medieval Petrus de Ancharano hay una edición de 24 de octubre de 1496, y las mismísimas planchas tienen dos colofones distintos, según uno de los cuales la edición es de Jacobino Suigo en Turín, y según otro colofón la obra se editó en Pavía por Franciscus de Girardengis[1]. Hay una compilación sinodal de Pascual de Ampudia, obispo de Burgos, editada en Burgos por Fadrique de Basilea, después de octubre de 1503 y antes de 1511. De esta edición hay un ejemplar en la Biblioteca Nacional y otro ejemplar en la Biblioteca de Coímbra que son idénticos, y hay otro ejemplar en Burgos que es de otra tirada distinta. Entre el ejemplar de Burgos por un lado, y los ejemplares de Coímbra y Madrid por otro son muy leves las diferencias, pero son de tiradas distintas[2]. Del sínodo de Mondoñedo de 1620 hay dos tiradas, cuya principal diferencia está en grabado del comienzo y en algunas capitales[3]. Un caso verdaderamente curioso es el de la edición del sínodo que en 1554 celebró

1 *Catálogo General de Incunables en Bibliotecas Española*, vol. 2, Madrid 1990, §. 4514; A. García y García – F. Cantelar Rodríguez – M. Nieto Cumplido, *Catálogo de los manuscritos e incunables de la Catedral de Córdoba* (Bibliotheca Salmanticensis. Estudios 5), Salamanca: Publicaciones UPSA, 1976, §§. 287 y 4721, pp. 389 y 491-492.

2 F. Cantelar Rodríguez, «Ediciones de sínodos medievales de Burgos. Fragmento del sínodo de 1497 de Diego de Deza en Salamanca (Acotaciones a Norton)», en *Estudios canónicos en homenaje al Prof. D. Lamberto de Echeverría*, Salamanca: Ediciones UPSA, 1988, 13-29; A. García y García (dir.), *Synodicon hispanum. VII: Burgos y Palencia*, Madrid: BAC 1997, 10-12.

3 *Sínodos Mindonienses dos séculos XVI e XVII* (Bibliofilia de Galicia 17), S. L. Pérez López – F. Cantelar Rodríguez (eds.), Santiago de Compostela: Xunta de Galicia, 2001, 275-298; cf. F. Cantelar Rodríguez, *Colección Sinodal «Lamberto de Echeverría». Catálogo 3* (Bibliotheca Salmanticensis. Estudios 230), Salamanca: Publicaciones UPSA, 2001, §§. 3.342a-3.344, 155-158.

Martín Pérez de Ayala en Guadix, editado en Alcalá de Henares por Juan de Brocar en1556. De esta edición hay ejemplares que tienen en blanco el fol. 84r y otros que tienen texto en ese fol. 84r, con pequeños cambios en el texto de algunos lugares y con algunas capitales distintas, y hay todavía otros ejemplares que se diferencian en que tienen distinta portada, siendo idéntico todo lo restante[4].

Para catalogar manuscritos o impresos hay normas que es necesario seguir, sin la vana pretensión de inventar lo que ya está inventado[5]. Los catálogos de impresos pueden contener una descripción plena, es decir con todos los datos necesarios para identificar una edición[6], una descripción media, que contiene los datos esenciales para identificar una edición[7], sin datos de identificación, los cuales se pueden encontrar en los catálogos que siempre se citan[8].

Pero enfrentarse a estos tipos de índices o catalogaciones no es lo habitual. Pasemos, pues, a cuestiones más sencillas y que pueden suceder con mayor frecuencia, como puede ser preparar los índices de los libros parroquiales, los del Boletín del Obispado, o los índices de una revista o de un libro. En estos casos los índices suelen ser un índice onomástico o de personas, índice toponímico o de lugares, índice analítico o temático, y un índice general o sistemático. Por supuesto que pueden existir muchos otros, como, por ejemplo, índices de usuarios o poseedores, de impresores y de lugares de impresión, fechas, etc.

4 F. Cantelar Rodríguez, *Ibid.*, §§. 3.236-3.237, 102-103; *Synodicon hispanum. IX. Alcalá la Real (Abadía), Guadix y Jaén*, Madrid: BAC, 2010, 202-206 y la edición del sínodo en 207-502 con las variantes de cada tirada en el aparato crítico. Ver también J. Martín Abad, *La imprenta en Alcalá de Henares (1502-1600)*, vol. 2, Madrid 1991, n. 499, 656-657.

5 Dirección General de Archivos y Bibliotecas, *Instrucciones para la catalogación de incunables*, Madrid 1969; Dirección General de Archivos y Bibliotecas, *Instrucciones para la redacción del catálogo alfabético de autores y obras anónimas en las bibliotecas públicas del Estado*, Madrid 1964, 3 ed. Quizá haya ediciones más actualizadas.

6 Como es el caso del excelente catálogo de C. Valverde del Barrio, *Catálogo de incunables y libros raros de la santa iglesia catedral de Segovia*, Segovia 1930. Una obra asombrosamente bien hecha, aunque claro está que desde entonces salieron muchos otros catálogos y obras de referencia que aquí no figuran.

7 D. García Rojo – G. Ortiz de Montalván, *Catálogo de incunables de la Biblioteca Nacional*, Madrid 1945. Con el complemento de J. Martín Abad, *Catálogo bibliográfico de la colección de incunables de la Biblioteca Nacional de España*, 2 vols., Madrid 2010. Cf. también, el catálogo de los incunables de la Catedral de Córdoba, citado en la nota 1.

8 *Catálogo General de Incunables en Bibliotecas Españolas*, F. García Craviotto (dir.), 2 vols., Madrid 1988-1990.

2. Índice de personas

En cualquier índice de personas conviene anotar algún dato que señale la persona y contribuya a su identificación, y que variará según sea el índice de que se trate, puede ser santo, papa, rey, notario, profesor, testigo, vecino, etc. Si no hubiere otro dato identificador, puede orientar la anotación de una fecha. Supongamos que se trata de hacer algo tan sencillo como es el índice de un libro parroquial de bautismos. Cada persona en este caso se identifica por sus padres, poniendo hijo de y de, y la fecha del nacimiento y del bautismo, datos que se deberán consignar al lado del nombre en el índice.

En un índice de personas los nombres se colocan por orden alfabético de apellidos. En España las personas suelen tener dos apellidos, y se alfabetizan por el primer apellido, después se acude al segundo apellido y finalmente al nombre. Esto no tiene complicación alguna. Pero algunas veces sucede que la persona es realmente conocida por su segundo apellido, mientras que el primero lo oculta con una consonante mayúscula y un punto, v.gr. Eduardo F. Regatillo; Tomás G. Barberena; José F. Castaño, OP, canonistas españoles recientes bien conocidos. Si el autor del índice sabe el apellido verdadero, es decir conoce lo que significa la consonante con el punto, alfabetiza la persona por ese apellido y hace una ficha de reenvío, por ejemplo: Fernández Regatillo, Eduardo; y Regatillo, Eduardo F., *véase* Fernández Regatillo, Eduardo. Pero si el autor del índice no tiene forma de averiguar qué significa la consonante con el punto, si es un segundo nombre o si es el primer apellido de la persona, tiene que consignar lo que encuentra: Regatillo, Eduardo F. Tiene similitud con lo anterior, el uso, actualmente bastante difundido, de poner después del nombre una consonante mayúscula con un punto. Ante esto, el lector que tiene que hacer el índice onomástico ignora si se trata de un segundo nombre, como es lo más frecuente en la actualidad, o si es el primer apellido agazapado. Si no fuere posible averiguar si tras la consonante está embozado el primer apellido, se deberá alfabetizar por el apellido que aparece, que es lo seguro, y después el nombre con la consonante, por ejemplo: Ramírez, Pedro J., sin ningún reenvío, que tampoco tendría sentido. En algunas ocasiones, especialmente en algunas reseñas de libros, el autor firma solamente con unas iniciales. Si el que hace el índice onomástico sabe a quién corresponden esas iniciales, debe consignarlas como una cita más de esa persona. Si no puede averiguarlo, tiene que alfabetizar esas iniciales tal como aparecen.

En España hay un elevado número de apellidos que también son nombres, por ejemplo Martín, Santiago, Ramón, etc. Lo establecido es que se ponga una *y* entre el primero y el segundo apellido, como se solía hacer antaño, verbigracia Santiago Ramón y Cajal, pero no se suele cumplir esta acertada disposición, por lo cual en algunas ocasiones es un verdadero tormento saber cómo son realmente los apellidos. Si no hay forma de saber cuál o cuáles son los nombres y los apellidos, no hay más remedio que adoptar la solución que se juzgue más probable, alfabetizando por el nombre que probablemente sea el primer apellido y poniendo fichas de reenvío para los otros, de tal manera que en cualquier caso el lector llegue a identificar la persona que se cita.

Cuando dos apellidos están unidos por un guión, son un solo apellido. Puede suceder que los apellidos de una misma persona aparezcan unas veces de una forma y otras veces de otra, ya sea unidos por un guión o por una conjunción. Supongamos, por ejemplo: Mateo Álvarez y Castillo de Zurita, o Mateo Álvarez-Castillo y de Zurita. Como de las dos maneras no se puede consignar en el índice, hay que averiguar cómo son realmente sus apellidos[9], para lo cual se puede acudir a otras publicaciones de ese autor y ver cómo aparece en otros lugares. Si no hubiese forma de averiguarlo, parece que lo sensato es contabilizar las veces que se encuentra de una manera y las que figura de otra y alfabetizarlo según la forma en que aparezca mayor número de veces.

Un caso que puede resultar complicado son los apellidos precedidos de preposición o de artículo o de algo similar. La norma es que los apellidos españoles precedidos de preposición se alfabetizan por el apellido y se pospone la preposición, por ejemplo: Juan del Río Bendito, Alberto de la Hera, se alfabetizan: Río Bendito, Juan del; Hera, Alberto de la. En cambio si es un artículo lo que precede al apellido, se alfabetiza por el artículo y sigue el apellido, por ejemplo: Modesto la Fuente se alfabetiza La Fuente, Modesto[10]. Esto, que en teoría es muy claro, no lo es siempre tanto en la práctica. Porque resulta que a veces con el paso del tiempo, estos apellidos evolucionan asimilando el artículo o la preposición de la que iban precedidos, y así el que se apellidaba *la Fuente* pasa a ser *Lafuente*, el que era *la Serna* pasa a ser *Laserna*, y el que era *del Pino* con el tiempo resulta que es *Delpino*, y el que en gallego era *do* (del) *Pico* pasa a ser *Dopico*[11], y ya

9 Los nombres son aquí ficticios, pero este caso me ha sucedido a mi al hacer los índices de los cincuenta primeros años de una revista. Como yo conocía a la persona, la solución fue preguntarle cómo quería aparecer en los índices, ya que de las dos formas no podía figurar porque serían dos personas distintas.

10 Dirección General de Archivos y Bibliotecas, *Instrucciones para la redacción del catálogo* o.c., 30-57. Especialmente 41-42.

11 El frecuente apellido gallego *Dapena* fue antes sin duda *da Pena*, como *Docampo* fue *do Campo*. Véase en la conocida enciclopedia *Espasa*, vol. 29, pp. 917-918 La Serna y Laserna, y en el vol. 55, pp. 542-544 Serna. Igualmente el vol. 12, pp. 77-81 y el vol. 29, pp.

no importa si lo que precede al apellido es una preposición (que se alfabetiza después del apellido) o si es un artículo (que precedería al apellido en la alfabetización). Por lo cual, en estos y en similares casos, aunque se alfabeticen los apellidos según las normas establecidas, creo que conviene poner todas las referencias que puedan ser útiles y no resulten enojosas.

En los apellidos portugueses por lo general las preposiciones y artículos se posponen al apellido, sin necesidad de poner referencia alguna. Los apellidos italianos y franceses precedidos de artículos o preposiciones se alfabetizan por el artículo o la preposición. Por ejemplo: Lo Savio, Nicolo; Della Torre, Fernando; Del Guidice, Giuseppe. Lo mismo se hace con los apellidos ingleses, que se alfabetizan por Mac, O', etc. El caso de los apellidos de lenguas germánicas precedidos de *Von, Van,* etc., es bastante complicado. Por lo general siguen al nombre, pero no en todos los países. Como estos nombres no son muy frecuentes entre nosotros y las normas son complejas, variando según los países, cuando alguien tropiece con un problema de este tipo deberá consultar o estudiar su caso concreto.

En España y en Portugal, como queda dicho, las personas tienen dos apellidos. En España se alfabetizan por el primer apellido y en Portugal se alfabetizan por el segundo. Por ejemplo: Augusto Oliveira Salazar, es: Salazar, Augusto Oliveira. No es lo correcto, pero puede ser útil, poner una ficha de reenvío por el primer apellido en los nombres portugueses porque hay muchos españoles que inadvertidamente buscan en el índice los nombres portugueses por el primer apellido, aunque saben teóricamente que se alfabetizan por el segundo[12].

Lo usual es que en otros países, excepto en España y en Portugal, las personas tengan un solo apellido, y por él se alfabetizan, con las particularidades indicadas acerca de las preposiciones. Pero los anglosajones suelen introducir una palabra entre el nombre y el apellido, palabra que a los que estamos acostumbrados a los dos apellidos puede inducirnos a error. Esa palabra no es en estos casos un verdadero apellido, sino que es como un segundo nombre. Por ejemplo John Fitzgerald Kennedy; el verdadero apellido de la familia es Kennedy y por él se debe alfabetizar, mientras

908-914 con Casas y Las Casas (v. gr., para fray Bartolomé de las Casas, alfabetizado por: Las Casas, fray Bartolomé de) y otros muchos lugares con: Heras y Las Heras, etc.

12 La misma Dirección General de Archivos y Bibliotecas en las: *Instrucciones para la redacción del catálogo* (citadas en la nota 5), después de indicar que los apellidos portugueses y brasileños se alfabetizan «por el apellido que vaya en último lugar», y añade «Se exceptúan los escritores que son generalmente conocidos por su primer apellido, en cuyo caso comenzará por éste el encabezamiento. Siempre que haya alguna duda se hará una referencia del apellido copiado en segundo término en el encabezamiento», 38, n. 52.

que el Fitzgerald es como un segundo nombre, distinto en cada uno de los hermanos Kennedy. Por esta razón en casi todos los países, excepto en España, el verdadero apellido para alfabetizar a las personas es el que aparece en último lugar, y por eso también en otros países a los españoles nos suelen alfabetizar erróneamente por el segundo apellido.

En España la mujer al casarse conserva su propio apellido. A lo sumo, en algunas ocasiones se añade el primer apellido del marido al primer apellido de la mujer casada, con un *de* que los une. En este caso se alfabetiza la mujer casada por su propio apellido, con el *de* y el apellido del marido, si lo ha añadido. El verdadero problema surge cuando la mujer al casarse adquiere el apellido del marido y pierde el suyo propio. Y el problema se complica si esa mujer queda viuda y vuelve a casarse, con lo que adquiere un nuevo apellido, y tenemos ya a la misma persona con tres apellidos para alfabetizarla. En todos los casos se alfabetiza por el apellido que lleva en ese momento, porque así se llama y así es entonces. Supongamos que una periodista que se llama Rose Stuart se casa con un hombre llamado Kennedy, queda viuda y se casa con otro llamado Onassis. Resulta que la misma Rosa floreció como Stuart, como Kennedy y como Onassis. Aunque en cada momento se haya alfabetizado por el apellido que llevaba entonces, si en la documentación que se cataloga aparece de esas tres o más formas, hay que reunir todos los datos de esa única persona en un encabezamiento y consignar en él todos los nombres de esa persona y todas sus actividades por las cuales aparece en la documentación y por las que se debe consignar en el índice. El encabezamiento o entrada más oportuna que se ha de elegir para esto creo que debe ser el apellido por el que esa persona haya sido más conocida, poniendo fichas de reenvío en todos los otros apellidos que tuvo.

El que hace un índice de personas debe procurar cerciorarse de que cada persona es ella misma y no otra. En algunas ocasiones esto no es fácil, si hay varias personas con el mismo nombre y apellido y en las mismas fechas y similares circunstancias. Es necesario examinar con atención y perspicacia cada una de las personas, su profesión, cómo aparece en la documentación, en qué grupo figura con otras personas, la posición que ocupa en el grupo, etc. No se puede consignar en una misma entrada a personas diversas, aunque lleven el mismo nombre y apellidos, ni tampoco se puede poner la misma persona en diferentes entradas y con distintas referencias.

Es necesario indicar para cada persona algún dato que contribuya a su identificación, como puede ser santo, papa, notario, testigo, vecino, etc., que, por supuesto, se coloca después de la persona alfabetizada, y no antes. Si nada de esto se pudiera consignar, se puede, al menos, indicar entre paréntesis una fecha, para que el lector que se interesa por personas de una época determinada tenga con ello alguna orientación. Hay que tener mucho cuidado con el automatismo en la confección de las fichas, especialmente si se usa ordenador, instrumento admirable, pero peligrosísimo para la confección de índices. Algo asombroso, que parece imposible que haya sucedido, se puede ver en los índices onomásticos de algunos libros importantes, como, por ejemplo, una entrada para: González de Mendoza, Pedro, card. de Toledo, y otra entrada, con distintas referencias para: Mendoza, Pedro, card. de Toledo; e igual con Cisneros y Jiménez de Cisneros[13]. Si esto sucede con nombres de personas destacadas y en libros hechos por catedráticos, mucho más fácil es que suceda con nombres menos relumbrantes y en libros de más humilde autoría, pero el desacierto es igualmente grave quienquiera que lo cometa.

Las fichas del índice onomástico se ordenan por estricto orden alfabético. Los nombres con un solo apellido preceden a los que llevan dos apellidos, y cuando el apellido o apellidos son iguales, pero las personas son distintas, se acude al nombre. Respetando el orden alfabético, la colocación de los nombres es la siguiente: santos, beatos, papas, emperadores y reyes o príncipes, cardenales, arzobispos, obispos, abades, priores, y después las restantes personas que, alfabetizadas correctamente por sus apellidos y nombres, se colocarán por orden alfabético de sus profesiones o cargos distintivos. Aquellos religiosos que al profesar cambiaban su nombre y sus apellidos por otro nombre y por un misterio o un santo, se alfabetizan por su nuevo nombre, seguido del misterio o santo que fuere, y las siglas de su orden, por ejemplo: Delfín del Espíritu Santo, OCD; y no: Espíritu Santo, Delfín del.

3. Índice toponímico

El índice toponímico se ordena por estricto orden alfabético de lugares, sin que la alfabetización presente problema especial alguno. Pero es necesario tener en cuenta que hay topónimos que comienzan por San, por Don, etc. y esos *San* o *Don* no son un apelativo del nombre que sigue, sino que son una parte del topónimo, por ejemplo: San Sebastián, Santa Eugenia, Don Álvaro, Don Benito, etc., y así se deben alfabetizar. En cambio, los topónimos que comienzan por artículos, como La Coruña, La Bañeza,

13 Como es obvio, Pedro González de Mendoza y Francisco Jiménez de Cisneros, cardenales y arzobispos de Toledo ambos, no son distinta persona si cualquiera de ellos aparece mencionado por su nombre y con los dos apellidos o si la alusión aparece de forma abreviada, con el nombre respectivo o sin él y con un solo apellido.

Las Palmas, Los Santos de Maimona, etc. no se alfabetizan por el artículo, sino que el artículo se pospone. Pero todo esto de los topónimos con articulo es muy discrecional porque hay ejemplos de todo género, como La Seca y Seca, La; Corrales y Los Corrales; Torres, Lastorres, Torres, Las y Torres Los; y muchísimos otros casos, en los que no hay regla alguna con un mínimo de lógica, pues lo que en una provincia se alfabetiza de una manera, en otra se alfabetiza de otra forma. Por lo tanto, en estos casos de toponimia lo sensato es dudar y ver cómo escriben ese topónimo en cada lugar, y en todo caso, si procede, poner fichas de reenvío, procurando que ofrezcan alguna luz y que no generan más confusión en el lector. El que hace el índice está obligado a estudiar cada cuestión, y en principio tiene mayor información que el lector que toma en sus manos el catálogo.

Los problemas más graves que se suelen presentar no son los de cómo escribir el nombre del topónimo, sino la identificación correcta de ese topónimo, saber a qué corresponde ahora, si actualmente es un pueblo, un caserío, un barrio o unas ruinas en las que pervive el recuerdo de algo que ha desaparecido, o si en la actualidad tiene otro nombre y cuál ese nombre actual, especialmente cuando se trata de topónimos antiguos y que están en latín o en otras lenguas, y de localidades que al correr del tiempo han cambiado de nombre o que han desaparecido y no se encuentran en los diccionarios o nomenclátores actuales. Por ejemplo, Arroyo de la Luz (Cáceres) todavía a comienzos del siglo pasado se llamaba Arroyo del Puerco, y así aparece todavía en la *Enciclopedia Espasa*[14], pero éste, por ser un caso reciente, no ofrece dificultad[15]. En algunas ocasiones será muy difícil llegar a saber con total seguridad a qué corresponde ahora el topónimo que aparece en la documentación y que hay que catalogar. Son muy útiles los diversos nomenclátores de provincias o de regiones[16], y especialmente el Diccionario geográfico de Madoz[17] y también la siempre útil Enciclopedia Espasa, que nunca pasa de moda. Cuando no sea posible la identificación del topónimo en cuestión, hay que consignarlo en el índice en la forma en que aparece en la documentación. Siempre que pueda ser útil, se deben hacer fichas de reenvío.

14 *Enciclopedia Espasa* 6.431.

15 Cf. el índice toponímico del *Sinodicon hispanum. VIII: Calahorra-La Calzada y Pamplona*, Madrid: BAC, 2007. La identificación de varios topónimos de la diócesis de Pamplona resultó verdaderamente difícil.

16 Nomenclátor Comercial, *Pueblos de España*, Madrid 1983; Dirección General de Correos y Telecomunicación, *Diccionario geográfico postal de España*, 2 vols., Madrid 1942-1944.

17 P. Madoz, *Diccionario geográfico-estadístico-histórico de España y sus posesiones de Ultramar*, 16 vols., Madrid 1845-1850.

En el índice deben figurar los topónimos por sus nombres actuales, poniendo fichas de reenvío para las formas o nombres con que esos topónimos aparecen en la documentación. E incluso convendrá indicar el nombre del topónimo que el lector va a encontrar en el lugar al que le remite, por ejemplo: Arroyo de la Luz (Arroyo del Puerco), para que el lector esté avisado de cómo va a encontrar lo que busca.

4. Índice analítico o temático

Éste es *el índice*, todos los otros son índices. Éste es el índice difícil de hacer, en el que cabe mayor discrecionalidad, pero que requiere especial atención y maestría. Es también el índice que suele resultar de mayor utilidad a los usuarios. No se debe comenzar por hacer este índice, porque para hacer este índice es necesario un análisis previo y un conocimiento global de todo lo que se quiere reseñar en él. Mi consejo es que se comience por el índice onomástico o toponímico (en cualquier orden) para adquirir previamente un conocimiento de conjunto de todo lo que en el índice analítico se va a desmenuzar y presentar al lector.

Hecho esto y antes de seguir adelante, hay que detenerse a pensar qué tipo de índice analítico se quiere hacer, es decir hasta dónde va a llegar el análisis del contenido y la síntesis que se presente al lector. Porque este índice analítico puede ser más o menos minucioso, según se quiera hacer y presentar. Por ejemplo, en el índice onomástico o aparecen todas las personas o no; si no aparecen todas las personas, el índice es incompleto y está mal hecho. Pero el índice temático puede referirse a todos los temas y presentarlos con mayor o con menor detalle, con mayor amplitud o más sucintamente. En los índices onomástico y toponímico todo se distribuye por orden alfabético y las entradas vienen dadas por los nombres de las personas y de los lugares. Cada nombre de persona o cada topónimo es una entrada, que se colocará por orden alfabético. El índice temático también se organizará por orden alfabético, pero las entradas o encabezamientos los tiene que buscar o inventarlos el autor del índice, y con frecuencia ésta es una labor difícil, de la que dependerá gran parte del acierto o desacierto de este índice temático. Dentro de cada encabezamiento, la organización o la distribución de cada uno de los varios asuntos que figurarán en esa entrada es algo que también depende del buen juicio del autor del índice, sin que exista ninguna norma prefijada que se deba seguir. Dentro de cada entrada, los diversos asuntos se deben organizar con un mínimo de lógica o sentido común, guardando, si es posible, una cierta jerarquía conceptual y procediendo de lo genérico a lo específico.

Por ejemplo, una entrada para el Bautismo no podrá comenzar con la inscripción de los bautizados en el libro de bautismos, ni puede concluir con la explicación del sacramento y la obligación de recibirlo.

Para elegir las entradas o encabezamientos en los que introducir los diversos asuntos o aspectos de un tema puede ayudar ponerse a pensar bajo qué palabra de encabezamiento buscará el lector aquel asunto que el autor del índice desea colocar en algún lugar y que no sabe donde situarlo. Por supuesto que muchos asuntos deberán aparecer en los índices en varios lugares bajo diversas entradas. Hay que controlar cuidadosamente que se den siempre los datos completos de cada asunto en todos los lugares en los que aparezca esa cuestión. Por ejemplo: *Clérigos:* No deben llevar armas; *Armas:* No las deben llevar los clérigos; deben contener siempre las mismas citas y por el mismo orden.

El índice temático o analítico deberá tener reenvíos a otras entradas en las que aparecen temas similares o aspectos complementarios. Por todo esto, es absolutamente necesario que quien hace un índice temático tenga en su mente, de forma más o menos expresa y clara, todos los asuntos y los diversos matices de cuanto quiere presentar en el índice.

Como queda dicho, en un índice temático cabe y es necesaria una gran discrecionalidad e inventiva personal del que lo confecciona. Pero esto es verdad únicamente si se trata del índice de una obra individualizada, que no forma parte de un todo más amplio. Supongamos que alguien hace los índices de los primeros 25 volúmenes del prestigioso anuario de la Universidad de la Luna: tiene toda la libertad para discrecionalmente presentarlos como crea que se debe hacer. Pero el que prepare los índices de los 25 volúmenes siguientes del mismo prestigioso anuario debe tener muy en cuenta el método, las entradas o encabezamientos y la distribución de la materia que se haya seguido en el volumen anterior, de suerte que el usuario de esos dos volúmenes encuentre los mismos temas en los mismos encabezamientos, con los mínimos cambios que fuere necesario introducir. Lo deseable sería que quien tiene encima de su mesa los dos volúmenes que se llevan 25 años de diferencia en su edad, no percibiese diferencia notable alguna entre ellos, sino que pareciesen gemelos. Pero si el que se dispone a preparar el segundo volumen del índice temático del prestigioso Anuario de la supuesta Universidad de la Luna encontrase que el índice del primer volumen está muy mal hecho y él desea cambiarlo radicalmente (porque en realidad todos pensamos que nadie hace las cosas con la perfección con que uno mismo las hace), sería muy conveniente que de los antiguos encabezamientos y de la distribución de las materias, que supuestamente es todo muy desacertado, hiciese reenvíos a los nuevos, pues de esta forma el usuario se beneficiaría de lo nuevo, sin perder lo antiguo.

Hay otro tipo de índices, que son las utilísimas *Concordancias*. Las más conocidas son las concordancias bíblicas, de las que hay ediciones antiguas y modernas, unas más amplias y otras más breves, hechas con métodos distintos. Son indispensables para localizar las citas bíblicas. A partir ahora con la edición oficial del texto bíblico de la Conferencia Episcopal Española será también posible hacer unas concordancias para las citas castellanas, cosa que hasta ahora no era posible por la diversidad de los textos de las distintas versiones. Hay unas completísima concordancia para el Decreto de Graciano en cinco volúmenes[18], con la cual es muy fácil encontrar los textos de las citas de Graciano. Es una lástima que no exista, que yo sepa, lo mismo para las otras partes del *Corpus Iuris Canonici*.

Finalmente, el índice sistemático no presenta problema alguno para su confección, sino únicamente el trabajo de hacerlo. Puede ser más o menos amplio, según lo que se quiera consignar.

18 T. Reuter – G. Silagi, *Wortkonkordanz zum Decretum Gratiani* (Monumenta Germaniae Historica 10,1-5), München 1990.

ÍNDICE DE NOMBRES

ÍNDICE ONOMÁSTICO

ÍNDICE DE CITAS BÍBLICAS